JAPANESE-LANGUAGE PROFICIENCY TEST N1 KANJI

使う順と連想マップで学ぶ
漢字&語彙
日本語能力試験N1

飯嶋美知子《監修・著》 山田京子・田中里実・吉田雅子・藤野安紀子《著》

JLPT N1 KANJI

国書刊行会

はじめに

　本書では、日本語能力試験 N1 レベルの漢字 780 字と、その漢字が使用されている語彙を紹介しています。本書の大きな特徴としては、以下の 4 つの点が挙げられます。

1　日本語能力試験 N1 レベルの漢字と語彙が効率的に学べる。
2　単語同士の関連性を視覚化した「連想マップ」があり、語彙が記憶しやすい。
3　各単語の意味と用法が理解しやすい例文を掲載している。
4　日本語学習者の誤用傾向を踏まえた練習問題が付いている。

以上のように、漢字教育に関する最新の研究を活かした教材となっています。

　本書で取り上げている 780 字の漢字は、旧日本語能力試験 1 級レベルの漢字から、徳弘康代氏の『日本語学習のための　よく使う順　漢字 2100』(三省堂、2008 年) と、同じく徳弘氏の博士論文「日本語教育における中上級漢字語彙教育の研究」(2006 年) を参考に、使用頻度と重要性の高いものに絞り込んだものです。徳弘氏の研究は、漢字や語彙についての使用頻度や重要性の調査としては最新で信頼性の高いもので、これらを著者の了承の元に参照、使用しています。信頼できるデータに基づいた漢字と語彙を紹介しているため、中上級レベルの日本語学習者が、効率的に漢字及び語彙を学べるようになっています。

　本書は漢字を意味づけして覚えやすいように、六つの項目に分けています。項目内の各ユニットの冒頭には「連想マップ」が付いています。各項目名となっている語を中心に、その項目で紹介されている単語が、関連性に応じて配置されています。単語同士の関係がマップ上に視覚化されて一目瞭然となっているため、記憶しやすく、語彙力の強化がはかれます。また、各漢字には一つ～二つの単語について状況のわかりやすい例文が付いており、その用法が理解できるようになっています。

　練習問題は、漢字の読み方、書き方はもとより、意味の確認、コロケーション (その単語とよく一緒に使う言葉)、発音の類似した単語など、日本語学習者が誤りやすい点を補強できるようになっており、ユニット内の漢字の総合的な復習ができます。さらに、各項目の最後には、日本語能力試験 N1 と同様の形式の試験模擬問題も用意しました。

　本書は、日本語能力試験 N1 の合格を目指す方はもちろん、漢字について総合的に学びたいという方にもぜひご利用いただきたいと思います。本書を最大限に活用され、漢字や語彙の能力が向上されますことを、心より願っております。

2012 年 10 月
飯嶋美知子、山田京子、田中里実、吉田雅子、藤野安紀子

目 次

はじめに	
本書の使い方	

第一部

1 自然・生物 … 10
- Unit 1 … 10
  - 練習問題 … 15
- Unit 2 … 17
  - 練習問題 … 22
- Unit 3 … 24
  - 練習問題 … 29
- 試験模擬問題 … 31

2 心情・思考・言語 … 36
- Unit 1 … 36
  - 練習問題 … 42
- Unit 2 … 44
  - 練習問題 … 50
- Unit 3 … 52
  - 練習問題 … 58
- 試験模擬問題 … 60

3 交流・対立 … 66
- Unit 1 … 66
  - 練習問題 … 71
- Unit 2 … 73
  - 練習問題 … 77
- 試験模擬問題 … 79

4 生活 ... 84
Unit 1 ... 84
練習問題 ... 90
Unit 2 ... 93
練習問題 ... 99
Unit 3 ... 101
練習問題 ... 107
試験模擬問題 ... 109

5 経済・社会 ... 114
Unit 1 ... 114
練習問題 ... 119
Unit 2 ... 121
練習問題 ... 126
Unit 3 ... 128
練習問題 ... 133
試験模擬問題 ... 135

6 様相・状態 ... 140
Unit 1 ... 140
練習問題 ... 145
Unit 2 ... 147
練習問題 ... 152
Unit 3 ... 154
練習問題 ... 159
試験模擬問題 ... 161

第二部　例文英訳 ... 168
音訓索引 ... 234
単語索引 ... 244

本書には別冊解答が付いています。

本書の使い方

1 本書の構成

本書は「1 自然・生物」、「2 心情・思考・言語」、「3 交流・対立」、「4 生活」、「5 経済・社会」、「6 様相・状態」の六つの項目に分かれています。また、各項目は、二つ〜三つのユニットに分かれており、それぞれのユニット内で、35〜55の漢字が紹介されています。

ユニットの冒頭には、「連想マップ」が付いています。項目名となっている語を中心に、各漢字の最初に提示されている単語が、意味の関連性に応じて配置されています。

各ユニットの最後には、練習問題が付いています。漢字の読み書き、発音の似た漢字のペア、コロケーション、意味の確認、単語の活用などが主な内容です。

また、各項目の最後には、日本語能力試験N1と同様の形式の試験模擬問題が付いており、試験対策の練習ができます。

2 本書を使った学習方法の例

六つの項目の、どこから学習を始めてもかまいません。自分が関心のある分野や、補強したい分野から始めればよいでしょう。

各人が自分のレベルに合った勉強方法で使用すればいいと思いますが、本書の使用方法の例を以下に挙げておきます。

(1) ユニットの「連想マップ」で漢字と語彙のチェック

各ユニットの冒頭に、各漢字の最初に提示された単語が「連想マップ」内に示されています。単語の数は、35〜55です。まず、マップ全体を眺め、各単語の読み方や意味がわかるかどうかを確認してください。単語の上に、読み方をひらがなで書いていくといいでしょう。また、関連のある単語同士が近くに並んでいるので、それらの関連性も考えてみてください。

(2) ユニット内の漢字の情報の確認

「連想マップ」でわからない単語があったら、ユニット内の漢字の情報を確認しましょう。一つの漢字の情報として、その漢字の使用頻度及び重要性、音読みと訓読み、その漢字が含まれている単語とその読み方が示されています。単語の中には常用漢字表外の特別な読み方をするものも入っているので、振り仮名をよく見て覚えてください。各単語には簡単な英語訳、中国語訳、韓国語訳が付いていますので、意味も確認しましょう。中国語を母語とする学習者のために、その漢字に該当する簡体字と繁体字も提示しています。日本語の漢字との相違点に注目してください。

見出しの漢字の下には、☆が付いています。☆の数が多いほど、使用頻度や重要性が高くなります。時間のない人は、まず☆の数が多いものから目を通していくといいでしょう。

また、一つの漢字には、例文が一つ〜二つ示されています。これは、その漢字が含まれている単語の例文です。その単語が使用される典型的で状況のわかりやすい例文を提示していますので、音読し、できれば暗記して、単語の意味や使い方を覚えるのに役立ててください。巻末には例文の英語訳が付いていますので、参考にしてください。例文では、単語を慣用的な形で

使用しているものもあり（例：p.14「泡」⇒「水の泡」）、単語の訳と例文中の単語の訳が異なっている場合もあります。よく使用される例として挙げているので、例文を見て意味を覚えてください。

（３）練習問題で理解度の確認

　　ユニット内の漢字や語彙をある程度確認したら、ユニットの最後にある練習問題を解いてみてください。練習問題には、ユニット内で紹介した漢字が全て出題されています。一つでも解けないものがあったら、その漢字の情報のところに戻って復習してください。練習問題には、ユニット内の例文と同じものや類似したものが出てきます。繰り返し同じ文に目を通すことで、語彙の使用方法を定着させることができます。

　　問題2は読み方を問うものですが、発音を間違えやすい単語がセットになって出題されています。この問題で、正しい読み方を覚えるようにしてください。問題5は単語の意味を考えて選択する問題ですが、その単語がよく一緒に使われる言葉が出てくる、いわゆるコロケーションの問題でもあります。単に空欄を埋めるだけでなく、例文全体もよく読むようにしましょう。問題6は単語の意味と読み方と活用の問題です。やはり例文全体をよく読みましょう。

　　まず自分の実力を試してみたい人や、「連想マップ」内の単語の読み方や意味がだいたいわかった人は、最初に練習問題を解いてみて、あとから漢字の情報を見て確認する、という方法もいいと思います。

（４）漢字圏学習者用、非漢字圏学習者用の問題の活用

　　本書には付録として、出版社のホームページ（http://www.kokusho.co.jp）に漢字圏学習者用、非漢字圏学習者用の問題がそれぞれ用意されており（PDFファイル）、パソコンからダウンロードできるようになっています。これらは、漢字圏、非漢字圏の日本語学習者の弱点を補強する問題です。漢字圏用の問題は、日本語の漢字と簡体字、繁体字との相違に関するもの、漢字の読み方に関するもの、非漢字圏用の問題は、漢字を識別するものが中心となっています。各自、自分に必要な問題をダウンロードして使用してください。

（５）試験模擬問題の活用

　　各項目の最後に、日本語能力試験N1と同様の形式の、試験模擬問題があります。試験対策用、あるいは総まとめの復習問題として活用してください。

（６）「連想マップ」の活用例

　　一つの項目が終了したら、自由に自分で「連想マップ」を作ってみましょう。

　　学校で使用する場合、授業中の活動として、マップを作成したあと、他の人と自分のマップを比較してみるのもいいでしょう。その際、単語と単語の関連性を、お互いに説明したり、クラスで発表したりしてみてください。また、マップに使用した単語を使って作文をして、定着をはかる方法もあります。

　　さらに、本書で紹介した六つの項目のほか、自分が関心のある分野や、自分の研究分野についての「連想マップ」を作ってみるのもいいでしょう。語彙力の強化のために、ぜひ試してみてください。

3 漢字の情報

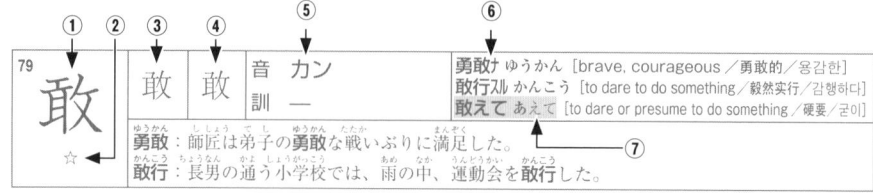
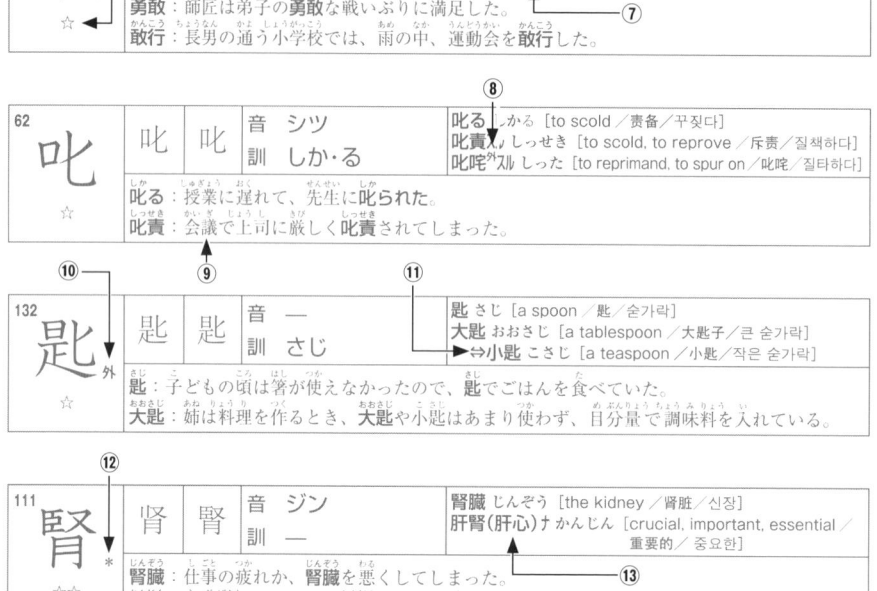

①見出し漢字
漢字が教科書体で示してあります。左上の数字はその項目内の通し番号です。

②使用頻度・重要性
☆の数で、その漢字の使用頻度と重要性を表しています。☆の数は一つ〜三つで、☆の数が多いほど、使用頻度と重要性は高くなります。

③簡体字
その漢字に該当する簡体字です。該当する簡体字がない場合は「—」となっています。

④繁体字
その漢字に該当する繁体字です。該当する繁体字がない場合は「—」となっています。

⑤読み方
その漢字の音読みと訓読みが書いてあります。常用漢字表にいずれかの読みがない場合は、「—」となっています。

⑥単語
その漢字が含まれている代表的な単語を提示しています。単語がナ形容詞になる場合は、単語の後ろに「ナ」が半角のカタカナで、単語にスルがついて動詞になる場合は、単語の後ろに「スル」が半角のカタカナで付記されています。

⑦常用漢字表外の読み方をする単語
常用漢字表外の読み方をする単語は、網かけになっています。単語自体が日本語能力試験N1レベルであるため、提示してあります。

⑧単語内の一部に常用漢字表外の漢字が使用されているもの
常用漢字表外の漢字の右上に、「外」というマークが付いています。

⑨例文
各漢字で紹介されている1番目と2番目の単語について、その単語を使用した例文が示されています。巻末には例文の英語訳が載っています。

⑩常用漢字表外の漢字
常用漢字表外の漢字には、「外」というマークが付いています。その漢字自体は日本語能力試験N1レベルであるため、提示してあります。

⑪反対の意味の単語
反対の意味の単語がある場合は、「⇔」で示してあります。

⑫新常用漢字
2010年より新たに追加された常用漢字には、「＊」というマークがついています。

⑬表記が複数ある単語
表記が複数ある単語は、（　）内にその表記を示してあります。

JLPT N1 KANJI

第一部

自然・生物	1
心情・思考・言語	2
交流・対立	3
生活	4
経済・社会	5
様相・状態	6

1 自然・生物
Unit 1

妊婦　指紋　膨張　細胞　細菌　紫外線　輝く　肝　尻　尿　日陰　脇　吐血　腐る　悪臭　洪水　露　嵐　竜巻　濃霧　落雷　滝　連峰　自然　粘土　地盤　山岳　丘　猿　生い茂る　芳香　朱　穂先　菊　桃　果汁　干潟　桑　海溝　澄む　柳　真珠　透明　温泉　泡　結晶

1	泉 ☆☆☆	泉　泉	音 セン 訓 いずみ	温泉 おんせん [hot springs／温泉／온천] 源泉 げんせん [source, fountainhead／源泉／원천] 泉 いずみ [a fountain／泉／샘]
		温泉：日本は火山が多いため、温泉もたくさんある。 源泉：川の上流に、この温泉の源泉がある。		

2	丘 ☆☆☆	丘　丘	音 キュウ 訓 おか	丘 おか [a hill／山丘／언덕] 砂丘 さきゅう [a sand dune／沙丘／사구] 丘陵 きゅうりょう [hills／丘陵／구릉]
		丘：あの丘を越えれば、城下町がある。 砂丘：町の南側は、なだらかな砂丘が海まで続いている。		

3	盤 ☆☆☆	盤　盤	音 バン 訓 －	地盤 じばん [ground／地盘／지반] 基盤 きばん [foundation／基盘／기반] 中盤 ちゅうばん [middle stage／中盘／중반]
		地盤：家を建てる前に、専門家に土地の地盤の固さを調べてもらった。 基盤：景気の減退で、道路や公園、下水道などの都市基盤の整備が遅れがちになっている。		

4	竜 ☆☆☆	龙　龍	音 リュウ 訓 たつ	竜巻 たつまき [a tornado／龙卷风／회오리바람] 竜 りゅう [a dragon／龙／용] 恐竜 きょうりゅう [dinosaur／恐龙／공룡]
		竜巻：黒雲が空を覆うと、急に竜巻が起こり、家の屋根が吹き飛んだ。 竜：この湖には九匹の竜が住むという伝説がある。		

5	輝 ☆☆☆	輝　輝	音 キ 訓 かがや・く	輝く かがやく [to shine, to glitter／辉煌／빛나다.] 輝かしい かがやかしい [bright, glittering／耀眼／빛나는] 輝かす かがやかす [to make something shine／闪亮／빛내다]
		輝く：都会から離れたこの地では、無数の星が光り輝いて見える。 輝かしい：彼女は各地の弁論大会で幾度も優勝するなど、輝かしい成績をあげている。		

#	漢字	手書き	手書き	読み	用例
6	透 ☆☆	透	透	音 トウ 訓 す・く、す・かす、す・ける	透明ナ とうめい [transparent／透明的／투명한] 透き通る すきとおる [to be transparent／通透／맑다] 浸透スル しんとう [to penetrate／渗透／침투하다]

透明：この薬は無色透明の液体です。保管に気を付けてください。
透き通る：この川の上流では水が透き通っていて、川底が見える。

| 7 | 柳 ☆☆☆ | 柳 | 柳 | 音 リュウ
訓 やなぎ | 柳 やなぎ [a willow tree／柳树／버드나무]
川柳 せんりゅう [a 17-syllable poem／川柳（日本的一种文体）／센류（5·7·5의 3구 17음으로 된 단시）] |

柳：河原の柳の枝が、風に吹かれて大きく揺れている。
川柳：川柳は世相や風俗を風刺した短詩で、俳句と同じ五・七・五の定型である。

| 8 | 嵐* ☆☆ | 岚 | 嵐 | 音 ―
訓 あらし | 嵐 あらし [a storm／暴风雨／폭풍] |

嵐：彼の素晴らしい演奏に、嵐のような拍手が湧き起こった。

| 9 | 茂 ☆☆☆ | 茂 | 茂 | 音 モ
訓 しげ・る | 生い茂る おいしげる [to grow thickly, to be overgrown／生长茂盛／우거지다]
茂る しげる [to grow thick／繁盛／무성하다]
茂み しげみ [a thicket, bush／繁茂／초목이 무성한 곳] |

生い茂る：夏になると、この野原は毎年雑草が生い茂る。
茂る：桜の花が散り、葉が茂って木陰を作る季節になった。

| 10 | 菊 ☆☆☆ | 菊 | 菊 | 音 キク
訓 ― | 菊 きく [chrysanthemum／菊花／국화]
春菊 しゅんぎく [a crown daisy／春菊／쑥갓] |

菊：菊は秋に咲く花だが、今では一年中売られている。

| 11 | 潟 ☆☆☆ | 潟 | 潟 | 音 ―
訓 かた | 干潟 ひがた [tidal flats／海涂／간석지] |

干潟：干潟の泥の中には、たくさんの生物が生息している。

| 12 | 雷 ☆☆☆ | 雷 | 雷 | 音 ライ
訓 かみなり | 落雷スル らくらい [to be struck by lightning／打雷／낙뢰]
雷雨 らいう [thunderstorm／雷雨／뇌우]
地雷 じらい [land mine／地雷／지뢰] |

落雷：発電所への落雷により、付近一帯が3時間も停電した。
雷雨：山登りの最中、激しい雷雨に見舞われ、山小屋へと避難した。

| 13 | 肝 ☆☆☆ | 肝 | 肝 | 音 カン
訓 きも | 肝 きも [spirit, guts／肝／간]
肝心(肝腎)ナ かんじん [main, essential (crucial)／重要的／중요한]
肝臓 かんぞう [the liver／肝脏／간장] |

肝：男の子が車に向かって走っていくのを見て、肝を冷やした。
肝心：肝心なときに限って、車の調子が悪くなった。

| 14 | 尻* ☆☆☆ | 尻 | 尻 | 音 ―
訓 しり | 尻 しり [the buttocks／臀／엉덩이] |

尻：部長は営業成績が足りない社員の尻を叩いて、営業に行かせた。

| 15 | 陰 ☆☆☆ | 阴 | 陰 | 音 イン
訓 かげ、かげ・る | 日陰 ひかげ [shade／阴凉处／음지]
陰気ナ いんき [gloomy／阴冷的／음기한]
陰口 かげぐち [gossip／造谣中伤／험담] |

日陰：この花は直射日光を避け、日陰で育ててください。
陰気：この部屋は日当たりが悪く、何となく陰気な感じがする。

1 自然・生物

16	紫 ☆☆☆	紫	紫	音	シ	紫外線 しがいせん [ultraviolet rays／紫外线／자외선] 紫 むらさき [purple／紫色／보라색]
				訓	むらさき	
	紫外線：このクリームには、紫外線を防ぐ効果がある。 紫：朝顔がいくつも紫色の花をつけている。					
17	穂 ☆☆☆	穂	穗	音	スイ	穂先 ほさき [a ear tip, a spearhead／芒／이삭끝] 穂 ほ [a ear (of rice, wheat)／穗／이삭] 稲穂 いなほ [ears of rice／稻穗／벼이삭]
				訓	ほ	
	穂先：稲の穂先にトンボが止まっている。 穂：8月の半ばになり、稲の穂が開いた。					
18	露 ☆☆☆	露	露	音	ロ、ロウ	露 つゆ [dew／露／이슬] 露骨ナ ろこつ [plain, outspoken／露骨的／노골적] 暴露スル ばくろ [to reveal, to expose／暴露／폭로하다]
				訓	つゆ	
	露：草の葉っぱの先に、露が溜まっている。 露骨：その女性は嫌いな人に話しかけられ、露骨に嫌な顔をした。					
19	滝 ☆☆☆	滝	瀧	音	―	滝 たき [a waterfall／瀑布／폭포] 白滝 しらたき [noodles made from konnyaku／魔芋粉丝（食品）／실같이 가늘게 만든 곤약]
				訓	たき	
	滝：滝の水に打たれて精神を鍛えるという修行がある。 白滝：すき焼きの中に白滝がたくさん入っている。					
20	溝 ☆☆☆	溝	溝	音	コウ	海溝 かいこう [deep ocean trench／海沟／해구] 側溝 そっこう [a gutter, a ditch／排水沟／옆도랑] 溝 みぞ [ditch／沟／도랑]
				訓	みぞ	
	海溝：沖縄のそばに、深い海溝がある。 側溝：側溝に落とした百円玉を拾う。					
21	汁 ☆☆☆	汁	汁	音	ジュウ	果汁 かじゅう [(fruit) juice／果汁／과즙] 煮汁 にじる [stock, broth／烫水／삶은 국물] 味噌汁 みそしる [miso soup／酱汤／된장국]
				訓	しる	
	果汁：リンゴの果汁を絞ったら、色が変わった。 煮汁：魚を煮たら、煮汁が鍋に溜まり、とてもおいしそうだ。					
22	桃 ☆☆☆	桃	桃	音	トウ	桃 もも [a peach／桃子／복숭아] 桃色 ももいろ [pink, rose (color)／桃色／분홍색] 白桃 はくとう [a white peach／白桃／백도]
				訓	もも	
	桃：桃を砂糖で煮て、ヨーグルトをかけて食べる。 桃色：桃色はピンク色より少し濃い。					
23	桑 ☆☆☆	桑	桑	音	ソウ	桑 くわ [a mulberry／桑树／뽕나무] 桑畑 くわばたけ [mulberry field／种桑树的田地／뽕밭]
				訓	くわ	
	桑：桑の木が、田畑の横に数本植わっている。 桑畑：蚕を飼っていた頃、家の周りには桑畑が広がっていた。					
24	腐 ☆☆☆	腐	腐	音	フ	腐る くさる [to rot／腐烂／썩다] 腐敗スル ふはい [to decay, to rot／腐败／부패하다] 豆腐 とうふ [tofu／豆腐／두부]
				訓	くさ·る、くさ·れる、くさ·らす	
	腐る：海辺を歩いていたら、魚の腐ったにおいがした。 腐敗：腐敗した政界に見切りを付ける。					
25	峰 ☆☆☆	峰	峰	音	ホウ	連峰 れんぽう [a mountain range／连山／연봉] 最高峰 さいこうほう [the highest mountain／最高峰／최고봉] 峰 みね [a peak／山峰／봉우리]
				訓	みね	
	連峰：ここからは、北アルプス連峰が一望できる。 最高峰：世界の最高峰はエベレスト山、日本の最高峰は富士山だ。					

26	芳 ☆☆☆	芳	芳	音 訓	ホウ かんば・しい	芳香 ほうこう [perfume, aroma／芳香／방향] 芳醇ナ ほうじゅん [mellow, rich, full-flavored／芳醇的／방순한] 芳しい かんばしい [fragrant, aromatic／芬芳／향기롭다]

芳香：芳香剤の香りは、微かに漂っている程度がいい。
芳醇：ワインから芳醇な香りがする。

| 27 | 岳 ☆☆☆ | 岳 | 嶽 | 音 訓 | ガク たけ | 山岳 さんがく [mountains／山岳／산악]
岳父 がくふ [father-in-law／岳父／악부]
岳 たけ [a mountain／高山／악] |

山岳：高校と大学で山岳部に所属していた。
岳父：岳父とは妻の父のことを言う。

| 28 | 脇* ☆☆☆ | 胁 | 脇 | 音 訓 | ― わき | 脇 わき [the side, the underarm／腋下／겨드랑이]
関脇 せきわけ [a sekiwake (a sumo wrestler of the third highest rank)／大相扑的级别／세키와케(일본씨름 등급명칭)] |

脇：脇に体温計を挟んで体温を測る。
関脇：関脇から大関に昇進するのは大変難しい。

| 29 | 霧 ☆☆☆ | 霧 | 霧 | 音 訓 | ム きり | 濃霧 のうむ [fog／浓雾／농무]
霧雨 きりさめ [light (misty) rain／毛毛雨／이슬비]
霧吹き きりふき [a sprayer／喷雾／분무기] |

濃霧：飛行機は濃霧の中、無事着陸した。
霧雨：朝から霧雨が降り続いて、少々寒い。

| 30 | 胞 ☆☆ | 胞 | 胞 | 音 訓 | ホウ ― | 細胞 さいぼう [a cell (biology)／细胞／세포]
単細胞 たんさいぼう [a single cell (biology)／单细胞／단세포]
同胞 どうほう [a fellow countryman／同胞／동포] |

細胞：マーカーで癌細胞の有無を調べる。
単細胞：地球上に最初に誕生した生命は、単細胞生物だった。

| 31 | 朱 ☆☆ | 朱 | 朱 | 音 訓 | シュ ― | 朱 しゅ [vermilion, crimson／红色／주홍색]
朱肉 しゅにく [a red ink pad (for personal stamps)／印泥／인주]
朱印 しゅいん [a red seal (personal stamp)／红色印章／주인] |

朱：薄地の着物に朱色の帯がよく似合う。
朱肉：印鑑は持ってきたが、朱肉を持ってくるのを忘れた。

| 32 | 菌 ☆☆ | 菌 | 菌 | 音 訓 | キン ― | 細菌 さいきん [bacteria, a microbe, a germ／细菌／세균]
殺菌スル さっきん [to sterilize／杀菌／살균]
ばい菌 ばいきん [germ, bacteria／病菌／병균] |

細菌：細菌に感染して肺炎を起こした。
殺菌：哺乳瓶は十分殺菌してから使用してください。

| 33 | 妊 ☆☆ | 妊 | 妊 | 音 訓 | ニン ― | 妊婦 にんぷ [pregnant woman／孕妇／임신부]
不妊 ふにん [infertility, sterility／不孕／불임]
避妊スル ひにん [to practice contraception, to prevent pregnancy／避孕／피임하다] |

妊婦：妊婦さんが大きな荷物を抱えていたので、持つのを手伝った。
不妊：不妊治療を行って、子どもを授かる。

| 34 | 晶 ☆☆ | 晶 | 晶 | 音 訓 | ショウ ― | 結晶スル けっしょう [to crystallize／结晶／결정]
液晶 えきしょう [liquid crystal／液晶／액정]
水晶 すいしょう [crystal／水晶／수정] |

結晶：雪の結晶を文集の表紙のデザインに取り入れる。
液晶：液晶のテレビは画像が鮮明だ。

| 35 | 臭 ☆☆ | 臭 | 臭 | 音 訓 | シュウ くさ・い、にお・う | 悪臭 あくしゅう [bad smell／恶臭／악취]
生臭い なまぐさい [fishy／腥味／비린내]
消臭 しょうしゅう [deodorization／除臭／제취] |

悪臭：家の前のドブから悪臭が漂ってきた。
生臭い：生臭くて、刺身が食べられないという人もいる。

1 自然・生物

36	吐 ☆☆	吐	吐	音 ト 訓 は・く	吐血スル とけつ [to vomit (spit) blood／吐血／토혈하다] 吐き気 はきけ [nausea／恶心／구역] 吐き出す はきだす [to spit out／呕吐／토하다]	吐血：入院患者が急に吐血した。 吐き気：何か悪いものを食べたのか、吐き気をもよおしてきた。
37	粘 ☆☆	粘	粘	音 ネン 訓 ねば・る	粘土 ねんど [clay／粘土／점토] 粘り強い ねばりづよい [tough, tenacious／坚强／끈질다] 粘着 ねんちゃく [adhesion／粘贴／점착]	粘土：妹は粘土遊びに夢中だ。 粘り強い：課長の粘り強い交渉の結果、ついに取引をしてもらえることになった。
38	洪 ☆☆	洪	洪	音 コウ 訓 —	洪水 こうずい [a flood／洪水／홍수]	洪水：洪水の被害がひどく、300世帯に避難勧告が出された。
39	膨 ☆☆	膨	膨	音 ボウ 訓 ふく・らむ、ふく・れる	膨張スル ぼうちょう [to expand, to increase／膨胀／팽창하다] 膨大ナ ぼうだい [enormous／庞大的／방대한] 膨れる ふくれる [to swell, to expand／鼓起／부풀다]	膨張：この容器は電子レンジで温めると膨張して危険です。 膨大：彼は長年に渡って膨大な資料に目を通し、知識を深めた。
40	珠 ☆☆	珠	珠	音 シュ 訓 —	真珠 しんじゅ [a pearl／珍珠／진주] 数珠 じゅず [a rosary／佛珠／염주] 珠算 しゅざん [calculation on the abacus／算盘／주산]	真珠：姉は真珠のネックレスがよく似合う。 数珠：数珠を持って祖父の葬儀に参列した。
41	澄 ☆☆	澄	澄	音 チョウ 訓 す・む、す・ます	澄む すむ [to become clear, to settle／清澈／맑다] 澄ます すます [to listen for／清晰／맑게하다] 清澄ナ せいちょう [clear, serene／清澄／맑고 깨끗하다]	澄む：空が澄んで気持ちのいい朝だ。 澄ます：耳を澄ますと秋の虫の鳴き声が聞こえる。
42	紋 ☆☆	紋	紋	音 モン 訓 —	指紋 しもん [a fingerprint／指纹／지문] 波紋 はもん [a ripple／波纹／파문] 紋章 もんしょう [a coat of arms, a crest／徽章／문장]	指紋：犯行現場に残された指紋から、犯人が特定できた。 波紋：大臣の不適切な発言が波紋を広げている。
43	尿 ☆☆	尿	尿	音 ニョウ 訓 —	尿 にょう [urine／尿／오줌] 屎尿 しにょう [excreta (human waste)／屎尿／시뇨] 糖尿病 とうにょうびょう [diabetes／糖尿病／당뇨병]	尿：健康診断で、尿の検査を受けた。 屎尿：屎尿は肥料として使われることもある。
44	猿 ☆☆	猿	猿	音 エン 訓 さる	猿 さる [a monkey／猴子／원숭이] 野猿 やえん [a wild monkey／野猴／야생 원숭이] 類人猿 るいじんえん [an anthropoid (ape)／猿人／유인원]	猿：その公園には猿山があり、たくさんの猿を見ることができる。 野猿：土地開発で住むところを奪われた野猿に、民家が襲われるという被害が起きている。
45	泡 ☆☆	泡	泡	音 ホウ 訓 あわ	泡 あわ [bubble, foam／泡泡／거품] 発泡 はっぽう [sparkling, foaming／泡沫／발포] 気泡 きほう [bubble, blister／气泡／기포]	泡：せっかくの苦労が水の泡だ。 発泡：パソコンを発泡スチロールで固定して、段ボール箱に詰めた。

1 自然・生物　Unit 1　練習問題

（解答 ⇨ 別冊 p.2）

問題1　漢字の読み方を書きなさい。

① 波紋　（　　　　）　② 尿　（　　　　）　③ 源泉　（　　　　）

④ 真珠　（　　　　）　⑤ 雷雨　（　　　　）　⑥ 膨大　（　　　　）

⑦ 結晶　（　　　　）　⑧ 朱肉　（　　　　）　⑨ 干潟　（　　　　）

⑩ 露骨　（　　　　）　⑪ 濃霧　（　　　　）　⑫ 菊　（　　　　）

問題2　次の漢字の読み方をひらがなで書きなさい。

① 基盤　（　　　　）－ 規範　（　　　　）

② 海溝　（　　　　）－ 外交　（　　　　）

③ 山岳　（　　　　）－ 錯覚　（　　　　）

④ 洪水　（　　　　）－ 香水　（　　　　）

問題3　_____の部分の漢字を下から選びなさい。

① あのおかを越えれば、城下町が広がっている。

（　　　　）

② この湖には九匹のりゅうが住むという伝説がある。

（　　　　）

③ さるのさいぼうを使って実験をする。

（　　　　）（　　　　）

④ くわの木が、田畑の横に数本植わっている。

（　　　　）

⑤ ここからは、北アルプスれんぽうが一望できる。

（　　　　）

猿　　桑　　丘　　竜　　連峰　　細胞

問題4 次の漢字の訓読み、または訓読みを含む漢字の読み方を、ひらがなで書きなさい。

① 芳しい　（　　　　　）　　② 透き通る　（　　　　　）
③ 紫　　　（　　　　　）　　④ 嵐　　　　（　　　　　）
⑤ 腐る　　（　　　　　）　　⑥ 日陰　　　（　　　　　）
⑦ 生臭い　（　　　　　）　　⑧ 柳　　　　（　　　　　）
⑨ 脇　　　（　　　　　）

問題5 適当な言葉を選び、（　　　）に入れなさい。

① お腹の中の赤ちゃんの健康を調べるため、（　　　　　）の検診に行った。
② （　　　　　）した政界に見切りを付ける。
③ 男の子が車に向かって走っていくのを見て、（　　　　　）を冷やした。
④ 部長は営業成績が足りない社員の（　　　　　）を叩いて、営業に行かせた。
⑤ せっかくの苦労が水の（　　　　　）だ。
⑥ 朝は（　　　　　）を絞って飲んでいる。

| 腐敗 | 果汁 | 泡 | 肝 | 妊婦 | 尻 |

問題6 下から適当な言葉を選び、必要であれば形を変えて、漢字と読み方を書きなさい。

① 川の上流では、水が（　　　　　）いて、川底までよく見える。
② 調子に乗ってビールを飲んだら、お腹が（　　　　　）しまった。
③ 彼が残したこの（　　　　　）記録は、当分破られることはないだろう。
④ 花が咲き終わると若葉が（　　　　　）、木陰を作る。
⑤ 交渉に（　　　　　）臨んだ結果、取引が実現した。
⑥ 車に酔って、（　　　　　）そうになった。

| 澄む | 吐く | 茂る | 膨らむ | 粘り強い | 輝かしい |

1 自然・生物
Unit 2

- 気孔
- 下唇
- 妊娠
- 瞳孔
- 四肢
- 雌
- 獣医
- 蛍
- 眉
- 股関節
- 脂肪
- 蚊
- 渓流
- 湖畔
- 爪
- 胴
- 分泌
- 丘陵
- 濁流
- 初霜
- 霞
- 芋
- 茎
- 土壌
- 朽ちる
- 苗木
- 発酵
- 蘇生
- 骨髄
- **自然**
- 繊維
- 逝去
- 疫病
- 媒介
- 疾患
- 岬
- 闇
- 珊瑚礁
- 濃紺
- 錬金術
- 硫黄
- 海藻
- 褐色
- 金塊
- 凝固
- 硝子

46 胴 ☆☆	胴 胴	音 ドウ 訓 —	胴 どう [a trunk, a torso／躯干／몸통] 胴上ゲスル どうあげ [to toss into the air／把人抛起来／헹가래치다] 胴体 どうたい [a body, a trunk／躯体／동체]
	胴：最近、胴の周りに肉が付いてきた。 胴上げ：優勝が決まり、選手たちが監督を胴上げした。		

47 苗 ☆☆	苗 苗	音 ビョウ 訓 なえ、なわ	苗木 なえぎ [a young plant, a nursery tree／树苗／나무모] 苗 なえ [a seedling／苗／모종]
	苗木：娘は庭に植えたミカンの苗木の生長を、とても楽しみにしている。 苗：庭に春の花の苗を植えた。		

48 瞳* ☆☆	瞳 瞳	音 ドウ 訓 ひとみ	瞳孔 どうこう [a pupil／瞳孔／동공] 瞳 ひとみ [eye／眼／눈동자]
	瞳孔：暗い所では、瞳孔は大きくなる。 瞳：彼女はまっすぐな瞳で私を見つめ返した。		

49 陵 ☆☆	陵 陵	音 リョウ 訓 みささぎ	丘陵 きゅうりょう [a hill／丘陵／구릉]
	丘陵：街の北方に目をやると、丘陵が続いていた。		

50 霞 外 ☆☆	霞 霞	音 — 訓 かすみ、かす・む	霞 かすみ [mist／霞／안개] 霞む かすむ [to mist, to haze／朦胧／안개가 끼다]
	霞：山に霞がかかって、幽玄な雰囲気を漂わせている。 霞む：パソコンに向かう仕事をしすぎたせいか、目が霞んできた。		

No.	漢字	略体	正体	音/訓	語例
51	凝 ☆☆	凝	凝	音 ギョウ 訓 こ・る、こ・らす	凝固スル ぎょうこ [to coagulate／凝固／응고하다] 凝縮スル ぎょうしゅく [to condense／凝缩／응축하다] 凝視スル ぎょうし [to stare at／凝视／응시하다]

凝固：天ぷら油の処理には、凝固剤を使用するとよい。
凝縮：文章の内容を凝縮して、もう少し短くまとめてください。

| 52 | 獣 ☆☆ | 兽 | 獸 | 音 ジュウ
訓 けもの | 獣医 じゅうい [a veterinarian／兽医／수의]
怪獣 かいじゅう [a monster／怪兽／괴수]
猛獣 もうじゅう [a ferocious animal／猛兽／맹수] |

獣医：息子は、子どもの頃からの夢を叶えて獣医になった。
怪獣：3歳の子どもは、まるで怪獣のように家の中を散らかしていく。

| 53 | 疫 ☆☆ | 疫 | 疫 | 音 エキ、ヤク
訓 — | 疫病 えきびょう [an epidemic, a plague／疫病／역병]
免疫 めんえき [immunity／免疫／면역]
検疫スル けんえき [to quarantine／检疫／검역하다] |

疫病：疫病が流行し、多くの人が命を落とした。
免疫：母乳には母親の免疫が含まれている。

| 54 | 爪* ☆☆ | 爪 | 爪 | 音 —
訓 つめ、つま | 爪 つめ [a nail, a claw, talons／指甲／손톱]
爪先 つまさき [the tip of a toe／指尖／발끝]
爪切り つめきり [nail clippers／指甲刀／손톱깎이] |

爪：料理の前に、爪を切って清潔にしておく。
爪先：私は冷え症で、冬は爪先が氷のように冷たくなってしまう。

| 55 | 繊 ☆☆ | 纤 | 纖 | 音 セン
訓 — | 繊維 せんい [a fiber／纤维／섬유]
化繊 かせん [synthetic (chemical) fiber／化纤／화섬]
合成繊維 ごうせいせんい [synthetic fiber／合成纤维／합성 섬유] |

繊維：布を繊維に沿って切る。
化繊：皮膚が弱いので、化繊の衣類には気を付けている。

| 56 | 肢 ☆☆ | 肢 | 肢 | 音 シ
訓 — | 四肢 しし [a limb, a extremity／四肢／사지]
選択肢 せんたくし [choice, option／选项／선택지] |

四肢：四肢のしびれが長く続くときは、病院へ行ったほうがよい。
選択肢：次の選択肢の中から適切なものを一つ選びなさい。

| 57 | 蛍 ☆☆ | 萤 | 螢 | 音 ケイ
訓 ほたる | 蛍 ほたる [a firefly／萤火虫／반딧불]
蛍光 けいこう [fluorescence／荧光／형광]
蛍光灯 けいこうとう [fluorescent light／荧光灯／형광등] |

蛍：夏になると、蛍の雄の成虫はお尻の部分を光らせながら飛ぶ。
蛍光：教科書の内容の大切な部分に、蛍光ペンで線を引いた。

| 58 | 酵 ☆☆ | 酵 | 酵 | 音 コウ
訓 — | 発酵スル はっこう [to ferment／发酵／발효하다]
酵素 こうそ [an enzyme／酵素／효소]
酵母 こうぼ [yeast／酵母／효모] |

発酵：日本酒は簡単に言うと米を発酵させた飲み物だ。
酵素：酵素の力で汚れを落とすという洗濯用洗剤がよく売れているそうだ。

| 59 | 娠 ☆☆ | 娠 | 娠 | 音 シン
訓 — | 妊娠スル にんしん [to become pregnant／怀孕／임신하다] |

妊娠：妻が妊娠して以来、夫はよく家事をするようになった。

| 60 | 紺 ☆☆ | 绀 | 紺 | 音 コン
訓 — | 濃紺 のうこん [dark blue (navy blue)／深藏青色／짙은 감색]
紺碧外 こんぺき [deep blue／蔚蓝色／감벽]
紫紺 しこん [bluish-purple／紫蓝色／자감] |

濃紺：今年は濃紺のスーツが流行するそうだ。
紺碧：夏は紺碧の空の下で、ずっと海水浴をしていたい。

No.	漢字	略体	標準	音訓	語例
61	濁 ☆☆	浊	濁	音 ダク 訓 にご・る、にご・す	濁流 だくりゅう [a muddy stream／浊流／탁류] 濁す にごす [to make something muddy, to evade something／弄浑／흐리다] 汚濁 おだく [filth, nastiness／浑浊／오탁]
					濁流：大雨のため、いつもは穏やかな川が、濁流となって流れている。 濁す：そろそろ結婚しなさいと叔母に言われたが、お茶を濁して帰ってきた。
62	唇 ☆☆	唇	唇	音 シン 訓 くちびる	下唇 したくちびる [lower lip／下唇／아랫 입술] ⇔上唇 うわくちびる [upper lip／上唇／윗입술] 読唇術 どくしんじゅつ [lip-reading／读唇术／독순술]
					下唇：息子は試合に負けて、悔しそうに下唇を噛んだ。 読唇術：耳の不自由な人は、読唇術を使って他の人の話していることを理解します。
63	肪 ☆☆	肪	肪	音 ボウ 訓 ―	脂肪 しぼう [fat, blubber／脂肪／지방] 脂肪分 しぼうぶん [fat content／脂肪／지방분] 脂肪酸 しぼうさん [fatty acid／脂肪酸／지방산]
					脂肪：健康診断で、お腹周りの脂肪が多いと言われた。 脂肪分：レストランのメニューには、塩分や脂肪分の多い料理が多い。
64	朽 ☆	朽	朽	音 キュウ 訓 く・ちる	朽ちる くちる [to decay／腐烂／썩다] 老朽スル ろうきゅう [to become decrepit and old／破旧／낡아지다] 不朽 ふきゅう [immortal／不朽／불후]
					朽ちる：あの家は柱が朽ちて、今にも崩れそうだ。 老朽：建物の老朽化が進んでいるため、建て替えを検討している。
65	岬 ☆	岬	岬	音 ― 訓 みさき	岬 みさき [a cape, a headland／海边末端(海角)／갑(곶)]
					岬：岬から見る春の海は、カモメが飛んでいてとてもきれいだった。
66	壌 ☆	壌	壌	音 ジョウ 訓 ―	土壌 どじょう [soil／土壌／토양]
					土壌：今日の研究会では、産業廃棄物による土壌汚染についての研究結果が発表される。
67	髄 ☆	髄	髄	音 ズイ 訓 ―	骨髄 こつずい [bone marrow／骨髄／골수] 脊髄 せきずい [the spinal cord／脊髄／척수] 神髄 しんずい [essence／精髄／진수]
					骨髄：白血病の人を助けるために、骨髄バンクへ登録した。 脊髄：脊髄は脳から背骨の一番下まで続いている。
68	蘇 外 ☆	苏	蘇	音 ソ 訓 よみがえ・る	蘇生スル そせい [to revive／苏醒／소생하다] 蘇る よみがえる [to rise, to come back／复活／되살아나다] 屠蘇 とそ [spiced sake／屠苏散(酒名)／도소]
					蘇生：患者は意識を失っていたが、人工呼吸によって蘇生した。 蘇る：高校の同級生に会って、楽しかった高校時代の記憶が蘇った。
69	疾 ☆	疾	疾	音 シツ 訓 ―	疾患 しっかん [a disease, ailment／疾患／질환] 疾走スル しっそう [to run at full speed／快跑／질주] 疾病 しっぺい [disease／疾病／질병]
					疾患：その患者は、皮膚疾患に長年悩まされてきました。 疾走：選手は全員ゴールに向かって疾走した。
70	渓 ☆	渓	渓	音 ケイ 訓 ―	渓流 けいりゅう [a mountain stream／溪流／계류] 渓谷 けいこく [a valley, a ravine／溪谷／계곡] 雪渓 せっけい [a snowy valley／雪谷／설계]
					渓流：ここから1時間の場所にある渓流では、珍しい魚が釣れる。 渓谷：切り立った渓谷の中を一本の道が通っていて、私たちはそこを観光バスで通った。

1 自然・生物

71	硫 ☆	硫	硫	音	リュウ	硫黄 いおう [sulfur／硫磺／유황] 硫酸 りゅうさん [sulfuric acid／硫酸／황산] 硫化スル りゅうか [to sulfurize／硫化／황화하다]
				訓	―	
	硫黄：火山の近くにある温泉は硫黄の匂いがする。 硫酸：硫酸は強い酸性の液体なので、扱いには注意が必要だ。					
72	闇* ☆	暗	暗	音	―	闇 やみ [darkness／暗／어둠] 暗闇 くらやみ [the dark／黒暗／어두운 곳] 無闇ニ むやみ [rashly, thoughtlessly／过分的／무턱대고]
				訓	やみ	
	闇：停電してしまったので、闇の中で懐中電灯を探した。 暗闇：幼い息子は暗闇をとても怖がり、夜なかなか一人で寝られない。					
73	孔 ☆	孔	孔	音	コウ	気孔 きこう [a stoma／气孔／기공] 鼻孔 びこう [a nostril／鼻孔／비공] 瞳孔 どうこう [a pupil／瞳孔／동공]
				訓	―	
	気孔：植物は気孔を通して、光合成や呼吸を行う。 鼻孔：弟は、興奮しているせいか、鼻孔を膨らませてしゃべっていた。					
74	礁 ☆	礁	礁	音	ショウ	珊瑚外礁 さんごしょう [a coral reef／珊瑚礁／산호초] 暗礁 あんしょう [a submerged rock, a reef／暗礁／암초] 座礁スル ざしょう [to strand, to ground／触礁／좌초하다]
				訓	―	
	珊瑚礁：沖縄の珊瑚礁を守るための活動に参加した。 暗礁：二つの意見が対立し、交渉は暗礁に乗り上げた。					
75	塊 ☆	塊	塊	音	カイ	金塊 きんかい [a nugget of gold／金块／금괴] 団塊 だんかい [a mass, a lump／团（块）／단괴] 氷塊 ひょうかい [a lump, a block of ice／冰块／빙괴]
				訓	かたまり	
	金塊：旧家の改築をしようとしたところ、床下から金塊が発見された。 団塊：「団塊の世代」の定年退職は、日本の社会問題になっている。					
76	茎 ☆	茎	茎	音	ケイ	茎 くき [a stalk, a stem／秆／줄기] 歯茎 はぐき [gums (in the mouth)／牙龈／잇몸] 地下茎 ちかけい [a root, a stalk／植物根／땅속줄기]
				訓	くき	
	茎：山菜のフキは茎の部分を食べる。 歯茎：歯茎が炎症を起こしているので、リンゴを食べると血が出る。					
77	媒 ☆	媒	媒	音	バイ	媒介スル ばいかい [to mediate, to transmit, to carry／媒介／매개] 媒体 ばいたい [a medium／媒体／매체] 触媒 しょくばい [a catalyst／催化剂／촉매]
				訓	―	
	媒介：マラリアという病気は、蚊を媒介して人から人へと感染する。 媒体：どんな媒体に広告を載せると効果的か、皆と話し合った。					
78	芋 ☆	芋	芋	音	―	芋 いも [potato／薯／감자] 焼き芋 やきいも [baked (roasted) sweet potato／烤红薯／군고구마] さつま芋 さつまいも [sweet potato, yam／红薯／고구마]
				訓	いも	
	芋：世界には、主食として麦を食べる地域、米を食べる地域、芋を食べる地域などがある。 焼き芋：秋から冬の寒い季節は、焼き芋が特においしい。					
79	眉* ☆	眉	眉	音	ビ、ミ	眉 まゆ [an eyebrow／眉毛／눈썹] 白眉 はくび [the best of, the finest example of／重点／백미] 眉間 みけん [the brow, middle of the forehead／眉间／미간]
				訓	まゆ	
	眉：眉の形によって顔の印象が変わる。 白眉：この作品の白眉は、老人と少年が禁止されている映画のシーンを二人で見るところだ。					
80	逝 ☆	逝	逝	音	セイ	逝去スル せいきょ [to die, to pass away／逝世／서거] 夭逝スル ようせい [to die young／夭折／요서하다] 急逝スル きゅうせい [to die suddenly／突然死／급서]
				訓	ゆ・く、い・く	
	逝去：課長のお母様が逝去されました。 夭逝：夭逝した画家の展覧会が各地で開かれている。					

#	漢字	楷書	明朝	音/訓	読み	熟語
81	霜	霜	霜	音 ソウ / 訓 しも		初霜 はつしも [the first frost of the year／初霜／첫서리] 霜降り しもふり [marbled／夾有脂肪的牛肉／상강육] 霜月 しもつき [the 11th month of the lunar calendar／冬月／상월]

初霜：今年の初霜はいつもの年よりも遅かったので、暖冬になるかもしれない。
霜降り：鍋料理には霜降りの肉をよく使う。

| 82 | 蚊 | 蚊 | 蚊 | 音 － / 訓 か | 蚊 か [a mosquito／蚊子／모기]
蚊帳 かや [a mosquito net／蚊帳／모기장]
蚊柱 かばしら [a mosquito swarm／蚊群／모기떼] |

蚊：蚊の発生を抑えるためには、家の周りに水溜まりを作らないことが大切だ。
蚊帳：殺虫剤の人体への影響が明らかになるにつれ、蚊帳が見直されてきている。

| 83 | 股* | 股 | 股 | 音 コ / 訓 また | 股関節 こかんせつ [hip joint／股关节／고관절]
股 また [a thigh, a crotch／胯／가랑이]
股間 こかん [a crotch, a groin／胯裆／가랑이 사이] |

股関節：股関節を柔軟にするため、毎日体操をしている。
股：語学が得意な彼女は、世界を股にかけて活躍している。

| 84 | 泌 | 泌 | 泌 | 音 ヒツ、ヒ / 訓 － | 分泌スル ぶんぴつ／ぶんぴ [to secrete, to ooze／分泌／분비하다]
内分泌 ないぶんぴつ／ないぶんぴ [internal secretion／内分泌／내분비]
泌尿器 ひにょうき [urinary organs／泌尿器／비뇨기] |

分泌：レモンを見ると、反射的に唾液が分泌される。
内分泌：環境ホルモンは内分泌を乱すと言われている。

| 85 | 藻 | 藻 | 藻 | 音 ソウ / 訓 も | 海藻 かいそう [seaweed／海藻／해초]
藻 も [algae／藻／말]
藻類 そうるい [seaweeds, algae／藻类／해초류] |

海藻：海藻は髪によいので毎日食べたほうがよい。
藻：友人のボートに藻が絡まり、浮上できなくなってしまいました。

| 86 | 畔 | 畔 | 畔 | 音 ハン / 訓 － | 湖畔 こはん [the shore (of a lake)／湖畔／호반]
河畔 かはん [the banks of a river／河畔／하반] |

湖畔：秋の夕暮れに湖畔をゆっくり散策するのは気分がいい。
河畔：ボートを河畔に寄せた。

| 87 | 錬 | 錬 | 煉 | 音 レン / 訓 － | 錬金術 れんきんじゅつ [alchemy／炼金术／연금술]
錬成スル れんせい [to train, to drill／炼成功／연성하다]
精錬スル せいれん [to refine, to smelt, to reduce／精炼／정련] |

錬金術：鉄から金を生み出すような、錬金術はない。
錬成：この大学では、崇高な人格を錬成することを目的としています。

| 88 | 硝 | 硝 | 硝 | 音 ショウ / 訓 － | 硝子 ガラス [glass, vitreous／玻璃／유리]
硝酸 しょうさん [nitric acid／硝酸／질산]
硝煙 しょうえん [powder smoke／硝烟／초연] |

硝子：父の趣味は硝子の工芸品の収集だ。
硝酸：硝酸の取り扱いには注意が必要だ。

| 89 | 雌 | 雌 | 雌 | 音 シ / 訓 め、めす | 雌 めす [female／雌／암컷]
雌雄 しゆう [both sexes (male and female)／雌雄／자웅]
雌花 めばな [a female flower／雌花(植物)／암꽃] |

雌：我が家では、雄と雌の猫を2匹ずつ飼っています。
雌雄：外見では雌雄の区別がつきにくい動物もいる。

| 90 | 褐 | 褐 | 褐 | 音 カツ / 訓 － | 褐色 かっしょく [brown／褐色／갈색]
茶褐色 ちゃかっしょく [dark brown／茶褐色／다갈색]
赤褐色 せっかっしょく／せきかっしょく [reddish brown／红褐色／적갈색] |

褐色：海辺に住む彼の肌は日に焼けて褐色だった。
茶褐色：この温泉には鉄分が含まれているので、お湯の色は茶褐色です。

1 自然・生物　Unit 2　練習問題

(解答 ⇨ 別冊 p.2〜3)

問題 1　漢字の読み方を書きなさい。

① 逝去（　　　　）　② 錬成（　　　　）　③ 免疫（　　　　）

④ 丘陵（　　　　）　⑤ 海藻（　　　　）　⑥ 渓谷（　　　　）

⑦ 脂肪（　　　　）　⑧ 濁流（　　　　）　⑨ 硝子（　　　　）

⑩ 疾患（　　　　）　⑪ 湖畔（　　　　）　⑫ 骨髄（　　　　）

⑬ 褐色（　　　　）　⑭ 気孔（　　　　）　⑮ 団塊（　　　　）

問題 2　次の漢字の読み方をひらがなで書きなさい。

① 繊維（　　　　）－ 善意（　　　　）

② 土壌（　　　　）－ 登場（　　　　）

③ 強固（　　　　）－ 凝固（　　　　）

④ 害虫（　　　　）－ 怪獣（　　　　）

問題 3　_____の部分の漢字を下から選びなさい。

① 世界には<u>いも</u>を主食とする地域も少なくない。

（　　　　　）

② 子どもの頃、夏によく父と川へ<u>ほたる</u>を見に行った。

（　　　　　）

③ <u>しし</u>のしびれが続いていて心配だ。

（　　　　　）

④ リンゴをかじったら、<u>はぐき</u>から血が出た。

（　　　　　）

⑤ 日本酒は簡単に言うと米を<u>はっこう</u>させた飲み物だ。

（　　　　　）

| 蛍 | 芋 | 歯茎 | 発酵 | 四肢 |

問題4 次の漢字の訓読み、または訓読みを含む漢字の読み方を、ひらがなで書きなさい。

① 岬　　（　　　　　）　　② 初霜　（　　　　　）
③ 苗木　（　　　　　）　　④ 暗闇　（　　　　　）
⑤ 爪先　（　　　　　）　　⑥ 蚊　　（　　　　　）
⑦ 胴上げ（　　　　　）　　⑧ 瞳　　（　　　　　）
⑨ 眉　　（　　　　　）

問題5 適当な言葉を選び、（　　）に入れなさい。

① 二つの意見が対立し、交渉は（　　　　　）に乗り上げた。
② 外見では（　　　　　）の区別がつきにくい動物もいる。
③ 英語が堪能な彼女は、世界を（　　　　　）にかけて活躍している。
④ 息子は試合に負けて、悔しそうに（　　　　　）を噛んだ。
⑤ マラリアという病気は蚊を（　　　　　）として人から人へと感染する。
⑥ 火山の近くにある温泉は（　　　　　）の匂いがする。
⑦ レモンを見ると、唾液が（　　　　　）される。
⑧ （　　　　　）の空に大きな旗がはためいている。

| 紺碧 | 雌雄 | 媒介 | 暗礁 | 股 | 下唇 | 硫黄 | 分泌 |

問題6 下から適当な言葉を選び、必要であれば形を変えて、漢字と読み方を書きなさい。

① あの寺は柱が（　　　　　）いて、今にも崩れそうだ。
② 高校時代の同級生と久しぶりに会って、当時の記憶が（　　　　　）きた。
③ 親に早く結婚しろと言われたが、お茶を（　　　　　）おいた。
④ パソコンに向かう仕事をしすぎたせいか、目が（　　　　　）きた。
⑤ 彼女は（　　　　　）デザインのバッグを持っている。

| 霞む | 濁す | 朽ちる | 蘇る | 凝る |

1 自然・生物
Unit 3

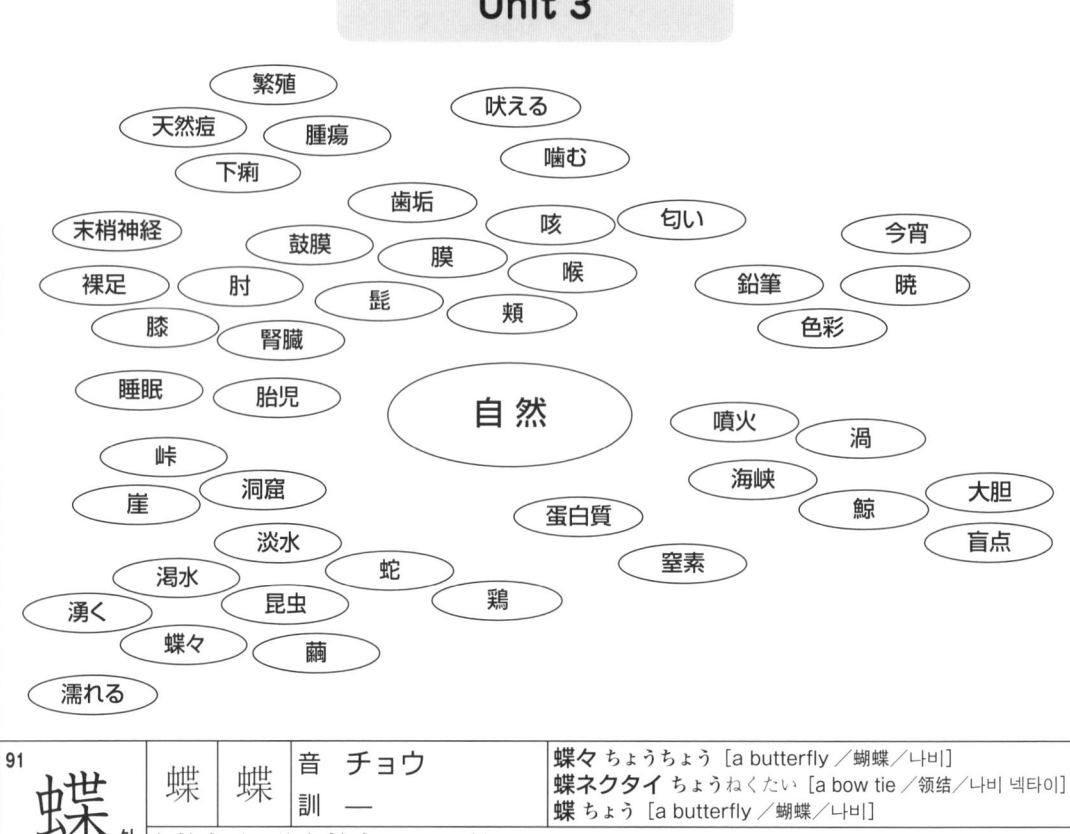

91 蝶 外 ☆	蝶	蝶	音 チョウ 訓 —	蝶々 ちょうちょう [a butterfly／蝴蝶／나비] 蝶ネクタイ ちょうネクタイ [a bow tie／领结／나비 넥타이] 蝶 ちょう [a butterfly／蝴蝶／나비]
			蝶々：庭の花に蝶々がたくさん群がっている。 蝶ネクタイ：帽子に蝶ネクタイがよく似合っている小学1年生の子どもが歩いていく。	

92 窒 ☆	窒	窒	音 チツ 訓 —	窒素 ちっそ [nitrogen／氮／질소] 液体窒素 えきたいちっそ [liquid nitrogen／液体氮／액체질소] 窒息スル ちっそく [to suffocate／窒息／질식하다]
			窒素：窒素とは、空気の体積の約五分の四を占める気体である。 液体窒素：皮膚科の治療によく液体窒素が使われる。	

93 湧 * ☆	涌	湧	音 ユウ 訓 わ・く	湧く(涌く) わく [to gush, to spring／喷出／솟아나다] 湧出(涌出)スル ゆうしゅつ [to gush out, to well up／涌出／용출]
			湧く：初対面の相手が同郷だとわかると、親近感が湧く。 湧出：この神社の境内には、飲めば不老長寿になるという水が湧出している。	

94 腫 * ☆	肿	腫	音 シュ 訓 は・れる、は・らす	腫瘍 しゅよう [a tumor／肿瘤／종양] 腫れる はれる [to become swollen／浮肿／붓다] 筋腫 きんしゅ [a myoma／肌瘤／근종]
			腫瘍：健康診断で胃に腫瘍が見つかったが、良性とわかって安心した。 腫れる：虫に刺されたところが腫れてしまった。	

95 濡 外 ☆	濡	濡	音 — 訓 ぬ・れる	濡れる ぬれる [to get wet／淋湿／젖다] ずぶ濡れ ずぶぬれ [saturated, soaked／全身湿透／흠뻑 젖다] 濡らす ぬらす [to wet, to dampen／弄湿／적시다]
			濡れる：走ってきたので、シャツが汗で濡れてしまった。 ずぶ濡れ：急な夕立で、ずぶ濡れになってしまった。	

#	漢字	楷書	行書	音訓	語例
96	痢 ☆	痢	痢	音 リ 訓 —	下痢スル げり [to have diarrhea ／腹泻／설사] 赤痢 せきり [dysentery ／痢疾／적리]
					下痢：原因不明の下痢がずっと続いている。 赤痢：赤痢の患者を一時的に別室に隔離した。
97	崖 * ☆	崖	崖	音 ガイ 訓 がけ	崖 がけ [a cliff ／崖／벼랑] 崖っぷち がけっぷち [the edge (of a cliff) ／悬崖／벼랑 끝] 断崖 だんがい [a cliff, a precipice ／断崖／단애]
					崖：この崖から見下ろす海岸の景色はすばらしい。 崖っぷち：弟は、あと1科目単位を落とすと留年という、崖っぷちの状態だ。
98	膝 * ☆	膝	膝	音 — 訓 ひざ	膝 ひざ [a knee ／膝／무릎] 膝下 ひざした [near or below the knee ／膝下／슬하] 膝頭 ひざがしら [a kneecap ／膝盖／무릎]
					膝：転んで膝に怪我をしてしまった。 膝下：ホテルでマッサージを頼み、膝下から足先まで、丁寧にもんでもらった。
99	喉 * ☆	喉	喉	音 コウ 訓 のど	喉 のど [throat ／喉咙／목] 耳鼻咽喉科 じびいんこうか [otorhinolaryngology (ear, nose and throat) ／耳鼻咽喉科／이비인후과] 喉頭 こうとう [larynx ／喉头／후두]
					喉：私は喉が弱く、風邪をひくとすぐ喉を傷めてしまう。 耳鼻咽喉科：娘はアレルギーの治療のために、定期的に耳鼻咽喉科に通っている。
100	咳 外 ☆	咳	咳	音 — 訓 せき	咳 せき [a cough ／咳嗽／기침] 咳払いスル せきばらい [to clear one's throat ／干咳／헛기침]
					咳：昨夜から咳が止まらず、一睡もできなかった。 咳払い：授業時間になっても教室が静かにならないので、先生は咳払いをした。
101	垢 外 ☆	垢	垢	音 コウ、ク 訓 あか	歯垢 しこう [dental plaque ／牙垢／치후] 無垢ナ むく [innocent, pure ／纯洁的／티없다] 垢 あか [dirt, grime, scum ／污垢／때]
					歯垢：歯医者へ行って、定期的に歯垢をとってもらっている。 無垢：大人になっても子どものように無垢な心を持ち続けたいものだ。
102	肘 * ☆	肘	肘	音 — 訓 ひじ	肘 ひじ [elbow ／肘／팔 꿈치] 肘鉄 ひじてつ [a rebuff, an elbow blow ／碰撞／팔 꿈] 肘打ち ひじうち [elbow strike (karate) ／肘击／사격]
					肘：肘をついて食事をするのは行儀が悪いと、よく祖母に言われる。 肘鉄：混雑している電車の中で、前の人から偶然肘鉄を食らってしまった。
103	痘 ☆	痘	痘	音 トウ 訓 —	天然痘 てんねんとう [smallpox ／天花 (传染病)／천연두] 種痘 しゅとう [a vaccination, an inoculation ／打预苗 (预防针)／종두]
					天然痘：かつてこの地で天然痘が大流行し、大勢の命が失われた。 種痘：天然痘の予防のために、種痘を受ける。
104	梢 外 ☆	梢	梢	音 ショウ 訓 こずえ	末梢神経 まっしょうしんけい [a peripheral nerve ／末梢神经／말초 신경] 梢 こずえ [a treetop ／树梢／우듬지]
					末梢神経：末梢神経が痛むと、手足のしびれや感覚の低下が起こる。 梢：桜の梢に小鳥がとまっている。
105	繭 ☆	繭	繭	音 ケン 訓 まゆ	繭 まゆ [a cocoon ／蚕茧／고치] 繭玉 まゆだま [New Year's decoration with cocoon-shaped puffs ／年糕球／설날장식]
					繭：蚕の繭から糸をとる。 繭玉：正月の準備に繭玉を作った。

1 自然・生物

1 自然・生物

106	髭 外 ☆	髭	髭	音	—	髭 ひげ [whiskers／胡須／수염] 口髭 くちひげ [mustache／髭须／콧수염] あご髭 あごひげ [beard／下巴胡須／턱 수염]
				訓	ひげ	
	髭：兄は三日に一度、髭を剃っている。 口髭：校長先生は立派な口髭を生やしている。					
107	頰 * ☆	頰	頰	音	—	頰 ほお [cheeks／脸颊／볼] 頰骨 ほおぼね・きょうこつ [cheekbones／颧骨／광대뼈] 頰紅 ほおべに [rouge (for cheeks)／胭脂(化妆品)／볼연지 (화장품)]
				訓	ほお	
	頰：好きな人にばったり会って、頰が赤くなってしまった。 頰骨：祖父は、病気でやつれて頰骨がとがってきた。					
108	蛋 外 ☆	蛋	蛋	音	タン	蛋白質 たんぱくしつ [protein／蛋白质／단백질] 蛋白 たんぱく [protein／蛋白／단백]
				訓	—	
	蛋白質：現代社会では、蛋白質の摂取が不足している人が多いそうだ。 蛋白：健康診断で尿に蛋白が出たとのことで、再検査となった。					
109	淡 ☆☆☆	淡	淡	音	タン	淡水 たんすい [fresh water／淡水／담수] 冷淡ナ れいたん [cold, indifferent／冷淡的／냉담한] 淡々 たんたん [uninterested, indifferent／浅淡／담담]
				訓	あわ・い	
	淡水：ここは、淡水と海水が入り混じった汽水湖だ。 冷淡：私が病気になった時、彼の冷淡な態度には失望した。					
110	胎 ☆☆	胎	胎	音	タイ	胎児 たいじ [an embryo, a fetus／胎儿／태아] 胎内 たいない [in the womb／胎内／태내]
				訓	—	
	胎児：母親の気持ちは胎児に伝わる。 胎内：胎児は母親の胎内で羊水に浮かんでいる。					
111	腎 * ☆☆	腎	腎	音	ジン	腎臓 じんぞう [the kidney／肾脏／신장] 肝腎(肝心)ナ かんじん [crucial, important, essential／重要的／중요한]
				訓	—	
	腎臓：仕事の疲れか、腎臓を悪くしてしまった。 肝腎：無駄話ばかりして、肝腎なことを話すのを忘れてしまった。					
112	睡 ☆☆	睡	睡	音	スイ	睡眠 すいみん [sleep, slumber／睡眠／수면] 熟睡スル じゅくすい [to sleep soundly, to sleep deeply／熟睡／숙면하다] 睡魔 すいま [drowsiness, sleepiness／睡魔／수마]
				訓	—	
	睡眠：仕事が忙しくて、最近睡眠がよくとれていない。 熟睡：電車で熟睡して、乗り過ごしてしまった。					
113	蛇 ☆☆	蛇	蛇	音	ダ、ジャ	蛇 へび [a snake／蛇／뱀] 蛇口 じゃぐち [a faucet／水龙头／수도꼭지] 蛇行スル だこう [to meander／蛇行／사행]
				訓	へび	
	蛇：裏庭に蛇が出て、大騒ぎになった。 蛇口：蛇口をひねると水が勢いよく出てきた。					
114	渇 ☆	渇	渇	音	カツ	渇水 かっすい [a drought／缺水／갈수] 枯渇スル こかつ [to dry up／干枯／고갈] 渇望スル かつぼう [to crave, to thirst for／渴望／갈망]
				訓	かわ・く	
	渇水：今年の夏は雨が少なく、渇水に悩まされた。 枯渇：石油資源は50年以内に枯渇すると言われている。					
115	匂 * ☆	—	—	音	—	匂い におい [a smell, an odor／气味／냄새] 匂う におう [to smell of, to give off an odor／散发味道／풍기다]
				訓	にお・う	
	匂い：厨房からおいしそうな匂いがしてきた。 匂う：梅の花が咲き匂う公園の中を歩いた。					

116 吠 外 ☆	吠	吠	音 ― 訓 ほ・える	吠える ほえる [to bark, to yelp ／叫／짖다]
	吠える：飼い犬が急に吠えはじめたので外に出たら、父が帰ってきたところだった。			

117 峡 ☆☆	峡	峽	音 キョウ 訓 ―	海峡 かいきょう [a strait, a channel ／海峡／해협] 峡谷 きょうこく [a gorge, a ravine ／峡谷／협곡]
	海峡：海峡が二つの国を隔てている。 峡谷：その峡谷は、去年世界遺産に登録された。			

118 彩 ☆☆☆	彩	彩	音 サイ 訓 いろど・る	色彩 しきさい [a color, a hue ／色彩／색채] 多彩ナ たさい [colorful, multicolored ／丰富多彩的／다채한] 水彩画 すいさいが [watercolor (painting) ／水彩画／수채화]
	色彩：公園では、深紅、オレンジ、赤、ピンク、黄、白などのバラが色彩豊かに咲いている。 多彩：音楽祭では、クラシックから現代のポップスまで多彩なプログラムが用意されています。			

119 裸 ☆☆	裸	裸	音 ラ 訓 はだか	裸足 はだし [bare feet ／光着脚／맨발] 裸体 らたい [nude, naked ／裸体／나체] 全裸 ぜんら [bare, naked ／全裸／전라]
	裸足：砂浜では、やはり裸足で歩きたい。 裸体：ギリシャ彫刻は上半身裸体の像が多い。			

120 鉛 ☆☆	铅	鉛	音 エン 訓 なまり	鉛筆 えんぴつ [a pencil ／铅笔／연필] 鉛 なまり [lead (as in a pencil) ／铅／납] 亜鉛 あえん [zinc ／锌／아연]
	鉛筆：孫の小学校入学祝いに、名前入りの鉛筆をプレゼントした。 鉛：徹夜続きで体が鉛のように重い。			

121 鼓 ☆☆	鼓	鼓	音 コ 訓 つづみ	鼓膜 こまく [the tympanum, the eardrum ／耳膜／고막] 太鼓判 たいこばん [a large seal, a stamp, the seal of approval ／保证／확실한 보증] 鼓動 こどう [a beat, a throb ／（心脏）跳动／고동]
	鼓膜：飛行機に乗るといつも鼓膜の調子が悪くなって、耳が聞こえにくくなる。 太鼓判：彼の技術は一流だと、以前働いていた職場の上司が太鼓判を押している。			

122 峠 ☆	―	峠	音 ― 訓 とうげ	峠 とうげ [a mountain pass, a gap ／山口／고개]
	峠：冬の峠は雪が積もっていたり、道路が凍結していたりして危ない。			

123 噛 外 ☆	啮	嚙	音 ― 訓 か・む	噛む かむ [to bite, to chew ／咬／물다] 噛み切る かみきる [to bite off, to gnaw ／咬断，咬破／물어끊다]
	噛む：食べ物は、ゆっくり噛んで食べたほうがいい。 噛み切る：固い肉を無理やり噛み切ろうとしたら、口の中を切ってしまった。			

124 昆 ☆☆	昆	昆	音 コン 訓 ―	昆虫 こんちゅう [an insect ／昆虫／곤충] 昆布 こんぶ [konbu (kelp) ／海带／다시마]
	昆虫：弟は昆虫採集が趣味で、自分で標本も作っている。 昆布：昆布でだしをとって、味噌汁を作った。			

125 胆 ☆☆	胆	膽	音 タン 訓 ―	大胆ナ だいたん [bold, daring ／大胆／대담] 落胆スル らくたん [to be discouraged, to be disappointed ／灰心／낙담하다] 魂胆 こんたん [an ulterior motive ／计谋／흔담]
	大胆：彼女は大胆な発想で周囲を驚かせた。 落胆：不合格とわかった後の彼の落胆ぶりは、かわいそうで見ていられなかった。			

1 自然・生物

No.	漢字	書き	旧字	音/訓	読み	語例
126	鯨 ☆☆	鯨	鯨	音 訓	ゲイ くじら	鯨 くじら [a whale／鲸鱼／고래] 捕鯨 ほげい [whaling／捕鲸／고래잡이]

鯨：船から、鯨が潮を吹く様子が見られた。
捕鯨：捕鯨を巡って、各国の意見が対立している。

| 127 | 鶏 ☆☆ | 鶏 | 雞 | 音 訓 | ケイ にわとり | 鶏 にわとり [a chicken, a hen／鸡／닭]
養鶏 ようけい [poultry farming／养鸡／양계] |

鶏：田舎に住む祖父は、庭で鶏を飼っている。
養鶏：養鶏場から鶏の鳴き声が聞こえる。

| 128 | 噴 ☆☆☆ | 噴 | 噴 | 音 訓 | フン ふ・く | 噴火スル ふんか [to erupt／喷火／분화하다]
噴射スル ふんしゃ [to emit a jet／喷射／분사하다]
噴水 ふんすい [a jet of water, a fountain／喷水／분수] |

噴火：火山が噴火して、大量の溶岩が流れ出た。
噴射：飛行機が逆噴射して墜落するという事故があった。

| 129 | 殖 ☆☆ | 殖 | 殖 | 音 訓 | ショク ふ・える、ふ・やす | 繁殖スル はんしょく [to breed, to reproduce／繁殖／번식하다]
養殖スル ようしょく [to raise, to cultivate／养殖／양식하다]
生殖スル せいしょく [to reproduce, to generate／生殖／생식하다] |

繁殖：細菌が繁殖する季節になった。
養殖：養殖のマグロやウナギでも十分おいしい。

| 130 | 盲 ☆☆ | 盲 | 盲 | 音 訓 | モウ — | 盲点 もうてん [a blind spot／盲点／맹점]
盲導犬 もうどうけん [a seeing-eye dog／导盲犬／안내견]
盲腸 もうちょう [the appendix／盲肠／맹장] |

盲点：彼の意見は発表者の盲点を突くものだった。
盲導犬：盲導犬を見ても、話しかけたり触ったりしてはいけません。

| 131 | 洞 ☆☆ | 洞 | 洞 | 音 訓 | ドウ ほら | 洞窟 どうくつ [a cavern, a cave／洞窟／동굴]
空洞 くうどう [a cave／空洞／공동]
洞察 どうさつ [insight／洞察／통찰] |

洞窟：子どもの頃は、よく洞窟を探険して遊んだものだ。
空洞：このブロンズ像は、中が空洞になっている。

| 132 | 膜 ☆☆ | 膜 | 膜 | 音 訓 | マク — | 膜 まく [a membrane, a film／膜／막]
角膜 かくまく [the cornea／角膜／각막]
粘膜 ねんまく [a mucous membrane／粘膜／점막] |

膜：鍋でミルクを温めたら、膜が張った。
角膜：脳死状態になったときは、角膜を提供する意思がある。

| 133 | 暁 ☆☆ | 暁 | 曉 | 音 訓 | ギョウ あかつき | 暁 あかつき [sunrise／晓／새벽녘] |

暁：暁の空に金星が輝いている。

| 134 | 渦 ☆ | 渦 | 渦 | 音 訓 | カ うず | 渦 うず [a whirl, an eddy／旋涡／소용돌이]
渦中 かちゅう [a whirlpool／旋涡之中／와중]
渦巻く うずまく [to whirl／卷成旋涡／소용돌이 치다] |

渦：この地方の伝統的な工芸品には、渦の模様が描かれているものが多くあります。
渦中：芸能人である夫の浮気が報じられたため、彼女はたちまち渦中の人となった。

| 135 | 宵 ☆ | 宵 | 宵 | 音 訓 | ショウ よい | 今宵 こよい [this evening, tonight／今宵／오늘 밤]
宵越し よいごし [overnight／过夜／하룻밤을 넘김] |

今宵：今宵は心ゆくまで楽しもうではありませんか。
宵越し：大学時代の友人同士で、宵越しの酒を飲んで語り合った。

1 自然・生物　Unit 3　練習問題

（解答 ⇨ 別冊 p.3）

問題1　漢字の読み方を書きなさい。

① 空洞（　　　　）　② 養鶏（　　　　）　③ 蛋白（　　　　）

④ 鼓膜（　　　　）　⑤ 昆布（　　　　）　⑥ 渦中（　　　　）

⑦ 胎児（　　　　）　⑧ 海峡（　　　　）　⑨ 窒素（　　　　）

⑩ 下痢（　　　　）　⑪ 肝腎（　　　　）　⑫ 捕鯨（　　　　）

問題2　次の漢字の読み方をひらがなで書きなさい。

① 需要（　　　　）－ 腫瘍（　　　　）

② 歯垢（　　　　）－ 時効（　　　　）

③ 出頭（　　　　）－ 種痘（　　　　）

④ 淡水（　　　　）－ 断水（　　　　）

⑤ 噴射（　　　　）－ 風車（　　　　）

問題3　＿＿＿＿の部分の漢字を下から選びなさい。

① しきさいの美しいちょうが羽を広げる。

（　　　　）（　　　　）

② 裏庭にへびが出て、大騒ぎになった。

（　　　　）

③ 風邪をひき、のどが痛くてせきがでる。

（　　　　）（　　　　）

④ 彼女はだいたんな発想で周囲を驚かせた。

（　　　　）

⑤ すいみんが浅くてじゅくすいできない。

（　　　　）（　　　　）

| 蝶 | 蛇 | 喉 | 咳 | 睡眠 | 熟睡 | 色彩 | 大胆 |

1 自然・生物

問題4 次の漢字の訓読み、または訓読みを含む漢字の読み方を、ひらがなで書きなさい。

① 繭　（　　　　　）　　② 峠　（　　　　　）

③ 髭　（　　　　　）　　④ 梢　（　　　　　）

⑤ 膝　（　　　　　）　　⑥ 崖　（　　　　　）

⑦ 暁　（　　　　　）

問題5 適当な言葉を選び、（　　　　　）に入れなさい。

① 混雑している電車の中で、前の人から偶然（　　　　　）を食らってしまった。

② おいしそうな（　　　　　）が、台所から漂ってくる。

③ 細菌が（　　　　　）する季節になった。

④ 急な夕立ちで、（　　　　　）になってしまった。

⑤ 彼の意見は発表者の（　　　　　）を突くものだった。

⑥ 徹夜が続き、体が（　　　　　）のように重い。

⑦ 彼女の（　　　　　）を、大粒の涙が伝った。

鉛　　肘鉄　　頬　　ずぶ濡れ　　匂い　　繁殖　　盲点

問題6 下から適当な言葉を選び、必要であれば形を変えて、漢字と読み方を書きなさい。

① 炎天下、しばらく歩いたら、ひどく喉が（　　　　　）しまった。

② 飼い犬が急に（　　　　　）始めたので、窓の外を見に行った。

③ 彼はガムを（　　　　　）ながら運転していた。

④ 初対面の相手が同郷だとわかると、親近感が（　　　　　）くる。

⑤ 虫に刺されて（　　　　　）ところが、とてもかゆい。

⑥ 雨の日に（　　　　　）鞄をそのままにしておいたら、しみになった。

濡れる　　渇く　　湧く　　噛む　　腫れる　　吠える

1 自然・生物　試験模擬問題

（解答 ⇨ 別冊 p.3～4）

問題 1　＿＿＿の言葉の読み方として最もよいものを、1・2・3・4から一つ選びなさい。

1 この辺りは埋め立て地なので、地盤が柔らかく、不安定だ。
　1　ちばん　　　　2　じばん　　　　3　きばん　　　　4　じはん

2 昨日の大雨のせいか、普段は透明なこの池の水が濁っている。
　1　しゅうめい　　2　とうめい　　　3　どうめい　　　4　とうえい

3 散歩をしていたら、近くの梅林から、芳しい香りが漂ってきた。
　1　かぐわしい　　2　すばらしい　　3　かんばしい　　4　うるわしい

4 呼吸停止から時間が経過するほど、蘇生の可能性は低くなる。
　1　すせい　　　　2　すじょう　　　3　そしょう　　　4　そせい

5 団塊の世代の人々は、日本の経済成長を支えてきたという自負があるようだ。
　1　だんかい　　　2　たんかい　　　3　だんこん　　　4　たんがい

6 虫歯が悪化し、歯茎が腫れあがってしまった。
　1　しくき　　　　2　はけい　　　　3　はぐき　　　　4　しにく

7 土壌が酸性化すると、作物が枯れやすくなる。
　1　とじょう　　　2　とじゅう　　　3　どじょう　　　4　どしゅう

8 この映画のテーマは、ラスト5分間のシーンに凝縮されている。
　1　きょうしゅく　2　ぎょうしゅく　3　ぎしょく　　　4　ぎょうしょく

9 卵には良質の蛋白質が多く含まれている。
  1 だんはくしつ　　2 たんしろしつ　　3 だんぱくしつ　　4 たんぱくしつ

10 夏の夜は、暑くてなかなか熟睡できない。
  1 しゅくすい　　2 しゅくずい　　3 じゅくみん　　4 じゅくすい

11 その渓谷は、去年世界遺産に登録された。
  1 けいこく　　2 けいたに　　3 きょうこく　　4 きょうたに

12 殺虫スプレーを噴射して、蚊を退治した。
  1 ぷんしゃ　　2 ふんしょ　　3 ふんしゃ　　4 ふんしゅ

問題2 （　　　）に入れるのに最もよいものを、1・2・3・4から一つ選びなさい。

1 （　　　）で、家の屋根が吹き飛ばされた。
  1 露　　2 濃霧　　3 初霜　　4 竜巻

2 勇気を持って前進を続ければ、（　　　）未来が切り開かれるでしょう。
  1 芳しい　　2 粘り強い　　3 輝かしい　　4 淡い

3 ここはかつて草や樹木の生い（　　　）、緑豊かな土地だった。
  1 植える　　2 咲かす　　3 茂る　　4 増える

4 息子の激しい下痢は、（　　　）によるものだとわかった。
  1 繁殖　　2 細胞　　3 殺菌　　4 細菌

5 電車で大きなお腹の（　　　）さんに席を譲った。
  1 妊娠　　2 主婦　　3 妊婦　　4 婦女

6 口数が少なく（　　　　　）な彼は、クラスに友人がいないようだ。
　1　隠居　　　　　2　日陰　　　　　3　湿気　　　　　4　陰気

7 その食品を摂り続けると、心臓（　　　　　）にかかる確率が下がるそうだ。
　1　疾病　　　　　2　疾患　　　　　3　疾痛　　　　　4　疾風

8 この画家の作品は、鮮やかな（　　　　　）が特徴だ。
　1　明彩　　　　　2　多彩　　　　　3　色彩　　　　　4　精彩

9 母親が入院しても一度も見舞いに行こうとしない彼の（　　　　　）な様子を見て、別れようと思った。
　1　冷淡　　　　　2　冷静　　　　　3　冷笑　　　　　4　冷凍

10 父は入れ歯にしてから、固いものが噛み（　　　　　）なくなった。
　1　切れ　　　　　2　除け　　　　　3　飲め　　　　　4　外せ

問題3　＿＿＿＿の言葉に意味が最も近いものを、1・2・3・4から一つ選びなさい。

1 さあ、<u>今宵</u>は皆で出かけようではありませんか。
　1　今日の夕方　　　　　　　　2　今日の晩から夜中にかけて
　3　今日の真夜中　　　　　　　4　今日一日

2 その湖の水は<u>透き通って</u>いて、底の方までよく見えた。
　1　冷たくて　　　　　　　　　2　光っていて
　3　遮るものがなくて　　　　　4　澄んでいて

3 行政の目下の課題は、都市<u>基盤</u>の早急な整備である。
　1　基本的な組織　　　　　　　2　安定した交通やインフラ
　3　基本的なサービス　　　　　4　手本となるような政策

4 この問題の解決には、粘り強い努力が必要です。

1　強い気持ちを持つ　　　　　2　様々な手段を使う

3　根気よく続ける　　　　　　4　より一層の

5 この膨大な量の資料を、一日で読むのは不可能だ。

1　膨れ上がった　　　　　　　2　内容についてはよくわからない

3　広い地域にまたがる　　　　4　非常にたくさんの

6 その学生は、授業中いつも教師の姿を凝視している。

1　ちらっと見て　　　　　　　2　じろじろ見て

3　ざっと見て　　　　　　　　4　じっと見て

問題4　次の言葉の使い方として最もよいものを、1・2・3・4から一つ選びなさい。

1 霞む

1　ホームに電車が入ってきて、携帯の音が霞んだ。

2　努力しても成果が上がらず、心が霞んでくる。

3　渓流で魚を釣っていたら、川が濁って霞んできた。

4　スモッグのためか、遠くが霞んで見える。

2 媒介

1　インターネットの資料を媒介して、レポートを作成する。

2　社長の媒介で、社長の娘と結婚することになった。

3　食品を媒介して感染する寄生虫に注意が必要だ。

4　細菌を育てて、ウイルスを媒介中だ。

3 湧く

1 困難に出会っても、彼女のことを考えると勇気が湧いてくる。

2 ご飯が湧いたら食事にしよう。

3 スポーツジムでトレーニングをしたら、汗が湧いてきた。

4 春になって木々に緑の葉が湧きでてきた。

4 露骨

1 改札で困っている人がいたが、露骨に助けなかった。

2 上司に呼ばれて、彼女は露骨に不愉快そうな顔をした。

3 炎天下を歩いている彼の顔に、汗が露骨に光っている。

4 海岸の大きな岩が、露骨に目立っている。

5 膨張

1 この地域は人口が膨張し、大都市となった。

2 洪水で河川の水が膨張し、被害が出た。

3 政府の財政赤字が膨張していることに、危機感を抱く人が少なくない。

4 隣の家の柿の木が膨張し、我が家の庭に伸びてきた。

6 波紋

1 湖に石を投げたら、湖面に波紋が広がった。

2 祭りの太鼓の音が大きく、あたりに波紋した。

3 ボートに乗ってスピードを出したら、後ろに波紋が立った。

4 水中に潜ったダイバーの後ろから、波紋を追いかける。

2 心情・思考・言語
Unit 1

思考 (中心):
勿論、其の、尚、尤も、又、或いは
漠然、怠慢、堪能、示唆、翻訳、随筆、探偵、捜索、分析、詳細、挿入、原稿、陰謀、証拠、吟味、把握、概論、囚われる、疑惑、謎、承諾、採択、拷問、尋問、解釈、諮問、傍聴、喚問、糾弾、趣旨、該当、慰謝料、欺く、虚偽、規範、抽選、陳謝、遺憾、名簿、名称、匿名、訂正、矯正、抄本、記載、空欄、宛名、閲覧、拝啓

1	惑 ☆☆☆	惑	惑	音 ワク / 訓 まど・う	疑惑 ぎわく [a suspicion／疑惑／의혹] 誘惑スル ゆうわく [to tempt, entice／诱惑／유혹하다] 戸惑い とまどい [bewilderment, puzzlement／踌躇／망설임]

疑惑：県庁舎建築の入札に際し、談合があったのではないかという疑惑が持ちあがっている。
誘惑：都会にはいろいろな誘惑が多いが、惑わされずにしっかり勉強しなさい。

| 2 | 詳 ☆☆☆ | 詳 | 詳 | 音 ショウ / 訓 くわ・しい | 詳細 しょうさい [detailed／详细的／상세한]
不詳 ふしょう [unknown／不详／미상]
詳述スル しょうじゅつ [to describe in detail／详述／상술 하다] |

詳細：アフターサービスの詳細な内容については、各店にお問い合わせください。
不詳：この曲は作曲者不詳だが、多くの人に歌われている。

| 3 | 範 ☆☆☆ | 范 | 範 | 音 ハン / 訓 — | 規範 きはん [a model, an example／规范／규범]
模範 もはん [a model, a pattern／模范／모범]
範囲 はんい [extent, range／范围／범위] |

規範：市民として守るべき規範を、学校教育を通して教え込む。
模範：先生の模範演技を参考にして、生徒は各々の創作ダンスを披露した。

| 4 | 載 ☆☆☆ | 載 | 載 | 音 サイ / 訓 の・せる、の・る | 記載スル きさい [to mention, to record／记载／기재]
掲載スル けいさい [to publish, to print／刊登／게재하다]
連載スル れんさい [to serialize (a publication)／连载／연재하다] |

記載：保険申込書の記載事項に不備がある場合は、お返しする場合があります。
掲載：弟が投稿した詩が今朝の朝刊に掲載されました。

| 5 | 択 ☆☆☆ | 择 | 擇 | 音 タク / 訓 — | 採択スル さいたく [to carry, to adopt, to choose／采纳／채택하다]
選択スル せんたく [to choose, to elect／选择／선택하다]
二者択一 にしゃたくいつ [a choice between two things／二者选一／양자 택일] |

採択：議会はごみ処分場建設に関する決議案を全員一致で採択した。
選択：当校では、学習進度や目標にあったコースを選択することができます。

6	称 ☆☆☆	称	稱	音 ショウ 訓 —	名称 めいしょう [a name, a title／名称／명칭] 称する しょうする [to call, to name／称呼／칭하다] 愛称 あいしょう [a nickname, a pet name／爱称／애칭]
					名称：新しく建設されたスポーツ施設の**名称**を募集します。 称する：昨晩、息子の同級生と**称する**男性から電話がかかってきた。
7	釈 ☆☆☆	釈	釋	音 シャク 訓 —	解釈スル かいしゃく [to interpret, to explain／解释／해석하다] 釈放スル しゃくほう [to release／释放／석방하다] 会釈スル えしゃく [to bow, to salute／打招呼／가벼운 인사를 하다]
					解釈：映画の台詞を巡って、監督と役者の**解釈**が一致しないので、撮影は中断した。 釈放：窃盗で服役していた男は、刑期を終えて**釈放**された。
8	趣 ☆☆☆	趣	趣	音 シュ 訓 おもむき	趣旨 しゅし [the gist, the purpose／宗旨／취지] 趣 おもむき [elegance, grace／雅趣／정취] 趣向 しゅこう [a plan, an idea／方案／취향]
					趣旨：子ども会の活動**趣旨**を理解していただける方は、是非ボランティアとしてご協力ください。 趣：古都京都には、**趣**のある街並みが続いている。
9	析 ☆☆☆	析	析	音 セキ 訓 —	分析スル ぶんせき [to analyze, to reduce something to its elements／分析／분석하다] 解析スル かいせき [to analyze, to dissect／解析／해석하다]
					分析：新商品のアンケート結果を**分析**し、商品開発にいかす。 解析：彼女の仕事は、特定の遺伝子が持つ働きを**解析**することだ。
10	索 ☆☆☆	索	索	音 サク 訓 —	捜索スル そうさく [to search, to hunt for／搜索／수색하다] 検索スル けんさく [to look up, to search／检索／검색하다] 模索スル もさく [to seek, to grope for／摸索／모색하다]
					捜索：山の中を何日も**捜索**したが、行方不明者の手掛かりはなかった。 検索：パソコンで**検索**して、参考文献を探す。
11	概 ☆☆☆	概	概	音 ガイ 訓 —	概論 がいろん [an outline, an introduction／概论／개론] 概念 がいねん [a concept, a general idea／概念／개념] 概要 がいよう [an outline, a summary／概要／개요]
					概論：憲法**概論**の授業は、いくら聞いてもよくわからない。 概念：彼の理論は、あまりに**概念**的で具体性に欠ける。
12	又 ☆☆☆	又	又	音 — 訓 また	又 また [again, once more／并且／또] 又は または [or, either…or…／或／또는]
					又：次の診察ですが、明日、**又**来てください。 又は：ランチには、コーヒー、**又は**、紅茶が付きます。
13	尚 ☆☆☆	尚	尚	音 ショウ 訓 —	尚 なお [more, further, still, yet／再者／한편] 高尚ナ こうしょう [high, lofty, noble／高尚的／고상한] 和尚 おしょう [a Buddhist priest／和尚／화상, 스님]
					尚：**尚**一層のお引き立てを賜りますようお願い申し上げます。 高尚：俳句とは**高尚**な趣味をお持ちですね。
14	虚 ☆☆☆	虚	虚	音 キョ、コ 訓 —	虚偽 きょぎ [a falsehood／虚伪／허위] 虚しい むなしい [empty, vacant, futile／空虚／공허한] 虚構 きょこう [an invention, a fabrication／虚构／허구]
					虚偽：彼は法廷で**虚偽**の証言をした可能性がある。 虚しい：何をしても**虚しい**気持ちを埋めることができない。
15	慰 ☆☆	慰	慰	音 イ 訓 なぐさ・める、なぐさ・む	慰謝料 いしゃりょう [compensation, damages／赔偿费／위자료] 慰霊 いれい [a memorial, a remembrance／祭奠／위령] 慰問スル いもん [to console／慰问／위문하다]
					慰謝料：妻との離婚は容易に成立したが、**慰謝料**の件でもめている。 慰霊：**慰霊**の塔に名前を刻んで、故人を忍ぶ。

2 心情・思考・言語

No.	漢字	楷書	明朝	音訓	語例
16	尋 ☆☆	尋	尋	音 ジン 訓 たず・ねる	尋問スル じんもん [to question, to interrogate／讯问／심문하다] 尋ねる たずねる [to ask, to inquire／寻问／묻다] 尋常 じんじょう [ordinary, common, usual／一般的／심상한]

尋問：尋問の様子をビデオで撮る方法がとられるようになった。
尋ねる：入社試験の面接でどんなことを尋ねられましたか。

| 17 | 抽 ☆☆ | 抽 | 抽 | 音 チュウ
訓 ― | 抽選スル ちゅうせん [to draw lots／抽签／추첨하다]
抽象的ナ ちゅうしょうてき [abstract／抽象的／추상적]
抽出スル ちゅうしゅつ [to extract, to sample／抽出／추출하다] |

抽選：年末の商店街の抽選で、一等を当てた。
抽象的：絵についての批評は、抽象的でわかりにくい表現が多い。

| 18 | 謀 ☆☆ | 謀 | 謀 | 音 ボウ、ム
訓 はか・る | 陰謀 いんぼう [a plot, an intrigue／阴谋／음모]
無謀ナ むぼう [rash, thoughtless／鲁莽的／무모한]
共謀スル きょうぼう [to plot together, to conspire with／同谋／공모] |

陰謀：図らずも陰謀に加担することになってしまった。
無謀：きちんとした装備もなく冬山に登るなんて、無謀な計画だと非難された。

| 19 | 怠 ☆☆ | 怠 | 怠 | 音 タイ
訓 おこた・る、なま・ける | 怠慢ナ たいまん [negligent, careless／懈怠／태만]
怠け者 なまけもの [an idle or lazy person／懒人／게으름뱅이] |

怠慢：彼の怠慢さが、ついに上司を怒らせてしまった。
怠け者：息子は怠け者で、定職に就こうとしない。

| 20 | 喚 ☆☆ | 喚 | 喚 | 音 カン
訓 ― | 喚問スル かんもん [to summon／传讯／환문하다]
喚起スル かんき [to rouse, to excite／提醒／환기]
召喚スル しょうかん [to call, to summon／传唤／소환] |

喚問：事件のキーマンに対する喚問が行われた。
喚起：火災の発生しやすい冬は、消防署が特に注意を喚起している。

| 21 | 稿 ☆☆ | 稿 | 稿 | 音 コウ
訓 ― | 原稿 げんこう [a draft, a manuscript／原稿／원고]
投稿スル とうこう [to contribute, to write (for)／投稿／투고하다]
寄稿スル きこう [to contribute, to submit (for publication)／投稿／기고하다] |

原稿：頼んだ原稿は今週中に仕上げてください。
投稿：新聞に投稿した文章が掲載された。

| 22 | 把 ☆☆ | 把 | 把 | 音 ハ
訓 ― | 把握スル はあく [to grasp (the meaning)／把握／파악하다]
大雑把ナ おおざっぱ [rough, broad, sketchy／粗心的／대략적인] |

把握：料理長は調理の全ての過程を把握していなければならない。
大雑把：大雑把に計算しただけですが、ヨーロッパ旅行の費用は50万円といったところです。

| 23 | 傍 ☆☆ | 傍 | 傍 | 音 ボウ
訓 かたわ・ら | 傍聴スル ぼうちょう [to listen to, to attend／旁听／방청하다]
傍ら かたわら [on the side／旁边／곁(옆)]
傍観スル ぼうかん [to look on, to sit by and watch／旁观／방관하다] |

傍聴：ニュースで大きく取り上げられた事件の裁判を傍聴した。
傍ら：将軍の墓の傍らに、夫人の墓がひっそりと立っている。

| 24 | 翻 ☆☆ | 翻 | 翻 | 音 ホン
訓 ひるがえ・る、ひるがえ・す | 翻訳スル ほんやく [to translate／翻译／번역하다]
翻弄スル ほんろう [to toss about, to make fun of／播弄／번롱하다]
翻意スル ほんい [to change one's mind／改变主意／번의하다] |

翻訳：彼女は英語の児童書を日本語に翻訳する仕事をしている。
翻弄：今振り返ると、親に翻弄された子供時代だった。

| 25 | 漠 ☆☆ | 漠 | 漠 | 音 バク
訓 ― | 漠然 ばくぜん [vaguely／含糊／막연]
砂漠 さばく [a desert／沙漠／사막]
茫漠 ぼうばく [vast, endless／辽阔／망막] |

漠然：彼の計画は漠然としていて、具体的なことがよくわからない。
砂漠：内陸の地域の砂漠化が進んでいる。

26	偵 ☆	偵	偵	音	テイ	探偵スル たんてい [to spy, to investigate／侦探／탐정하다] 偵察スル ていさつ [to scout, to reconnoiter／侦察／정찰하다] 内偵スル ないてい [to make private inquiries／暗中侦察／내탐하다]
				訓	—	
	探偵：探偵が事件を解決するアニメや漫画は人気がある。 偵察：今回の紛争では、敵軍の偵察のために飛行機だけではなく軍事衛星も使われた。					
27	謎 * ☆	謎	謎	音	—	謎 なぞ [a riddle, a puzzle／谜／수수께끼] 謎々 なぞなぞ [a riddle game／谜语／수수께끼]
				訓	なぞ	
	謎：犯人が自殺したため、事件の真相は今も謎に包まれたままだ。 謎々：謎々を出すと娘が喜ぶので、彼は謎々の本を買って毎日読んでいる。					
28	吟 ☆	吟	吟	音	ギン	吟味スル ぎんみ [to examine closely／考虑／음미하다] 吟醸 ぎんじょう [ginjō／精心酿造／음미하며 양조함]
				訓	—	
	吟味：義母への母の日のプレゼントを1か月かけて吟味した。 吟醸：この居酒屋は吟醸酒が充実している。					
29	閲 ☆	閲	閲	音	エツ	閲覧スル えつらん [to read, to peruse／阅览／열람하다] 検閲スル けんえつ [to censor, to inspect／检阅／검열] 校閲スル こうえつ [to read, to look over／校阅／교열]
				訓	—	
	閲覧：図書館の本を閲覧するスペースが広がり、満席の日が少なくなった。 検閲：戦前は、出版物は政府の検閲を受けていた。					
30	唆 ☆	唆	唆	音	サ	示唆スル しさ [to suggest, to hint at／暗示／시사] 教唆スル きょうさ [to incite, to instigate／教唆／교사]
				訓	そそのか・す	
	示唆：このデータは、小学生の成績と朝食の摂取には関係があるということを示唆している。 教唆：彼は放火犯に火を付けることを提案した教唆の疑いがある。					
31	抄 ☆	抄	抄	音	ショウ	抄本 しょうほん [an abstract, an extract／抄本／초본] 抄録スル しょうろく [to extract, to summarize／摘录／초록] 抄出スル しょうしゅつ [to take excerpts, to extract／摘出／발췌하다]
				訓	—	
	抄本：戸籍抄本をとりに、役所へ行った。 抄録：参考文献の中の、重要な部分のみ抄録しておく。					
32	糾 ☆	糾	糾	音	キュウ	糾弾スル きゅうだん [to denounce, to impeach／谴责／비난] 糾明スル きゅうめい [to examine closely／查明／규명하다] 紛糾スル ふんきゅう [to become complicated／纠纷／분규하다]
				訓	—	
	糾弾：電力会社の核燃料の管理について、厳しい糾弾が相次いだ。 糾明：事件の徹底的な糾明と同時に、人権への配慮も必要だ。					
33	諮 ☆	諮	諮	音	シ	諮問スル しもん [to consult／咨询／자문하다] 諮る はかる [to discuss／商议／상의] 諮問機関 しもんきかん [an advisory body／咨询机构／자문 기관]
				訓	はか・る	
	諮問：行政に関する新たな提案について、専門委員会に諮問する。 諮る：この会議の席上で、本提案についてお諮りしたいと思います。					
34	拷 ☆	拷	拷	音	ゴウ	拷問スル ごうもん [to torture／拷问／고문하다]
				訓	—	
	拷問：高校時代野球部で、毎日グラウンドを50周させられたのは、拷問のように辛かった。					
35	或 外 ☆	或	或	音	—	或いは あるいは [or, possibly／或者／혹은] 或る ある [one, some, a certain／有的／또는]
				訓	ある・いは、あ・る	
	或いは：ご質問、或いはご意見のある方は、こちらの用紙にご記入ください。 或る：別荘では、或る時は本を読み、或る時は近隣を散策するという生活を送っていた。					

№	漢字	楷書	行書	音訓	読み・意味
36	堪 ☆	堪	堪	音 カン / 訓 た・える	堪能ナ・スル たんのう／かんのう [to be satisfied with, to have enough of／十分満足／능숙하다] 堪忍スル かんにん [to pardon, to forgive／容忍／인내하다] 堪える たえる [to bear, to endure／忍耐／견딘다]
	堪能：コンサートで、すばらしいピアノ演奏を**堪能**した。 堪忍：私が悪かったです。どうぞ**堪忍**してください。				
37	憾 ☆	憾	憾	音 カン / 訓 ―	遺憾ナ いかん [pitiable, regrettable／遺憾／유감]
	遺憾：私の発言が多くの方々の誤解を招いたことは、誠に**遺憾**に思います。				
38	矯 ☆	矯	矯	音 キョウ / 訓 た・める	矯正スル きょうせい [to reform, to correct／矯正／교정]
	矯正：歯の**矯正**に、五年以上もかかってしまった。				
39	宛 *☆	宛	宛	音 ― / 訓 あ・てる	宛名(宛て名) あてな [one's name and address／收件人姓名／수신자성명] 宛先(宛て先) あてさき [address, destination／地址／수신처] 〜宛(宛て) あて [for, attention／〜接收人／〜앞]
	宛名：**宛名**を間違えて書いたため、郵便物が戻って来てしまった。 宛先：はがきには、**宛先**をはっきりと書きましょう。				
40	勿 外☆	勿	勿	音 モチ / 訓 ―	勿論 もちろん [of course, certainly／当然／물론]
	勿論：スポーツ大会にはクラス全員の参加が原則ですが、**勿論**体調不良者は除きます。				
41	尤 外☆	尤	尤	音 ― / 訓 もっと・も	尤もナ もっとも [reasonable, natural／有理的／당연한] 尤も もっとも [though／但／지당함]
	尤も：彼一人だけに残業を頼んだら、嫌がるのは**尤も**だ。／社員旅行には全員参加が原則です。 尤も、出張で参加できない人もいますが。				
42	啓 ☆☆☆	啓	啓	音 ケイ / 訓 ―	拝啓 はいけい [Dear … (in a letter)／敬啓者／배계] 啓蒙スル けいもう [to educate, to enlighten／启蒙／계몽] 啓発スル けいはつ [to enlighten, to cultivate／启发／계발]
	拝啓：**拝啓** 桜の季節となりましたが、お元気でいらっしゃいますか。（手紙文） 啓蒙：**啓蒙**思想はヨーロッパで18世紀に盛んになった。				
43	囚 ☆☆	囚	囚	音 シュウ / 訓 ―	囚われる とらわれる [to be caught, to be taken prisoner／禁錮（指思想）／붙잡히다] 囚人 しゅうじん [a prisoner, a convict／囚犯／수인]
	囚われる：既成概念に**囚われて**いては、新しい発想は生まれてこない。 囚人：この小説の主人公は、たった一個のパンを盗んだ罪で、19年間**囚人**として生きることになった。				
44	諾 ☆	諾	諾	音 ダク / 訓 ―	承諾スル しょうだく [to consent, to agree／同意／승낙하다] 受諾スル じゅだく [to accept, to agree to／接受／수락하다] 快諾スル かいだく [to agree, to consent willingly／慨允／쾌락하다]
	承諾：未成年がアルバイトをする場合は、親の**承諾**を求められることが多いです。 受諾：アメリカが提案した条件を**受諾**し、条約に加盟することになった。				
45	簿 ☆☆☆	簿	簿	音 ボ / 訓 ―	名簿 めいぼ [name list, register／名单／명부] 家計簿 かけいぼ [household accounts／家用帳／가계부] 帳簿 ちょうぼ [book, account／帳本／장부]
	名簿：会員**名簿**を整理する。 家計簿：パソコンで**家計簿**を付けてみる。				

2 心情・思考・言語

#	漢字	簡体	繁体	音訓	熟語
46	陳 ☆☆	陈	陳	音 チン 訓 —	陳謝スル ちんしゃ [to apologize／道歉／사과하자] 陳情スル ちんじょう [to petition, to appeal, to complain／请愿／진정하다] 陳列スル ちんれつ [to exhibit, to display／展览／진열하다]

陳謝：社長が今回の事件について**陳謝**する。
陳情：地元から国会に**陳情**団を送る。

| 47 | 随 ☆☆ | 随 | 隨 | 音 ズイ
訓 — | 随筆 ずいひつ [miscellaneous writings／随笔／수필]
随分 ずいぶん [very, extremely／相当／상당히]
随行スル ずいこう [to accompany, to follow／随从／수행] |

随筆：この作家の**随筆**を読むと、人生について考えさせられる。
随分：今日は**随分**早いですね。まだ8時半ですよ。

| 48 | 欺 ☆☆ | 欺 | 欺 | 音 ギ
訓 あざむ・く | 欺く あざむく [to deceive, to cheat／欺骗／속이다]
欺瞞スル ぎまん [to cheat, to swindle／欺瞒／기만하다]
詐欺 さぎ [a fraud, a swindle, a trick／欺诈／사기] |

欺く：人を**欺いて**はならない。
欺瞞：彼は自分の成功のために、周りの人々を**欺瞞**しつづけた。

| 49 | 拠 ☆☆☆ | 据 | 據 | 音 キョ、コ
訓 — | 証拠 しょうこ [evidence, proof／证据／증거]
根拠 こんきょ [basis, grounds／根据／근거]
拠点 きょてん [a base, a position, a strong point／据点／거점] |

証拠：検察は、犯行を行ったのは被告であるという**証拠**を裁判員に示した。
根拠：血液型占いには、科学的**根拠**はない。

| 50 | 訂 ☆☆☆ | 订 | 訂 | 音 テイ
訓 — | 訂正スル ていせい [to correct, to revise／订正／수정하다]
改訂スル かいてい [to revise, to modify／改订／개정하다]
校訂スル こうてい [to revise, to amend／校订／교정하다] |

訂正：電車の時刻表の印刷ミスが**訂正**された。
改訂：韓国語辞典の**改訂**版が出るそうだ。

| 51 | 該 ☆☆ | 该 | 該 | 音 ガイ
訓 — | 該当スル がいとう [to be applicable, to correspond to／符合／해당]
当該 とうがい [concerned, relevant／相关／당연] |

該当：このチェック項目に**該当**する人は事務所に来てください。
当該：現在、A町とB町の山林に土砂崩れの危険があります。**当該**地域の住民は注意してください。

| 52 | 欄 ☆☆ | 栏 | 欄 | 音 ラン
訓 — | 空欄 くうらん [a blank, a blank space／空白栏／공란]
欄外 らんがい [a margin／栏外／난외] |

空欄：申請書の中で書き方がわからない箇所は、**空欄**のままにしておいてください。
欄外：**欄外**の注意事項も併せてご覧ください。

| 53 | 匿 ☆ | 匿 | 匿 | 音 トク
訓 — | 匿名 とくめい [anonymous, nameless／匿名／익명]
秘匿スル ひとく [to conceal, to hide／隐匿／비닉]
隠匿スル いんとく [to hide, to stash something away／隐匿／은닉] |

匿名：警察に**匿名**で電話をかけてきた男は、謎だった事件の概要を詳しく語った。
秘匿：巨額の赤字を**秘匿**していたことについて、A社の社長が責任を問われている。

| 54 | 其 外 ☆ | 其 | 其 | 音 —
訓 そ・の、そ・れ | 其の その [that／其／그]
其れ それ [that, there／那／그것] |

其の：「野球 入門**其の**一」、というウェブサイトで野球について勉強した。
其れ：「**其れ**はどの帝の頃だったでしょうか」と平安時代の衣装を着た女優は台詞を言いはじめた。

| 55 | 挿 ☆ | 插 | 插 | 音 ソウ
訓 さ・す | 挿入スル そうにゅう [to insert, to penetrate／插入／삽입]
挿し絵 さしえ [an illustration, a figure／插图／삽화]
挿話 そうわ [an episode, incident／小故事／삽화] |

挿入：pdfファイルにページ番号を**挿入**する方法がわからない。
挿し絵：子供用の本は**挿し絵**がきれいで、ずっと眺めていたくなる。

2 心情・思考・言語　Unit 1　練習問題

（解答 ⇨ 別冊 p.4）

問題1　漢字の読み方を書きなさい。

① 規範　（　　　　）　② 捜索　（　　　　）　③ 慰謝料（　　　　）

④ 把握　（　　　　）　⑤ 探偵　（　　　　）　⑥ 抄本　（　　　　）

⑦ 拷問　（　　　　）　⑧ 矯正　（　　　　）　⑨ 陳謝　（　　　　）

⑩ 随筆　（　　　　）　⑪ 挿入　（　　　　）　⑫ 拝啓　（　　　　）

⑬ 承諾　（　　　　）　⑭ 示唆　（　　　　）　⑮ 糾明　（　　　　）

問題2　次の漢字の読み方をひらがなで書きなさい。

① 趣旨　（　　　　）－　修士　（　　　　）

② 尋問　（　　　　）－　諮問　（　　　　）

③ 証拠　（　　　　）－　消去　（　　　　）

④ 該当　（　　　　）－　回答　（　　　　）

問題3　＿＿＿の部分の漢字を下から選びなさい。

① 弟がとうこうした詩が、今朝の朝刊にけいさいされました。
　　（　　　　　　）　　　　（　　　　　　）

② 彼女の仕事は、なぞの多い遺伝子が持つ働きをかいせきすることだ。
　　　　　（　　　　　）　　　　　（　　　　　）

③ 裁判で警察官が証人としてかんもんされたので、ぼうちょうしに行った。
　　　　　　　　（　　　　　）　　（　　　　　）

④ 文化や習慣に基づくがいねんは、説明することもほんやくすることも難しい。
　　　　　　（　　　　　）　　　　（　　　　　）

⑤ 進学希望の学部または学科のせんたくは、時間をかけてぎんみしたほうがよい。
　　　　　（　　　）（　　　　　　）（　　　　　　）

| 又 | 謎 | 傍聴 | 概念 | 投稿 | 吟味 | 喚問 | 翻訳 | 掲載 | 解析 | 選択 |

問題4 次の漢字の訓読み、または訓読みを含む漢字の読み方を、ひらがなで書きなさい。

1 戸惑い(　　　)　2 宛名(　　　)　3 尚(　　　)

4 怠け者(　　　)　5 或る(　　　)　6 勿論(　　　)

7 挿し絵(　　　)　8 尤も(　　　)　9 其の(　　　)

問題5 適当な言葉を選び、(　　　)に入れなさい。

1 台詞をめぐって監督と役者の(　　　)が一致せず、撮影現場は混乱した。

2 年末の商店街の(　　　)で、一等を当てた。

3 図らずも(　　　)に加担することになってしまった。

4 彼の計画は(　　　)としていて、具体的なことがよくわからない。

5 図書館の本を(　　　)するスペースが広がり、満席の日が減った。

6 私の発言が誤解を招いたことは、誠に(　　　)に思います。

7 お金の使い方に無駄がないか調べるために、パソコンで(　　　)を付けてみる。

8 韓国語辞典の(　　　)版が出るそうだ。

9 申込用紙の不明な部分は(　　　)のままにしておいてください。

10 (　　　)を希望される方は、アンケート用紙への名前の記入は不要です。

11 この施設の(　　　)は、市民からの公募で決定しました。

名称　陰謀　漠然　空欄　解釈　抽選　家計簿　匿名　改訂　遺憾　閲覧

問題6 下から適当な言葉を選び、必要であれば形を変えて、漢字と読み方を書きなさい。

1 パソコン故障時のアフターサービスについて(　　　)教えてください。

2 人を(　　　)はならない。

3 何をしても(　　　)感じてしまい、仕事が全くはかどらない。

4 この時計には水中での使用にも(　　　)うる防水加工が施されている。

5 既成概念に(　　　)いては、新しい発想は生まれてこない。

堪える　欺く　囚われる　虚しい　詳しい

2 心情・思考・言語
Unit 2

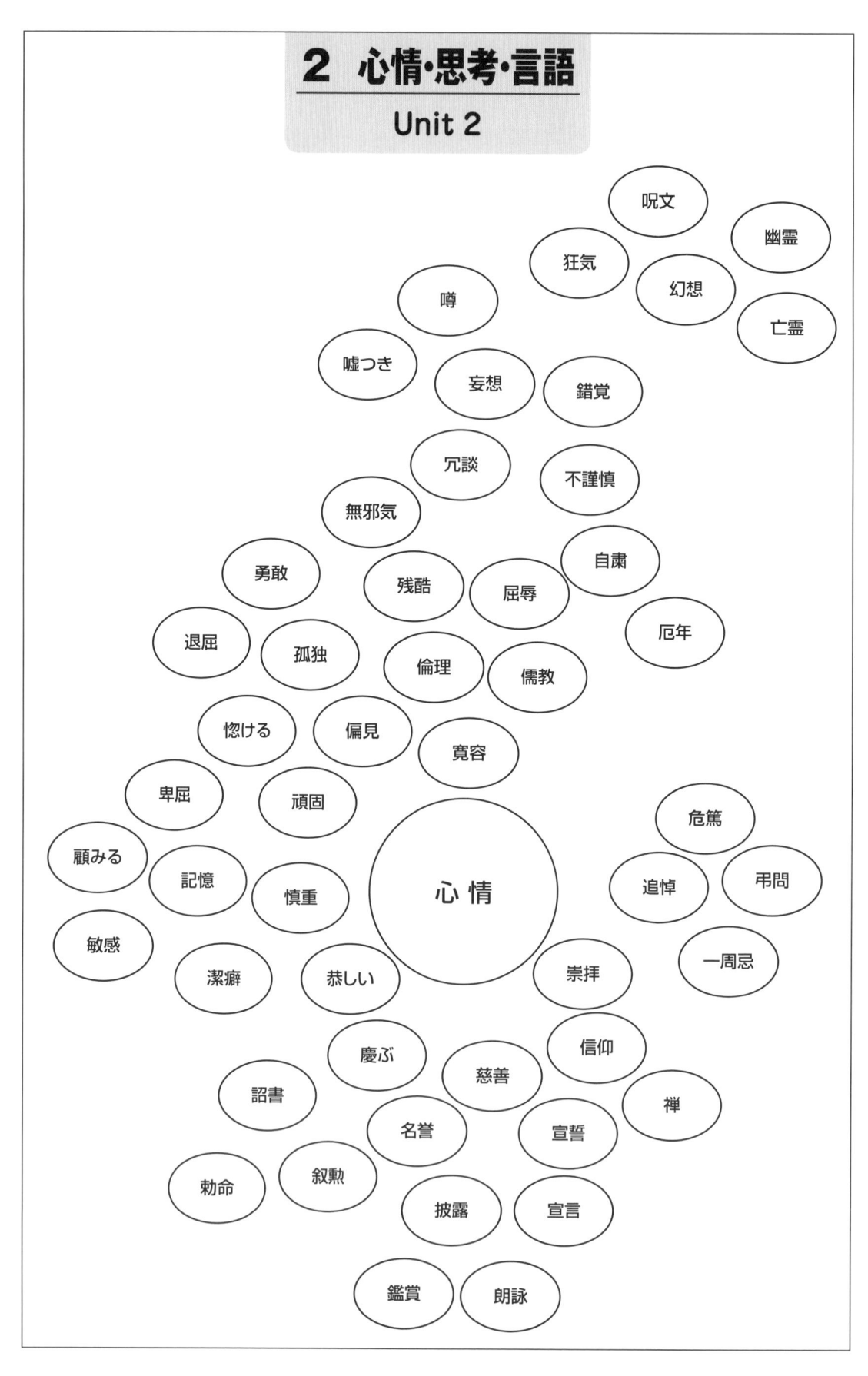

- 呪文
- 幽霊
- 狂気
- 幻想
- 噂
- 亡霊
- 嘘つき
- 妄想
- 錯覚
- 冗談
- 不謹慎
- 無邪気
- 自粛
- 勇敢
- 残酷
- 屈辱
- 厄年
- 退屈
- 孤独
- 倫理
- 儒教
- 惚ける
- 偏見
- 寛容
- 卑屈
- 頑固
- 危篤
- 顧みる
- 記憶
- 心情
- 追悼
- 弔問
- 慎重
- 一周忌
- 敏感
- 潔癖
- 恭しい
- 崇拝
- 慶ぶ
- 信仰
- 詔書
- 慈善
- 禅
- 名誉
- 宣誓
- 勅命
- 叙勲
- 披露
- 宣言
- 鑑賞
- 朗詠

#	漢字	簡体	繁体	音訓	語例
56	慶 ☆☆☆	庆	慶	音 ケイ 訓 —	慶ぶ よろこぶ [to be delighted, to congratulate／喜悦／기뻐하는] 慶弔 けいちょう [an occasion for celebration or sorrow／庆唁／경조사] 慶事 けいじ [a happy event／喜事／경사]

慶ぶ：皆様におかれましては、益々ご健勝のこととお慶び申し上げます。
慶弔：今月は、結婚や葬式が重なり、慶弔費がかかった。

| 57 | 敏 ☆☆☆ | 敏 | 敏 | 音 ビン
訓 — | 敏感ナ びんかん [sensitive／敏感的／민감한]
機敏 きびん [alert, smart, quick／机敏／기민한]
過敏 かびん [too sensitive, nervous／过敏／과민한] |

敏感：私は皮膚が敏感で、ちょっとした刺激ですぐ赤くなってしまう。
機敏：このスーパーは顧客の要望に対してすぐに返答する、機敏な対応が好評だ。

| 58 | 慎 ☆☆☆ | 慎 | 慎 | 音 シン
訓 つつし・む | 慎重ナ しんちょう [careful, discreet／慎重的／신중한]
慎む つつしむ [to refrain／节制／삼가하는]
謹慎スル きんしん [to repent, to behave one's self／谨慎／근신] |

慎重：パスワードの管理は慎重に行ってください。
慎む：図書館内での私語は慎んでください。

| 59 | 顧 ☆☆☆ | 顾 | 顧 | 音 コ
訓 かえり・みる | 顧みる かえりみる [to look back, to think back／回顾／뒤돌아보는]
顧客 こきゃく [a customer, a patron／顾客／고객]
顧問 こもん [an advisor, a counselor／顾问／고문] |

顧みる：子どもが生まれた当時、夫は仕事が忙しく、家庭を顧みる余裕もなかった。
顧客：このスーパーでは顧客の要望により、野菜の少量販売も行っている。

| 60 | 誉 ☆☆☆ | 誉 | 譽 | 音 ヨ
訓 ほま・れ | 名誉ナ めいよ [honorable, credible／名誉／명예]
栄誉 えいよ [honor, glory, fame／荣誉／영예]
誉める ほめる [to praise, to compliment／赞扬／칭찬한다] |

名誉：由緒ある神社の建築をまかされるのは、大工にとって大変名誉なことである。
栄誉：新人映画コンテストが開催され、見事その栄誉に輝いたのはオーストラリアの監督だった。

| 61 | 憶 ☆☆☆ | 忆 | 憶 | 音 オク
訓 — | 記憶スル きおく [to remember, to memorize／记忆／기억]
憶病(臆病)ナ おくびょう [cowardly, fearful／胆怯／겁쟁이]
憶測スル おくそく [to guess, to speculate／揣测／억측] |

記憶：小さい頃母に連れられて海の近くの別荘に行った記憶がある。
憶病：この犬は憶病な性格で、人が近づくとすぐ吠える。

| 62 | 幻 ☆☆☆ | 幻 | 幻 | 音 ゲン
訓 まぼろし | 幻想 げんそう [a fantasy, an illusion／幻想／환상]
幻 まぼろし [a phantom, a vision, a dream／虚幻／환상]
幻滅スル げんめつ [to be disillusioned／幻灭／환멸] |

幻：この滝は、地元の人でもめったに見たことがないという幻の滝である。
幻想：結婚に対し、甘い幻想ばかり抱いては、失望することになる。

| 63 | 狂 ☆☆☆ | 狂 | 狂 | 音 キョウ
訓 くる・う、くる・おしい | 狂気 きょうき [insanity, madness／发疯／광기]
熱狂スル ねっきょう [to be wildly, to be enthusiastic／狂热／열광]
狂言 きょうげん [a Noh comedy, a trick／狂言／광언] |

狂気：凍った湖を泳いで渡るなんて、狂気の沙汰としか思えない。
熱狂：オリンピックで決勝に進んだサッカーチームに、国中が熱狂した。

| 64 | 孤 ☆☆☆ | 孤 | 孤 | 音 コ
訓 — | 孤独ナ こどく [lonely, solitary／孤独的／고독한]
孤立スル こりつ [to be isolated, to be friendless／孤立／고립]
孤島 ことう [an isolated island／孤岛／고도] |

孤独：その若者は話をする相手もいないまま、孤独な毎日を過ごしている。
孤立：洪水で道路が寸断し、村が孤立している。

| 65 | 倫 ☆☆☆ | 伦 | 倫 | 音 リン
訓 — | 倫理 りんり [ethics, morals／伦理／윤리]
倫理的ナ りんりてき [ethical, moral／伦理的／윤리적인] |

倫理：医療従事者は高い倫理観のもとに、医療を行うことが求められている。
倫理的：このドラマは内容に問題があり、授業での鑑賞は倫理的に好ましくない。

#	漢字	略	正	音/訓	語例
66	屈 ☆☆☆	屈	屈	音 クツ 訓 —	退屈スル たいくつ [to be bored, to feel weary／无聊／지루함] 理屈 りくつ [reason, logic／道理／이론] 窮屈ナ きゅうくつ [narrow, tight／瘦小的、拘束的／거북하다]
					退屈：退屈しのぎに家庭菜園を始めた。 理屈：いくら理屈をこねても、勉強をやらない理由にならない。
67	頑 ☆☆☆	頑	頑	音 ガン 訓 —	頑固ナ がんこ [obstinate, stubborn／頑固的／완고한] 頑強ナ がんきょう [stubborn, persistent／頑强的／완강한] 頑丈ナ がんじょう [strong, sturdy／结实的／튼튼한]
					頑固：頑固親父と言われるような父親は、現在は少ない。 頑強：このビルの造りは頑強だ。
68	鑑 ☆☆	鉴	鑑	音 カン 訓 かんが・みる	鑑賞スル かんしょう [to read, to listen to／欣賞／감상] 図鑑 ずかん [an illustrated reference book／图鉴／도감] 鑑定スル かんてい [to judge, to give an opinion on／鉴别／감정]
					鑑賞：大きな水族館で、ゆっくり魚を鑑賞する。 図鑑：庭に来た鳥の種類を調べるために図鑑を開いた。
69	恭 ☆☆	恭	恭	音 キョウ 訓 うやうや・しい	恭しい うやうやしい [respectful, reverent／恭敬／공손하다]
					恭しい：秘書は恭しく社長に頭を下げて部屋を出て行った。
70	冗 ☆☆	冗	冗	音 ジョウ 訓 —	冗談 じょうだん [a joke, a prank／玩笑／농담] 冗漫ナ じょうまん [diffuse, wordy, tedious／拉杂的／장황한] 冗長ナ じょうちょう [lengthy, verbose／冗长的／장황한]
					冗談：彼はいつも冗談ばかり言って人を笑わせている。 冗漫：君の文章は内容はいいが、少し冗漫だ。
71	宜 ☆☆	宜	宜	音 ギ 訓 —	適宜 てきぎ [suitable, appropriate／适当／적당히] 便宜 べんぎ [favor, accomodation／方便／편리하다] 宜しい よろしい [good, proper, right／好〜／〜좋게]
					適宜：休憩は、各自適宜取るようにしてください。 便宜：コンサートのチケットを入手するため、音楽会社に勤める友人に便宜を図ってもらった。
72	叙 ☆☆	叙	叙	音 ジョ 訓 —	叙勲スル じょくん [to confer a decoration on somebody／授勋／훈장] 叙情 じょじょう [a description of feelings／抒情／서정] 叙述スル じょじゅつ [to describe, to narrate／叙述／서술]
					叙勲：今年も皇居で秋の叙勲が行われた。 叙情：この歌は、東北の自然と人々の暖かさを叙情的に歌い上げている。
73	錯 ☆☆	错	錯	音 サク 訓 —	錯覚スル さっかく [to have, to be under an illusion／错觉／착각] 試行錯誤スル しこうさくご [to do by trial and error／反复试验／시행 반복] 交錯スル こうさく [to cross each other, to be complicated／交错／교착]
					錯覚：この美術館には目の錯覚を起こす絵が集められている。 試行錯誤：前例のないプロジェクトのため、試行錯誤しながら進めている。
74	弔 ☆	吊	弔	音 チョウ 訓 とむら・う	弔問スル ちょうもん [to make a call to express one's condolence or sympathy／慰问／조문] 弔辞 ちょうじ [a message of condolence／悼辞／조사] 弔意 ちょうい [condolence, mourning, sympathy／哀悼／조위]
					弔問：先生、弔問するときのマナーを教えていただけませんか。 弔辞：友人の葬式で弔辞を頼まれたが、当日原稿を読んでいる途中で泣いてしまった。
75	披 ☆	披	披	音 ヒ 訓 —	披露スル ひろう [to announce, to introduce／宣布／피력하다] 披瀝スル ひれき [to express one's opinion, to reveal one's intentions／披露／피로하다] 披見スル ひけん [to open and read, to peruse／阅览／피견하다]
					披露：友人は結婚式は行わず、結婚披露の小さなパーティーを催した。 披瀝：彼にとって家事の話題は、だめな父親ぶりを披瀝してしまう非常に都合の悪い話題だった。

#	漢字	楷書	音訓	例
76	勅 ☆	勅	音 チョク 訓 —	勅命 ちょくめい [an Imperial order ／敕命／칙명] 勅使 ちょくし [an Imperial messenger ／敕使／칙사] 勅語 ちょくご [an Imperial speech ／诏敕／조사]

勅命：かつては天皇からの**勅命**であれば、どんな内容でも絶対に従わなければならなかった。
勅使：江戸時代、**勅使**が京都から江戸へ送られ、天皇の言葉を幕府に伝えた。

| 77 | 癖 ☆ | 癖 | 音 ヘキ
訓 くせ | 潔癖 けっぺき [scrupulous, upright ／洁癖／결벽]
口癖 くちぐせ [a way of saying something, one's pet saying ／口头语／입버릇]
寝癖 ねぐせ [bed hair, sleeping habit ／头发睡乱／잠버릇] |

潔癖：彼女は小さなミスも許せないほど**潔癖**だ。
口癖：私の上司は言葉の最後に「ね」を付ける**口癖**がある。

| 78 | 呪 ☆ | 呪 | 音 ジュ
訓 のろ・う | 呪文 じゅもん [a spell, a charm ／咒文／주문]
呪術 じゅじゅつ [magic ／念咒／주술]
呪詛スル じゅそ [to curse someone ／诅咒／저주] |

呪文：この RPG ゲームでは**呪文**を唱えると戦士の体力が回復する。
呪術：宗教は原始的な**呪術**から生まれたと言われている。

| 79 | 敢 ☆ | 敢 | 音 カン
訓 — | 勇敢 ゆうかん [brave, courageous ／勇敢的／용감한]
敢行スル かんこう [to dare to do something ／毅然实行／감행하다]
敢えて あえて [to dare or presume to do something ／硬要／굳이] |

勇敢：師匠は弟子の**勇敢**な戦いぶりに満足した。
敢行：長男の通う小学校では、雨の中、運動会を**敢行**した。

| 80 | 嘘 ☆外 | 嘘 | 音 —
訓 うそ | 嘘つき うそつき [liar ／撒谎／거짓말쟁이]
嘘 うそ [lie ／谎言／거짓말] |

嘘つき：**嘘**をつくと、「**嘘**つきは泥棒のはじまり」と怒られた。
嘘：本当のことを言ってください。**嘘**はいけません。

| 81 | 悼 ☆ | 悼 | 音 トウ
訓 いた・む | 追悼スル ついとう [to mourn ／追悼／추도]
哀悼スル あいとう [to lament, to grieve ／哀悼／애도]
悼む いたむ [to mourn, to grieve, to regret ／哀念／애도하다] |

追悼：偉大な作曲家の**追悼**コンサートが開かれた。
哀悼：この事故の犠牲となった方々に、**哀悼**の意を表します。

| 82 | 儒 ☆ | 儒 | 音 ジュ
訓 — | 儒教 じゅきょう [Confucianism, the teaching of Confucius ／儒教／유교]
儒者 じゅしゃ [a Confucianist ／儒者／유생]
儒学 じゅがく [Confucianism ／儒学／유학] |

儒教：**儒教**では、目上の人を敬うべきだと説かれている。
儒者：江戸時代の**儒者**とは、読書を極めた人とも言える。

| 83 | 噂 ☆外 | 噂 | 音 —
訓 うわさ | 噂 うわさ [gossip, a rumor ／风声／소문]
噂話 うわさばなし [gossip, hearsay ／谣言／소문] |

噂：同僚が近日中に退職するという**噂**を聞いた。
噂話：**噂話**が好きな友人に恋の悩みを相談したら、すぐ話が広まってしまった。

| 84 | 妄 ☆ | 妄 | 音 モウ、ボウ
訓 — | 妄想スル もうそう [to fantasize ／邪念／망상]
被害妄想 ひがいもうそう [paranoia ／被害妄想症／피해 망상]
誇大妄想 こだいもうそう [delusions of grandeur ／夸大妄想／과대망상] |

妄想：子どもの頃から、両親に愛されていないという**妄想**に悩んできた。
被害妄想：真剣に悩んでいるのに、友人には**被害妄想**だと笑われてしまった。

| 85 | 詔 ☆ | 詔 | 音 ショウ
訓 みことのり | 詔書 しょうしょ [an Imperial edict ／诏书／조서]
詔勅 しょうちょく [an Imperial proclamation ／敕书／조칙] |

詔書：国会召集の**詔書**が発せられた。
詔勅：明治天皇の**詔勅**により、「江戸」は「東京」に改称された。

86	惚 外 ☆	惚	惚	音 コツ 訓 ぼ・ける	惚ける(呆ける) ほける [to dote, to become senile／痴呆／멍하다] 恍惚 こうこつ [ecstasy, rapture／恍惚／황홀] 自惚れ うぬぼれ [conceit, vanity／自恋／자만]
	惚ける：父は年とともに惚けてきてたのか、このごろよく物忘れをする。 恍惚：その老人は恍惚とした表情で、一面の桜を眺めていた。				
87	寛 ☆☆☆	寛	寛	音 カン 訓 —	寛容ナ かんよう [tolerant, open-minded／宽容的／관용한] 寛大ナ かんだい [generous, liberal／宽大的／관대한]
	寛容：同僚の子連れ出勤には寛容になれない。 寛大：今回の校則違反に対しては、寛大な処置をお願いします。				
88	誓 ☆☆☆	誓	誓	音 セイ 訓 ちか・う	宣誓スル せんせい [to swear, to take an oath／誓言／선서] 誓約スル せいやく [to give one's word, to take a vow／誓约／서약] 誓い ちかい [an oath, a vow／发誓／맹세]
	宣誓：宣誓、我々はスポーツマン精神に則り、正々堂々戦うことを誓います。 誓約：内定をもらい、会社に誓約書を送った。				
89	仰 ☆☆	仰	仰	音 ギョウ、コウ 訓 あお・ぐ、おお・せ	信仰スル しんこう [to believe, to have faith in／信仰／신앙] 仰ぐ あおぐ [look up to, to respect／仰望／우러러 보다] 仰天スル ぎょうてん [to be astonished／非常吃惊／매우 놀라다]
	信仰：仏教に厚い信仰心を寄せる。 仰ぐ：夜空を仰いで北極星を探す。				
90	慈 ☆☆	慈	慈	音 ジ 訓 いつく・しむ	慈善 じぜん [charity／慈善／자선] 慈悲 じひ [mercy, compassion／慈悲／자비] 慈愛 じあい [affection, love／慈爱／자애]
	慈善：慈善団体に寄付をした。 慈悲：仏様の慈悲深いお顔に手を合わせた。				
91	辱 ☆☆	辱	辱	音 ジョク 訓 はずかし・める	屈辱 くつじょく [humiliation, shame／屈辱／굴욕] 侮辱スル ぶじょく [to insult, to slight someone／侮辱／모욕하다] 雪辱 せつじょく [revenge, vindication／雪耻／설욕]
	屈辱：あんなに弱いチームに大差で負けたのは、屈辱だった。 侮辱：彼の、相手を侮辱する発言が問題視された。				
92	酷 ☆☆	酷	酷	音 コク 訓 —	残酷ナ ざんこく [cruel, merciless／残酷的／잔혹한] 冷酷ナ れいこく [cruel, cold-hearted／冷酷无情的／냉혹한] 酷似スル こくじ [to resemble something closely／酷似／흡사하다]
	残酷：このドラマは愛し合っている恋人の一人が病死し、もう一人が自殺する残酷な結末となった。 冷酷：彼は冷酷なように見えて、実は優しい一面もある。				
93	粛 ☆	粛	粛	音 シュク 訓 —	自粛スル じしゅく [to practice self-control／自肃／자숙] 厳粛ナ げんしゅく [serious, solemn／严肃／엄숙] 静粛ナ せいしゅく [quiet, silent／肃静／정숙]
	自粛：社長の誕生日には毎年盛大なパーティーが催されるが、今年は大災害があったため自粛した。 厳粛：神社の鳥居をくぐると、境内全体が厳粛な雰囲気に包まれていた。				
94	謹 ☆	謹	謹	音 キン 訓 つつし・む	不謹慎 ふきんしん [indiscreet, imprudent／不谨慎的／불근신한] 謹慎スル きんしん [to repent, to behave one's self／谨慎／근신] 謹呈スル きんてい [to present with compliments／谨赠／증정]
	不謹慎：お葬式で厳粛な雰囲気を壊すような不謹慎な発言をして、親戚に怒られた。 謹慎：ある生徒がタバコを吸ったという報告が中学校にあり、その生徒は一週間の自宅謹慎という処分を受けた。				
95	幽 ☆	幽	幽	音 ユウ 訓 —	幽霊 ゆうれい [a ghost, a phantom／幽灵／유령] 幽閉スル ゆうへい [to confine someone／幽禁／유폐] 幽谷 ゆうこく [a deep valley, a ravine／幽谷／유곡]
	幽霊：この滝の近くは幽霊が出るという噂がある。 幽閉：この塔には、王位を奪われた元王族が幽閉されていたそうです。				

2 心情・思考・言語

№	漢字	簡	繁	音訓	語例
96	霊 ☆☆	灵	靈	音 レイ、リョウ 訓 たま	亡霊 ぼうれい [the spirit of a dead person／亡灵／망령] 霊園 れいえん [a cemetery／陵园／묘원] 幽霊 ゆうれい [a ghost, a phantom／幽灵／유령]
					亡霊：戦場で兵士の亡霊が出るという。 霊園：生前に霊園のお墓を購入しておいた。
97	禅 ☆☆	禅	禪	音 ゼン 訓 —	禅 ぜん [Zen (Buddhism)／禅／선] 座禅 ざぜん [zazen (meditation in Zen Buddhism)／坐禅／좌선]
					禅：禅は、今から約800年前に、中国から日本に伝わったとされている。 座禅：座禅を組んで心を落ち着かせた。
98	崇 ☆☆	崇	崇	音 スウ 訓 —	崇拝スル すうはい [to adore, to admire, to worship／崇拜／숭배] 崇高ナ すうこう [noble, sublime／崇高的／숭고한]
					崇拝：彼女はあのロックバンドを崇拝している。 崇高：大仏の崇高な姿は、人々を引きつけてやまない。
99	詠 ☆	咏	詠	音 エイ 訓 よ・む	朗詠スル ろうえい [to recite (a poem)／朗诵／낭영] 詠嘆スル えいたん [to admire／赞叹／영탄]
					朗詠：漢詩に曲折をつけたものを朗詠といい、現代では雅楽の演奏会で聞くことができる。 詠嘆：桜並木のあまりの美しさに思わず詠嘆した。
100	厄 ☆	厄	厄	音 ヤク 訓 —	厄年 やくどし [an unlucky year／厄运年／액년] 厄介者 やっかいもの [a nuisance, a dependent／懒人／성가신 존재] 厄落としスル やくおとし [to escape from evil／消灾／액때움]
					厄年：男性は42歳が厄年なので、今年は事故や病気には気を付けたほうがよい。 厄介者：学校にも行かず、働きにも行かないニートの弟は家で厄介者のように扱われている。
101	偏 ☆☆	偏	偏	音 ヘン 訓 かたよ・る	偏見 へんけん [a prejudice, a bias／偏见／편견] 偏差値 へんさち [a deviation value／偏差值／편차치] 偏食スル へんしょく [to have an unbalanced diet／偏食／편식하다]
					偏見：社会から偏見をなくすのは、簡単なことではない。 偏差値：偏差値の高い学校を選んで受験する。
102	邪 ☆☆	邪	邪	音 ジャ 訓 —	無邪気ナ むじゃき [innocent, naive／天真的／천진난만한] 邪道 じゃどう [the wrong path, heresy／邪道／사도] 邪魔ナ・スル じゃま [to disturb, to get in the way／障碍／방해하다]
					無邪気：子どもたちが公園で無邪気に遊んでいる。 邪道：努力しないでコネだけに頼るなんて、あなたのやり方は邪道だ。
103	篤 ☆	笃	篤	音 トク 訓 —	危篤 きとく [critical, serious／病危／위독] 篤実ナ とくじつ [honest, sincere／诚实的／성실한] 重篤 じゅうとく [serious, grave／重病的／중병]
					危篤：母が危篤だという知らせを聞き、急いで故郷へ帰った。 篤実：篤実な弁護士を探して、何軒もの弁護士事務所を訪ねた。
104	卑 ☆	卑	卑	音 ヒ 訓 いや・しい、いや・しめる、いや・しむ	卑屈ナ ひくつ [subservient／卑屈的／비굴한] 卑劣ナ ひれつ [low, shabby／卑劣的／비열한] 男尊女卑 だんそんじょひ [the domination of men over women／男尊女卑／남존여비]
					卑屈：今、何もできないからといって卑屈にならず、将来何かできるように努力しよう。 卑劣：自分より弱い者をいじめるなんて卑劣だ。
105	忌 ☆☆	忌	忌	音 キ 訓 い・む、い・まわしい	一周忌 いっしゅうき [the first anniversary of some one's death／一周年忌日／일주기] 忌まわしい いまわしい [disgusting, detestable／不祥／꺼림칙하다] 禁忌 きんき [taboo／禁忌／금기]
					一周忌：祖父の一周忌で、親戚が集まった。 忌まわしい：テレビで震災の映像を見るたびに、あの日の忌まわしい記憶が蘇ってくる。

2 心情・思考・言語

2 心情・思考・言語　Unit 2　練習問題

（解答 ⇨ 別冊 p.4～5）

問題1 漢字の読み方を書きなさい。

① 叙勲（　　　　）　② 弔問（　　　　）　③ 勅命（　　　　）

④ 勇敢（　　　　）　⑤ 儒教（　　　　）　⑥ 詔書（　　　　）

⑦ 慈善（　　　　）　⑧ 幽霊（　　　　）　⑨ 禅　（　　　　）

⑩ 朗詠（　　　　）　⑪ 危篤（　　　　）　⑫ 一周忌（　　　　）

問題2 次の漢字の読み方をひらがなで書きなさい。

① 慎重（　　　　）－ 私情（　　　　）

② 幻想（　　　　）－ 建造（　　　　）

③ 孤独（　　　　）－ 購読（　　　　）

④ 適宜（　　　　）－ 敵意（　　　　）

⑤ 寛容（　　　　）－ 概要（　　　　）

問題3 ＿＿＿の部分の漢字を下から選びなさい。

① 彼は大きな音に<u>びんかん</u>で、ドアの開閉の音にも驚くほど<u>おくびょう</u>だ。
　　　　　　　　（　　　　　　）　　　　　　　　　　（　　　　　　）

② この映画は暴力的な場面が多く、授業で<u>かんしょう</u>するのは<u>りんりてき</u>に問題がある。
　　　　　　　　　　　　　　　　　　　（　　　　　）（　　　　　　）

③ 亡くなった歌手を<u>すうはい</u>する多くのファンが<u>ついとう</u>コンサートに集まった。
　　　　　　　　　（　　　　　）　　　　　　（　　　　　）

④ 彼はここに100年前の住人の<u>ぼうれい</u>がいると言うが、私は彼の<u>もうそう</u>だと思う。
　　　　　　　　　　　　　（　　　　　　）　　　　　　　（　　　　　　）

⑤ 子どもの言うことは<u>むじゃき</u>だが、遠慮がないので時に<u>ざんこく</u>に聞こえることがある。
　　　　　　　　　　（　　　　　　）　　　　　　　　（　　　　　　）

妄想　敏感　鑑賞　残酷　臆病　崇拝　亡霊　追悼　無邪気　倫理的

問題4　次の漢字の訓読み、または訓読みを含む漢字の読み方を、ひらがなで書きなさい。

① 狂う（　　　　　）　② 口癖（　　　　　）　③ 呪う（　　　　　）

④ 誓う（　　　　　）　⑤ 噂（　　　　　）　⑥ 嘘つき（　　　　　）

⑦ 厄年（　　　　　）　⑧ 恭しい（　　　　　）　⑨ 謹む（　　　　　）

問題5　適当な言葉を選び、（　　　　）に入れなさい。

① （　　　　　　）親父と言われるような父親は、現在は少ない。

② 彼はいつも（　　　　　　）ばかり言って人を笑わせている。

③ この美術館には目の（　　　　　　）を起こす絵が集められている。

④ 電気機器メーカーが新製品を（　　　　　　）するための記者会見を行った。

⑤ 弱いチームに負けてしまい、（　　　　　　）を味わった。

⑥ 大災害で多くの人が亡くなったため、祝賀会は（　　　　　　）することにした。

⑦ 社会から差別と（　　　　　　）をなくすのは難しい。

⑧ 今何もできなくても（　　　　　　）にならず、将来のために努力すべきだ。

⑨ （　　　　　　）しのぎに、映画を見に行くことにした。

退屈　自粛　屈辱　冗談　披露　偏見　頑固　卑屈　錯覚

問題6　下から適当な言葉を選び、必要であれば形を変えて、漢字と読み方を書きなさい。

① 皆様におかれましては、ますますご健勝のこととお（　　　　　　）申し上げます。

② 夫は仕事が忙しく、家庭を（　　　　　　）余裕もなかった。

③ 子どもは母親に（　　　　　　）たいばかりに、毎日お手伝いをしている。

④ 父は年とともに（　　　　　　）きたのか、このごろよく物忘れをする。

⑤ 夜空を（　　　　　　）、北極星を探す。

惚ける　顧みる　慶ぶ　仰ぐ　誉める

2 心情・思考・言語
Unit 3

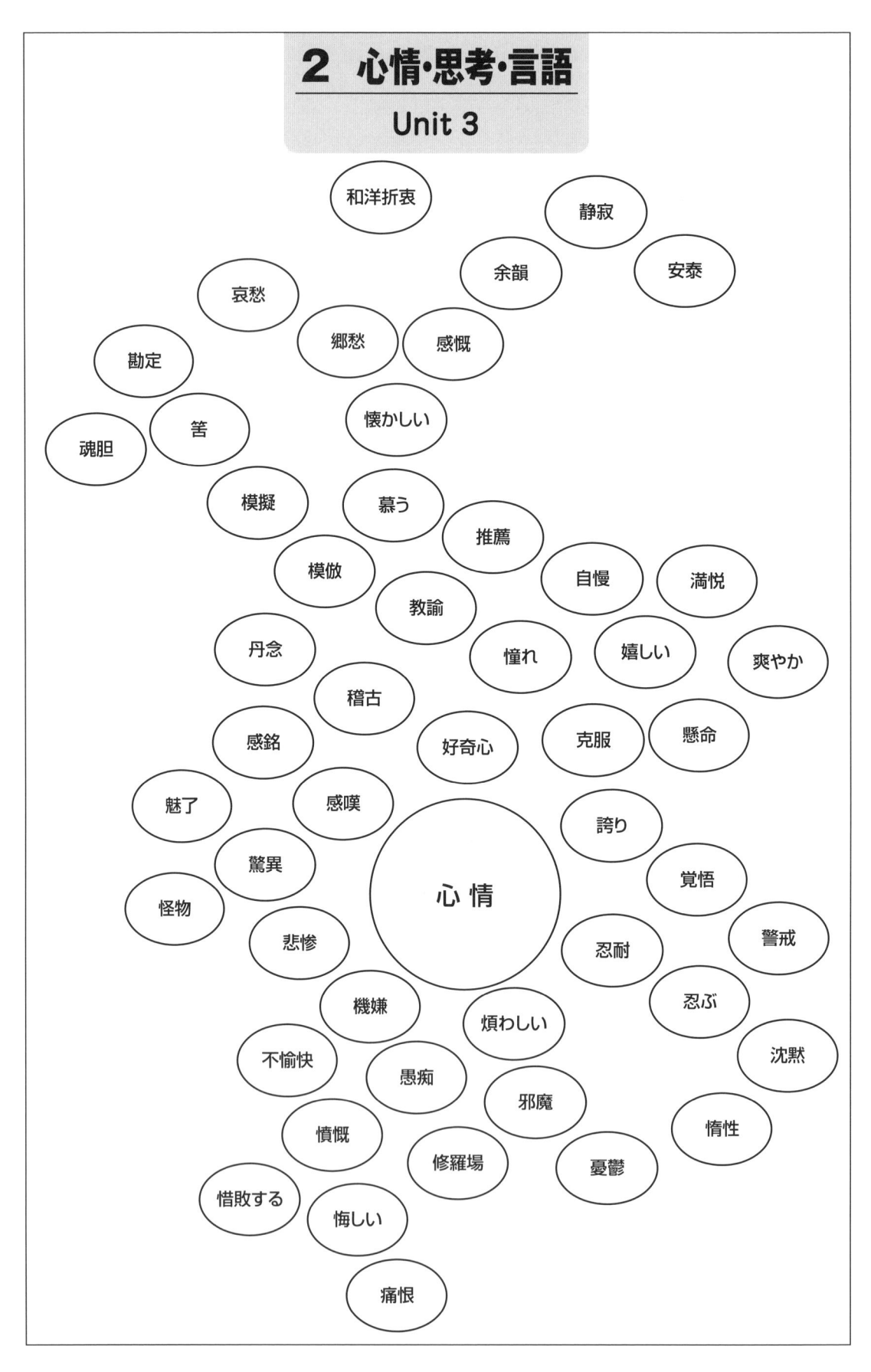

- 和洋折衷
- 静寂
- 余韻
- 安泰
- 哀愁
- 郷愁
- 感慨
- 勘定
- 懐かしい
- 魂胆
- 筈
- 模擬
- 慕う
- 推薦
- 模倣
- 自慢
- 満悦
- 教諭
- 丹念
- 憧れ
- 嬉しい
- 爽やか
- 稽古
- 感銘
- 好奇心
- 克服
- 懸命
- 魅了
- 感嘆
- 誇り
- 驚異
- 覚悟
- 怪物
- **心情**
- 忍耐
- 警戒
- 悲惨
- 忍ぶ
- 機嫌
- 煩わしい
- 沈黙
- 不愉快
- 愚痴
- 邪魔
- 惰性
- 憤慨
- 修羅場
- 憂鬱
- 惜敗する
- 悔しい
- 痛恨

No.	漢字	簡体	繁体	音/訓	例語
106	嫌	嫌	嫌	音 ケン、ゲン 訓 きら・う、いや	機嫌 きげん [mood／心情／기분] 嫌悪スル けんお [to dislike, to hate／厌恶／혐오하다] 嫌気 いやけ [dislike, disgust／不高兴／싫증]

機嫌：赤ちゃんは機嫌が悪くて、泣いている。お腹がすいたようだ。
嫌悪：何度注意されても発注書の記入に失敗してしまい、自己嫌悪に陥った。

| 107 | 驚 | 惊 | 驚 | 音 キョウ
訓 おどろ・く、おどろ・かす | 驚異 きょうい [a miracle, a wonder／惊异／경이]
驚き おどろき [surprise, astonishment／吃惊／놀람]
驚嘆スル きょうたん [to admire, to wonder at／惊叹／경탄하다] |

驚異：兄の手術は成功し、驚異的な快復を見せた。
驚き：竹林から1億円が発見されたというニュースに、地元住人は驚きを隠せない様子だった。

| 108 | 戒 | 戒 | 戒 | 音 カイ
訓 いまし・める | 警戒スル けいかい [to be cautious about, to look out for／警戒／경계]
厳戒 げんかい [tight security／戒备／엄계]
警戒心 けいかいしん [cautiousness／警戒心／경계심] |

警戒：雨による大規模災害発生のおそれがあり、山間部は警戒が必要だ。
厳戒：テロ事件の影響で、成田空港は厳戒態勢を敷いていた。

| 109 | 奇 | 奇 | 奇 | 音 キ
訓 — | 好奇心 こうきしん [curiosity／好奇心／호기심]
奇数 きすう [an odd (uneven) number／奇数／홀수]
奇襲スル きしゅう [to take by surprise／偷袭／기습하다] |

好奇心：この子どもは、好奇心が旺盛でいろいろなものを触りたがる。
奇数：奇数は2で割り切れない整数です。

| 110 | 懸 | 悬 | 懸 | 音 ケン、ケ
訓 か・ける、か・かる | 懸命ナ けんめい [eager, very hard／拼命的／힘껏된]
懸念スル けねん [to fear, to worry about／担忧／걱정하다]
懸案 けんあん [a pending problem／悬案／현안] |

懸命：被災地の復興に向けて、住民が一丸となって懸命に努力した。
懸念：この冬、インフルエンザの大流行への懸念が高まっている。

| 111 | 魅 | 魅 | 魅 | 音 ミ
訓 — | 魅了スル みりょう [to charm, to fascinate／入迷／매료]
魅力 みりょく [attraction, allure／魅力／매력]
魅惑スル みわく [to charm, to enchant／迷惑／매혹] |

魅了：彼女の美しい歌声は、多くの人を魅了した。
魅力：都心に近いのに、多くの自然が残っているのがこの町の魅力だ。

| 112 | 耐 | 耐 | 耐 | 音 タイ
訓 た・える | 忍耐スル にんたい [to persevere, to endure／忍耐／인내]
耐える たえる [to bear, to put up with／忍／견디다]
耐熱 たいねつ [heat-resisting／耐热／내열] |

忍耐：子どもに食事の作法を教えるときは、忍耐強く待つことが大切だ。
耐える：お腹の耐え難い痛みに、救急車を呼んだ。

| 113 | 泰 | 泰 | 泰 | 音 タイ
訓 — | 安泰ナ あんたい [secure／安泰的／안태한]
天下泰平 てんかたいへい [peaceful and tranquil／天下泰平／천하 태평] |

安泰：子どもがいれば老後は安泰だという時代は終わった。
天下泰平：この祭りで、人々は天下泰平と豊作を祈願する。

| 114 | 黙 | 默 | 默 | 音 モク
訓 だま・る | 沈黙スル ちんもく [to fall silent, to say nothing／沉默／침묵하다]
黙秘スル もくひ [to keep silent about, to keep something secret／缄默／묵비하다]
暗黙 あんもく [tacit, implicit／默许／암묵] |

沈黙：沈黙は金、雄弁は銀に値する。
黙秘：容疑者は取り調べに黙秘権を使って応じている。

| 115 | 丹 | 丹 | 丹 | 音 タン
訓 — | 丹念ナ たんねん [painstaking, careful／精心的／정성한]
丹精 たんせい [effort, exertion／真诚／단정]
丹 たん [red／（药物练）丹／단] |

丹念：丹念に手入れされた日本庭園を歩く。
丹精：丹精込めて育てた菊が満開となった。

#	漢字	簡体	繁体	音/訓	読み	語彙と意味
116	誇	夸	誇	音	コ	誇り ほこり [pride, honor／骄傲／자존심]
				訓	ほこ・る	誇張スル こちょう [to exaggerate, to overstate／夸张／과장하다]
						誇示スル こじ [to display, to show off／炫耀／과시하다]

誇り：一歩外国に出たら、日本国民としての誇りを失わないようにしなさい。
誇張：マスコミは、インフルエンザの報道を誇張して伝えた。

117	悔	悔	悔	音	カイ	悔しい くやしい [regrettable／遗憾／분하다]
				訓	く・いる、く・やむ、くや・しい	後悔スル こうかい [to regret, to feel remorse／后悔／후회]
						悔いる くいる [to regret, to repent／懊悔／후회]

悔しい：マラソンで負けて、初めて悔しい気持ちがわかった。
後悔：後悔先に立たずと言うが、後悔しない生き方は難しい。

118	懐	怀	懷	音	カイ	懐かしい なつかしい [dear (old), fondly remembered／怀念／그리움]
				訓	ふところ、なつ・かしい、なつ・かしむ、なつ・ける、なつ・く	懐石 かいせき [Kaiseki, traditional Japanese cuisine brought in courses／茶点／회석]
						懐疑スル かいぎ [to doubt, to be skeptical／怀疑／회의하다]

懐かしい：久しぶりに故郷に帰り、懐かしい人々に再会した。
懐石：懐石料理に秋の到来を感じる。

119	憂	忧	憂	音	ユウ	憂鬱 ゆううつ [melancholy, depressed／忧郁的／우울한]
				訓	うれ・える、うれ・い、う・い	憂慮スル ゆうりょ [to fear, to worry／忧虑／우려하다]
						一喜一憂スル いっきいちゆう [to feel joy and sorrow／一喜一忧／일희일우하다]

憂鬱：空が曇っていると憂鬱になる。
憂慮：このままビザが下りないと、憂慮すべき事態に陥る。

120	哀	哀	哀	音	アイ	哀愁 あいしゅう [sadness, sorrow／哀愁／애수]
				訓	あわ・れ、あわ・れむ	哀れ あわれ [sorrow, misery／悲哀／애처로움]
						哀しい かなしい [sad, unhappy／悲伤／슬프다]

哀愁：哀愁漂うメロディーに、映画のシーンを思い出す。
哀れ：友達には哀れな姿を見られたくない。

121	勘	勘	勘	音	カン	勘定スル かんじょう [to count, to reckon／结帐／계산하다]
				訓	―	勘違いスル かんちがい [to guess wrong, to misunderstand／误解／착각하다]
						勘弁スル かんべん [to forgive, to excuse／原谅／용서하다]

勘定：何度も計算したのに、勘定が合わない。
勘違い：同窓会は、てっきり明日だと勘違いしていた。

122	悟	悟	悟	音	ゴ	覚悟スル かくご [to make up one's mind, to be ready for／心理准备／각오하다]
				訓	さと・る	悟り さとり [understanding, comprehension／悟性／깨달음]
						悟る さとる [to understand, to become aware of something／醒悟／깨닫다]

覚悟：彼女に出資を断られるのは覚悟している。
悟り：座禅で悟りを開く。

123	魂	魂	魂	音	コン	魂胆 こんたん [an ulterior motive／计谋／흑담]
				訓	たましい	魂 たましい [a soul, a spirit／灵魂／혼]
						商魂 しょうこん [commercial spirit／做生意的气魄／상혼]

魂胆：85歳の老人に嫁いだ22歳の彼女には、財産狙いの魂胆がみえみえだ。
魂：魂の存在を信じることができれば幸せだ。

124	寂	寂	寂	音	ジャク、セキ	静寂ナ せいじゃく [silent, quiet／沉寂的／정적한]
				訓	さび・しい、さび、さび・れる	寂しい さびしい [lonely, solitary, sad／寂寞／쓸쓸하다]
						寂しさ さびしさ [loneliness, desolation／寂寞感／외로움]

静寂：静寂な境内をゆっくり散策した。
寂しい：一人で寂しいクリスマスを過ごした。

125	嘆	叹	嘆	音	タン	感嘆スル かんたん [to admire, to marvel at／感叹／감탄]
				訓	なげ・く、なげ・かわしい	嘆く なげく [to lament, to grieve／哀叹／한탄하다]
						悲嘆スル ひたん [to mourn, to feel sadness over／悲叹／비탄]

感嘆：日の出の美しさに感嘆の声を上げる。
嘆く：過去の失敗を嘆いてもしかたがない。次に頑張ればいい。

№	漢字	簡体	繁体	音訓	熟語
126	怪 ☆☆	怪	怪	音 カイ / 訓 あや・しむ、あや・しい	怪物 かいぶつ [a monster, a goblin／怪物／괴물] 怪我スル けが [to get injured／受伤／부상입다] 怪獣 かいじゅう [a monster／怪兽／괴수]
					怪物：実力者を「政界の怪物」などと呼ぶことがあります。 怪我：自動車の衝突事故で怪我人が多く出た。
127	惜 ☆☆	惜	惜	音 セキ / 訓 お・しい、お・しむ	惜敗スル せきはい [to lose by a small margin／输得可惜／석패] 哀惜スル あいせき [to mourn over／哀悼／애석] 惜別 せきべつ [reluctance to leave (someone)／惜别／석별]
					惜敗：A候補は選挙戦で善戦したが、僅差で惜敗した。 哀惜：好きな作家が死に、哀惜の念に堪えない。
128	愚 ☆☆	愚	愚	音 グ / 訓 おろ・か	愚痴 ぐち [a complaint／牢骚／푸념] 愚かナ おろか [silly, foolish／愚笨的／아둔하다] 愚直ナ ぐちょく [simple, honest／正直的／우직한]
					愚痴：あの人は口を開けば愚痴ばかり言っている。 愚か：目先の利益に飛びつくのは、愚かな人間のすることだ。
129	惨 ☆☆	惨	惨	音 サン、ザン / 訓 みじ・め	悲惨 ひさんナ [tragic, pitiful／悲惨的／비참한] 惨め みじめ [wretched, horrible／凄惨的／비참한] 惨敗スル ざんぱい [to be utterly defeated／惨败／참패하다]
					悲惨：震災後の悲惨な光景を目の当たりにして、言葉が出なかった。 惨め：彼は「雨に降られた」と言って、見るも惨めな姿で現れた。
130	悦 ☆☆	悦	悦	音 エツ / 訓 —	満悦ナ・スル まんえつ [to be delighted with／喜悦／만열하다] 悦楽 えつらく [pleasurable／欢乐／열락]
					満悦：兄の結婚式で、立派になった息子の姿に父はご満悦だった。 悦楽：宝くじで大金が当たれば、悦楽にふける生活が送れるのに。
131	恨 ☆☆	恨	恨	音 コン / 訓 うら・む、うら・めしい	痛恨 つうこん [great sorrow or regret／遗恨／통한] 恨み うらみ [bitterness, resentment／恨／원망] 悔恨 かいこん [remorse, regret／悔恨／회한]
					痛恨：最後の最後で痛恨のミスをして、優勝を逃してしまった。 恨み：実力で昇進したのに、なぜか同僚の恨みを買ってしまった。
132	羅 ☆☆	罗	羅	音 ラ / 訓 —	修羅場 しゅらば [pandemonium, a scene of carnage／打斗场面／수라장] 網羅スル もうら [to include everything, to cover all／包括／망라] 羅列スル られつ [to marshal, to arrange／堆砌／나열하다]
					修羅場：締め切りの近い小説家の仕事場は修羅場だ。 網羅：この漢字辞典は、漢字の成り立ちから現在の意味、使われ方まで網羅している。
133	擬 ☆	拟	擬	音 ギ / 訓 —	模擬 もぎ [imitation, sham／模仿／모의] 擬似（疑似）ぎじ [pseudo-, quasi-, false／疑似／유사] 擬態語 ぎたいご [a mimetic word／拟态词／의태어]
					模擬：模擬試験の結果がよかったので安心した。 擬似：無重力の感覚を疑似体験できる施設が人気を集めている。
134	憤 ☆	愤	憤	音 フン / 訓 いきどお・る	憤慨スル ふんがい [to get very angry, to be indignant／愤慨／분개] 憤り いきどおり [indignation, resentment／气愤／분노] 憤怒 ふんぬ [anger, rage／愤怒／분노]
					憤慨：彼女は初対面の人に年齢を尋ねられて、憤慨した。 憤り：原告は裁判所が下した理不尽な判決に憤りを隠せなかった。
135	愉 ☆	愉	愉	音 ユ / 訓 —	不愉快ナ ふゆかい [unpleasant, disagreeable／不愉快的／불쾌한] ⇔愉快ナ ゆかい [pleasant, amusing／愉快的／유쾌한]
					不愉快：関係者である私の意見も聞かずに大切なことが決定されて、不愉快だ。

2 心情・思考・言語

136	愁	愁	音	シュウ	郷愁 きょうしゅう [homesickness, nostalgia／乡愁／향수] 哀愁 あいしゅう [sadness, sorrow／哀愁／애수]
			訓	うれ・える、うれ・い	
	郷愁：電話から聞こえる母の声が郷愁を誘う。 哀愁：哀愁に満ちた曲を聞いたら、涙が出てきた。				
137	嬉 外	嬉	音	キ	嬉しい うれしい [joyful, happy／高兴／기쁘다] 嬉々として ききとして [joyfully, gladly／欢喜／희희 락 락하다]
			訓	うれ・しい	
	嬉しい：語学が上達したと友人に褒められて、とても嬉しい。 嬉々として：夏休みになると、学生は嬉々として帰省した。				
138	韻	韵	音	イン	余韻 よいん [suggestion, reverberation, aftereffect／余音／여운] 韻律 いんりつ [meter, rhythm／韵律／운율] 音韻 おんいん [vocal sound, phoneme／音韵／음운]
			訓	―	
	余韻：コンサートの余韻に浸りながら家に帰った。 韻律：日本語の方言の韻律について研究したいです。				
139	憧 *	憧	音	ショウ	憧れ あこがれ [yearning, longing／向往／동경] 憧憬 しょうけい／どうけい [longing, aspiration／憧憬／동경] 憧れる あこがれる [to long for, to admire／憧憬／동경하다]
			訓	あこが・れる	
	憧れ：憧れの先輩と、偶然話をすることができた。 憧憬：平安時代の貴族の生活に憧憬を抱く。				
140	煩	烦	音	ハン、ボン	煩わしい わずらわしい [troublesome, annoying／腻烦／번거롭다] 煩雑ナ はんざつ [complicated, intricate／复杂的／번잡한] 煩悩 ぼんのう [worldly desires／烦恼／번뇌]
			訓	わずら・う、わずら・わす	
	煩わしい：引っ越し先では、隣人との付き合いが多くて煩わしい。 煩雑：煩雑な手続きを簡略化すれば、日本への留学生はもっと増加するだろう。				
141	慨	慨	音	ガイ	感慨 かんがい [strong feelings／感慨／감개] 感慨深い かんがいぶかい [deeply emotional, moving／感慨深／깊은감개] 憤慨スル ふんがい [to get very angry, to be indignant／愤慨／분개]
			訓	―	
	感慨：卒業式を前に、四年間の大学時代を思い出して、感慨に浸った。 感慨深い：ずっと小さいと思っていた娘がもう結婚するなんて、実に感慨深い。				
142	衷	衷	音	チュウ	和洋折衷 わようせっちゅう [a blend of Japanese and Western styles／日西合璧／일본식과 서양식의 절충] 衷心 ちゅうしん [from the heart／衷心／충심] 折衷スル せっちゅう [to work out a compromise／合璧／절충하다]
			訓	―	
	和洋折衷：日本には、和食に洋食を取り入れた、和洋折衷の料理を出す店が多い。 衷心：この度の息子の無礼、衷心よりお詫び申し上げます。				
143	倣	仿	音	ホウ	模倣スル もほう [to imitate, to copy／模仿／모의] 倣う ならう [to imitate, to follow／仿照／모방하다]
			訓	なら・う	
	模倣：文章を上達させるには、名文の模倣から始めるとよい。 倣う：試験で不正をした学生の処分については、前例に倣って決定することにします。				
144	稽 *	稽	音	ケイ	稽古スル けいこ [to practice, to train／练习／연습] 滑稽ナ こっけい [comical, funny／滑稽的／골계한] 荒唐無稽ナ こうとうむけい [absurd, foolish／荒诞无稽的／황당무거한]
			訓	―	
	稽古：兄は毎日空手の稽古に励んでいます。 滑稽：この芝居には、滑稽な人物がたくさん登場する。				
145	惰	惰	音	ダ	惰性 だせい [inertia, habit／惯性／타성] 怠惰 たいだ [idle, lazy／懒惰的／나태한] 惰弱 だじゃく [indolent, weak／懦弱的／나약한]
			訓	―	
	惰性：やめようと思っていたのに、惰性でついタバコを吸ってしまった。 怠惰：一人暮らしを始めてから、ずっと怠惰な生活を送っている。				

146	爽 ☆	爽	爽	音	ソウ	爽やかナ さわやか [refreshing, invigorating／清爽的／상쾌하다]
				訓	さわ・やか	爽快ナ そうかい [enlivening, exhilarating／爽快的／상쾌한]

爽やか：今日はよく晴れた、爽やかな一日だった。
爽快：スポーツをして汗をかくと、爽快な気分になる。

| 147 | 筈 外 ☆ | 筈 | 筈 | 音 | ― | 筈 はず [must (be), should (be)／应该／할 리] |
| | | | | 訓 | はず | 手筈 てはず [a plan, a schedule／步骤／준비] |

筈：欠席の連絡が届いていなかったのですか。昨日連絡した筈なのですが。
手筈：来週海外へ出張するので、出発の手筈を整えているところだ。

148	克 ☆☆☆	克	克	音	コク	克服スル こくふく [to conquer, to overcome／克服／극복하다]
				訓	―	克明ナ こくめい [detailed, faithful／仔细的／극명한]
						克己 こっき [self-control, self-restraint／自制／극기]

克服：兄は苦手科目を克服し、みごと難関国立大に合格した。
克明：この資料には、当時の祭りの様子が克明に描かれている。

149	忍 ☆☆	忍	忍	音	ニン	忍ぶ しのぶ [to bear, to tolerate／忍受／참다]
				訓	しの・ぶ、しの・ばせる	残忍ナ ざんにん [brutal, cold-blooded／残忍的／잔인한]
						忍耐スル にんたい [to persevere, to endure／忍耐／인내]

忍ぶ：恥を忍んでお願いに参りました。
残忍：普段は優しくて評判のいい彼が、あんな残忍な事件を起こしたなんて信じられない。

| 150 | 諭 ☆☆☆ | 谕 | 諭 | 音 | ユ | 教諭 きょうゆ [a teacher／教师／교사] |
| | | | | 訓 | さと・す | 諭す さとす [to admonish, to warn／告诫／타이르다] |

教諭：中学の国語の教諭として赴任する。
諭す：授業が終わり、生徒が一人になったのを見計らって生活態度について諭した。

151	薦 ☆☆☆	荐	薦	音	セン	推薦スル すいせん [to recommend, to nominate／推荐／추천하다]
				訓	すす・める	薦める すすめる [to recommend, to advise／推举／권유하다]
						自薦 じせん [to put one's self forward／自荐／자천하다]

推薦：大学の推薦入試で、10月には合格が決まった。
薦める：会話の練習にこの本を薦めます。

152	慕 ☆	慕	慕	音	ボ	慕う したう [to long for, to be attached to／爱慕／그리워하다]
				訓	した・う	恋慕スル れんぼ [to care for, to love／恋慕／연모하다]
						思慕スル しぼ [to love dearly, to adore／怀念／사모하다]

慕う：小さい頃から慕っていた従姉が結婚すると聞いて、弟は寂しそうだった。
恋慕：私も親友の彼女に恋慕の情を持ったことがあるが、恋愛の対象としてはあまり勧められない。

153	銘 ☆☆	铭	銘	音	メイ	感銘スル かんめい [to be impressed, to moved by／铭感／감명하다]
				訓	―	銘柄 めいがら [a brand, a description／品种／상표]
						正真正銘 しょうしんしょうめい [genuine, authentic／真正／진짜]

感銘：寺に泊まり、和尚の説法を聞き、感銘を受けた。
銘柄：このお酒の銘柄を教えてください。

154	魔 ☆☆☆	魔	魔	音	マ	邪魔ナ・スル じゃま [to disturb, to get in the way／障碍／방해하다]
				訓	―	悪魔 あくま [a devil／恶魔／악마]
						魔女 まじょ [a witch／魔女／마녀]

邪魔：お邪魔します。入ってもよろしいですか。
悪魔：どんな人の心にも、悪魔が住んでいるという。

155	慢 ☆☆	慢	慢	音	マン	自慢スル じまん [to boast, to brag／骄傲／자랑하다]
				訓	―	慢性 まんせい [chronic／慢性／만성]
						我慢スル がまん [to endure, to be patient／忍耐／참다]

自慢：カラオケで自慢の歌声を披露する。
慢性：冬になると慢性の神経痛に悩まされる。

2 心情・思考・言語

2 心情・思考・言語　Unit 3　練習問題

（解答 ⇨ 別冊 p.5）

問題1　漢字の読み方を書きなさい。

① 安泰（　　　　）　② 憂慮（　　　　）　③ 静寂（　　　　）

④ 怪我（　　　　）　⑤ 満悦（　　　　）　⑥ 網羅（　　　　）

⑦ 擬似（　　　　）　⑧ 憤慨（　　　　）　⑨ 衷心（　　　　）

⑩ 惰性（　　　　）　⑪ 教諭（　　　　）　⑫ 愉快（　　　　）

問題2　次の漢字の読み方をひらがなで書きなさい。

① 機嫌（　　　　）－ 棄権（　　　　）

② 好奇（　　　　）－ 抗議（　　　　）

③ 勘定（　　　　）－ 鑑賞（　　　　）

④ 郷愁（　　　　）－ 享受（　　　　）

⑤ 克服（　　　　）－ 幸福（　　　　）

問題3　＿＿＿＿の部分の漢字を下から選びなさい。

① 彼女はけんめいに努力した結果、きょうい的な速さで日本語を習得した。
　　（　　　　）　　（　　　　）

② 彼のじまんの美しい歌声は、多くの人をみりょうした。
　　（　　　　）　　（　　　　）

③ 昨日の試合は、終了直前のつうこんのミスで、1点差でせきはいした。
　　　　（　　　　）　　（　　　　）

④ コンサートのあと、誰にもじゃまされない公園で一人でよいんを楽しんだ。
　　　　（　　　　）　　（　　　　）

⑤ 武道のけいこは先生や先輩をよく見て、もほうをすることからはじまる。
　　（　　　　）　　（　　　　）

| 魅了 | 邪魔 | 稽古 | 惜敗 | 模倣 | 自慢 | 驚異 | 余韻 | 懸命 | 痛恨 |

問題4 次の漢字の訓読み、または訓読みを含む漢字の読み方を、ひらがなで書きなさい。

① 誇り（　　　　）　② 薦める（　　　　）　③ 魂（　　　　）

④ 憧れ（　　　　）　⑤ 爽やか（　　　　）　⑥ 筈（　　　　）

⑦ 忍ぶ（　　　　）　⑧ 嬉しい（　　　　）

問題5 適当な言葉を選び、（　　　　）に入れなさい。

① 隣国との関係悪化のため、国境の（　　　　）を厳重にした。

② 彼が意外な意見を述べた後、しばらく（　　　　）があった。

③ 研究のため、彼女は100年前の資料を（　　　　）に調べた。

④ 叔父はいつも寂しそうにしていて、背中には（　　　　）を漂わせている。

⑤ 家で（　　　　）をこぼさないように、帰宅前にストレスを解消している。

⑥ 被災地に着くと、そこには想像以上の（　　　　）な光景が広がっていた。

⑦ 卒業式での我が子の姿に成長を感じ、（　　　　）に浸った。

⑧ 一流企業の会長の講演を聞き、その理念に（　　　　）を受けた。

悲惨	哀愁	感慨	沈黙	丹念	愚痴	警戒	感銘

問題6 下から適当な言葉を選び、必要であれば形を変えて、漢字と読み方を書きなさい。

① マラソンで負けて、初めて（　　　　）気持ちがわかった。

② 真理を（　　　　）ために、毎日修行をしている。

③ 十年以上会っていない友人に再会し、（　　　　）て、つい長話をしてしまった。

④ お腹の痛みに（　　　　）きれず、救急車を呼んだ。

⑤ 交通事故による若者の死を（　　　　）詩が新聞で紹介されていた。

⑥ 小さい頃から（　　　　）いた従姉が結婚すると聞き、弟は寂しそうだった。

⑦ （　　　　）日常生活を忘れるため、しばらく旅に出ることにした。

嘆く	耐える	悟る	慕う	懐かしい	煩わしい	悔しい

2 心情・思考・言語　試験模擬問題

(解答 ⇨ 別冊 p.5〜6)

問題 1　＿＿＿の言葉の読み方として最もよいものを、1・2・3・4から一つ選びなさい。

① この殺人事件は多くの疑惑を残したままで、犯人も見つかっていない。
　1　いわく　　　　2　ぎほう　　　　3　きおく　　　　4　ぎわく

② 事業計画の詳細は、明日の会議で明らかになる予定だ。
　1　しょうさい　　2　しょうし　　　3　しさい　　　　4　しゅうし

③ 子どもは時代の変化に敏感に反応し、いちはやく流行の言葉を使い始める。
　1　みんかん　　　2　みょうかん　　3　びんかん　　　4　みんがん

④ 国連総会において、環境問題に関する新しい条約の決議案が採択された。
　1　さいたく　　　2　せんたく　　　3　さいけつ　　　4　せんだく

⑤ 我が社は利益よりも、技術レベルが世界最先端であるという名誉を重んじている。
　1　めいゆ　　　　2　めいよ　　　　3　みんほ　　　　4　めいぼ

⑥ 大災害の後には、多くの人が不謹慎な言動に対して過剰に反応するようになった。
　1　ふきんしん　　2　ぶぎんしん　　3　ふぎんしん　　4　ふきいしん

⑦ 台風による高波のため、海岸部では警戒が必要です。
　1　けいがい　　　2　けんがい　　　3　けいかい　　　4　げいい

⑧ 著名なオーケストラの演奏は、ホールいっぱいに詰めかけた聴衆を魅了した。
　1　めいりょう　　2　きりょ　　　　3　みりょ　　　　4　みりょう

⑨ 実験から得られたデータを最新の機器を使い分析した。
　1　ぶんせき　　　2　ふんき　　　　3　ふんし　　　　4　ぶんし

⑩ 満員電車での通勤は、忍耐を学ぶ絶好の機会である。
　1　にんだい　　　2　にんた　　　　3　にんたい　　　4　じんてい

⑪ ある専門について学ぶときは、概論を易しく書いてある本から読み始めるとよい。
　1　がいろん　　　2　いろん　　　　3　きろん　　　　4　こうろん

⑫ 裁判官は、書面や証言から虚偽と真実を見分ける訓練を受けたプロである。
　1　こい　　　　　2　きょぎ　　　　3　こぎ　　　　　4　きょい

⑬ 会社の創業者であった父が他界したため、私は会社を継ぐ覚悟を決めた。
　1　がくう　　　　2　がくご　　　　3　かくご　　　　4　かっご

⑭ 職人の手の中であっという間にでき上がる和菓子を見て、見学者は感嘆の声をあげた。
　1　かんた　　　　2　かんだん　　　3　がんたい　　　4　かんたん

⑮ 中華街に入ると、まるで中国にいるかのような錯覚に襲われる。
　1　さくかく　　　2　さっがく　　　3　さんかく　　　4　さっかく

⑯ 住民の意見を無視して都市計画が進むという、極めて不愉快な状況となった。
　1　ぶゆがい　　　2　ふゆかい　　　3　ふゆうがい　　4　ふゆうかい

⑰ 爽快な風に吹かれ、大自然の中で過ごす週末は最高だった。
　1　さっかい　　　2　そうかい　　　3　そうがい　　　4　さがい

問題2 （　　　）に入れるのに最もよいものを、1・2・3・4から一つ選びなさい。

① 申込書の（　　　）に不備がある場合には、契約は不成立となります。
1 搭載　　2 掲載　　3 記載　　4 連載

② 今日は昼寝の時間が足りなかったので、赤ちゃんの（　　　）が悪い。
1 機嫌　　2 嫌気　　3 嫌悪　　4 気嫌

③ このパン屋では（　　　）の要望に応え、食パンを薄く切るサービスを提供している。
1 顧問　　2 客足　　3 愛顧　　4 顧客

④ 熊は人間が思っているよりも（　　　）なので、登山では鈴を鳴らして歩くとよい。
1 憶病　　2 憶測　　3 記憶　　4 追憶

⑤ オリンピックでサッカーチームが連勝し、国中が（　　　）的な声援を送った。
1 熱狂　　2 狂気　　3 狂言　　4 狂乱

⑥ 規則を自分に都合のよいように（　　　）していると、いつか困る時が来る。
1 会釈　　2 釈放　　3 釈明　　4 解釈

⑦ 退職後の（　　　）しのぎに、釣りを始めようと思う。
1 窮屈　　2 退屈　　3 理屈　　4 不屈

⑧ 雨の中、川で溺れた人の（　　　）を行ったが、手掛かりは得られなかった。
1 捜索　　2 検索　　3 模索　　4 索引

⑨ 会議中の長い（　　　　　）を破り、まず発言したのは、いつも大人しい彼だった。
 1　黙認　　　　2　沈黙　　　　3　黙秘　　　　4　暗黙

⑩ スーパーで1万円を払ったら、店員はお札を1枚ずつ（　　　　　）しながらお釣りをくれた。
 1　勘弁　　　　2　勘違い　　　3　勘当　　　　4　勘定

⑪ いつもは家事をしない父が、今日は夕飯を作ると言う。何か（　　　　　）があるに違いない。
 1　魂胆　　　　2　入魂　　　　3　招魂　　　　4　鎮魂

⑫ 彼は反対派の（　　　　　）により、社長の座を失った。
 1　首謀　　　　2　参謀　　　　3　無謀　　　　4　陰謀

⑬ 国会は、多くの出資者から資金をだまし取った企業の代表を（　　　　　）し、証言させた。
 1　喚呼　　　　2　喚問　　　　3　喚起　　　　4　喚声

⑭ 久しぶりに会った友人と（　　　　　）を言いながら楽しく話した。
 1　冗漫　　　　2　冗長　　　　3　冗談　　　　4　冗員

⑮ 叔母は（　　　　　）団体での活動を生き甲斐にしている。
 1　慈善　　　　2　慈悲　　　　3　慈愛　　　　4　慈雨

⑯ まだ幼い息子は母親の病気もわからず、（　　　　　）に病院の廊下を走り回っていた。
 1　邪道　　　　2　邪推　　　　3　無邪気　　　4　正邪

問題3 ＿＿＿＿＿の言葉に意味が最も近いものを、1・2・3・4から一つ選びなさい。

① 彼は憂鬱そうな表情をしている。
1 不満そうな　　　　　　　2 反省しているような
3 困っているような　　　　4 気持ちが沈んでいるような

② 明日は締め切りがいくつか重なるので、修羅場になるだろう。
1 大変になる　　2 怪我をする　　3 残念になる　　4 寝不足になる

③ あの歌手は、明日、新曲を披露するそうだ。
1 作曲する　　2 発表する　　3 企画する　　4 依頼する

④ 日本の若者の雇用問題は、日本の雇用の仕組み全体に問題があることを示唆している。
1 知らせている　2 勧めている　3 隠している　4 話している

⑤ 部品会社は、不良品を販売したことを陳謝した。
1 ありがたいと言った　　　　2 理由を説明した
3 申し訳ないと言った　　　　4 交換を申し出た

問題4 次の言葉の使い方として最もよいものを、1・2・3・4から一つ選びなさい。

① 懸念
1 春からの転勤を命じられるかと思ったが、懸念だった。
2 母は懸念が重なり、ストレスで寝込んでしまった。
3 引っ越しの日に雨が降るのではないかと懸念している。
4 彼はここのところ毎日懸念に沈んでいる。

2 誇る

1　この美術館には、日本が世界に誇る芸術性の高い庭園があります。

2　試合に勝ったからと言って、誇ってはいけない。

3　彼の絵を褒めたら、彼は「いいえ、まだまだです」と誇った態度をとった。

4　人に何かを頼むときは、誇ることが多い。

3 該当

1　試験問題の予想が該当して、満点をとった。

2　火事の中から子どもを助けた彼の勇気は、賞賛に該当する。

3　今年度もサークルの設立の趣旨に該当して活動を行います。

4　今年は最優秀賞に該当する作品はありませんでした。

4 潔癖

1　彼は潔癖にダイエットを続け、5キロの減量に成功した。

2　彼女は潔癖すぎて、付き合いにくい。

3　彼は潔癖として極端な節約生活を送っていた。

4　うちの子は潔癖なので、おもちゃ屋さんに連れて行くとすぐに泣き止む。

5 勇敢

1　若い新人が名人に勇敢し、わずかな差で負けた。

2　彼は敵と勇敢に戦って、勝利を収めた。

3　農民は政府に対して勇敢を行い、政策に反対した。

4　彼は勇敢よく、全財産を寄付した。

6 把握

1　生産性の向上のためには問題点を把握し、その解決を図る必要がある。

2　赤ちゃんは昼寝の間もずっとおもちゃを把握している。

3　挨拶をするとき、日本ではお辞儀、西洋では把握をすることが多い。

4　ドアの把握を回して開けようとしたが、鍵がかかっていた。

3 交流・対立
Unit 1

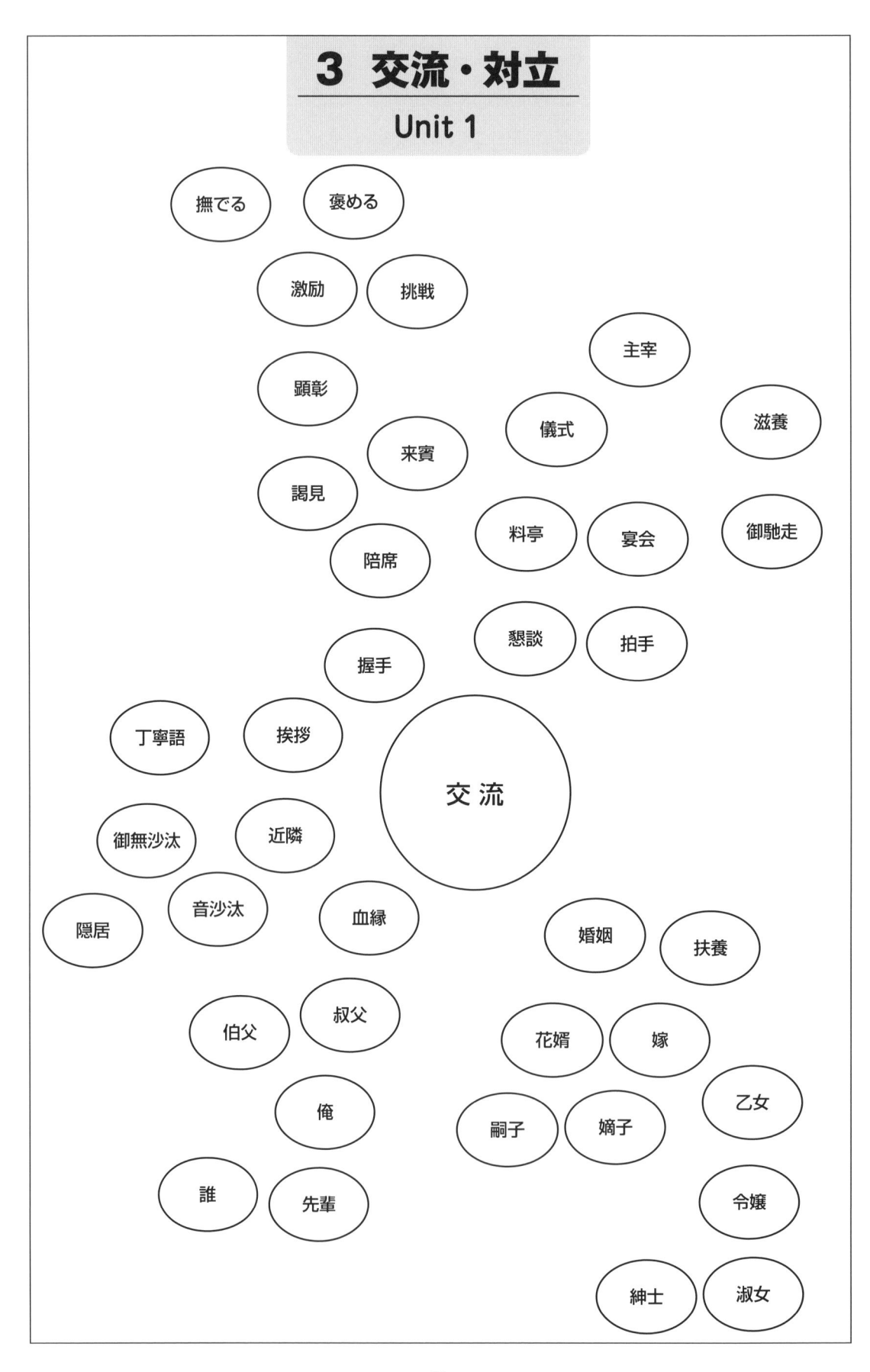

- 撫でる
- 褒める
- 激励
- 挑戦
- 主宰
- 顕彰
- 儀式
- 滋養
- 来賓
- 謁見
- 料亭
- 宴会
- 御馳走
- 陪席
- 懇談
- 拍手
- 握手
- 丁寧語
- 挨拶
- 交流
- 御無沙汰
- 近隣
- 隠居
- 音沙汰
- 血縁
- 婚姻
- 扶養
- 伯父
- 叔父
- 花婿
- 嫁
- 乙女
- 俺
- 嗣子
- 嫡子
- 誰
- 先輩
- 令嬢
- 紳士
- 淑女

1	握 ☆☆☆	握	握	音 アク 訓 にぎ・る	握手スル あくしゅ [to shake hands／握手／악수하다] 握る にぎる [to grasp, to take hold of something／握住／쥐다] 握力 あくりょく [grip, grasping power／握力／악력]
	握手：試合が終わり、両チームのメンバーは再会を約束し固く握手した。 握る：決勝戦は、手に汗を握る接戦だった。					
2	沙* ☆☆	沙	沙	音 サ 訓 —	音沙汰 おとさた [news, tidings／音讯／소식] 取り沙汰スル とりざた [to talk, to gossip／议论／화제가 되다]
	音沙汰：大学卒業以来、彼からは全く音沙汰がない。 取り沙汰：現在世間では年金問題が取り沙汰されている。					
3	汰* ☆	汰	汰	音 タ 訓 —	御無沙汰スル ごぶさた [to be silent, to neglect to write／久不问候／격조하다] 淘汰スル とうた [to select, to weed out／淘汰／도태] 自然淘汰 しぜんとうた [natural selection／天然淘汰／자연 도태]
	御無沙汰：御無沙汰しておりますが、皆様お変わりありませんか。 淘汰：長引く不況の影響で、淘汰される企業が増えてきた。					
4	励 ☆☆☆	励	勵	音 レイ 訓 はげ・ます、はげ・む	激励スル げきれい [to encourage someone／激励／격려하다] 励み はげみ [encouragement, incentive／鼓励／열성] 奨励スル しょうれい [to encourage, to promote／奖励／장려하다]
	激励：サッカーチームの遠征試合に行く友達を、クラスメートが激励した。 励み：いつも気遣ってくれる母の言葉を励みに、留学生活を頑張っている。					
5	隠 ☆☆☆	隠	隱	音 イン 訓 かく・す、かく・れる	隠居スル いんきょ [to retire／退休／은거] 目隠しスル めかくし [to blindfold someone／眼罩／눈을 가리다] 隠し味 かくしあじ [subtle flavor, secret ingredient／秘方(佐料)／조미료로 살짝 쓰다]
	隠居：伯父は、仕事から遠ざかり、5月から隠居の身となった。 目隠し：寝るときは、アイマスクで目隠しをして寝ています。					
6	嫁 ☆☆☆	嫁	嫁	音 カ 訓 よめ、とつ・ぐ	嫁 よめ [a wife／媳妇儿／며느리] 転嫁スル てんか [to shift the blame, to remarry／转嫁／전가] 花嫁 はなよめ [a bride／新娘／신부]
	嫁：娘は農家の嫁になった。 転嫁：部長は、失敗の責任をすべて課長に転嫁した。					
7	挑 ☆☆☆	挑	挑	音 チョウ 訓 いど・む	挑戦スル ちょうせん [to challenge, to defy／挑战／도전하다] 挑む いどむ [to challenge／挑战／도전하다] 挑発スル ちょうはつ [to provoke, to incite／挑衅／도발하다]
	挑戦：彼は難関の資格試験に何度も挑戦し続けています。 挑む：チーム全員で、困難なプロジェクトに挑む。					
8	誰* ☆☆☆	誰	誰	音 — 訓 だれ	誰 だれ [who／谁／누구] 誰か だれか [somebody／某人／누군가]
	誰：それは誰の携帯電話ですか。 誰か：あなたは彼のほかに、誰か友達はいないの。					
9	彰 ☆☆☆	彰	彰	音 ショウ 訓 —	顕彰スル けんしょう [to praise somebody publicly／表彰／표창] 表彰スル ひょうしょう [to recognize, to commend publicly／表扬／표양]
	顕彰：貴殿の長年の功労に対して顕彰する。 表彰：勤続30年を表彰された。					
10	懇 ☆☆☆	懇	懇	音 コン 訓 ねんご・ろ	懇談スル こんだん [to have a friendly talk with／谈心／간담] 懇親 こんしん [friendship, closeness／亲密／간친] 懇願スル こんがん [to implore, to beg／恳求／간원]
	懇談：担任と保護者が懇談する。 懇親：懇親会は6時から2階の会議室で行います。					

3 交流・対立

11	乙 ☆☆	乙	乙	音 オツ 訓 —	乙女 おとめ [a maiden, a young girl／少女／아가씨] 乙ナ おつ [stylish, chic／別致／특이한]
					乙女：うら若き**乙女**が木陰で読書をしている。 乙：雪見酒というのもなかなか**乙**なものだ。
12	宴 ☆☆	宴	宴	音 エン 訓 —	宴会 えんかい [a dinner party, a banquet／宴会／연회] 宴席 えんせき [a banquet, a banquet hall／宴席／연석] 宴 うたげ [a party, a banquet／宴／연회]
					宴会：**宴会**のメニューを事前に選ぶ。 宴席：取引先の部長を、**宴席**を設けて接待する。
13	伯 ☆☆	伯	伯	音 ハク 訓 —	伯父 おじ [uncle／伯父／백부] 画伯 がはく [a master painter, an artist／大画家／화백] 伯母 おば [aunt／伯母／백모]
					伯父：**伯父**から遺産をもらった。 画伯：B**画伯**の作品を見に美術館に行く。
14	俺 ☆☆ *	俺	俺	音 — 訓 おれ	俺 おれ [I, me (usually for men)／我／나]
					俺：弟は学生の頃は自分のことを「**俺**」と言っていたが、社会人になって「私」や「僕」と言うようになった。
15	紳 ☆☆	紳	紳	音 シン 訓 —	紳士 しんし [a gentleman／紳士／신사] 紳士的 しんしてき [gentlemanly／礼貌的／신사적인] 紳士協定 しんしきょうてい [a gentleman's agreement／君子協定／신사 협정]
					紳士：物語の中では、背の高い**紳士**が孤児院を訪れて女の子の学費の援助を申し出たのだった。 紳士的：海外旅行へ行って、現地の男性の**紳士的**な態度に感動した。
16	宰 ☆☆	宰	宰	音 サイ 訓 —	主宰スル しゅさい [to preside over, to run／主持／주재] 宰相 さいしょう [the prime minister, the premier／宰相／주관]
					主宰：私の俳句の先生は、「日曜俳句の会」を**主宰**している。 宰相：第一次大戦前、ドイツに「鉄の**宰相**」と呼ばれる人物がいた。
17	寧 ☆	寧	寧	音 ネイ 訓 —	丁寧語 ていねいご [polite language／敬語／존대어] ばか丁寧ナ ばかていねい [excessively polite／过分恭敬的／지나치게 공손한] 安寧 あんねい [peace, well-being／安宁／안녕]
					丁寧語：敬語には、尊敬語、謙譲語、**丁寧語**、美化語がある。 ばか丁寧：彼と話していると、言葉遣いが**ばか丁寧**で不思議な気分になる。
18	嬢 ☆	嬢	嬢	音 ジョウ 訓 —	令嬢 れいじょう [somebody's daughter, a young lady／令爱／따님] 愛嬢 あいじょう [someone's beloved daughter／爱女／영애] 〜嬢 じょう [Miss 〜／〜姑娘／〜양]
					令嬢：人気歌手が大手企業の社長**令嬢**だったことがわかった。 愛嬢：彼は**愛嬢**の誕生日に、海外ブランドの高価な子供服を買って帰宅した。
19	淑 ☆	淑	淑	音 シュク 訓 —	淑女 しゅくじょ [a lady／淑女／숙녀] 淑やかナ しとやか [graceful, genteel, ladylike／贤淑的／정숙한] 貞淑 ていしゅく [chaste, virtuous／贞淑的／정숙한]
					淑女：育ちがよく上品な彼女は、**淑女**と呼ぶにふさわしい。 淑やか：家に帰ると**淑やか**な妻が料理を作って待っている、というのが日本人男性の夢だった。
20	叔 ☆	叔	叔	音 シュク 訓 —	叔父 おじ [uncle／叔父／백부] 叔母 おば [aunt／叔母／백모]
					叔父：父の3歳年下の**叔父**は、私が小さい頃よく釣りへ連れて行ってくれた。 叔母：父の10歳年下の**叔母**は、私にとって姉のような存在だ。

No.	漢字	筆順	音訓	熟語・例文
21	扶 ☆	扶 扶	音 フ 訓 —	扶養スル ふよう [to support, to maintain／扶养／부양하다] 扶助スル ふじょ [to help, to aid／帮助／부조하다] 扶持 ふち [stipend, allowance／扶持／도움] 扶養：私の扶養家族は、妻、息子、父の三人だ。 扶助：医療費が高額になった場合、医療扶助を申請することができる。
22	滋 ☆☆	滋 滋	音 ジ 訓 —	滋養 じよう [nutrition／营养／자양] 滋味 じみ [wholesome, savory／滋味／깊은 맛] 滋養：滋養強壮にはこの栄養ドリンクが効きます。 滋味：ごま豆腐は滋味に満ちた食品だ。
23	陪 ☆	陪 陪	音 バイ 訓 —	陪席スル ばいせき [to have the honor of sitting with／陪坐／배석하다] 陪審 ばいしん [a jury, a juror／陪审／배심] 陪食スル ばいしょく [to dine with one's superior／陪吃／배식하다] 陪席：支社訪問の際、社長に陪席し、地方の状況の報告を聞いた。 陪審：日本は陪審員制度に似た裁判員制度を導入した。
24	姻 ☆	姻 姻	音 イン 訓 —	婚姻 こんいん [marriage, matrimony／婚姻／혼인] 婚姻届 こんいんとどけ [a notification of marriage／婚姻申请／혼인신고] 姻戚関係 いんせきかんけい [relationship by marriage／亲戚关系／친척관계] 婚姻：婚姻の事実を隠して、他の異性と付き合うことは罪に値する。 婚姻届：婚約者と二人で役所に行って、婚姻届を出してきた。
25	嗣 ☆	嗣 嗣	音 シ 訓 —	嗣子 しし [an heir, a successor／嗣子／사자] 後嗣 こうし [a successor, a replacement／继承人／후사] 継嗣 けいし [a successor, an heir or heiress／后继／계사] 嗣子：その名家は嗣子に恵まれず、没落していった。 後嗣：同族経営のその一門では、後嗣の問題が絶えない。
26	賓 ☆	賓 賓	音 ヒン 訓 —	来賓 らいひん [a guest, a visitor／来宾／내빈] 国賓 こくひん [a guest of the state／国宾／국빈] 主賓 しゅひん [a guest of honor／主宾／주빈] 来賓：会場の一番前に来賓席を設けた。 国賓：日本の人気歌手が、A国に国賓として招かれた。
27	婿 ☆	婿 婿	音 セイ 訓 むこ	花婿 はなむこ [a bridegroom／新郎／신랑] 婿養子 むこようし [son-in-law taken into the family／养老女婿／서양자] 女婿 じょせい [son-in-law／女婿／사위] 花婿：花婿と花嫁は並んで両者の両親に挨拶をした。 婿養子：その家の子どもは全て娘だったため、長女に婿養子を迎えた。
28	嫡 ☆	嫡 嫡	音 チャク 訓 —	嫡子 ちゃくし [legitimate child, the heir／嫡子／적자] 嫡男 ちゃくなん [the eldest son, an heir／嫡男／적남] 嫡子：我が家に待望の嫡子が誕生した。 嫡男：兄は嫡男として、家族の中でずっと優遇されていた。
29	馳 外 ☆	馳 馳	音 チ 訓 は・せる	御馳走スル ごちそう [to give a feast, to dinner, to treat somebody to something／请吃饭／한턱내다] 馳せる はせる [to hurry, to run to extremes／驱／생각하다] 御馳走：アルバイト料が入ったので、両親に御馳走することにした。 馳せる：十年以上帰省していないが、今でも故郷に思いを馳せることがある。
30	挨 * ☆	挨 挨	音 サツ 訓 —	挨拶スル あいさつ [to greet somebody／打招呼／인사 하다] 挨拶：知り合いに会ったら、元気に挨拶しましょう。

No.	漢字	簡体	繁体	音訓	語例
31	褒 ☆	褒	褒	音 ホウ 訓 ほ・める	褒める ほめる [to praise someone／赞扬／칭찬하다] 褒美 ほうび [a reward, a prize／奖赏／포상] 褒賞 ほうしょう [a prize, an award／褒奖／포상]

褒める：私は学生を褒めて伸ばす主義です。
褒美：自分へのご褒美だと思って、高級なバッグを購入した。

| 32 | 謁 ☆ | 谒 | 謁 | 音 エツ
訓 ― | 謁見スル えっけん [to have an audience with／谒见／알현]
拝謁スル はいえつ [to have an interview with／晋谒／배알하다] |

謁見：祖父は留学先で王族に謁見したことがあると、いつも自慢している。
拝謁：大使は帰国後、訪問先で国王に拝謁したことを大臣に報告した。

| 33 | 挨 * ☆ | 挨 | 挨 | 音 アイ
訓 ― | 挨拶スル あいさつ [to greet somebody／打招呼／인사 하다] |

挨拶：円滑なコミュニケーションは、挨拶をすることから始まります。

| 34 | 儀 ☆☆☆ | 仪 | 儀 | 音 ギ
訓 ― | 儀式 ぎしき [a ceremony, a service, a ritual／仪式／의식]
礼儀 れいぎ [courtesy, good manners／礼仪／예의]
行儀 ぎょうぎ [manners, behavior／举止／예의 범절] |

儀式：この村の神社では毎年、豊作を祈願する儀式が行われる。
礼儀：名刺は必ず両手で受け取るのが礼儀です。

| 35 | 拍 ☆☆☆ | 拍 | 拍 | 音 ハク、ヒョウ
訓 ― | 拍手スル はくしゅ [to clap one's hands, to applaud／鼓掌／박수치다]
拍車 はくしゃ [a spur／促进／박차]
拍子 ひょうし [beat, rhythm／拍子／박자] |

拍手：彼の素晴らしいピアノの演奏に、拍手が鳴りやまなかった。
拍車：新しい道路が開通し、地域の発展に一層拍車がかかった。

| 36 | 撫 外 ☆ | 抚 | 撫 | 音 ブ
訓 な・でる | 撫でる なでる [to pat, to stroke／抚摩／쓰다듬다]
撫子 なでしこ [a (fringed) pink【plant】／红瞿麦／패랭이꽃]
愛撫スル あいぶ [to caress, to pet／爱抚／애무] |

撫でる：子どもが頭が痛いというので、そっと撫でてやった。
撫子：撫子は、春から秋にかけて咲く花です。

| 37 | 輩 ☆☆☆ | 辈 | 輩 | 音 ハイ
訓 ― | 先輩 せんぱい [one's senior／前辈／선배]
⇔後輩 こうはい [one's junior／后辈／후배]
輩出スル はいしゅつ [to produce, to turn out／辈出／배출하다] |

先輩：先輩を見習って、毎日努力します。
輩出：この学校は、多数の著名人を輩出している。

| 38 | 亭 ☆☆☆ | 亭 | 亭 | 音 テイ
訓 ― | 料亭 りょうてい [a (Japanese-style) restaurant／日本式酒家／요정]
亭主関白 ていしゅかんぱく [a domineering husband／大男子主义／엄한 가장]
亭主 ていしゅ [a husband, a landlord／主人／주인] |

料亭：我が社では、顧客の接待によく料亭を利用する。
亭主関白：我が家は亭主関白で、家事は一切妻任せです。

| 39 | 隣 ☆☆☆ | 邻 | 鄰 | 音 リン
訓 となり、とな・る | 近隣 きんりん [neighborhood／近邻／이웃]
隣接スル りんせつ [to adjoin, to be next to／毗邻／인접]
隣人 りんじん [a neighbor／邻人／이웃 사람] |

近隣：この国は、近隣諸国の影響を受けて、独自の食文化を発展させてきた。
隣接：このホテルは公園に隣接していて、朝からウォーキングを楽しむ人が多い。

| 40 | 縁 ☆☆☆ | 缘 | 縁 | 音 エン
訓 ふち | 血縁 けつえん [a blood relation／血缘／혈연]
縁談 えんだん [a marriage proposal／亲事／혼담]
縁 ふち／へり／えん [the edge, the fringe, fate (karma)／缘／인연] |

血縁：息子は再婚した妻の子で、私とは血縁関係はない。
縁談：彼女は歯科医との縁談がまとまった。

3 交流・対立　Unit 1　練習問題

（解答 ⇨ 別冊 p.6）

問題 1　漢字の読み方を書きなさい。

① 嗣子（　　　　）　② 淘汰（　　　　）　③ 謁見（　　　　）

④ 陪席（　　　　）　⑤ 先輩（　　　　）　⑥ 近隣（　　　　）

⑦ 縁談（　　　　）　⑧ 表彰（　　　　）　⑨ 嫡男（　　　　）

問題 2　次の漢字の読み方をひらがなで書きなさい。

① 料亭（　　　　）－ 旅程（　　　　）

② 主宰（　　　　）－ 秀才（　　　　）

③ 貞淑（　　　　）－ 定食（　　　　）

④ 令嬢（　　　　）－ 冷笑（　　　　）

⑤ 褒賞（　　　　）－ 保証（　　　　）

⑥ 扶養（　　　　）－ 富裕（　　　　）

問題 3　＿＿＿の部分の漢字を下から選びなさい。

① 背の高い<u>しんし</u>が孤児院を訪れて、女の子の学費の援助を申し出た。
　　　（　　　　）

② 弟は自分のことを「<u>おれ</u>」と言っている。
　　　　　（　　　　）

③ あなたは彼のほかに、<u>だれ</u>か友達はいないの。
　　　　　　（　　　　）

④ 会場の一番前に<u>らいひん</u>席を設けた。
　　　　（　　　　）

⑤ <u>じよう</u>強壮にはこの栄養ドリンクが効きます。
（　　　　）

| 誰 | 俺 | 滋養 | 紳士 | 来賓 |

問題 4 次の漢字の訓読み、または訓読みを含む漢字の読み方を、ひらがなで書きなさい。

① 懇ろ　（　　　　　）　　② 乙女　（　　　　　）

③ 伯母　（　　　　　）　　④ 嫁　　（　　　　　）

⑤ 叔父　（　　　　　）　　⑥ 馳せる（　　　　　）

⑦ 花婿　（　　　　　）

問題 5 適当な言葉を選び、（　　　）に入れなさい。

① 歩きながら食べるのは、（　　　　　）が悪いですよ。

② あの国では人口増加に（　　　　　）がかかっている。

③ 近所の人と、軽く（　　　　　）を交わした。

④ 昨日、市役所に（　　　　　）を出してきた。

⑤ 長い間（　　　　　）してしまって、すみません。

⑥ この料理には、何か特別な調味料が（　　　　　）として使われているようだ。

⑦ 隣の家では、毎晩（　　　　　）が開かれている。

⑧ 人と話すときは、なるべく（　　　　　）を使ったほうがいい。

⑨ 彼女は「また来ます」と出て行ってから、全く（　　　　　）がない。

音沙汰　挨拶　御無沙汰　丁寧語　宴会　行儀　隠し味　婚姻届　拍車

問題 6 下から適当な言葉を選び、必要であれば形を変えて、漢字と読み方を書きなさい。

① テストの点が悪くて落ち込んでいたら、友人が（　　　　　）くれた。

② 我がチームは、1回戦で優勝候補のチームに（　　　　　）ことになった。

③ 弟が漫画を読んでばかりいるので、母は弟の漫画を全部（　　　　　）しまった。

④ 子どもは母親の手を（　　　　　）まま、離そうとしなかった。

⑤ うちの猫は、人に（　　　　　）のが大好きだ。

励ます　握る　隠す　挑む　撫でる

3 交流・対立
Unit 2

対立

- 待遇
- 奉仕
- 謙虚
- 妥協
- 配慮
- 侮蔑
- 睨む
- 容赦
- 殴打
- 叱る
- 叩く
- 喧嘩
- 兄弟喧嘩
- 奔走
- 拒否
- 襲撃
- 鬼
- 虐殺
- 遮る
- 阻止
- 抵抗
- 戦闘
- 脅威
- 犠牲
- 略奪
- 侵略
- 犠牲者
- 妨害
- 拘束
- 恐喝
- 逮捕
- 誘拐
- 禍根
- 訴訟
- 罰

41 虐 ☆☆	虐	虐	音 ギャク 訓 しいた・げる	虐殺スル ぎゃくさつ [to massacre／虐杀／학살하다] 虐待スル ぎゃくたい [to ill-treat, to abuse／虐待／학대하다] 残虐ナ ざんぎゃく [cruel, atrocious／残酷的／잔학한]
			虐殺：戦時中に、この地域で**虐殺**が行われたそうだ。 虐待：親から**虐待**を受けている子どもたちを救うホットラインができた。	
42 慮 ☆☆☆	慮	慮	音 リョ 訓 ―	配慮スル はいりょ [to consider, to be careful／关怀／배려하다] 考慮スル こうりょ [to consider, to think over／考虑／고려하다] 遠慮スル えんりょ [to hold back, to hesitate／顾忌／사양하다]
			配慮：この施設は、高齢者や子どもに**配慮**したつくりになっている。 考慮：アルバイト採用の際には、これまでの経験を**考慮**します。	
43 闘 ☆☆☆	斗	鬥	音 トウ 訓 たたか・う	戦闘スル せんとう [to fight, to engage the enemy／战斗／전투하다] 奮闘スル ふんとう [to struggle against, to strive for／奋斗／분투하다] 闘争スル とうそう [to fight for, to oppose／斗争／투쟁하다]
			戦闘：100年ほど前、隣国との激しい**戦闘**により、村は壊滅的な被害を受けた。 奮闘：県の特産品を広めるために、職員は**奮闘**した。	
44 逮 ☆☆☆	逮	逮	音 タイ 訓 ―	逮捕スル たいほ [to arrest, to catch／逮捕／체포하다]
			逮捕：強盗事件の容疑者は、事件発生直後に**逮捕**された。	
45 侵 ☆☆☆	侵	侵	音 シン 訓 おか・す	侵略スル しんりゃく [to invade, to conquer／侵略／침략하다] 侵入スル しんにゅう [to invade, to trespass／侵入／침입하다] 侵害スル しんがい [to infringe on, to violate／侵害／침해하다]
			侵略：他国の**侵略**を防ぐために、国境に兵を配備した。 侵入：泥棒は、洗面所の窓から**侵入**したとみられる。	

3 交流・対立

46 拒 ☆☆☆
	拒	拒	音 キョ 訓 こば・む

- 拒否スル きょひ [to refuse, to reject ／否决／거부하다]
- 拒絶スル きょぜつ [to deny, to turn down ／拒绝／거절하다]
- 拒絶反応 きょぜつはんのう [rejection, strong reaction against ／排斥反应／거절반응]

拒否：夫は離婚のための話し合いを拒否し続けている。
拒絶：上司は、早期退職勧告を断固拒絶したそうだ。

47 鬼 ☆☆☆
	鬼	鬼	音 キ 訓 おに

- 鬼 おに [a demon ／鬼／귀신]
- 疑心暗鬼 ぎしんあんき [suspicion raises doubts ／疑心疑鬼／의심]
- 鬼ごっこ おにごっこ [tag (child's game) ／捉迷藏／술래잡기]

鬼：心を鬼にして、部下に完成したばかりの試作品の作り直しを命じた。
疑心暗鬼：何度も訂正される政府の発表に、国民は疑心暗鬼に陥っている。

48 抵 ☆☆☆
	抵	抵	音 テイ 訓 ―

- 抵抗スル ていこう [to resist, to oppose ／抵抗／저항하다]
- 抵触スル ていしょく [to conflict with, to contradict ／抵触／저촉하다]
- 大抵 たいてい [generally, mostly ／大概／대저]

抵抗：デモ参加者は警察の制圧に対し激しく抵抗した。
抵触：健康食品の広告で、医薬品的効能をうたうのは、法に抵触する恐れがある。

49 罰 ☆☆☆
	罰	罰	音 バツ、バチ 訓 ―

- 罰 ばつ [a judgment, a punishment ／罚／벌]
- 処罰スル しょばつ [to punish (for a crime), to inflict a penalty ／处罚／처벌 하다]
- 罰金 ばっきん [a fine, a penalty ／罚金／벌금]

罰：いたずらをした罰として、7歳の息子に部屋の掃除をさせた。
処罰：選挙期間中の掲示ポスターへのいたずらは、処罰の対象となる。

50 奪 ☆☆☆
	奪	奪	音 ダツ 訓 うば・う

- 略奪スル りゃくだつ [to plunder, to loot ／掠夺／약탈하다]
- 奪回スル だっかい [to recover, to recapture ／夺回／탈회하다]
- 争奪スル そうだつ [to struggle for, to contend for ／争夺／쟁탈하다]

略奪：15世紀ごろ、この国では隣国から来た侵略者に多くの文化財が略奪された。
奪回：兄は、前回のスキー大会で奪われたチャンピオンの座を再び奪回した。

51 襲 ☆☆☆
	襲	襲	音 シュウ 訓 おそ・う

- 襲撃スル しゅうげき [to attack, to assault ／袭击／습격하다]
- 襲う おそう [to invade, to attack ／侵袭／습격하다]
- 世襲スル せしゅう [to inherit ／世袭／세습하다]

襲撃：学生のデモ隊は暴徒化し、首相官邸を襲撃した。
襲う：昨日、関東南部を激しい雷雨が襲った。

52 謙 ☆☆☆
	謙	謙	音 ケン 訓 ―

- 謙虚ナ けんきょ [modest, humble ／谦虚的／겸손한]
- 謙遜スル けんそん [to be modest, to be humble ／谦逊／겸손하다]
- 謙譲 けんじょう [modesty, humility ／谦让／겸양]

謙虚：謙虚とは誠実で素直で控えめなことを言う。
謙遜：実力のある人ほど謙遜する。

53 遇 ☆☆☆
	遇	遇	音 グウ 訓 ―

- 待遇 たいぐう [treatment, work conditions ／待遇／대우]
- 境遇 きょうぐう [circumstances, situation ／境遇／경우]
- 優遇スル ゆうぐう [to give favorable treatment to ／优待／우대하다]

待遇：待遇がよすぎて、今のバイトが辞められない。
境遇：子どもの頃の境遇がひどかったため、人を信じられなくなってしまった。

54 犠 ☆☆☆
	牺	犠	音 ギ 訓 ―

- 犠牲者 ぎせいしゃ [a victim, a casualty ／牺牲者／희생자]
- 犠打 ぎだ [a sacrifice hit, a bunt ／自我牺牲性的一击／희생타]
- 犠牲 ぎせい [a scapegoat, a sacrifice ／牺牲／희생]

犠牲者：テロ事件で旅客の多くが犠牲者となった。
犠打：犠打を打ち上げ、アウトになった。

55 脅 ☆☆☆
	胁	脅	音 キョウ 訓 おびや・かす、おど・す、おど・かす

- 脅威 きょうい [a menace, a threat ／威胁／위협]
- 脅かす おびやかす [to threaten, to intimidate ／威吓／협박하다]
- 脅迫スル きょうはく [to intimidate, to terrorize ／威逼／협박하다]

脅威：核の装備は脅威だ。
脅かす：放射能で安全が脅かされる。

№	漢字	楷書	明朝	音/訓	読み	語彙・例文
56	喝 ☆	喝	喝	音 訓	カツ —	恐喝スル きょうかつ [to threaten, to blackmail／恐吓／공갈하다] 喝采スル かっさい [to give someone a cheer／喝彩／갈채하다] 一喝スル いっかつ [to roar, to thunder／大喝一声／일갈하다]

恐喝：その男は職場の同僚を「娘を誘拐する」と恐喝し、100万円を奪い取って逃走した。
喝采：舞台を演じきった俳優たちに観客は拍手喝采した。

| 57 | 訟 ☆☆ | 訟 | 訟 | 音
訓 | ショウ
— | 訴訟スル そしょう [to sue somebody for something／诉讼／소송하다]
民事訴訟 みんじそしょう [a civil suit／民事诉讼／민사소송]
行政訴訟 ぎょうせいそしょう [administrative litigation／行政诉讼／행정 소송] |

訴訟：書記官が訴訟記録を保存する。
民事訴訟：隣家との土地の境界線を巡る問題は、民事訴訟により解決した。

| 58 | 妥 ☆☆ | 妥 | 妥 | 音
訓 | ダ
— | 妥協スル だきょう [to compromise／妥协／타협하다]
妥当性 だとうせい [appropriateness, validity／妥当／타당성]
妥当ナ だとう [proper, appropriate／妥当的／타당한] |

妥協：実用性を重視すると、デザインの面では妥協せざるを得ない。
妥当性：妥当性の高い検査は信頼性も高い。

| 59 | 奉 ☆☆ | 奉 | 奉 | 音
訓 | ホウ、ブ
たてまつ・る | 奉仕スル ほうし [to serve, to give one's service／服务／봉사]
奉公スル ほうこう [to serve someone／奉公／봉공하다]
奉納スル ほうのう [to dedicate, to offer／奉献／봉납하다] |

奉仕：奉仕の気持ちを持って災害救助に当たる。
奉公：嫌な上司の下で働いているが、もうすぐ定年なので、それまでのご奉公と思って辛抱している。

| 60 | 拘 ☆☆ | 拘 | 拘 | 音
訓 | コウ
— | 拘束スル こうそく [to restrict, to restrain／拘束／구속하다]
拘置スル こうち [to detain, to hold someone in custody／拘留／구치하다]
拘留スル こうりゅう [to detain or imprison someone／拘留／구류하다] |

拘束：容疑者は警視庁に身柄を拘束された。
拘置：犯人は拘置所に送られた。

| 61 | 牲 ☆☆ | 牲 | 牲 | 音
訓 | セイ
— | 犠牲 ぎせい [a sacrifice, a victim／牺牲／희생] |

犠牲：飲酒運転の事故により、尊い命が犠牲となった。

| 62 | 叱 ☆ | 叱 | 叱 | 音
訓 | シツ
しか・る | 叱る しかる [to scold／责备／꾸짖다]
叱責スル しっせき [to scold, to reprove／斥责／질책하다]
叱咤外スル しった [to reprimand, to spur on／叱咤／질타하다] |

叱る：授業に遅れて、先生に叱られた。
叱責：会議で上司に厳しく叱責されてしまった。

| 63 | 奔 ☆ | 奔 | 奔 | 音
訓 | ホン
— | 奔走スル ほんそう [to make every effort to do something／奔走／분주하다]
奔放ナ ほんぽう [wild, extravagant／奔放的／분방한]
東奔西走スル とうほんせいそう [to busy one's self with／到处奔走／동분서주] |

奔走：去年失業した友人は、職探しに奔走している。
奔放：会社を辞めた同僚は、自由奔放に生きている。

| 64 | 侮 ☆ | 侮 | 侮 | 音
訓 | ブ
あなど・る | 侮蔑スル ぶべつ [to scorn, to despise／侮蔑／모멸하다]
侮る あなどる [to scorn, to underestimate／轻视／깔보다]
侮辱スル ぶじょく [to insult, to slight someone／侮辱／모욕하다] |

侮蔑：服装だけを見て人を侮蔑する態度をとるのは許せない。
侮る：囲碁の相手が子どもだと思って侮っていたら、かなりの強敵で負けてしまった。

| 65 | 叩 外 ☆ | 叩 | 叩 | 音
訓 | コウ
たた・く | 叩く たたく [to hit, to beat／敲／두드리다]
叩頭スル こうとう [to kowtow to someone／磕头／머리를 숙이다] |

叩く：兄と喧嘩をして、頭を叩かれた。
叩頭：地面に叩頭して謝罪した。

#	漢字	字体	音訓	語例
66	赦 ☆	赦 赦	音 シャ 訓 —	容赦スル ようしゃ [to pardon, to forgive／宽恕／용서하다] 恩赦 おんしゃ [a pardon, amnesty／大赦／은사]
				容赦：商品は十分に用意しておりますが、売り切れの際にはどうぞご容赦ください。 恩赦：国王の結婚で、恩赦が実施された。
67	喧 外 ☆	喧 喧	音 ケン 訓 —	喧嘩スル けんか [to quarrel／吵架／싸우다] 喧騒 けんそう [noise, din, hustle and bustle／喧嚣／훤조] 喧々囂々 けんけんごうごう [noisy, pandemonium／吵吵闹闹／훤훤효효]
				喧嘩：子どもの頃、よく弟と喧嘩したものだ。 喧騒：日常の喧騒から離れるために、旅に出た。
68	嘩 外 ☆	哗 嘩	音 カ 訓 —	兄弟喧嘩 きょうだいげんか [a quarrel between siblings／兄弟吵架／형제 싸움] 夫婦喧嘩 ふうふげんか [a quarrel between husband and wife／夫妻吵架／부부싸움] 喧嘩っ早い けんかっぱやい [quarrelsome／爱打架／쉽게 싸우려 든다]
				兄弟喧嘩：兄弟喧嘩を見るのが、両親にとっては一番辛いことなのだそうだ。 夫婦喧嘩：夫婦喧嘩には、他人が介入すべきではない。
69	睨 外 ☆	睨 睨	音 — 訓 にら・む	睨む にらむ [to stare at／瞪眼／노려보다] 睨み合う にらみあう [to glare at each other／互相盯视／서로 노려보다] 睨み にらみ [a glare, a sharp look／盯视／노려봄]
				睨む：電車の中で友人と大声で話していたら、前の人に睨まれた。 睨み合う：道端で、2匹の猫が睨み合っているのを見た。
70	禍 ☆	祸 禍	音 カ 訓 —	禍根 かこん [the source of trouble／祸根／화근] 惨禍 さんか [a disaster, a calamity／惨祸／참화] 戦禍 せんか [war damage／战祸／전화]
				禍根：二人の対立は、その後も長く禍根を残すことになった。 惨禍：震災の惨禍を目の当たりにして、言葉も出なかった。
71	妨 ☆☆	妨 妨	音 ボウ 訓 さまた・げる	妨害スル ぼうがい [to disturb, to interfere with／妨碍／방해하다] 妨げる さまたげる [to prevent someone from doing something, to hamper／阻碍／방해하다]
				妨害：ヤジで議事の進行を妨害する。 妨げる：隣家のピアノの音に、いつも読書を妨げられている。
72	阻 ☆☆	阻 阻	音 ソ 訓 はば・む	阻止スル そし [to obstruct, to prevent／阻止／저지하다] 阻む はばむ [to thwart, to prevent／阻挡／막다] 阻害スル そがい [to block, to hinder／阻碍／저해하다]
				阻止：A国による核実験の実施は、何としても阻止しなければならない。 阻む：私たちの行く手を阻むものは何もない。
73	殴 ☆☆	殴 殴	音 オウ 訓 なぐ・る	殴打スル おうだ [to hit, to beat／殴打／구타하다] 横殴り よこなぐり [a side blow／从侧面打／옆으로 치다]
				殴打：ある中学校で、教師が生徒に殴打されて負傷するという事件が起きた。 横殴り：帰宅しようと思ったら、横殴りの雨が降ってきたので、もう少し仕事をすることにした。
74	拐 ☆	拐 拐	音 カイ 訓 —	誘拐スル ゆうかい [to kidnap, to abduct／诱拐／유괴하다]
				誘拐：大企業の社長の娘が誘拐され、1億円の身代金を要求された。
75	遮 ☆	遮 遮	音 シャ 訓 さえぎ・る	遮る さえぎる [to obstruct, to cut off／遮住／가로막다] 遮断スル しゃだん [to cut off, to intercept／隔断／차단하다] 遮光スル しゃこう [to shield, to shade／遮光／차광하다]
				遮る：彼女は興奮した様子で、私の話を遮って話し始めた。 遮断：このガラスには紫外線を遮断する加工が施されている。

3 交流・対立

3 交流・対立　Unit 2　練習問題

（解答 ⇨ 別冊 p.6～7）

問題 1　漢字の読み方を書きなさい。

1. 遮断（　　　　）　2. 妥協（　　　　）　3. 侮蔑（　　　　）
4. 喧嘩（　　　　）　5. 奮闘（　　　　）　6. 容赦（　　　　）
7. 謙虚（　　　　）　8. 訴訟（　　　　）　9. 略奪（　　　　）

問題 2　次の漢字の読み方をひらがなで書きなさい。

1. 逮捕（　　　　）－ 大砲（　　　　）
2. 愉快（　　　　）－ 誘拐（　　　　）
3. 奔走（　　　　）－ 放送（　　　　）
4. 奪回（　　　　）－ 打開（　　　　）
5. 禍根（　　　　）－ 過言（　　　　）
6. 喝采（　　　　）－ 火災（　　　　）

問題 3　＿＿＿の部分の漢字を下から選びなさい。

1. 心を<u>おに</u>にして、部下に完成したばかりの試作品の作り直しを命じた。
　（　　　　）

2. いたずらをした<u>ばつ</u>として、息子に部屋の掃除をさせた。
　　　　　（　　　　）

3. 容疑者は警視庁に身柄を<u>こうそく</u>された。
　　　　　（　　　　）

4. デモ参加者は警察の制圧に対し、激しく<u>ていこう</u>した。
　　　　　（　　　　）

5. A 国による核実験の実施は、何としても<u>そし</u>しなければならない。
　　　　　（　　　　）

| 罰 | 鬼 | 阻止 | 拘束 | 抵抗 |

問題4 次の漢字の訓読み、または訓読みを含む漢字の読み方を、ひらがなで書きなさい。

1 侵す　（　　　　　）　　2 虐げる　（　　　　　）

3 叩く　（　　　　　）　　4 殴る　（　　　　　）

5 阻む　（　　　　　）　　6 脅す　（　　　　　）

7 奉る　（　　　　　）

問題5 適当な言葉を選び、（　　　　　）に入れなさい。

1 この地域は、常に隣国からの侵略の（　　　　　）にさらされていた。

2 仕事で失敗し、上司から激しい（　　　　　）を受けた。

3 どんなに大きな（　　　　　）をはらっても、このプロジェクトは実行しなければならない。

4 静かな田舎からやってきた私は、都会の（　　　　　）は好きではない。

5 私の上司は部下に対する（　　　　　）が足りない。

6 今年の新人は自由奔放で、先輩の（　　　　　）もまったくきかないようだ。

7 同僚である彼は取引先の息子なので、社内では（　　　　　）されている。

| 優遇 | 配慮 | 喧騒 | 睨み | 叱責 | 脅威 | 犠牲 |

問題6 下から適当な言葉を選び、必要であれば形を変えて、漢字と読み方を書きなさい。

1 子どもを（　　　　　）すぎるのは、教育上よくないそうだ。

2 昨日、日本の商船が海賊に（　　　　　）そうだ。

3 土地の譲渡をかたくなに（　　　　　）きた地主が、ついに土地を手放した。

4 工事の騒音で、毎晩睡眠が（　　　　　）いる。

5 試合の相手が自分より弱くても、（　　　　　）べきではない。

6 ここからでは高いビルに（　　　　　）いて、遠くの景色が見えない。

| 妨げる | 侮る | 遮る | 襲う | 叱る | 拒む |

3 交流・対立　試験模擬問題

（解答 ⇨ 別冊 p.7）

問題1　＿＿＿＿の言葉の読み方として最もよいものを、1・2・3・4から一つ選びなさい。

① 雨の降る中で桜を見るのも、なかなか乙なものである。
　1　おと　　　　2　おつ　　　　3　いき　　　　4　いち

② いくら脅しても無駄ですよ。あなたの言うことは聞きません。
　1　おどかし　　2　おびやかし　　3　おどろかし　　4　おどし

③ 死亡した大富豪には血縁者がおらず、莫大な遺産の行方が注目されている。
　1　けつえん　　2　けしえん　　3　ちえん　　　　4　けっえん

④ 校則に違反した者は、処罰を受けなければならない。
　1　しょうばつ　2　しょばつ　　3　しゅうばつ　　4　しゅばつ

⑤ 遺産相続で、弟が兄に対して訴訟を起こした。
　1　そしゅう　　2　そうしゅう　3　そしょう　　　4　そうしょう

⑥ 強盗は、店のレジから現金を奪って走り去った。
　1　とって　　　2　もって　　　3　おそって　　　4　うばって

⑦ 大使は明日、国王に謁見することになっている。
　1　こっけん　　2　かっけん　　3　えっけん　　　4　かつけん

⑧ 名所旧跡を訪れ、はるか昔に思いを馳せた。
　1　かせた　　　2　ちせた　　　3　なせた　　　　4　はせた

⑨ このマンションの窓には、遮光ガラスが使われています。
　1　しょこう　　2　しゃこう　　3　しょっこう　　4　しゃっこう

⑩ 施設に入っているお年寄りが、虐待される事件が増えているそうだ。
　1　きゃくたい　2　きゃくだい　3　ぎゃくたい　4　ぎゃくだい

⑪ 上司とともに取引先の宴会に陪席した。
　1　へいせき　　2　はいせき　　3　ぺいせき　　4　ばいせき

⑫ 他人に責任を転嫁するのはよくない。
　1　てんか　　　2　でんか　　　3　てんが　　　4　ていか

問題2　（　　　）に入れるのに最もよいものを、1・2・3・4から一つ選びなさい。

① 感情的にならず、もっと（　　　）に話し合いましょう。
　1　紳士　　　　2　紳士的　　　3　淑女　　　　4　淑女的

② 勝手に人の部屋に入らないでください。プライバシーの（　　　）ですよ。
　1　侵略　　　　2　侵入　　　　3　侵攻　　　　4　侵害

③ 増えすぎた学習塾は、少子化につれて自然（　　　）されていくだろう。
　1　淘汰　　　　2　沙汰　　　　3　襲撃　　　　4　恩赦

④ 転職したばかりで、周囲に励まされつつ（　　　）する日々を送っている。
　1　闘争　　　　2　争奪　　　　3　奮闘　　　　4　戦闘

⑤ この商品は、価格だけでなく、環境への影響も（　　　）して開発しました。
　1　遠慮　　　　2　考慮　　　　3　苦慮　　　　4　不慮

6 会社に（　　　　）の改善を要求しているが、なかなか受け入れてくれない。
   1 優遇　　　　　2 境遇　　　　　3 遭遇　　　　　4 待遇

7 いくら娘が（　　　　）しても、父は決して結婚を許そうとはしなかった。
   1 懇談　　　　　2 懇願　　　　　3 懇親　　　　　4 懇意

8 新入生は、先生や先輩に（　　　　）激励されながら、毎日がんばっている。
   1 叱咤　　　　　2 叱責　　　　　3 侮辱　　　　　4 恐喝

9 宴会では、まず（　　　　）がどこに座るかを決めなければならない。
   1 紳士　　　　　2 嫁　　　　　　3 婿　　　　　　4 主賓

10 一度遅刻して以来、常に上司に（　　　　）ようになってしまった。
   1 挑まれる　　　2 褒められる　　3 睨まれる　　　4 奉られる

11 我が国では長年、（　　　　）諸国と友好関係を維持している。
   1 接近　　　　　2 近所　　　　　3 近隣　　　　　4 隣

12 有能な新人を（　　　　）という風潮があるため、我が社ではいい人材が育たない。
   1 妨げる　　　　2 叩く　　　　　3 励ます　　　　4 撫でる

問題3　＿＿＿＿の言葉に意味が最も近いものを、1・2・3・4から一つ選びなさい。

1 彼は<u>扶養して</u>いる家族が多い。
   1 手伝っている　2 助けている　　3 救っている　　4 世話をしている

2 彼女は<u>奔放</u>に生きている。
   1 のびのびと　　2 のんびりと　　3 のろのろと　　4 ひろびろと

3 インフルエンザの感染拡大を阻止するために、学級閉鎖が行われた。
  1 やめる　　　2 とめる　　　3 おわる　　　4 すむ

4 この大学は、科学分野にすぐれた人物を輩出している。
  1 たくさん教えている　　　2 多く養っている
  3 たくさん送り出している　　　4 多く追い出している

5 父は早期退職をし、隠居している。
  1 逃げて暮らしている　　　2 見つからないように暮らしている
  3 静かに暮らしている　　　4 一人で暮らしている

問題4 次の言葉の使い方として最もよいものを、1・2・3・4から一つ選びなさい。

1 拒否
  1 彼は、自分が犯人であるという疑いを、完全に拒否した。
  2 三年間交際した彼女に結婚を申し込んだが、激しい拒否を受けてしまった。
  3 母は息子の留学に拒否を示した。
  4 顧客に契約の更新を拒否されてしまった。

2 妥協
  1 彼女は息子の教育には非常に厳しく、決して妥協しなかった。
  2 クラスメートと妥協して、学校の音楽コンクールで優勝することができた。
  3 何時間も交渉を重ねたが、相手は一歩も妥協ではなく、交渉は決裂した。
  4 私は他人と妥協なのは苦手なんです。

3　容赦

1　すみません、十分反省していますから、もう容赦してください。

2　入社一年目から、容赦なく難しい仕事をさせられた。

3　休日の体育館の使用は、学校の容赦が必要です。

4　新薬の販売の容赦がおりた。

4　拘束

1　教師といえども、学生の発言の自由を拘束することはできない。

2　私は一人っ子なので、両親の拘束が激しくて困っている。

3　他人の言動に拘束されず、自由に過ごしたい。

4　時間に拘束されない、気ままな暮らしに憧れている。

5　抵触

1　ライバル会社の重役が、先日我が社の社員に抵触したようだ。

2　同性でも、他人の体に抵触するのは避けたほうがよい。

3　信号無視は、道路交通法に抵触する。

4　あの学生の発言は、教授の感情に抵触したようだ。

4 生活
Unit 1

眺める、撮影、脚本、担架、喪失、葬式、酔う、騒動、風俗、玩具、網、琴、生き甲斐、釣り具、暇、酢、缶、食糧、旨い、煮える、食卓、生活、垣根、玄関、閉鎖、剣道、踏まえる、堀、邸宅、傘立て、綱引き、鍛える、基礎、寮、別荘、書斎、扉、栄冠、頑丈、塾、浪費、本棚、枠、軸、装飾、袖、軍艦、刃、凶器、原子炉、盾、鉄砲、警鐘、狩人、銃、洗剤

1	堀 ☆☆☆	堀	堀	音 — 訓 ほり	堀 ほり [a moat, a canal, a ditch／沟／도랑] 外堀 そとぼり [the outer moat／外层护城河／외호] 内堀 うちぼり [the inner moat／城内护城河／내호]

堀：昔の城は、敵の侵入を防ぐため、周囲に堀をめぐらせていた。
外堀：社長は、反対派に外堀を埋められ、退任を余儀なくされた。

2	旨 ☆☆☆	旨	旨	音 シ 訓 むね	旨い うまい [delicious／好吃／맛있다] 要旨 ようし [the point, the gist／要点／요지] 趣旨 しゅし [the gist, the purpose／宗旨／취지]

旨い：旨い寿司を思う存分食べたい。
要旨：発表の要旨を300字以内にまとめ、来週までに郵送して下さい。

3	盾 ☆☆	盾	盾	音 ジュン 訓 たて	盾 たて [a shield／盾／방패] 盾突く たてつく [to disobey, to defy／顶撞／반항하다] 矛盾スル むじゅん [to contradict／矛盾／모순하다]

盾：日本は盾の代わりに鎧が発達したようである。
盾突く：親に盾突くなんて、一昔前なら考えられない。

4	架 ☆☆	架	架	音 カ 訓 か・ける、か・かる	担架 たんか [a stretcher／担架／담가] 架空 かくう [fiction, imaginary／架空／가공] 十字架 じゅうじか [a cross, a crucifix／十字架／십자가]

担架：事故現場から、怪我人が次々と担架で運ばれていった。
架空：その映画で扱っている海底探検は、すべて架空の話だ。

5	酢 ☆☆	酢	酢	音 サク 訓 す	酢 す [vinegar／醋／식초] 酢の物 すのもの [a vinegared dish／醋拌凉菜／식초로 조미한 요리] 甘酢 あまず [sweetened vinegar／甜醋／감초]

酢：料理に少し酢を入れて、酸味を加えた。
酢の物：母がワカメの酢の物を作っている。

#	漢字	簡体	繁体	音訓	語例
6	剣 ☆☆☆	剑	劍	音 ケン 訓 つるぎ	剣道 けんどう [Kendo (fencing) ／剣道／검도] 真剣ナ しんけん [serious, earnest ／认真的／진지한] 剣 つるぎ [a sword ／剑／검]
					剣道：剣道は、竹刀を用いて戦う競技である。 真剣：学生は、就職活動への心構えを真剣な態度で聞いていた。
7	酔 ☆☆☆	醉	醉	音 スイ 訓 よ・う	酔う よう [to get drunk ／醉／취하다] 麻酔 ますい [anesthesia ／麻醉／마취] 二日酔い ふつかよい [hangover ／宿醉／숙취]
					酔う：酒に酔った勢いで隣の客に喧嘩を売る。 麻酔：手術のために麻酔をかける。
8	眺 ☆☆	眺	眺	音 チョウ 訓 なが・める	眺める ながめる [to look at, to watch ／遥望／바라 보다] 眺め ながめ [a view, a scene ／眺望／조망]
					眺める：飛行機の窓から祖国を眺めた。 眺め：山頂からの眺めを、目に焼き付けた。
9	鐘 ☆☆	钟	鐘	音 ショウ 訓 かね	警鐘 けいしょう [an alarm bell ／警钟／경종] 釣り鐘 つりがね [a hanging bell, a temple bell ／吊钟／조종]
					警鐘：専門家は子どもたちの活字離れに警鐘を鳴らしている。 釣り鐘：和尚様が釣り鐘をついている。
10	玩* ☆	玩	玩	音 ガン 訓 ー	玩具 がんぐ [a toy ／玩具／완구] 愛玩スル あいがん [to treasure, to cherish ／玩赏／그리워하다]
					玩具：子どもには教育的な玩具を与えたい。 愛玩：犬や猫は単なる愛玩動物ではなく、家族の一員と考える人が多い。
11	騒 ☆☆☆	骚	騷	音 ソウ 訓 さわ・ぐ	騒動 そうどう [trouble, confusion ／骚动／소동] 物騒ナ ぶっそう [unsettled, unsafe ／骚然不安的／뒤숭숭한] 騒々しい そうぞうしい [noisy, boisterous ／吵闹／요란스럽다]
					騒動：映画スターがある田舎町を訪れることになり、その町は大騒動になった。 物騒：最近ではこの辺りも、空き巣や引ったくりが増えて物騒になってきた。
12	傘 ☆☆	伞	傘	音 サン 訓 かさ	傘立て かさたて [an umbrella stand ／立伞架／우산꽂이] 傘下 さんか [affiliated with, under the umbrella ／旗下／산하] 雨傘 あまがさ [an umbrella ／雨伞／우산]
					傘立て：職場の傘立てに立てておいた傘が、なくなってしまった。 傘下：経営難で、大企業の傘下に入る企業が多い。
13	鍛 ☆	锻	鍛	音 タン 訓 きた・える	鍛える きたえる [to forge, to train ／锤炼／단련하다] 鍛錬スル たんれん [to discipline, to train ／锻炼／단련하다]
					鍛える：普段から体を鍛えておいたほうがいいですよ。 鍛錬：鍛錬を積み重ねると、天才よりも優れた結果を残すことができると言われている。
14	袖* ☆	袖	袖	音 シュウ 訓 そで	袖 そで [a sleeve, an arm (clothing) ／袖子／소매] 領袖 りょうしゅう [a leader ／領袖／영수]
					袖：季節の変わり目は夜は寒いが昼は暑いので、長袖の服を着ようか半袖の服を着ようか迷う。 領袖：彼は政界の領袖として長年君臨した。
15	甲 ☆☆☆	甲	甲	音 コウ、カン 訓 ー	生き甲斐 いきがい [something to live for, life's purpose ／生活意义／사는 보람] 甲高い かんだかい [high-pitched, sharp ／尖锐／새되다] 甲板 かんぱん [a deck (of a ship) ／甲板／갑판]
					生き甲斐：父は仕事だけが生き甲斐で、家族を大切にしなかった。 甲高い：小さな子どもが甲高い声で、母親を呼んでいる。

4 生活

№	漢字	略体	旧字体	音/訓	読み	例
16	剤 ☆☆☆	剂	劑	音: ザイ 訓: —	洗剤 せんざい [a cleanser, a detergent／洗衣粉／세제] 薬剤 やくざい [chemicals, drugs／药剂／약제] 起爆剤 きばくざい [a detonator, an initiator／起爆剂／기폭제]
					洗剤：環境に優しい植物原料の**洗剤**を使って、洗濯しています。 薬剤：庭木に害虫が発生したので、**薬剤**を散布した。
17	枠 ☆☆☆	—	—	音: — 訓: わく	枠 わく [a frame, a network／框／테두리] 枠組み わくぐみ [an outline, a framework／框架／틀] 別枠 べつわく [additional, separate／编外／별도 기준]
					枠：予算の**枠**を超えないように、経費を節減してください。 枠組み：出席者に駅前開発計画の**枠組み**を説明した。
18	踏 ☆☆☆	踏	踏	音: トウ 訓: ふ・む、ふ・まえる	踏まえる ふまえる [to base on something／根据／입각하다] 踏み込む ふみこむ [to step into, to break into／陷入／깊이 파고들다] 踏切 ふみきり [a railway crossing／列车道口／건널목]
					踏まえる：当社は、女性だけでなく男性のニーズをも**踏まえ**て、きめ細かい育児休業制度を設けています。 踏み込む：会議では、さらに一歩**踏み込ん**だ内容まで議論された。
19	綱 ☆☆☆	纲	綱	音: コウ 訓: つな	綱引きスル つなひき [to play tug of war／拔河／줄다리기 하다] 綱渡りスル つなわたり [to walk a tightrope／走钢丝／줄타기] 要綱 ようこう [the outline, the main principle／纲要／요강]
					綱引き：運動会で、**綱引き**は子どもに人気のある競技です。 綱渡り：資金に余裕がなくて、経営は毎月毎月が**綱渡り**の状態だ。
20	飾 ☆☆☆	饰	飾	音: ショク 訓: かざ・る	装飾スル そうしょく [to decorate, to garnish／装饰／장식] 修飾スル しゅうしょく [to modify／修饰／수식] 飾り かざり [a decoration／装饰／장식품]
					装飾：店内はクリスマスの飾りつけで、きらびやかに**装飾**されている。 修飾：日本語の**修飾**語は一般的に、被**修飾**語の前に置かれる。
21	網 ☆☆☆	网	網	音: モウ 訓: あみ	網 あみ [a net／网／그물] 金網 かなあみ [wire netting／金属网丝／철망] 通信網 つうしんもう [communications network／通讯网／통신망]
					網：漁船が**網**を引き上げると、たくさんの魚が網にかかっていた。 金網：ウサギ小屋の**金網**の間からウサギが鼻を出している。
22	撮 ☆☆☆	撮	撮	音: サツ 訓: と・る	撮影スル さつえい [to film, to shoot (pictures)／摄影／촬영하다] 撮る とる [to take (photos)／拍摄／찍다] 特撮 とくさつ [special effects／特技摄影／특수촬영]
					撮影：この施設は、時代劇の映画を**撮影**するために作られたものだ。 撮る：動きまわる動物の写真を**撮る**のは難しい。
23	邸 ☆☆☆	邸	邸	音: テイ 訓: —	邸宅 ていたく [a mansion, a residence／公馆／저택] 官邸 かんてい [an official residence／官邸／관저] 私邸 してい [a private residence／私宅／사저]
					邸宅：丘の上には港を見渡せる英国風の広大な**邸宅**があった。 官邸：首相は**官邸**で記者団を前に、訪米を前にしての抱負を語った。
24	塾 ☆☆☆	塾	塾	音: ジュク 訓: —	塾 じゅく [a private school, a cram school／补习班／학원] 学習塾 がくしゅうじゅく [a private night school, a tutoring school／补习学校／학원] 塾生 じゅくせい [a private school student, a cram school student／补习生／학원생]
					塾：クラスの学生の9割が放課後、学習**塾**に通っている。
25	丈 ☆☆☆	丈	丈	音: ジョウ 訓: たけ	頑丈ナ がんじょう [strong, sturdy／结实的／튼튼한] 丈 たけ [length, height, stature／长度／기장] 丈夫 じょうぶ [strong, well, healthy／健康的,结实的／건강한]
					頑丈：このスーツケースは非常に**頑丈**だが、意外に軽い。 丈：ズボンの**丈**が長いので、少しつめてもらった。

26	斎	斎	齋	音 訓	サイ —	書斎 しょさい [a study (room), a library／书房／서재] 斎場 さいじょう [a funeral hall／殡仪馆／장례식장]
☆☆☆						書斎：祖父は、よく書斎で論文を執筆していた。 斎場：Tさんの葬儀は、国道沿いの斎場で明日、行われる。
27	缶	缶	缶	音 訓	カン —	缶 かん [a can, tin／罐／캔] 缶詰(缶詰め) かんづめ [canned food／罐头／통조림] 薬缶 やかん [a kettle, a tea kettle／水壶／주전자]
☆☆☆						缶：ジュースを飲んだ後の空き缶は、ごみ箱に捨ててください。 缶詰：缶詰を開けようとしたが、缶切りが見つからなかった。
28	葬	葬	葬	音 訓	ソウ ほうむ・る	葬式 そうしき [a funeral service／葬礼／장례식] 埋葬スル まいそう [to bury, to inter／埋葬／매장하다] 葬儀 そうぎ [funeral, a burial service／丧葬仪式／장례식]
☆☆☆						葬式：故人の遺言に従い、派手な葬式は行わないことにする。 埋葬：彼は有名な音楽家であるにもかかわらず、この墓地にひっそりと埋葬された。
29	脚	脚	腳	音 訓	キャク、キャ あし	脚本 きゃくほん [a scenario, script／剧本／각본] 失脚スル しっきゃく [to disgrace, to lose one's position／下台／실각] 脚色スル きゃくしょく [to dramatize, to adapt for the stage／添枝加叶／각색하다]
☆☆☆						脚本：この映画では、原作者が監督と共同で脚本を執筆している。 失脚：建設会社との汚職事件によって、町長は失脚した。
30	刃	刃	刃	音 訓	ジン は	刃 は [an edge, a blade／刀锋／칼날] 刃物 はもの [an edged tool, cutlery／刀具／칼]
☆☆☆						刃：包丁が切れなくなったので、刃を研いでもらった。 刃物：包丁やナイフなどの刃物は、子どもの手の届かないところに保管してください。
31	煮	煮	煮	音 訓	シャ に・る、に・える、に・やす	煮える にえる [to boil, to cook／煮／끓다] 煮込む にこむ [to stew, to simmer／炖／푹 끓이다] 煮物 にもの [simmered or boiled and seasoned food／炖菜／조림]
☆☆☆						煮える：ジャガイモが軟らかく煮えたら、火を止めてください。 煮込む：これは昨日三時間煮込んだシチューです。
32	琴	琴	琴	音 訓	キン こと	琴 こと [a koto (instrument)／古琴／거문고] 琴線 きんせん [the strings of a harp, heartstrings／琴弦／금선] 木琴 もっきん [a xylophone／木琴／목금]
☆☆☆						琴：日本の琴は桐でできていて、13本の弦が張られている。 琴線：主人公の子どもの演技が琴線に触れ、涙があふれた。
33	銃	銃	銃	音 訓	ジュウ —	銃 じゅう [a gun, a pistol／枪／총] 銃弾 じゅうだん [a bullet／枪弹／총탄] 機関銃 きかんじゅう [a machine gun／机关枪／기관총]
☆☆☆						銃：銃の所持には警察の許可が必要だ。 銃弾：銃撃戦が始まり、報道カメラマンが巻き添えとなって銃弾に倒れた。
34	喪	喪	喪	音 訓	ソウ も	喪失スル そうしつ [to lose, to forfeit／丧失／상실하다] 喪主 もしゅ [the chief mourner／丧主／상주] 喪服 もふく [mourning dress／丧服／상복]
☆☆☆						喪失：あまりのショックで記憶を喪失することがある。 喪主：父の葬儀で喪主を務める。
35	鎖	锁	鎖	音 訓	サ くさり	閉鎖スル へいさ [to close, to shut down／封闭／폐쇄하다] 連鎖スル れんさ [to start a chain／连锁／연쇄하다] 封鎖スル ふうさ [to block, to blockade／封锁／봉쇄하다]
☆☆☆						閉鎖：医師不足で、夜間診療所が閉鎖された。 連鎖：ヨーロッパの一国の経済の落ち込みが、世界的な連鎖反応を引き起こした。

#	漢字	楷書	明朝	音訓	語例
36	卓 ☆☆☆	桌	桌	音 タク 訓 —	食卓 しょくたく [a dining table／饭桌／식탁] 卓球 たっきゅう [table tennis, ping-pong／乒乓球／탁구] 電卓 でんたく [a calculator／计算器／계산기]
					食卓：食卓にランチョンマットを敷く。 卓球：卓球のラケットを買った。
37	糧 ☆☆☆	粮	糧	音 リョウ、ロウ 訓 かて	食糧 しょくりょう [food, provisions／粮食／식량] 糧 かて [food／粮／양식] 兵糧 ひょうろう [provisions, rations／军粮／군량]
					食糧：人口増加に伴って、食糧不足が問題となる。 糧：音楽は心の糧である。
38	暇 ☆☆☆	暇	暇	音 カ 訓 ひま	暇ナ ひま [leisure, spare time／闲／틈] 余暇 よか [leisure hours, spare time／余暇／여가] 休暇 きゅうか [vacation, holidays／休假／휴가]
					暇：暇なときにお電話をください。一緒に食事でもしましょう。 余暇：余暇を楽しむつもりで始めたギターに夢中になってしまった。
39	浪 ☆☆☆	浪	浪	音 ロウ 訓 —	浪費スル ろうひ [to waste, to squander／浪费／낭비하다] 放浪スル ほうろう [to roam, to wander about／流浪／방랑하다] 浪人スル ろうにん [to take a year out (usually between high school and college)／无业者／재수하다]
					浪費：彼女は浪費癖が直らず、つい買い物に手を出してしまうようだ。 放浪：退職金をもらったので、これから一年放浪の旅に出かけます。
40	玄 ☆☆☆	玄	玄	音 ゲン 訓 —	玄関 げんかん [front door, entrance way／门口／현관] 玄米 げんまい [brown rice／玄米／현미] 玄人 くろうと [a professional, an expert／内行／전문가]
					玄関：毎朝、玄関の前を掃除する。 玄米：玄米に小豆を入れて炊く。
41	荘 ☆☆☆	庄	莊	音 ソウ 訓 —	別荘 べっそう [a cottage, a country (summer) house／别墅／별장] 山荘 さんそう [a lodge, a mountain retreat／山庄／산장] 〜荘 そう [〜 villa, manor (also apartment)／〜庄／장]
					別荘：友達と別荘を借りて、長い夏休みを過ごす。 山荘：山荘に着くと、すぐ重い荷物を下ろした。
42	俗 ☆☆☆	俗	俗	音 ゾク 訓 —	風俗 ふうぞく [manners, customs／风俗／풍속] 民俗 みんぞく [folk customs／民俗／민속] 低俗ナ ていぞく [low, vulgar／庸俗的／저속한]
					風俗：風俗や習慣は、聞いただけでは理解できない。 民俗：日本の民俗学は民間伝承や民話などを素材にしている。
43	軸 ☆☆☆	軸	軸	音 ジク 訓 —	軸 じく [an axle, axis, stem／轴／축(굴대)] 掛け軸 かけじく [a hanging scroll／挂轴／족자] 中軸 ちゅうじく [the axis, the central figure／核心／중축]
					軸：車の軸を中心にタイヤをつなげる。 掛け軸：床の間に掛け軸を飾り、花を生ける。
44	礎 ☆☆☆	础	礎	音 ソ 訓 いしずえ	基礎 きそ [the foundation, the base／基础／기초] 礎 いしずえ [cornerstone／基石／초석]
					基礎：英語を基礎からやり直したいと思って、テキストを買った。 礎：教育は国の発展の礎となる。
45	垣 ☆☆☆	垣	垣	音 — 訓 かき	垣根 かきね [a fence, a hedge／篱笆／울타리] 石垣 いしがき [a stone wall／石墙／돌담] 人垣 ひとがき [a crowd of people／人群／군중]
					垣根：垣根越しに庭の花が見える。 石垣：南面の石垣を利用してイチゴを栽培する。

4 生活

No.	漢字	楷書	行書	音訓	熟語・例文
46	釣 ☆☆☆	釣	釣	音 チョウ 訓 つ・る	釣り具 つりぐ [fishing tackle／钓具／낚시 도구] 釣り合う つりあう [to balance, to match／平衡／균형이 잡히다] 釣り人 つりびと [a fisherman, an angler／钓鱼人／낚시인]
					釣り具：明日の沖釣りのために、釣り具を用意した。 釣り合う：家計の収入と支出が釣り合うように、住宅ローンを組む。
47	冠 ☆☆☆	冠	冠	音 カン 訓 かんむり	栄冠 えいかん [crown, garland, pennant／荣冠／영관] 冠婚葬祭 かんこんそうさい [ceremonial occasions／庆吊仪式／관혼상제] 王冠 おうかん [a crown／王冠／왕관]
					栄冠：T大学はラグビーで全国制覇の栄冠に輝いた。 冠婚葬祭：冠婚葬祭は、いずれも重要な儀式である。
48	砲 ☆☆☆	砲	砲	音 ホウ 訓 ―	鉄砲 てっぽう [a gun, firearms／枪／총] 発砲スル はっぽう [to fire on／开枪／발포하다] 大砲 たいほう [an artillery gun, a cannon／大炮／대포]
					鉄砲：1543年、日本に鉄砲が伝来した。 発砲：警官が強盗めがけて発砲した。
49	艦 ☆☆	舰	艦	音 カン 訓 ―	軍艦 ぐんかん [a warship, a battleship／军舰／군함] 潜水艦 せんすいかん [a submarine／潜水艇／잠수함] 戦艦 せんかん [a battleship／战舰／전함]
					軍艦：軍艦に乗って、はるか彼方まで出かける。 潜水艦：潜水艦に探査装備を搭載する。
50	寮 ☆☆	寮	寮	音 リョウ 訓 ―	寮 りょう [a dormitory／宿舍／기숙사] 寮生 りょうせい [a boarder, a boarding student／寄宿生／기숙사생] 寮母 りょうぼ [a housemother／女宿舍管理员／기숙사 아줌마]
					寮：入社して、まず、会社の寮に入った。 寮生：寮生の世話は、専ら寮母の仕事だった。
51	炉 ☆☆	炉	爐	音 ロ 訓 ―	原子炉 げんしろ [a nuclear reactor／核反应堆／원자로] 暖炉 だんろ [a stove, a fireplace／暖炉／난로]
					原子炉：原子力発電所の原子炉圧力容器は、炉心を収納している。 暖炉：暖炉のある家に住みたいです。
52	狩 ☆☆	狩	狩	音 シュ 訓 か・る、か・り	狩人 かりゅうど [a hunter／猎人／사냥꾼] 狩り かり [hunting／狩／사냥] 狩猟スル しゅりょう [to hunt, to shoot／狩猎／수렵하다]
					狩人：狩人は猟師ともいい、猪などを狙う。 狩り：この季節は、猟銃を持った人々が山に狩りに出かける。
53	棚 ☆☆	棚	棚	音 ― 訓 たな	本棚 ほんだな [a bookshelf／书架／책장] 戸棚 とだな [a cupboard, a cabinet／橱／찬장] 大陸棚 たいりくだな [a continental shelf／大陆架／대륙붕]
					本棚：私の本棚は一見乱雑ですが、どこにどんな本が入っているかはわかっています。 戸棚：戸棚の位置を変えたら、台所が広くなった。
54	凶 ☆☆	凶	凶	音 キョウ 訓 ―	凶器 きょうき [an offensive weapon, a lethal weapon／凶器／흉기] 凶作 きょうさく [a bad crop, a bad harvest／收成差／흉작] 凶悪ナ きょうあく [atrocious, heinous／凶恶的／흉악한]
					凶器：通り魔の凶器に使われた包丁に血のりが付いていた。 凶作：農家は例年にない稲の凶作に泣いた。
55	扉 ☆☆	扉	扉	音 ヒ 訓 とびら	扉 とびら [a door／门／문] 門扉 もんぴ [gates／门扇／문비]
					扉：扉を開けると、来客の姿が見えた。 門扉：門扉をゆっくり閉める。

4 生活　Unit 1　練習問題

(解答 ⇨ 別冊 p.7～8)

問題1　漢字の読み方を書きなさい。

1. 架空　（　　　　）
2. 邸宅　（　　　　）
3. 缶　（　　　　）
4. 銃　（　　　　）
5. 軍艦　（　　　　）
6. 食卓　（　　　　）
7. 玄関　（　　　　）
8. 風俗　（　　　　）
9. 修飾　（　　　　）
10. 甲板　（　　　　）
11. 趣旨　（　　　　）
12. 脚本　（　　　　）
13. 鉄砲　（　　　　）
14. 寮　（　　　　）
15. 暖炉　（　　　　）
16. 愛玩　（　　　　）

問題2　次の漢字の読み方をひらがなで書きなさい。

1. 領袖　（　　　　）－　了承　（　　　　）
2. 頑丈　（　　　　）－　感情　（　　　　）
3. 洗剤　（　　　　）－　前菜　（　　　　）
4. 物騒　（　　　　）－　仏像　（　　　　）
5. 書斎　（　　　　）－　詳細　（　　　　）

問題3　＿＿＿＿の部分の漢字を下から選びなさい。

1. 英語を<u>きそ</u>からやり直したいと思って、テキストを買った。
　　（　　　　）

2. クラスの学生の大多数が放課後、学習<u>じゅく</u>に通っている。
　　　　　　　（　　　　）

3. 友達と<u>べっそう</u>を借りて、長い夏休みを過ごす。
　　（　　　　）

4. 料理に少し<u>す</u>を入れて、酸味を加えた。
　　（　　　　）

| 酢 | 塾 | 基礎 | 別荘 |

問題 4　次の漢字の訓読み、または訓読みを含む漢字の読み方を、ひらがなで書きなさい。

1. 綱引き　（　　　　　）　　2. 網　　　（　　　　　）
3. 本棚　　（　　　　　）　　4. 狩人　　（　　　　　）
5. 葬る　　（　　　　　）　　6. 眺める　（　　　　　）
7. 釣り合う（　　　　　）　　8. 垣根　　（　　　　　）
9. 糧　　　（　　　　　）　　10. 扉　　　（　　　　　）
11. 鎖　　　（　　　　　）

問題 5　適当な言葉を選び、（　　）に入れなさい。

1. 専門家は子どもたちの活字離れに（　　　　　）を鳴らしている。
2. 学生は、就職活動への心構えを（　　　　　）な態度で聞いていた。
3. 経営難で、大企業の（　　　　　）に入る企業が多い。
4. あまりのショックで記憶を（　　　　　）する。
5. ラグビーで全国制覇の（　　　　　）に輝いた。
6. 農家は例年にない稲の（　　　　　）に泣いた。
7. 彼女は（　　　　　）癖が治らず、つい買い物に手を出してしまうようだ。
8. 床の間に（　　　　　）を飾り、花を生ける。
9. 社長は反対派に（　　　　　）を埋められ、退任を余儀なくされた。
10. 主人公の子どもの演技が（　　　　　）に触れ、涙があふれた。
11. 予算の（　　　　　）を超えないように、経費を節減してください。
12. 包丁が切れなくなったので、（　　　　　）を研いでもらった。
13. （　　　　　）つぶしに散歩に出かけた。

暇　琴線　凶作　警鐘　喪失　枠　傘下　外堀　栄冠　刃　掛け軸　浪費　真剣

問題6 下から適当な言葉を選び、必要であれば形を変えて、漢字と読み方を書きなさい。

1 ジャガイモが軟らかく（　　　　　　）ら、火を止めてください。

2 祖父は若い頃から体を（　　　　　　）いるので、90歳になった今も元気だ。

3 女性だけでなく男性のニーズをも（　　　　　　）、育児休業制度を設けている。

4 親に（　　　　　）なんて、一昔前なら考えられない。

5 酒に（　　　　　）勢いで隣の客に喧嘩を売る。

6 動きまわる動物の写真を（　　　　　　）のは難しい。

煮える　　撮る　　盾突く　　踏まえる　　酔う　　鍛える

4 生活
Unit 2

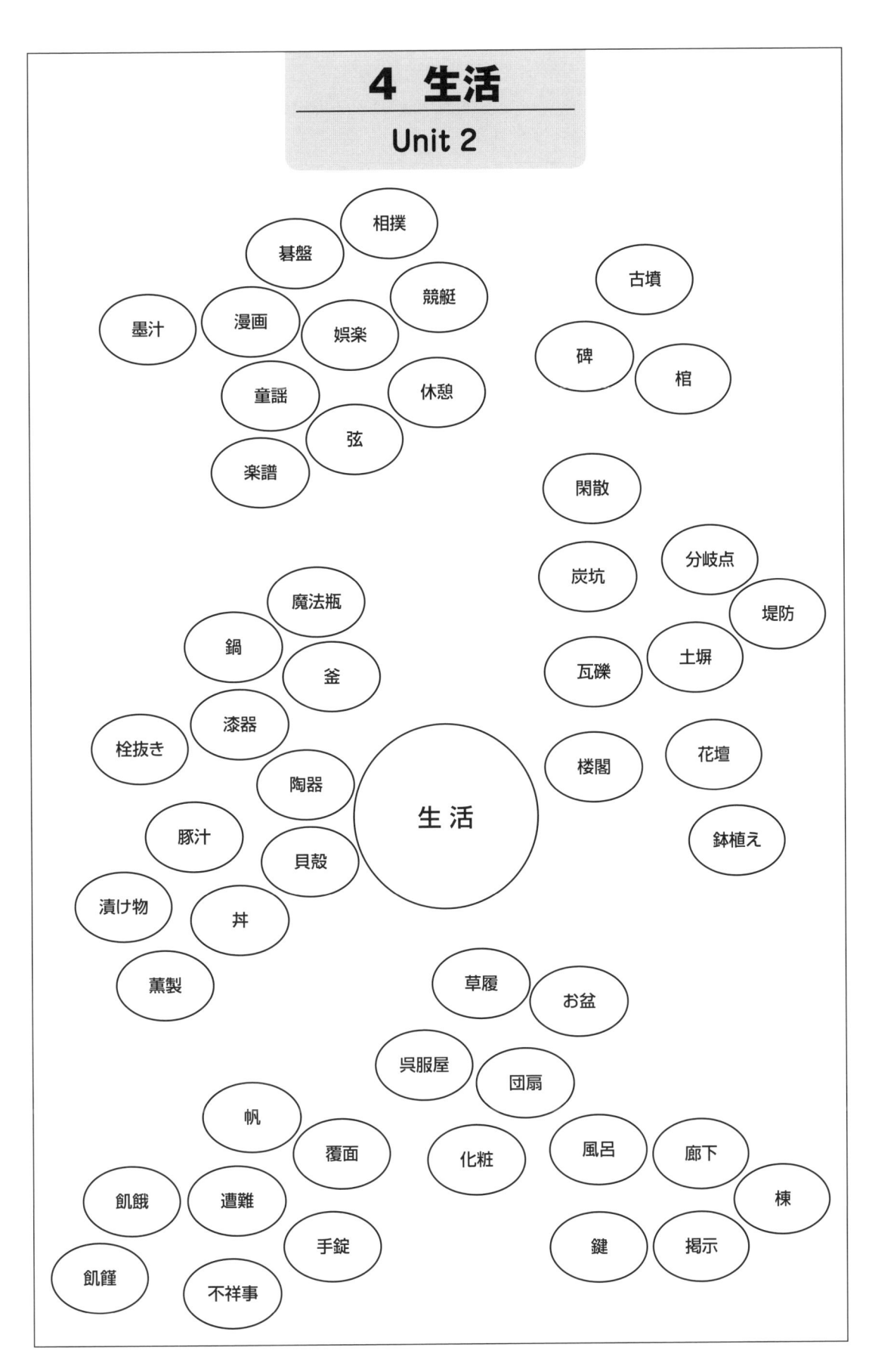

生活

- 相撲
- 碁盤
- 競艇
- 墨汁
- 漫画
- 娯楽
- 童謡
- 休憩
- 弦
- 楽譜
- 古墳
- 碑
- 棺
- 閑散
- 炭坑
- 分岐点
- 堤防
- 瓦礫
- 土塀
- 魔法瓶
- 鍋
- 釜
- 漆器
- 栓抜き
- 陶器
- 楼閣
- 花壇
- 鉢植え
- 豚汁
- 貝殻
- 漬け物
- 丼
- 薫製
- 草履
- お盆
- 呉服屋
- 団扇
- 帆
- 覆面
- 化粧
- 風呂
- 廊下
- 棟
- 飢餓
- 遭難
- 手錠
- 鍵
- 掲示
- 飢饉
- 不祥事

No.	漢字	简	繁	音/訓	読み	例
56	棟	栋	棟	音 トウ 訓 むね、むな	棟 むね [a building, the ridge of a roof／屋脊／용마루] 病棟 びょうとう [a hospital ward／病房楼／병동] 別棟 べつむね [another building, an annex／另一棟房子／다른 건물]	

棟：棟続きの建物に両親が住んでいる。
病棟：隣の病棟は外科病棟だ。

| 57 | 岐 | 岐 | 岐 | 音 キ
訓 — | 分岐点 ぶんきてん [a junction, a turning point／分歧点／분기점]
岐路 きろ [a forked road, a crossroads／岔道／기로]
多岐 たき [diversity／多方面／여러 방면 (다기)] | |

分岐点：損益の分岐点を探す。
岐路：人生の岐路に立つ。

| 58 | 堤 | 堤 | 堤 | 音 テイ
訓 つつみ | 堤防 ていぼう [an embankment, a levee／堤防／제방]
防波堤 ぼうはてい [a breakwater, a seawall／防波堤／방파제]
堤 つつみ [a bank (of a river)／堤／둑] | |

堤防：台風で近くの川の堤防が決壊した。
防波堤：遠くに防波堤が見える。

| 59 | 盆 | 盆 | 盆 | 音 ボン
訓 — | お盆 おぼん [Obon Festival, Lantern Festival, Festival of the Dead／盂兰盆节／우란분]
盆地 ぼんち [a basin (between mountains)／盆地／분지] | |

お盆：お盆は帰省して、家族とともに過ごすつもりだ。
盆地：京都は盆地なので、夏は暑い。

| 60 | 飢 | 饥 | 飢 | 音 キ
訓 う・える | 飢饉 ききん [famine, crop failure／饥荒／기근]
飢え死にスル うえじに [to starve to death, to die of hunger／饿死／아사하다]
飢餓 きが [hunger, starvation／饥饿／기아] | |

飢饉：飢饉で多くの人が亡くなった。
飢え死に：飢え死にしそうだった子猫を保護して、飼っている。

| 61 | 撲 | 扑 | 撲 | 音 ボク
訓 — | 相撲 すもう [sumo wrestling／相扑／스모 (씨름)]
打撲スル だぼく [to hit, to bruise／碰撞／타박]
撲滅スル ぼくめつ [to eradicate, to exterminate／消灭／박멸] | |

相撲：相撲は日本人だけでなく、外国人にも人気があるようだ。
打撲：足を打撲し、全治一週間と診断された。

| 62 | 履 | 履 | 履 | 音 リ
訓 は・く | 草履 ぞうり [zori (Japanese sandals)／草鞋／짚신]
履歴書 りれきしょ [one's personal history(C.V.), a résumé／履历书／이력서]
履行スル りこう [to fulfill, to carry out／履行／이행하다] | |

草履：友人は待ち合わせ場所に、Tシャツに短いズボン、ゴム草履という格好で現れた。
履歴書：面接の際は履歴書を持参してください。

| 63 | 祥 | 祥 | 祥 | 音 ショウ
訓 — | 不祥事 ふしょうじ [a scandal／不幸事／불상사]
発祥スル はっしょう [to originate, to commence／发源／발상하다]
吉祥 きっしょう [a good omen／吉祥／길상] | |

不祥事：会社の不祥事が発覚し、社長が引責辞任を迫られた。
発祥：奈良は茶道の発祥の地だそうだ。

| 64 | 豚 | 豚 | 豚 | 音 トン
訓 ぶた | 豚汁 とんじる [miso soup with pork and vegetables／猪肉酱汤／돼지고기된장국]
豚肉 ぶたにく [pork／猪肉／돼지고기]
養豚 ようとん [pig farming／养猪／양돈] | |

豚汁：豚汁は、食べると体が温まる。
豚肉：豚肉を使った料理を教えてください。

| 65 | 弦 | 弦 | 弦 | 音 ゲン
訓 つる | 弦 げん [a bowstring／弦／현]
管弦楽 かんげんがく [orchestral music／管弦乐／관현악] | |

弦：演奏中、バイオリンの弦が切れた。
管弦楽：クリスマスには、コンサートホールで管弦楽を鑑賞する予定だ。

66	陶 ☆☆	陶	陶	音 訓	トウ —	陶器 とうき [porcelain, china, pottery／陶器／도자기] 陶芸 とうげい [ceramic art, pottery／陶艺／도예] 陶酔スル とうすい [to be fascinated by／陶醉／도취]

陶器：これはヨーロッパ旅行で買った陶器のお皿です。
陶芸：母は趣味で陶芸を習っている。

| 67 | 覆 ☆☆ | 覆 | 覆 | 音
訓 | フク
くつがえ・す、くつがえ・る、おお・う | 覆面スル ふくめん [to mask one's self／蒙面／복면]
転覆スル てんぷく [to overthrow, to upset／颠覆／전복]
覆い隠す おおいかくす [to mask, to conceal／遮盖／덮어 숨긴다] |

覆面：宝石店で、覆面の二人組が店の金を奪っていった。
転覆：ボートが転覆したが、怪我人はいなかった。

| 68 | 呂 ☆☆ * | 呂 | 呂 | 音
訓 | ロ
— | 風呂 ふろ [a bath／浴室／목욕실]
風呂敷 ふろしき [a square of cloth for wrapping／包袱／보자기]
語呂 ごろ [sound harmony／语感／어조] |

風呂：毎日お風呂に入り、一日の疲れを取ります。
風呂敷：風呂敷はどんな形の物でも包むことができます。

| 69 | 呉 ☆☆ | 呉 | 呉 | 音
訓 | ゴ
— | 呉服屋 ごふくや [a dry goods store, a kimono fabric shop／和服店／포목집]
呉服 ごふく [dry goods, kimono fabric／和服用面料／포목] |

呉服屋：呉服屋さんに反物を見に行った。

| 70 | 粧 ☆☆ | 妆 | 粧 | 音
訓 | ショウ
— | 化粧スル けしょう [to put on makeup／化妆／화장하다]
化粧品 けしょうひん [cosmetics, makeup／化妆品／화장품]
化粧水 けしょうすい [lotion, toilet water／化妆水／화장수] |

化粧：就職を機に化粧を始めた。
化粧品：デパートの一階で化粧品を買った。

| 71 | 漫 ☆☆ | 漫 | 漫 | 音
訓 | マン
— | 漫画 まんが [a comic／漫画／만화]
漫才 まんざい [manzai, a two-person comedy act／相声／만담]
放漫ナ ほうまん [loose, lax／散漫的／방만한] |

漫画：漫画は日本が世界に誇る文化の一つだ。
漫才：あの二人の会話はおもしろくて、まるで漫才のようだ。

| 72 | 謡 ☆☆ | 谣 | 謡 | 音
訓 | ヨウ
うたい、うた・う | 童謡 どうよう [a children's song／童谣／동요]
民謡 みんよう [a folk song／民谣／민요]
歌謡 かよう [a song, a ballad／歌谣／가요] |

童謡：子どもの頃、よく母が童謡を歌ってくれた。
民謡：民俗学のゼミで、地域に伝わる民謡を調査した。

| 73 | 扇 ☆☆ | 扇 | 扇 | 音
訓 | セン
おうぎ | 団扇 うちわ [a fan／圆扇／부채]
扇風機 せんぷうき [an electric fan／风扇／선풍기]
扇子 せんす [a folding fan／扇子／부채] |

団扇：昼寝している子どもを団扇であおいでやった。
扇風機：扇風機をつけっぱなしにして寝てしまったので、体がだるい。

| 74 | 漬 ☆☆ | 渍 | 漬 | 音
訓 | —
つ・ける、つ・かる | 漬け物 つけもの [pickles／咸菜／채소 절임]
茶漬け ちゃづけ [rice with tea poured on it／茶水泡饭／찻물에 만 밥]
一夜漬け いちやづけ [overnight pickles, last-minute cramming／腌一夜咸菜／담근 지 하룻밤 만에 먹는 절임] |

漬け物：味噌汁と漬け物があれば、何杯でもご飯が食べられる。
茶漬け：余っていたご飯を茶漬けにして食べた。

| 75 | 墨 ☆☆ | 墨 | 墨 | 音
訓 | ボク
すみ | 墨汁 ぼくじゅう [India ink／墨汁／먹물]
お墨付き おすみつき [autograph, authorization／得到保证／보장]
墨 すみ [ink／墨／먹] |

墨汁：筆に墨汁をよく含ませる。
お墨付き：これは先生のお墨付きだから、いい教科書に違いない。

4 生活

#	漢字	略体	正体	音/訓	読み	例
76	壇 ☆☆	坛	壇	音 訓	ダン、タン —	花壇 かだん [a flower bed, a flower garden／花坛／화단] 仏壇 ぶつだん [a family Buddhist altar／佛坛／불단] 土壇場 どたんば [last moment, eleventh hour／最后关头／마지막]

花壇：母は家の花壇に四季折々の花を植えている。
仏壇：祖母は毎朝仏壇に手を合わせて、家族の安全を祈っている。

#	漢字	略体	正体	音/訓	読み
77	遭 ☆☆	遭	遭	音 訓	ソウ あ・う

遭難スル そうなん [to meet with disaster, to be in distress／遇难／조난하다]
遭遇スル そうぐう [to meet with an accident／遭遇／우연히 만나다]
遭う あう [to run into, to encounter／碰上／만나다]

遭難：雪山で遭難した登山者が救助された。
遭遇：開発の段階では何度も困難に遭遇したが、全て乗り越えてきた。

#	漢字	略体	正体	音/訓	読み
78	譜 ☆☆	谱	譜	音 訓	フ —

楽譜 がくふ [music (score)／乐谱／악보]
新譜 しんぷ [a newly-issued record／新谱／신보]
年譜 ねんぷ [a chronological record／年谱／연보]

楽譜：好きな歌のピアノの楽譜を買った。今日から練習しよう。
新譜：この曲の新譜には少しアレンジが加えてある。

#	漢字	略体	正体	音/訓	読み
79	娯 ☆☆	娱	娯	音 訓	ゴ —

娯楽 ごらく [amusement, recreation／娱乐／오락]

娯楽：映画は娯楽の一つとして人々に親しまれている。

#	漢字	略体	正体	音/訓	読み
80	廊 ☆☆	廊	廊	音 訓	ロウ —

廊下 ろうか [a passage, a corridor／走廊／복도]
画廊 がろう [an art gallery／画廊／화랑]
回廊 かいろう [a corridor, a hallway／回廊／복도]

廊下：廊下を走って先生に注意された。
画廊：彼女は学芸員の資格を取って、今は画廊を開いている。

#	漢字	略体	正体	音/訓	読み
81	憩 ☆☆	憩	憩	音 訓	ケイ いこ・い、いこ・う

休憩スル きゅうけい [to rest, to take a break／休息／휴식하다]
憩い いこい [rest, relaxation／歇息／휴게]

休憩：次の授業までの休憩時間は15分間です。
憩い：図書館の中庭は緑が多く、市民の憩いの場となっている。

#	漢字	略体	正体	音/訓	読み
82	艇 ☆☆	艇	艇	音 訓	テイ —

競艇 きょうてい [a boat race／赛艇／경정]

競艇：初めて競艇に行き、そのおもしろさに夢中になった。

#	漢字	略体	正体	音/訓	読み
83	薫 ☆☆	薰	薫	音 訓	クン かお・る

薫製 くんせい [smoked／熏制／훈제]
薫陶スル くんとう [to discipline, to educate／熏陶／훈도]

薫製：保存食として、薫製の肉を買っておく。
薫陶：指導教授から薫陶を受けた。

#	漢字	略体	正体	音/訓	読み
84	鍋* ☆☆	锅	鍋	音 訓	— なべ

鍋 なべ [a pot, a pan／锅／냄비]

鍋：野菜や魚や肉を一つの鍋に入れて煮ながら食べる鍋料理は、冬に人気がある。

#	漢字	略体	正体	音/訓	読み
85	墳 ☆	坟	墳	音 訓	フン —

古墳 こふん [an ancient tomb／古坟／고분]
墳墓 ふんぼ [a grave, a cemetery／坟墓／분묘]

古墳：近畿地方には奈良時代以前の豪族の古墳がたくさんある。
墳墓：この辺りには、昔の王族の墳墓があったそうだ。

No.	漢字	新	旧	音訓	語彙
86	餓 ☆	饿	餓	音 ガ 訓 —	飢餓 きが [hunger, starvation／饥饿／기아] 餓死スル がし [to sterve to death, to die from hunger／饿死／아사하다]

飢餓：飢餓をなくすために世界各地で活動しているNGOがある。
餓死：紛争地域だけではなく、日本でも生活に困って餓死する人がいる。

| 87 | 瓦* ☆ | 瓦 | 瓦 | 音 ガ
訓 かわら | 瓦礫^外 がれき [rubble, debris／瓦砾／와륵]
瓦解スル がかい [to fall down, to collapse／瓦解／와해하다]
瓦全 がぜん [meaningless existence／瓦全／와전] |

瓦礫：地震で倒壊した建物の瓦礫処理をめぐり、市議会で議論が続いている。
瓦解：長い時間をかけて作ってきたプログラムが、サイバー攻撃を受けて一瞬で瓦解した。

| 88 | 鉢 ☆ | 钵 | 鉢 | 音 ハチ、ハツ
訓 — | 鉢植え はちうえ [a potted plant／盆栽／화분]
金魚鉢 きんぎょばち [a goldfish bowl／金鱼缸／어항]
鉢巻き はちまき [a headband／头巾／머리띠] |

鉢植え：鉢植えの蘭をもらったので、居間に置いて育てている。
金魚鉢：お祭りで買った金魚が大きくなったので、もう少し大きい金魚鉢を買わなければならない。

| 89 | 瓶 ☆ | 瓶 | 瓶 | 音 ビン
訓 — | 魔法瓶 まほうびん [a vacuum bottle, a thermos flask／热水瓶／보온병]
土瓶 どびん [a teapot／茶壶／차주전자]
鉄瓶 てつびん [an iron kettle／铁壶／쇠주전자] |

魔法瓶：私は毎日魔法瓶に温かいお茶を入れて学校へ持って行く。
土瓶：秋になると毎年、松茸の土瓶蒸しという有名な料理がテレビで特集されます。

| 90 | 栓 ☆ | 栓 | 栓 | 音 セン
訓 — | 栓抜き せんぬき [a bottle opener, a corkscrew／开瓶栓／병마개]
消火栓 しょうかせん [a fire hydrant／消防栓／소화전]
脳血栓 のうけっせん [cerebral thrombosis／脑血栓／뇌혈전] |

栓抜き：私の友人は栓抜きの代わりに割り箸を使ってビールの栓を抜く。
消火栓：火事になったときのために、消火栓の場所は覚えておいたほうがいい。

| 91 | 碁 ☆ | 棋 | 碁 | 音 ゴ
訓 — | 碁盤 ごばん [a go (checker) board／棋盘／바둑판]
囲碁 いご [the game of go／围棋／바둑]
碁石 ごいし [a go stone／围棋子／바둑돌] |

碁盤：京都の町は主な道路が碁盤の目状に整備されている。
囲碁：囲碁サークルでは、たくさんの人が白と黒の石を真剣に見つめていた。

| 92 | 釜* ☆ | 釜 | 釜 | 音 —
訓 かま | 釜 かま [a pot, a cauldron／锅／가마솥] |

釜：釜で炊いたご飯はおいしい。

| 93 | 碑 ☆ | 碑 | 碑 | 音 ヒ
訓 — | 碑 ひ [a monument, a gravestone／碑／비석]
記念碑 きねんひ [a monument／纪念碑／기념비]
石碑 せきひ [a stone monument, a tombstone／石碑／석비] |

碑：広島には原爆で亡くなった人たちの供養のための碑が立てられている。
記念碑：開校100年を記念して式典を行い、記念碑を建てた。

| 94 | 殻 ☆ | 壳 | 殻 | 音 カク
訓 から | 貝殻 かいがら [shells／贝壳／조가비]
地殻 ちかく [the earth's crust／地壳／지각]
吸い殻 すいがら [a cigarette butt／烟头／꽁초] |

貝殻：海へ遊びに行ったときに拾った貝殻でネックレスを作った。
地殻：地殻変動の観測データは、地震の調査や火山の噴火予知の重要な資料である。

| 95 | 楼 ☆ | 楼 | 樓 | 音 ロウ
訓 — | 楼閣 ろうかく [a castle, a multi-storied building／楼阁／누각]
楼門 ろうもん [a two-storied gate／楼门／누문]
鐘楼 しょうろう [a bell tower／钟楼／종루] |

楼閣：金閣寺の楼閣は名前の通り金色だが、銀閣寺は銀色ではない。
楼門：二階造りの門を楼門という。

#	漢字	楷書	行書	音訓	語例
96	帆 ☆	帆	帆	音 ハン / 訓 ほ	帆 ほ [a sail／帆／돛] 帆布 はんぷ [sailcloth, canvas／帆布／범포] 帆船 はんせん [a sailboat／帆船／범선]
					帆：白い帆を上げて走るヨットの姿はとても美しかった。 帆布：帆布でできたバッグは丈夫で使いやすい。
97	漆 ☆	漆	漆	音 シツ / 訓 うるし	漆器 しっき [lacquer ware／漆器／칠기] 漆黒 しっこく [jet-black／漆黑／칠흑] 漆 うるし [lacquer／漆／옻]
					漆器：東北地方は漆器の産地として有名なので、旅行へ行ったときお椀やお盆を買いました。 漆黒：都会育ちの娘は、キャンプ場に来て初めて漆黒の闇というものを体験した。
98	坑 ☆	坑	坑	音 コウ / 訓 —	炭坑 たんこう [a coal mine／煤矿／탄광] 坑夫 こうふ [a coal miner／采矿工人／광부] 坑内 こうない [underground mining, inside the mine／坑内／갱내]
					炭坑：海外からの安い石炭に押され、国内の炭坑はほとんどが閉山した。 坑夫：炭坑の元坑夫たちが街を離れたため、過疎化が進んだ。
99	塀 ☆	—	—	音 ヘイ / 訓 —	土塀 どべい [a mud wall／土墙／토담]
					土塀：コンクリートの塀に取って代わられた土塀が、近年見直されつつある。
100	閑 ☆	閑	閑	音 カン / 訓 —	閑散 かんさん [quietness, inactivity／闲散／한산하다] 閑古鳥 かんこどり [a cuckoo／郭公鸟／한가하다] 閑静ナ かんせい [quiet, peaceful／清静的／한정한]
					閑散：平日の昼間の銭湯は閑散としている。 閑古鳥：この店は食中毒を出してからお客が来なくなり、閑古鳥が鳴いている。
101	錠 ☆	錠	錠	音 ジョウ / 訓 —	手錠 てじょう [handcuffs／手铐／수갑] 施錠スル せじょう [to lock (the door)／上锁／자물쇠를 채우다] 錠剤 じょうざい [a tablet, a pill／药丸／정제]
					手錠：刑事は犯人に手錠をはめて、警察署へと連行した。 施錠：帰宅時は窓が全て施錠されているかどうか、よく確かめてください。
102	掲 ☆☆☆	掲	掲	音 ケイ / 訓 かか・げる	掲示スル けいじ [to post a notice／布告／게시하다] 掲揚スル けいよう [to hoist, to put up／挂起／게양하다] 掲げる かかげる [to raise, to lift up／扬起／뒤기다]
					掲示：防災訓練の予定表は管理室前の掲示板に掲示してあります。 掲揚：オリンピックの開会式では、五輪旗と開催国の国旗が掲揚される。
103	丼 * ☆	丼	丼	音 — / 訓 どんぶり、どん	丼 どんぶり [a china bowl／盖饭／덮밥]
					丼：丼は日本の食文化として海外にも広まりつつある。
104	棺 ☆	棺	棺	音 カン / 訓 —	棺 ひつぎ [a coffin, casket／棺／관] 納棺スル のうかん [to place in a coffin／入殓／납관하다] 石棺 せっかん [a stone coffin, a sarcophagus／石棺／석관]
					棺：背が高い人は棺も大きい。 納棺：今日の午後、納棺の儀式を行い、そのあと通夜が行われます。
105	鍵 * ☆	鍵	鍵	音 ケン / 訓 かぎ	鍵 かぎ [a key, a lock／钥匙／열쇠] 鍵盤 けんばん [a keyboard／键盘／건반]
					鍵：家の鍵を職場に忘れてきてしまい、家の中に入れなくて困った。 鍵盤：普通の大きさのピアノには鍵盤が88ありますが、鍵盤がもっと少ないものもあります。

4 生活　Unit 2　練習問題

（解答 ⇨ 別冊 p.8〜9）

問題1　漢字の読み方を書きなさい。

① 呉服　（　　　　　）　② 炭坑　（　　　　　）　③ 化粧　（　　　　　）

④ 風呂　（　　　　　）　⑤ 土塀　（　　　　　）　⑥ 鍵盤　（　　　　　）

⑦ 廊下　（　　　　　）　⑧ 楼閣　（　　　　　）　⑨ 古墳　（　　　　　）

⑩ 漫画　（　　　　　）　⑪ 娯楽　（　　　　　）　⑫ 瓦礫　（　　　　　）

⑬ 石棺　（　　　　　）　⑭ 碑　（　　　　　）　⑮ 土瓶　（　　　　　）

問題2　次の漢字の読み方をひらがなで書きなさい。

① 陶器　（　　　　　）－ 同期　（　　　　　）

② 飢餓　（　　　　　）－ 帰化　（　　　　　）

③ 競艇　（　　　　　）－ 宮廷　（　　　　　）

④ 墨汁　（　　　　　）－ 牧場　（　　　　　）

⑤ 碁盤　（　　　　　）－ 湖畔　（　　　　　）

問題3　＿＿＿＿の部分の漢字を下から選びなさい。

① 演奏中、バイオリンの<u>げん</u>が切れた。

　　　　　（　　　　　）

② 火事になったときのために、消火<u>せん</u>の場所は覚えておいたほうがいい。

　　　　　（　　　　　）

③ <u>どんぶり</u>は、日本の食文化として海外にも広まりつつある。

（　　　　　）

④ お<u>ぼん</u>は帰省して、家族とともに過ごすつもりだ。

（　　　　　）

| 栓 | 丼 | 弦 | 盆 |

問題 4 次の漢字の訓読み、または訓読みを含む漢字の読み方を、ひらがなで書きなさい。

1 団扇（　　　　　）　2 釜（　　　　　）　3 鉢植え（　　　　　）
4 豚肉（　　　　　）　5 漆（　　　　　）　6 棟続き（　　　　　）
7 相撲（　　　　　）　8 鍋（　　　　　）　9 草履（　　　　　）
10 貝殻（　　　　　）　11 帆（　　　　　）

問題 5 適当な言葉を選び、（　　　　　）に入れなさい。

1 母は家の（　　　　　）に四季折々の花を植えている。
2 指導教授から（　　　　　）を受けた。
3 適当に（　　　　　）をとりながら、作業を続けてください。
4 刑事は犯人に（　　　　　）をはめて、警察署へと連行した。
5 好きな歌のピアノの（　　　　　）を買った。
6 人生の（　　　　　）に立つ。
7 平日の昼間の銭湯は（　　　　　）としている。
8 会社の（　　　　　）が発覚し、経理部長が辞任に追い込まれた。
9 台風で近くの川の（　　　　　）が決壊した。
10 子どもの頃よく母が（　　　　　）を歌ってくれた。

休憩　手錠　堤防　薫陶　楽譜　不祥事　花壇　童謡　閑散　岐路

問題 6 下から適当な言葉を選び、必要であれば形を変えて、漢字と読み方を書きなさい。

1 交通事故に（　　　　　）ように気を付けてください。
2 震災後、日本は「がんばろう、日本」というスローガンを（　　　　　）いた。
3 祖母が（　　　　　）野菜が、食卓に並んでいる。
4 雪が地面を（　　　　　）いて、歩いて学校に行くのが大変だった。
5 飼い主に捨てられた子犬は、愛情に（　　　　　）いる。

漬ける　　遭う　　飢える　　覆う　　掲げる

4 生活
Unit 3

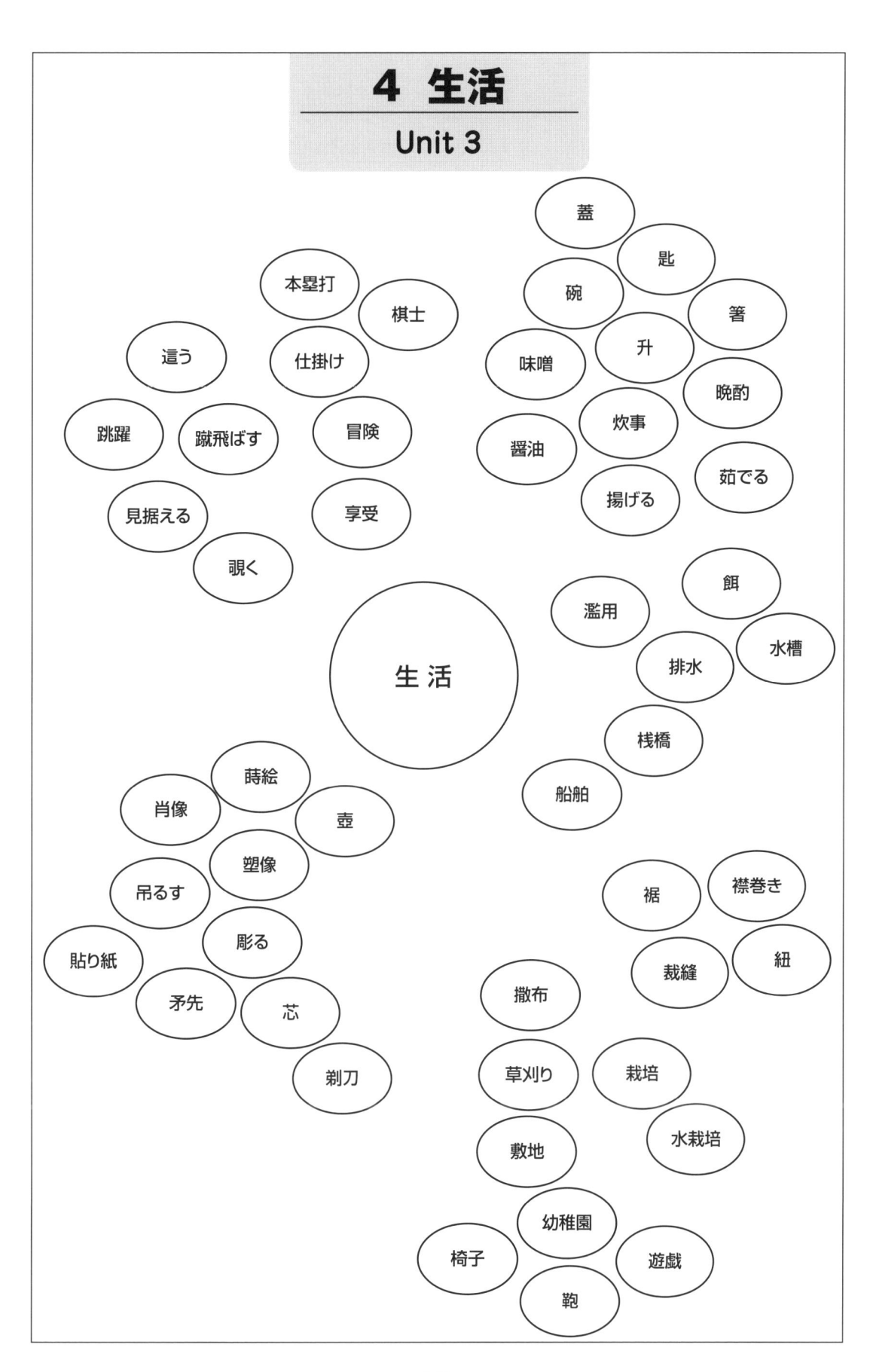

生活

- 蓋
- 匙
- 碗
- 箸
- 本塁打
- 棋士
- 仕掛け
- 味噌
- 升
- 這う
- 晩酌
- 跳躍
- 蹴飛ばす
- 冒険
- 醤油
- 炊事
- 揚げる
- 茹でる
- 見据える
- 享受
- 覗く
- 餌
- 濫用
- 水槽
- 排水
- 桟橋
- 船舶
- 蒔絵
- 肖像
- 壺
- 塑像
- 吊るす
- 彫る
- 貼り紙
- 矛先
- 芯
- 剃刀
- 裾
- 襟巻き
- 裁縫
- 紐
- 撒布
- 草刈り
- 栽培
- 敷地
- 水栽培
- 幼稚園
- 椅子
- 遊戯
- 鞄

106	芯* ☆	芯 芯	音 シン 訓 —	芯 しん [a core／芯／심]
		芯：最近は電動の鉛筆削りを使うので、鉛筆の芯を削れない子どもが増えている。		
107	升 ☆	升 升	音 ショウ 訓 ます	升 ます [a mesuring box／升／되] 升目 ますめ [a measure, a square or box (on paper)／格子／각선] 一升瓶 いっしょうびん [a 1 sho bottle (1.8 liters)／一瓶酒(日本酒瓶)／됫병]
		升：升で日本酒を飲むときは、升の角に少し塩を盛るとおいしくなるそうだ。 升目：原稿用紙は升目があるので字が書きやすい。		
108	槽 ☆	槽 槽	音 ソウ 訓 —	水槽 すいそう [a water tank, a fish tank／水槽／수조] 浴槽 よくそう [a bathtub／浴池／욕조] 浄化槽 じょうかそう [a water-purification tank／浄化管／정화조]
		水槽：水槽の水は定期的な入れ替えが必要だ。 浴槽：浴槽にゆっくりつかると疲れが取れる。		
109	蹴 ☆	蹴 蹴	音 シュウ 訓 け・る	蹴飛ばす けとばす [to kick away, to reject／踢開／차 내다.] 一蹴スル いっしゅう [to refuse, to reject／拒絶／일축하다] 蹴球 しゅうきゅう [football, soccer／足球／축구]
		蹴飛ばす：兄と喧嘩をして、おなかを蹴飛ばされた。 一蹴：上司に休暇を願い出たが、一蹴されてしまった。		
110	襟 ☆	襟 襟	音 キン 訓 えり	襟巻き えりまき [a muffler, a scarf／围巾／목도리] 襟元 えりもと [the area around the neck／领子的周围／목 언저리] 襟首 えりくび [the nape of the neck／后颈／목덜미]
		襟巻き：今日は寒いので、襟巻きをしていこう。 襟元：シャツの襟元は汚れやすいので、洗濯するときは注意が必要だ。		
111	壺 外 ☆	壺 壺	音 — 訓 つぼ	壺 つぼ [a jar, a pot, a vase／瓮／항아리] 壺漬け つぼづけ [pot pickles／腌制食品／항아리 절임] 滝壺 たきつぼ [the basin of a waterfall／深潭／폭포수가 떨어지는 깊은 웅덩이]
		壺：ホテルのロビーに豪華な壺が飾られているのを見た。 壺漬け：祖母の手作りの壺漬けはとてもおいしい。		
112	椅* ☆	椅 椅	音 イ 訓 —	椅子 いす [a chair, a seat／椅子／의자] 車椅子 くるまいす [a wheelchair／轮椅／휠체어] 安楽椅子 あんらくいす [an easy chair／安乐椅／안락의자]
		椅子：来場者が多く、会場に追加の椅子を運び込んだ。 車椅子：この会館は車椅子の人に配慮して、段差のない設計がされている。		
113	餌* ☆	餌 餌	音 ジ 訓 えさ、え	餌 えさ [bait, feed／饵／모이] 餌食 えじき [prey, victim／饵食／먹이] 給餌スル きゅうじ [to feed (an animal)／喂食／모이를 주다]
		餌：熱帯魚をたくさん飼っているので、毎月の餌代が大変だ。 餌食：大切に飼っていた小鳥が、野良猫の餌食になってしまった。		
114	貼* ☆	貼 貼	音 チョウ 訓 は・る	貼り紙(張り紙) はりがみ [a bill, a notice／贴纸／벽보] 貼り出す(張り出す) はりだす [to project, to put up (a notice)／张贴／게시한다] 貼り付ける(張り付ける) はりつける [to paste, to stick／贴上／붙이다]
		貼り紙：店頭にアルバイト募集の貼り紙をした。 貼り出す：試験の日程は、掲示板に貼り出してあります。		
115	酌 ☆	酌 酌	音 シャク 訓 く・む	晩酌スル ばんしゃく [to have a drink with dinner／晚上喝酒／저녁 반주] (お)酌 おしゃく [serving or pouring alcohol／斟酒／작] 情状酌量スル じょうじょうしゃくりょう [to extenuate／量情／정상 작량]
		晩酌：父は帰宅後の晩酌を、唯一の楽しみとしている。 (お)酌：忘年会で、部下は上司にお酌をして回った。		

No.	漢字	楷書	明朝	音訓	語例
116	蓋 ☆	蓋	蓋	音 ガイ 訓 ふた	蓋 ふた [a lid, a top／盖子／뚜껑] 頭蓋骨 ずがいこつ [the skull／颅骨／두개골] 天蓋 てんがい [a canopy／宝盖／천개]

蓋：この瓶の蓋はとても固くて、なかなか開かない。
頭蓋骨：遺跡から、古代人の頭蓋骨が発掘された。

| 117 | 桟 ☆ | 桟 | 桟 | 音 サン
訓 — | 桟橋 さんばし [a pier, a jetty／码头／잔교]
桟敷 さじき [a balcony, a gallery／观众席／관람석]
桟道 さんどう [a plank road／栈道／벼랑길] |

桟橋：友人と桟橋で待ち合わせをした。
桟敷：この芝居は大変な人気で、桟敷席もすでに満席となっていた。

| 118 | 碗 外 ☆ | 碗 | 碗 | 音 ワン
訓 — | 碗(椀) わん [a bowl／碗／공기]
茶碗(茶椀) ちゃわん [a rice bowl, a tea cup／茶碗／밥공기] |

碗：来客のために、上等なお碗を用意した。
茶碗：夫婦でお揃いの茶碗を使っている。

| 119 | 箸 ☆ | 箸 | 箸 | 音 —
訓 はし | 箸 はし [chopsticks／筷子／젓가락]
箸置き はしおき [chopsticks rest／筷子架／젓가락 받침]
菜箸 さいばし [long chopsticks／长筷子／요리 젓가락] |

箸：箸を上手に使えない子どもが増えた。
箸置き：旅先でかわいい箸置きを見つけたので、セットで買った。

| 120 | 裾 ☆ | 裾 | 裾 | 音 —
訓 すそ | 裾 すそ [a skirt, a tail, a train／裤脚／옷자락]
裾野 すその [the skirts or range (of mountains)／山脚下的原野／기슭의 들판]
山裾 やますそ [the foot or base of a mountain／山脚／산기슭] |

裾：ズボンを買うとき、店でサイズを測って裾も上げてもらった。
裾野：富士山の裾野は広くて美しいと思う。

| 121 | 噌 外 ☆ | 噌 | 噌 | 音 ソ
訓 — | 味噌 みそ [miso (soybean paste)／大酱／된장]
味噌汁 みそしる [miso soup／酱汤／된장국]
味噌味 みそあじ [miso taste or flavor／大酱味／된장맛] |

味噌：我が家では、母の手作りの味噌を使っている。
味噌汁：毎朝味噌汁を飲み、焼き魚を食べている。

| 122 | 鞄 外 ☆ | 鞄 | 鞄 | 音 —
訓 かばん | 鞄 かばん [a bag／包／가방]
手提げ鞄 てさげかばん [a handbag, a briefcase／手提包／손가방] |

鞄：父は鞄にいつも家族の写真を入れて持ち歩いている。
手提げ鞄：祖父は、長年愛用していた手提げ鞄をなくしてしまってがっかりしている。

| 123 | 濫 ☆ | 濫 | 濫 | 音 ラン
訓 — | 濫用(乱用)スル らんよう [to abuse, to overuse／滥用／남용하다]
氾濫スル はんらん [to overflow, to flood／泛滥／범람하다]
濫読(乱読)スル らんどく [to read indiscriminately／滥读／남독하다] |

濫用：情報化社会の現代では、個人情報が濫用される恐れがある。
氾濫：台風で川が氾濫し、大きな被害が出た。

| 124 | 塑 ☆ | 塑 | 塑 | 音 ソ
訓 — | 塑像 そぞう [a clay, a plastic image／塑像／소상]
可塑性 かそせい [plasticity／可塑性／가소성] |

塑像：美術部員が、塑像制作に励んでいる。
可塑性：プラスチックは、可塑性という特徴を持つ素材だ。

| 125 | 蒔 外 ☆ | 蒔 | 蒔 | 音 —
訓 ま・く | 蒔絵 まきえ [gold or silver lacquer／描金画／금박 그림]
種蒔きスル たねまき [to sow seeds／播种／파종하다] |

蒔絵：蒔絵は日本の伝統工芸品の一つである。
種蒔き：この作物は、種蒔きの期間が短いので注意が必要だ。

4 生活

126	剃 外 ☆	剃	剃	音	テイ	剃刀 かみそり [a razor／剃刀／면도기] 剃髪スル ていはつ [to shave one's head／剃发／체발하다] 剃る そる [to shave／剃／깎다]
				訓	そ・る	
		剃刀：手を切りにくい安全性の高い**剃刀**が開発されている。 剃髪：私の祖母は、**剃髪**して尼僧になったそうだ。				
127	紐 外 ☆	紐	紐	音	—	紐 ひも [string, cord／带子／끈] 靴紐 くつひも [a shoelace／鞋带／신발끈] ゴム紐 ごむひも [elastic, elastic cord／橡皮带／고무줄]
				訓	ひも	
		紐：古新聞を**紐**で束ねて、廃品回収に出した。 靴紐：慌てて靴をはいて出てきたら、途中で**靴紐**がほどけてしまった。				
128	醤 外 ☆	醤	醤	音	ショウ	醤油 しょうゆ [soy sauce／酱油／간장] 醤油味 しょうゆあじ [soy sauce flavor／酱油味／간장맛] わさび醤油 わさびじょうゆ [soy sauce with grated wasabi／芥末酱油／와사비 간장]
				訓	—	
		醤油：料理上手の母は、使う**醤油**にもこだわっている。 醤油味：ラーメンは**醤油味**が好きです。				
129	這 外 ☆	这	這	音	—	這う はう [to crawl, to creep／爬／기다] 腹這い はらばい [lying on one's stomach／趴／엎드리다]
				訓	は・う	
		這う：腰を痛めた父は立って歩くことができず、**這う**ようにして移動している。 腹這い：バリウムを飲んで受ける胃の検診は、**腹這い**や仰向けにさせられて大変だ。				
130	撒 外 ☆	撒	撒	音	サン	撒布(散布)スル さんぷ [to spray, to scatter／喷洒／살포하다] ばら撒く ばらまく [to scatter, to strew／散发／흩뿌리다] 撒き散らす まきちらす [to throw about, to spread／散布／흩뿌리다]
				訓	ま・く	
		撒布：本日はヘリコプターで農薬の**撒布**が行われるので、外出は控えて下さい。 ばら撒く：あの政治家は、現金を**ばら撒いて**当選したという噂がある。				
131	茹 外 ☆	茹	茹	音	—	茹でる ゆでる [to boil, to poach／煮／삶다] 茹で卵 ゆでたまご [boiled egg／煮鸡蛋／삶은 계란] 茹で蛸 外 ゆでだこ [boiled octopus／煮的章鱼／삶은 문어]
				訓	ゆ・でる	
		茹でる：この野菜は**茹でて**食べるとおいしいそうです。 茹で卵：電子レンジで**茹で卵**を簡単に作れる装置がある。				
132	匙 外 ☆	匙	匙	音	—	匙 さじ [a spoon／匙／숟가락] 大匙 おおさじ [a tablespoon／大匙子／큰 숟가락] ⇔小匙 こさじ [a teaspoon／小匙子／작은 숟가락]
				訓	さじ	
		匙：子どもの頃は箸が使えなかったので、**匙**でごはんを食べていた。 大匙：姉は料理を作るとき、**大匙**や小匙はあまり使わず、目分量で調味料を入れている。				
133	冒 ☆☆☆	冒	冒	音	ボウ	冒険スル ぼうけん [to have an adventure, to take a chance／冒险／모험] 冒頭 ぼうとう [the beginning／开头／첫머리] 流行性感冒 りゅうこうせいかんぼう [influenza／流行性感冒／유행성 감기]
				訓	おか・す	
		冒険：子どもは自転車で、村中を**冒険**した。 冒頭：卒業式の**冒頭**、在校生から卒業生へ贈る言葉があった。				
134	栽 ☆☆	栽	栽	音	サイ	水栽培 みずさいばい [hydroponics／水耕法／수재배] 盆栽 ぼんさい [a bonsai (a dwarf tree)／盆栽／분재] 栽培スル さいばい [to cultivate, to grow／栽培／재배하다]
				訓		
		水栽培：**水栽培**の際には、大きくて固い球根を選ぶとよい。 盆栽：父は毎朝、松の**盆栽**に水をやっている。				
135	刈 ☆☆	刈	刈	音	—	草刈り くさかり [mowing／割草／풀베기] 丸刈り まるがり [close clipping, buzz cut／剃光头／대머리] 刈る かる [to cut, to trim／剪／깎다]
				訓	か・る	
		草刈り：家の周りの**草刈り**をした。 丸刈り：弟は受験に向けて頭を**丸刈り**にして、気合いを入れたようだ。				

4 生活

136 培 ☆☆	培	培	音 バイ 訓 つちか・う	栽培スル さいばい [to grow, to raise／栽培／재배하다] 培養スル ばいよう [to cultivate, to culture／培养／배양하다] 促成栽培 そくせいさいばい [forcing culture (cultivation)／速成栽培／촉성 재배]
	栽培：私の祖父母はお茶の栽培をしています。 培養：動物の皮膚に付いた菌を培養する実験をした。			
137 炊 ☆☆	炊	炊	音 スイ 訓 た・く	炊事スル すいじ [to cook／炊事／취사 하다] 炊く たく [to boil, to cook／煮／밥을 짓다] 炊飯スル すいはん [to cook rice／煮饭／취반하다]
	炊事：娘が嫁ぐ前に、炊事・洗濯・裁縫、何でも教えておかなければならない。 炊く：今日は来客があるから、多めにご飯を炊いておこう。			
138 戯 ☆☆	戏	戯	音 ギ 訓 たわむ・れる	遊戯 ゆうぎ [a game, sports／游戏／유희] 戯曲 ぎきょく [a drama, a play／剧本／희곡] 戯画 ぎが [a caricature／讽刺漫画／희화]
	遊戯：幼稚園の発表会で子どもたちのお遊戯を見た。 戯曲：この賞は、その年に上演された日本語の新作戯曲を対象にしている。			
139 享 ☆	享	享	音 キョウ 訓 —	享受スル きょうじゅ [to have, to enjoy／享受／향수하다] 享年 きょうねん [one's age at the time of death／享年／향년] 享楽的 きょうらくてき [pleasure-seeking／享乐的／향락한]
	享受：私たちは物質的な豊かさの恩恵を享受している。 享年：昨日、有名な落語家が亡くなった。享年75歳だった。			
140 肖 ☆	肖	肖	音 ショウ 訓 —	肖像 しょうぞう [a portrait, a likeness／肖像／초상] 不肖 ふしょう [unworthy／不肖／불초]
	肖像：ある資産家の家では、長い廊下にたくさんの肖像が飾られていた。 不肖：私、不肖ながら精一杯努めさせていただきますので、よろしくお願いいたします。			
141 敷 ☆☆☆	敷	敷	音 フ 訓 し・く	敷地 しきち [a building site, a plot of land／用地／부지] 敷く しく [to spread, to lay／铺／깔다] 座敷 ざしき [a room with tatami mat floors／日本式客厅／일본식 응접실]
	敷地：隣の敷地に幼稚園ができるそうだ。 敷く：合宿で広い部屋にたくさん布団を敷いた。			
142 稚 ☆☆	稚	稚	音 チ 訓 —	幼稚園 ようちえん [a kindergarten／幼儿园／유치원] 幼稚ナ ようち [childish／幼稚的／유치한] 稚拙 ちせつ [naive, immature／幼稚而拙劣的／치졸한]
	幼稚園：長男は毎日元気に幼稚園に通っている。 幼稚：彼女は大人のくせに考え方が幼稚だ。			
143 縫 ☆☆	縫	縫	音 ホウ 訓 ぬ・う	裁縫スル さいほう [to sew, to do needlework／缝纫／재봉하다] 縫う ぬう [to sew, to stitch／缝／꿰매다]
	裁縫：小学生のとき、母が裁縫道具を買ってくれた。 縫う：人込みの中を縫って歩き、やっと待ち合わせの場所に着いた。			
144 掛 ☆☆☆	挂	掛	音 — 訓 か・ける、か・かる、かかり	仕掛け しかけ [a device, a mechanism／装置／장치] 手掛かり てがかり [a clue, trace／线索／단서] 手掛ける てがける [to handle, to manage／亲自动手／손수다루다]
	仕掛け：この玩具は、ボタンを押すと人形が出てくる仕掛けになっている。 手掛かり：彼女が犯人だという手掛かりは、一つも見つかっていない。			
145 排 ☆☆☆	排	排	音 ハイ 訓 —	排水スル はいすい [to drain, to pump out／排水／배수 하다] 排除スル はいじょ [to remove, to eliminate／排除／배제하다] 排出スル はいしゅつ [to discharge, to excrete／排出／배출하다]
	排水：排水管が詰まってしまい、水道が使えない。 排除：採ったリンゴで色の悪いものは排除してください。			

4 生活

No.	漢字	旧字	新字	音訓	用例
146	揚 ☆☆☆	揚	揚	音 ヨウ 訓 あ・げる、あ・がる	揚げる あげる [to raise, to lift up／扬起／튀기다] 浮揚スル ふよう [to float (in the air)／漂浮／부양하다] 水揚げスル みずあげ [to unload (cargo)／卸货／어획]

揚げる：野菜の天ぷらを揚げる。
浮揚：景気を浮揚させるために多くの対策を練る。

| 147 | 塁 ☆☆☆ | 壘 | 塁 | 音 ルイ
訓 ― | 本塁打 ほんるいだ [a home run／本垒打／홈런]
満塁 まんるい [bases loaded (baseball)／满垒／만루]
一塁 いちるい [first base／第一垒／1루] |

本塁打：四番打者が、見事な本塁打を打ち、自らホームベースを踏んだ。
満塁：満塁で逆転のチャンスになった。

| 148 | 彫 ☆☆☆ | 雕 | 彫 | 音 チョウ
訓 ほ・る | 彫る ほる [to carve, to engrave／雕／새기다]
木彫り きぼり [wood carving／木雕／목각]
彫刻スル ちょうこく [to sculpt, to engrave／雕刻／조각하다] |

彫る：小さな仏像を彫る。
木彫り：北海道のお土産に、木彫りの熊をもらった。

| 149 | 据 ☆☆ | 据 | 据 | 音 ―
訓 す・える、す・わる | 見据える みすえる [to stare fixedly at／目不转睛／주시하다]
据え置き すえおき [leaving something as it is／安置／그대로 둠]
据える すえる [to set, to place／设置／설치한다] |

見据える：夢を見ずに現実を見据える必要がある。
据え置き：今回も賃金据え置きになった。

| 150 | 跳 ☆☆ | 跳 | 跳 | 音 チョウ
訓 は・ねる、と・ぶ | 跳躍スル ちょうやく [to jump, to leap／跳高／도약하다]
飛び跳ねる とびはねる [to jump up and down, to bounce／跳跃／뛰다] |

跳躍：跳躍は、陸上競技の中でも特に好きな種目だ。
飛び跳ねる：彼はテストで満点を取ったことがよほどうれしかったのか、飛び跳ねて家へ帰って行った。

| 151 | 矛 ☆☆ | 矛 | 矛 | 音 ム
訓 ほこ | 矛先 ほこさき [a spearhead／矛头／창끝]
矛盾スル むじゅん [to contradict／矛盾／모순하다]
矛 ほこ [a spear, a weapon／矛／창] |

矛先：彼らの非難の矛先が、私一人に向けられた。
矛盾：彼の言うことは矛盾していて、どうも納得がいかない。

| 152 | 舶 ☆☆ | 舶 | 舶 | 音 ハク
訓 ― | 船舶 せんぱく [a vessel, a ship／船舶／선박]
舶来 はくらい [imported／进口／박래] |

船舶：海上における船舶の監視は海上保安庁が行っている。
舶来：祖父は舶来の時計をずっと大切に使っていた。

| 153 | 棋 ☆ | 棋 | 棋 | 音 キ
訓 ― | 棋士 きし [a go or shogi player／职业棋手／기사]
将棋倒し しょうぎだおし [falling down one after another／一个倒，全部倒／장기뒤김] |

棋士：棋士は大切な試合では、和服を着て対戦に臨む。
将棋倒し：通勤ラッシュ時間の駅の階段で一人が転び、階段にいた他の人々も将棋倒しになった。

| 154 | 吊 外 ☆ | 吊 | 吊 | 音 ―
訓 つ・る、つ・るす | 吊るす つるす [to hang, to hang up／吊／달아매다]
吊り革 つりかわ [a strap (to hang onto)／吊环／손잡이]
吊る つる [to hang or suspend something／吊／매다] |

吊るす：コートは型崩れしないように、ハンガーに吊るしたほうがいい。
吊り革：電車が込んでいて、吊り革につかまることもできない。

| 155 | 覗 外 ☆ | 覗 | 覗 | 音 ―
訓 のぞ・く | 覗く のぞく [to look in, to peek／窥视／들여다 보다]
覗き見スル のぞきみ [to peep／偷窥／엿보다]
覗き穴 のぞきあな [a peephole, a spyhole／窥视孔／엿보는 작은 구멍] |

覗く：祖父がずっと部屋から出てこないので、心配で部屋を覗いてみた。
覗き見：隣のクラスに転校生が来たので、こっそり教室を覗き見してみた。

4 生活　Unit 3　練習問題

（解答 ⇒ 別冊 p.9）

問題1　漢字の読み方を書きなさい。

1. 船舶（　　　　）　2. 味噌（　　　　）　3. 排水（　　　　）
4. 醬油（　　　　）　5. 矛盾（　　　　）　6. 椅子（　　　　）
7. 戯曲（　　　　）　8. 本塁打（　　　　）　9. 撒布（　　　　）
10. 濫用（　　　　）　11. 幼稚園（　　　　）　12. 跳躍（　　　　）
13. 盆栽（　　　　）　14. 冒険（　　　　）

問題2　次の漢字の読み方をひらがなで書きなさい。

1. 塑像（　　　　）－想像（　　　　）
2. 肖像（　　　　）－醸造（　　　　）
3. 棋士（　　　　）－技師（　　　　）
4. 享受（　　　　）－救助（　　　　）
5. 晩酌（　　　　）－盤石（　　　　）

問題3　＿＿＿＿の部分の漢字を下から選びなさい。

1. 古新聞をひもで束ねて、廃品回収に出した。
　　（　　　　）

2. この瓶のふたはとても固くて、なかなか開かない。
　　（　　　　）

3. 来客のために、上等なおわんを用意した。
　　　　（　　　　）

4. 子どもの頃は箸が使えなかったので、さじでご飯を食べていた。
　　　　　　　　（　　　　）

| 匙 | 紐 | 碗 | 蓋 |

問題4 次の漢字の訓読み、または訓読みを含む漢字の読み方を、ひらがなで書きなさい。

① 草刈り（　　　　　）② 鞄　（　　　　　）③ 壺　（　　　　　）
④ 襟巻き（　　　　　）⑤ 箸　（　　　　　）⑥ 升　（　　　　　）
⑦ 剃刀（　　　　　）⑧ 蒔絵（　　　　　）⑨ 敷地（　　　　　）
⑩ 仕掛け（　　　　　）⑪ 覗く（　　　　　）⑫ 彫る（　　　　　）
⑬ 揚げる（　　　　　）⑭ 桟橋（　　　　　）

問題5 適当な言葉を選び、（　　　　）に入れなさい。

① 私の祖父母はお茶の（　　　　　）をしています。
② 大切に飼っていた小鳥が、野良猫の（　　　　　）になってしまった。
③ ズボンを買うとき、店でサイズを測って（　　　　　）を上げてもらった。
④ （　　　　　）につかって温まると、疲れが取れる。
⑤ 最近は鉛筆の（　　　　　）を削れない子どもが増えている。

| 裾 | 餌食 | 浴槽 | 芯 | 栽培 |

問題6 下から適当な言葉を選び、必要であれば形を変えて、漢字と読み方を書きなさい。

① 夢を見ずに現実を（　　　　　）必要がある。
② この野菜は（　　　　　）食べるとおいしいそうです。
③ 人込みの中を（　　　　　）ように歩き、やっと待ち合わせの場所に着いた。
④ 試験の日程は、掲示板に（　　　　　）あります。
⑤ 腰を痛めた父は立って歩くことができず、（　　　　　）ようにして移動している。
⑥ コートは型が崩れないように、ハンガーに（　　　　　）ほうがいい。
⑦ 昨日兄と喧嘩をして、兄にお腹を（　　　　　）。
⑧ あの政治家は現金を（　　　　　）当選したという噂がある。
⑨ 今日は来客があるから、多めにご飯を（　　　　　）おこう。

| 這う　炊く　見据える　貼り出す　縫う　茹でる　蹴飛ばす　吊るす　ばら撒く |

4 生活　試験模擬問題

(解答 ⇨ 別冊 p.9～10)

問題 1　＿＿＿＿の言葉の読み方として最もよいものを、1・2・3・4から一つ選びなさい。

① 有名な画廊で、好きな画家の絵を買った。
　1　かくろう　　　2　かくらん　　　3　がらん　　　　4　がろう

② 母は毎晩、ドアや窓が全て施錠されているかどうか確かめてから寝ている。
　1　しじょう　　　2　せじょう　　　3　してい　　　　4　せてい

③ 経済発展の恩恵を、全ての人が享受したわけではない。
　1　しょうしゅ　　2　しょうじゅ　　3　きょうじゅ　　4　きょうしゅ

④ 桟敷席から、観客が役者に掛け声を発した。
　1　さしく　　　　2　さじき　　　　3　さじく　　　　4　さしき

⑤ デパートは、夏のセールのために、涼しげな色で装飾されている。
　1　そうしょく　　2　しょうしょく　3　しょうし　　　4　そうし

⑥ 久し振りに実家に帰り、父の晩酌の相手をした。
　1　ばんしゃく　　2　ばんじょう　　3　ばんしょう　　4　わんしょう

⑦ 冷夏の影響で、農作物は凶作だった。
　1　きょうさ　　　2　しょうさ　　　3　しょうさく　　4　きょうさく

⑧ 家を出ると街灯は消えていて、辺りは漆黒の闇に包まれていた。
　1　しっぺい　　　2　しっこく　　　3　しへい　　　　4　しつこく

⑨ 記念館の建物は解体の危機に遭遇したが、市民の反対で保存されることになった。

1 そうゆう　　2 そうぐ　　3 そうゆ　　4 そうぐう

⑩ 平和を実現するには、憎しみの連鎖を断ち切ることが必要だ。

1 れんじょう　　2 れんさく　　3 れんさ　　4 れんしょう

問題2 （　　　　　）に入れるのに最もよいものを、1・2・3・4から一つ選びなさい。

① 原稿用紙の（　　　　　）を数えて、字数を確認した。

1 升目　　2 岐路　　3 敷地　　4 碁盤

② 美食家で知られる彼の（　　　　　）だから、きっと素晴らしいレストランに違いない。

1 襟巻き　　2 綱渡り　　3 手掛かり　　4 お墨付き

③ 大学時代の恩師から、よい（　　　　　）を受けた。

1 要旨　　2 薫陶　　3 栄冠　　4 剃髪

④ 新社長が就任して1か月で、企業の体制は（　　　　　）してしまった。

1 転覆　　2 瓦解　　3 遭難　　4 打撲

⑤ ゴールデンウィークだというのに、このデパートは（　　　　　）としている。

1 余暇　　2 架空　　3 門扉　　4 閑散

⑥ 専門家は、若者のコミュニケーション能力の低下に（　　　　　）を鳴らしている。

1 警鐘　　2 琴線　　3 鍵盤　　4 閑古鳥

7 よい文学作品を読むことは、心の（　　　　）になる。
　1　糧　　　　　2　箸　　　　　3　餌　　　　　4　碗

8 贈収賄事件が発覚し、市長は（　　　　）した。
　1　失脚　　　　2　覆面　　　　3　閉鎖　　　　4　喪失

9 彼女の父親に結婚の許可を願い出たが、（　　　　）されてしまった。
　1　跳躍　　　　2　放浪　　　　3　一蹴　　　　4　鍛錬

10 彼は財界の（　　　　）として、長年大きな影響力を持っていた。
　1　狩人　　　　2　喪主　　　　3　肖像　　　　4　領袖

問題3　＿＿＿の言葉に意味が最も近いものを、1・2・3・4から一つ選びなさい。

1 将来を<u>見据えた</u>生活設計を立てる。
　1　よく考えた　2　悲観した　3　客観的に見た　4　超越した

2 この街は、昔に比べて<u>物騒</u>になってきた。
　1　危険に　　　2　賑やかに　　3　うるさく　　4　汚く

3 歌手になることは、親に<u>盾突いて</u>まで追いかけた夢だ。
　1　いらいらして　2　落ち着いて　3　反抗して　4　悪口を言って

4 この数式を<u>踏まえて</u>、次の問題を解いてください。
　1　明確にして　2　前提にして　3　中心にして　4　参考にして

5 孫の面倒を見ることが、今の私の<u>生き甲斐</u>です。
　1　生きる秘密　2　生きる秘訣　3　生きる方法　4　生きる意義

問題4　次の言葉の使い方として最もよいものを、1・2・3・4から一つ選びなさい。

1　真剣

1　試験が近いとあって、学生たちは皆勉強に真剣している。
2　先生は私たちのために、いつも真剣で授業してくださいます。
3　体操の試合会場は、選手の緊張感が伝わってきて、真剣としていた。
4　子どもたちは、博物館の館長の話を真剣に聞いていた。

2　頑丈

1　我が家の長男は、健康が頑丈で頼もしい。
2　このズボンの頑丈を、もう少し短くしてください。
3　この家は、大きな地震でも壊れない頑丈な柱でできている。
4　父は頑丈で、家族の意見を全然聞こうとしない。

3　傘下

1　今度の旅行には、ぜひご家族で傘下してください。
2　その企業は他の会社を次々と傘下に収めていった。
3　雨が降ってきましたね。私の傘下に入ってください。
4　家の傘下に小さな花が咲いている。

4　濫用

1　台風による大雨で、川の水が濫用した。
2　子どもがパソコンを濫用に扱って、壊してしまった。
3　電車の中で、携帯電話を濫用しないでください。
4　彼は職権を濫用して、息子を一流企業に就職させた。

5 不肖

1 不肖の息子ですが、どうぞよろしくお願いします。

2 友達の似顔絵を描いてみたが、不肖だった。

3 こちらに、お名前と住所、電話番号をお書きください。不肖の場合は、書かなくて結構です。

4 私は父に不肖で、経営者として成功した。

5 経済・社会
Unit 1

添付　累計　返却　蓄積　撤去　廃棄　搭乗　店舗　寡占　運搬　高騰　鋳造　卸　廉価　貨幣　偽造　購入　稼ぐ　繁栄　修繕　窯元　需要　利潤　獲得　富豪　伐採　紡績　経済　醸造　収穫　開墾　無駄遣い　倹約　貧乏　狩猟　酪農　開拓　租税　滞納　控除　診療　督促　返還　治癒　症状　解剖

1 騰 ☆☆	騰	騰	音 トウ / 訓 —	高騰スル こうとう [to rise suddenly, to soar／高涨／고등하다] 沸騰スル ふっとう [to boil／沸騰／비등] 暴騰スル ぼうとう [to jump, to rise steeply／猛涨／폭등]
			高騰：物価が**高騰**し、消費者の生活は苦しくなった。 沸騰：お湯が**沸騰**したらカップに注いでください。	

2 鋳 ☆	铸	鑄	音 チュウ / 訓 い・る	鋳造スル ちゅうぞう [to cast, to found (to mint)／铸造／주조] 鋳型 いがた [a mold, a cast／铸模／주형] 鋳物 いもの [a mold, a casting／铸造物／주물]
			鋳造：祖父は戦時中、軍事工場で大砲を**鋳造**する仕事をしていたそうだ。 鋳型：江戸時代に貨幣の製造に使われていた**鋳型**が発見された。	

3 窯 ☆	窑	窯	音 ヨウ / 訓 かま	窯元 かまもと [a pottery／窑／도자기를 구워서 만드는 곳] 窯 かま [a kiln, an oven／炉／가마] 窯業 ようぎょう [ceramics, pottery／窑业／요업]
			窯元：娘は小学校の社会見学で、隣町の**窯元**へ行った。 窯：陶芸家を目指す友人の夢は、自分の**窯**を持つことだそうだ。	

4 診 ☆☆☆	诊	診	音 シン / 訓 み・る	診療スル しんりょう [to examine／诊疗／진료하다] 往診スル おうしん [to make a house call／出诊／왕진하다] 診断スル しんだん [to diagnose／诊断／진단하다]
			診療：原因不明の熱が続いたので、総合病院の内科で**診療**を受けた。 往診：高熱で歩くことができないので、かかりつけの医者に**往診**してもらった。	

5 却 ☆☆☆	却	卻	音 キャク / 訓 —	返却スル へんきゃく [to return／返还／반각하다] **却って** かえって [on the contrary, instead／反而／오히려] 売却スル ばいきゃく [to sell, to dispose of／出售／매각하다]
			返却：借りたDVDの**返却**期限が過ぎてしまい、延滞料を払った。 却って：車で行ったのに、**却って**歩くより時間がかかってしまった。	

6	症 ☆☆☆	症	症	音 ショウ 訓 —	症状 しょうじょう [disease symptoms／症状／증상] 後遺症 こういしょう [an after effect of an injury or disease／后遗症／후유증] 炎症 えんしょう [inflammation／炎症／염증]

症状：この薬は、咳、鼻水、のどの痛みなど風邪の諸症状を緩和します。
後遺症：三年前の交通事故の後遺症で、今でも左足がうまく曲がらない。

| 7 | 還 ☆☆☆ | 还 | 還 | 音 カン
訓 — | 返還スル へんかん [to return, to restore／归还／반환하다]
還元スル かんげん [to restore something／还原／환원하다]
帰還スル きかん [to return home／回乡／귀환 하다] |

返還：払いすぎた税金は、返還される場合もあります。税務署に相談してください。
還元：円高で得た利益を顧客に還元するために、スーパーでセールが行われている。

| 8 | 督 ☆☆☆ | 督 | 督 | 音 トク
訓 — | 督促スル とくそく [to urge somebody on, to press somebody for something／督促／독촉하다]
監督スル かんとく [to supervise, to direct／主教练／감독하다]
総督 そうとく [a governor-general／总督／총독] |

督促：会費未納のため、支払いの督促をうけた。
監督：監督の手腕により、日本代表をオリンピック出場へと導いた。

| 9 | 控 ☆☆☆ | 控 | 控 | 音 コウ
訓 ひか・える | 控除スル こうじょ [to deduct, to take away／扣除／공제 하다]
控える ひかえる [to refrain／节制／삼가하다]
控え室 ひかえしつ [a waiting room／等候室／대기실] |

控除：医療費控除により、今年度の所得税が軽減された。
控える：手術後、医師の許可が出るまで、飲食は控えてください。

| 10 | 滞 ☆☆☆ | 滞 | 滞 | 音 タイ
訓 とどこお・る | 滞納スル たいのう [to fail to pay, to default／拖欠／체납하다]
停滞スル ていたい [to stagnate, to sluggish／停顿／정체하다]
滞在スル たいざい [to stay, to stop (somewhere)／逗留／체류하다] |

滞納：家賃を３か月滞納し、家主から督促されている。
停滞：地域経済が停滞し、町を出て都会に就職口を求める人も出てきた。

| 11 | 購 ☆☆☆ | 购 | 購 | 音 コウ
訓 — | 購入スル こうにゅう [to buy, to purchase／购买／구입하다]
購読スル こうどく [to subscribe to／订阅／구독하다]
購買スル こうばい [to buy, to procure／购买／구매하다] |

購入：教科書は初回の授業の前に購入してください。
購読：父は釣りの専門誌を毎月定期購読している。

| 12 | 拓 ☆☆☆ | 拓 | 拓 | 音 タク
訓 — | 開拓スル かいたく [to reclaim, to cultivate／开荒／개척하다]
干拓スル かんたく [to reclaim land／排水开垦／간척하다]
未開拓 みかいたく [undeveloped／未开发／미개발] |

開拓：新入社員は、顧客開拓に奮闘している。
干拓：土地が狭いので、湾を干拓して空港を作った。

| 13 | 獲 ☆☆☆ | 获 | 獲 | 音 カク
訓 え・る | 獲得スル かくとく [to acquire, to obtain／获得／획득하다]
獲物 えもの [game, prey／猎物／사냥감]
捕獲スル ほかく [to catch, to capture／捕获／포획하다] |

獲得：彼は市のマラソン大会で金メダルを獲得した。
獲物：鳥が獲物の昆虫を狙って、降下してきた。

| 14 | 豪 ☆☆☆ | 豪 | 豪 | 音 ゴウ
訓 — | 富豪 ふごう [a rich man／富豪／부호]
強豪 きょうごう [a powerful player／硬手／강호]
豪華ナ ごうか [gorgeous, luxurious／豪华的／호화한] |

富豪：この邸宅は、かつて有名な大富豪が所有していたものです。
強豪：弟は柔道の強豪校へ入学し、オリンピックを目指している。

| 15 | 偽 ☆☆☆ | 伪 | 偽 | 音 ギ
訓 いつわ・る、にせ | 偽造スル ぎぞう [to forge, to counterfeit／伪造／위조하다]
偽物 にせもの [a counterfeit, a fake／冒牌／가짜]
偽装スル ぎそう [to camouflage, to disguise／伪装／위장하다] |

偽造：日本の紙幣は、偽造されないように、様々な工夫が凝らされている。
偽物：この宝石は本物ではなく、偽物です。

5 経済・社会

№	漢字	楷書	行書	音/訓	語例
16	需 ☆☆☆	需	需	音 ジュ 訓 ―	需要 じゅよう [a demand／需要／수요] 需給 じゅきゅう [supply and demand／供求／수급] 必需品 ひつじゅひん [necessary articles／必需品／필수품]
					需要：エコブームで省エネ家電の**需要**が伸びている。 需給：**需給**バランスを考慮して、エアコンの生産調整を行う。
17	棄 ☆☆☆	弃	棄	音 キ 訓 ―	廃棄スル はいき [to abolish, to abandon／废弃／폐기하다] 放棄スル ほうき [to give up, to renounce／放弃／포기하다] 棄権スル きけん [to abstain, to withdraw／弃权／기권하다]
					廃棄：産業**廃棄**物は専用のごみ袋に入れて**廃棄**してください。 放棄：父には借金があったため、兄弟全員で相続を**放棄**した。
18	添 ☆☆☆	添	添	音 テン 訓 そ・える、そ・う	添付スル てんぷ [to attach, to append／附上／첨부하다] 添加スル てんか [to add (preservatives to food)／添加／첨가하다] 付き添う つきそう [to accompany／陪伴／시중들다]
					添付：メールに写真を**添付**して友達に送った。 添加：このパンは保存料を**添加**していないので、早めに食べてください。
19	累 ☆☆	累	累	音 ルイ 訓 ―	累計スル るいけい [to sum up／累计／누계하다] 累積スル るいせき [to accumulate／累积／누적하다]
					累計：この小説は**累計**300万部を売り上げて、今年のベストセラーになった。 累積：赤字が**累積**する前に、対策を講じなければならない。
20	繁 ☆☆☆	繁	繁	音 ハン 訓 ―	繁栄スル はんえい [to prosper, to flourish／繁荣／번영하다] 繁盛スル はんじょう [to be prosperous, to thrive／繁盛／번성하다] 頻繁ナ ひんぱん [frequent／频繁的／빈번한]
					繁栄：鉄道が開通し、観光客も増え、町はますます**繁栄**した。 繁盛：あの焼き肉店は毎日**繁盛**している。
21	乏 ☆☆☆	乏	乏	音 ボウ 訓 とぼ・しい	貧乏スル びんぼう [to become poor／贫困／가난하다] 欠乏スル けつぼう [to lack something／缺乏／결핍하다] 窮乏スル きゅうぼう [to be needy／贫穷／궁핍하다]
					貧乏：お金がない**貧乏**も嫌だが、心の貧しい人はもっと嫌だ。 欠乏：鉄分が**欠乏**して、貧血症状が出た。
22	稼 ☆☆☆	稼	稼	音 カ 訓 かせ・ぐ	稼ぐ かせぐ [to earn income／挣／벌다] 稼働 かどう [to work, to operate／劳动／가동하다] 共稼ぎスル ともかせぎ [to work together, to have both (parents) working／夫妻在职／맞벌이]
					稼ぐ：学費を自分で**稼ぐ**のは大変だ。 稼働：発電機を**稼働**させる。
23	蓄 ☆☆	蓄	蓄	音 チク 訓 たくわ・える	蓄積スル ちくせき [to accumulate, to amass／积蓄／축적하다] 貯蓄スル ちょちく [to save up／储蓄／저축하다] 備蓄スル びちく [to store, to reserve／储备／비축하다]
					蓄積：疲労の**蓄積**で、疲れが取れない。 貯蓄：毎日の生活に手一杯で**貯蓄**が少ない。
24	卸 ☆☆	卸	卸	音 ― 訓 おろ・す、おろし	卸 おろし [wholesale／批发／도매] 棚卸 たなおろし [to take inventory／盘点存货／재고정리] 卸売スル おろしうり [to sell wholesale／批售／도매]
					卸：当店は**卸**専門の店なんですが、特別に個人にもお売りしますよ。 棚卸：明日の午前中は**棚卸**のため、営業を休みます。
25	駄 ☆☆	駄	駄	音 ダ 訓 ―	無駄遣いスル むだづかい [to waste (money)／浪费／낭비하다] 駄作 ださく [a poor work, trash／拙劣作品／태작] 下駄 げた [geta (wooden clogs)／木屐／왜나막신]
					無駄遣い：資源の**無駄遣い**をしないよう、日常生活でも気を付けている。 駄作：この作品はヒットメーカーの彼にして唯一の**駄作**と言われている。

5 経済・社会

26	舗 ☆☆	舗	舗	音 訓	ホ —	店舗 てんぽ [a store／店铺／점포] 舗装スル ほそう [to pave／铺修／포장하다] 老舗 しにせ [a long-established store／老铺子／노포]

店舗：このラーメン店は、東京都内に20店舗を構える人気店だ。
舗装：ここの道はまだ舗装されていない。

| 27 | 潤 ☆☆ | 潤 | 潤 | 音
訓 | ジュン
うるお・う、うるお・す、うる・む | 利潤 りじゅん [profits／利润／이윤]
潤う うるおう [to be moist, to be wet／湿润／촉촉하다]
潤滑油 じゅんかつゆ [lubricating oil／润滑油／윤활유] |

利潤：これまでの、利潤だけを追求する考え方に終止符を打つ必要がある。
潤う：長男が独立したおかげで、家計が潤ってきた。

| 28 | 幣 ☆☆ | 幣 | 幣 | 音
訓 | ヘイ
— | 貨幣 かへい [money, currency／货币／화폐]
紙幣 しへい [paper money (bills)／纸币／지폐]
造幣 ぞうへい [coinage, mintage／造币／조폐] |

貨幣：世界の貨幣経済の歴史を調べた。
紙幣：この財布は紙幣を入れるスペースが大きくて、使いやすい。

| 29 | 紡 ☆☆ | 紡 | 紡 | 音
訓 | ボウ
つむ・ぐ | 紡績 ぼうせき [spinning (to make yarn)／纺织／방직]
紡ぐ つむぐ [to spin／纺／실을 잣다] |

紡績：紡績業は、日本の主要な産業の一つだった。
紡ぐ：彼女の文章には、言葉を丁寧に紡いでいるような優しさがある。

| 30 | 搬 ☆☆ | 搬 | 搬 | 音
訓 | ハン
— | 運搬スル うんぱん [to carry, to transport／搬运／운반하다]
搬入スル はんにゅう [to carry something in／搬入／반입하다]
⇔搬出スル はんしゅつ [to carry something out／搬出／반출하다] |

運搬：大阪の美術館から東京の美術館に、彫刻が運搬された。
搬入：グランドピアノを会場の裏口から搬入した。

| 31 | 猟 ☆☆ | 猟 | 獵 | 音
訓 | リョウ
— | 狩猟スル しゅりょう [to hunt, to shoot／狩猎／수렵하다]
密猟スル みつりょう [to poach, to steal game／非法狩猎／밀렵하다]
猟銃 りょうじゅう [a hunting gun／猎枪／사냥총] |

狩猟：約一万年前には、日本では狩猟採集の生活が営まれていたとされている。
密猟：密猟で絶滅の危険にさらされている動物もいる。

| 32 | 穫 ☆☆ | 穫 | 穫 | 音
訓 | カク
— | 収穫スル しゅうかく [to harvest, to gather／收获／수확하다] |

収穫：今年は作物の出来がいいので、秋の収穫が楽しみだ。

| 33 | 醸 ☆☆ | 醸 | 釀 | 音
訓 | ジョウ
かも・す | 醸造スル じょうぞう [to brew, to distill／酿造／양조하다]
醸成スル じょうせい [to brew, to ferment, to create／酿成／조성하다]
醸し出す かもしだす [to produce, to bring about／酿出／자아내다] |

醸造：日本酒の醸造には多くの工程がある。
醸成：チーム作りには、何でも気軽に相談できる雰囲気の醸成が重要である。

| 34 | 租 ☆ | 租 | 租 | 音
訓 | ソ
— | 租税 そぜい [taxes, taxation／租税／조세]
地租 ちそ [a land tax／土地税／지조]
租界 そかい [a concession, a settlement／租界／조계] |

租税：税金に興味を持ってもらおうと、小学校で租税教室が行われている。
地租：1873年に地租改正が行われ、農産物ではなく土地に税金が課せられるようになった。

| 35 | 剖 ☆ | 剖 | 剖 | 音
訓 | ボウ
— | 解剖スル かいぼう [to dissect, to hold an autopsy／解剖／해부하다] |

解剖：理科の実験で魚を解剖し、消化管などの仕組みを学んだ。

5 経済・社会

#	漢字	字体	読み	例
36	伐 ☆	伐　伐	音 バツ 訓 —	伐採スル ばっさい [to cut down (trees), to fell／砍伐／벌채하다] 討伐スル とうばつ [to put down, to subdue／讨伐／토벌하다] 間伐スル かんばつ [to thin (a forest)／间伐／간벌하다]

伐採：熱帯雨林の**伐採**を減らすために、様々なプロジェクトが実施されている。
討伐：反乱軍を**討伐**するために、国王の軍隊が出動した。

| 37 | 酪 ☆ | 酪　酪 | 音 ラク
訓 — | 酪農 らくのう [dairy farming／奶酪畜牧业／낙농]
乳酪 にゅうらく [dairy products (butter)／奶酪／유락] |

酪農：牛乳の値段が安くなると、**酪農**家は苦労して絞った牛乳を捨てなければならない。
乳酪：農家が**乳酪**を製造する加工場を自分たちで運営し、販売も行うという事例が増えている。

| 38 | 繕 ☆ | 繕　繕 | 音 ゼン
訓 つくろ・う | 修繕スル しゅうぜん [to repair, to mend／修理／수선하다]
取り繕う とりつくろう [to smooth over, to patch up／掩饰／꾸미다]
身繕いスル みづくろい [to dress one's self／打扮／몸차림을 하다] |

修繕：私の住んでいるアパートでは、大規模な**修繕**が行われている。
取り繕う：失敗したときは、隠そうとして**取り繕う**より、堂々と認めたほうがいい。

| 39 | 廉 ☆ | 廉　廉 | 音 レン
訓 — | 廉価 れんか [cheap／廉价的／염가한]
廉売スル れんばい [to sell at a bargain／廉价出售／염매하다]
清廉 せいれん [honest, incorruptible／清廉的／청렴한] |

廉価：インターネットの通信販売では、**廉価**で品物を購入できることが多い。
廉売：不景気の中では、商店による**廉売**は期待できない。

| 40 | 癒 ☆ | 癒　癒 | 音 ユ
訓 い・やす、い・える | 治癒スル ちゆ [to recover, to be cured／治愈／치유하다]
癒着スル ゆちゃく [to adhere, to have cozy relations／勾结／유착하다]
癒やす いやす [to heal, to cure／治疗／치료] |

治癒：この病気は、自然**治癒**の可能性は低いので、手術したほうがよい。
癒着：開発計画の受注に関し、企業と役所の担当者の**癒着**問題が発覚した。

| 41 | 寡 ☆ | 寡　寡 | 音 カ
訓 — | 寡占 かせん [oligopoly／垄断市场／과점]
寡黙ナ かもく [reticent, uncommunicative／沉默寡言的／과묵한]
寡婦 かふ [a widow／寡妇／과부] |

寡占：この業界では、業績が上位の企業による**寡占**化が進んでいる。
寡黙：父は私が子どもの頃から**寡黙**で物静かな人だった。

| 42 | 倹 ☆ | 倹　倹 | 音 ケン
訓 — | 倹約スル けんやく [to save, to economize／节约／검약하다]
倹約家 けんやくか [a thrifty person／节约家／검약가] |

倹約：家計が苦しいので、もっと**倹約**しなければならない。
倹約家：**倹約家**の彼は、毎日弁当を持参していて、決して外食をしない。

| 43 | 墾 ☆ | 墾　墾 | 音 コン
訓 — | 開墾スル かいこん [to reclaim, to clear／开垦／간척]
墾田 こんでん [a new rice field／垦田／새로 개간한 논밭]
未墾 みこん [uncultivated, uncleared／未垦／미간] |

開墾：この辺りでは、水田を拡大するために森林の**開墾**が盛んに行われたそうだ。
墾田：**墾田**とは、日本の奈良時代に新たに開かれた田地のことである。

| 44 | 撤 ☆☆☆ | 撤　撤 | 音 テツ
訓 — | 撤去スル てっきょ [to withdraw, to remove／撤去／철거하다]
撤回スル てっかい [to withdraw, to take back／撤销／철회하다]
撤退スル てったい [to pull out, to evacuate／撤退／철퇴하다] |

撤去：不法建築物を**撤去**する。
撤回：前言を**撤回**し、改めて陳謝した。

| 45 | 搭 ☆ | 搭　搭 | 音 トウ
訓 — | 搭乗スル とうじょう [to board (a plane)／搭乘／탑승하다]
搭載スル とうさい [to load, to install／装载／탑재하다] |

搭乗：空港では、**搭乗**手続きをすませてからの待ち時間が長い。
搭載：この車種には最新のカーナビが**搭載**されています。

5 経済・社会　Unit 1　練習問題

(解答 ⇨ 別冊 p.10)

問題1　漢字の読み方を書きなさい。

① 開拓（　　　　）　② 解剖（　　　　）　③ 伐採（　　　　）

④ 下駄（　　　　）　⑤ 搭載（　　　　）　⑥ 鋳造（　　　　）

⑦ 運搬（　　　　）　⑧ 酪農（　　　　）　⑨ 廉価（　　　　）

⑩ 返却（　　　　）　⑪ 貨幣（　　　　）　⑫ 炎症（　　　　）

問題2　次の漢字の読み方をひらがなで書きなさい。

① 控除（　　　　）－ 交渉（　　　　）

② 強硬（　　　　）－ 強豪（　　　　）

③ 繁盛（　　　　）－ 反証（　　　　）

④ 総勢（　　　　）－ 租税（　　　　）

⑤ 寡占（　　　　）－ 感染（　　　　）

問題3　＿＿＿の部分の漢字を下から選びなさい。

① 父は釣りの専門誌を毎月定期<u>こうどく</u>している。
　　　　　　　　　（　　　　　）

② 家計が苦しいので、もっと<u>けんやく</u>しなければならない。
　　　　　　　　　（　　　　　）

③ 彼は市のマラソン大会で、金メダルを<u>かくとく</u>した。
　　　　　　　　　（　　　　　）

④ 父には借金があったため、兄弟全員で相続を<u>ほうき</u>した。
　　　　　　　　　（　　　　　）

⑤ この辺りでは、水田を拡大するために森林の<u>かいこん</u>が盛んに行われたそうだ。
　　　　　　　　　（　　　　　）

開墾　　　倹約　　　購読　　　獲得　　　放棄

問題4 次の漢字の訓読み、または訓読みを含む漢字の読み方を、ひらがなで書きなさい。

① 診る　（　　　　　）　　② 紡ぐ　（　　　　　）

③ 棚卸　（　　　　　）　　④ 醸し出す（　　　　　）

⑤ 老舗　（　　　　　）　　⑥ 取り繕う（　　　　　）

⑦ 乏しい（　　　　　）　　⑧ 癒やす（　　　　　）

⑨ 獲る　（　　　　　）　　⑩ 窯　（　　　　　）

問題5 適当な言葉を選び、（　　　）に入れなさい。

① 借金を返済するように（　　　　）をうけた。

② ここ数年スマートフォンの（　　　　）が伸びている。

③ お湯が（　　　　）してから、カップに注いだ。

④ 利益を顧客に（　　　　）するため、セールを実施した。

⑤ 大臣は不適当な発言を（　　　　）すると発表した。

⑥ A社は赤字が（　　　　）し、先月倒産した。

⑦ （　　　　）により、絶滅の危機にさらされる動物が増えている。

| 還元 | 需要 | 撤回 | 密猟 | 督促 | 沸騰 | 累積 |

問題6 下から適当な言葉を選び、必要であれば形を変えて、漢字と読み方を書きなさい。

① アルバイトで（　　　　）お金は、学費にあてている。

② 給料が上がり、家計が（　　　　）ため貯金できるようになった。

③ 母は通院する祖母に付き（　　　　）行った。

④ 学生時代にしっかり知識を（　　　　）おくべきだ。

⑤ 「学費の支払いが（　　　　）いる」と、学校の事務所に呼び出された。

⑥ インタビューで、年齢を三歳若く（　　　　）しまった。

| 偽る | 蓄える | 潤う | 添う | 滞る | 稼ぐ |

5 経済・社会
Unit 2

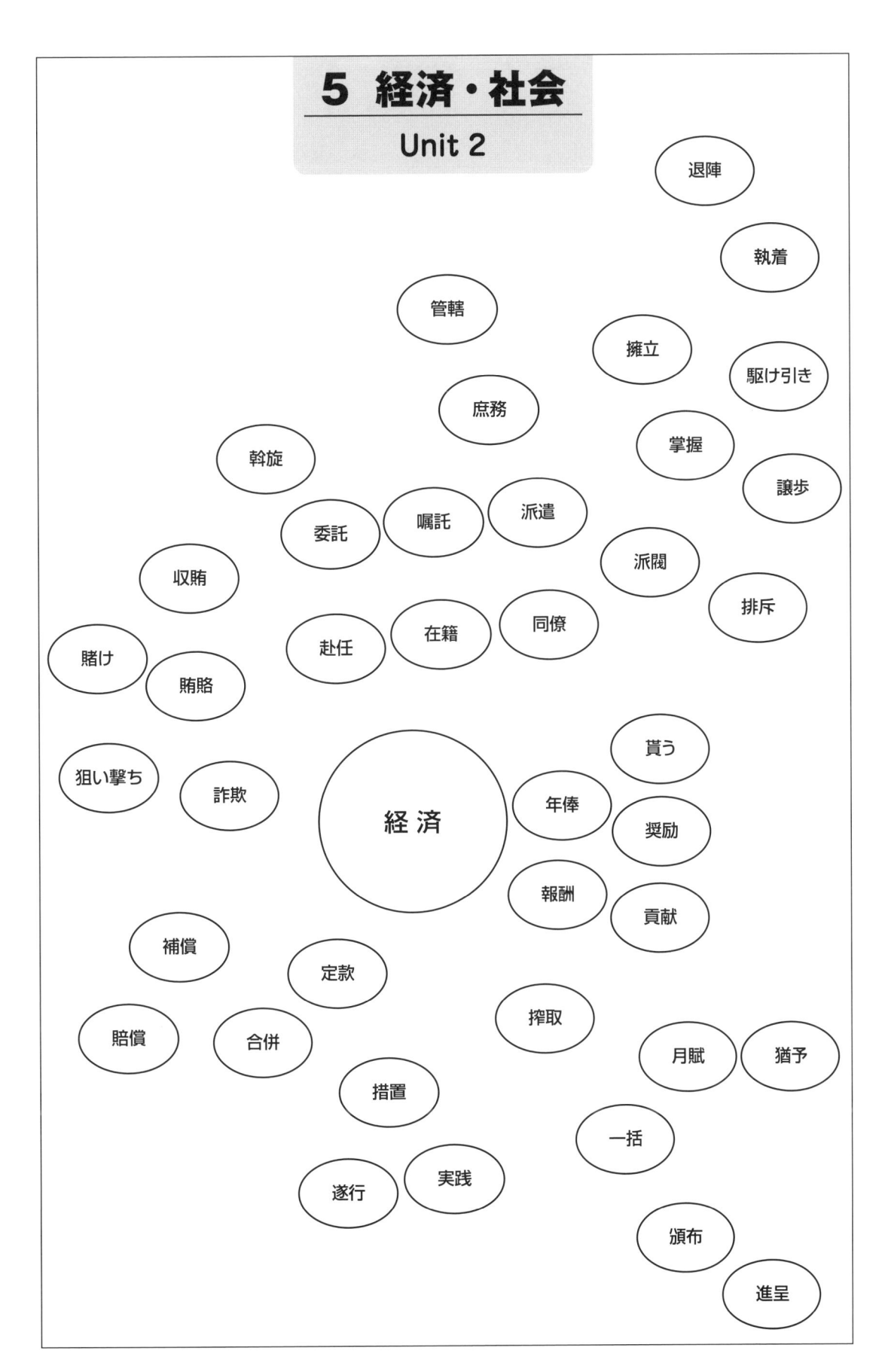

- 経済
  - 退陣
  - 執着
  - 管轄
  - 擁立
  - 駆け引き
  - 庶務
  - 掌握
  - 斡旋
  - 譲歩
  - 委託
  - 嘱託
  - 派遣
  - 収賄
  - 派閥
  - 排斥
  - 赴任
  - 在籍
  - 同僚
  - 賭け
  - 賄賂
  - 狙い撃ち
  - 詐欺
  - 貰う
  - 年俸
  - 奨励
  - 報酬
  - 貢献
  - 補償
  - 定款
  - 搾取
  - 賠償
  - 合併
  - 月賦
  - 猶予
  - 措置
  - 一括
  - 遂行
  - 実践
  - 頒布
  - 進呈

46	践 ☆	践	音 セン / 訓 —	実践スル じっせん [to practice ／实践／실천하다]
		実践：最新の知識を得るだけではなく、知識を応用して現場で実践してみた。		
47	款 ☆	款	音 カン / 訓 —	定款 ていかん [the articles of an association ／章程／정관] 借款 しゃっかん [a loan ／借款／차관] 約款 やっかん [an agreement, a stipulation ／条款／약관]
		定款：社団法人や財団法人設立時の定款の作成を代行するサービスがある。 借款：日本は開発途上国に対し、低い利率で資金を貸す円借款を行っている。		
48	賭 * ☆	賭	音 ト / 訓 か・ける	賭け かけ [betting, gambling ／赌／도박] 賭博 とばく [gambling, gaming ／赌博／도박] 賭け事 かけごと [gambling, betting ／打赌／내기]
		賭け：そのプロジェクトは、会社をつぶしかねない危険な賭けだった。 賭博：賭博好きの兄は、両親に借金ばかりしている。		
49	俸 ☆	俸	音 ホウ / 訓 —	年俸 ねんぽう [an annual salary ／年薪／연봉] 俸給 ほうきゅう [salary, wages ／薪水／봉급] 減俸スル げんぽう [a pay cut, a reduction in salary ／减薪／감봉하다]
		年俸：月給制ではなく、年俸制を採用する企業が増えている。 俸給：前年度の業績に応じて、翌年度の俸給が決定する。		
50	賦 ☆	賦	音 フ / 訓 —	月賦 げっぷ [monthly payments ／按月分期付款／월부] 天賦 てんぷ [natural, inborn ／天賦／천부]
		月賦：高額の商品の購入時には、一括払いにするか月賦にするか、よく考えたほうがいい。 天賦：この画家は2歳のときから絵を描き始め、天賦の才を発揮してきたそうだ。		
51	搾 ☆	搾	音 サク / 訓 しぼ・る	搾取スル さくしゅ [to exploit ／剥削／착취하다] 乳搾り ちちしぼり [milking ／挤奶／동물 젖을 짜다] 搾乳スル さくにゅう [to milk (a cow) ／挤奶／착유하다]
		搾取：かつて小作は収穫物を大地主に厳しく搾取されていた。 乳搾り：牧場で、乳搾りの体験をした。		
52	貰 外 ☆	貰	音 — / 訓 もら・う	貰う もらう [to get, to receive ／得到／받다] 貰い物 もらいもの [a present, a gift ／礼物／남에게 얻은 것] 貰い泣きスル もらいなき [to cry (in sympathy) with somebody ／同情的泪／따라 울다]
		貰う：父から大学の入学祝いに電子辞書を貰った。 貰い物：どんなものでも、貰い物はありがたく受け取るべきだ。		
53	頒 ☆	頒	音 ハン / 訓 —	頒布スル はんぷ [to distribute ／分发／반포]
		頒布：この資料は、希望者には無料で頒布いたします。		
54	賂 * ☆	賂	音 ロ / 訓 —	賄賂 わいろ [a bribe ／贿赂／뇌물]
		賄賂：市長が賄賂を受け取ったという疑惑が浮上した。		
55	呈 ☆☆	呈	音 テイ / 訓 —	進呈スル しんてい [to offer something to somebody ／赠送／진정하다] 贈呈スル ぞうてい [to give, to make a present of something ／赠呈／증정하다] 露呈スル ろてい [to expose, to reveal ／暴露／노정하다]
		進呈：新しい著作を恩師に進呈した。 贈呈：優勝者にはトロフィーが贈呈されます。		

5 経済・社会

No.	漢字	楷書	明朝	音訓	語例
56	括 ☆☆	括	括	音 カツ 訓 —	一括スル いっかつ [to lump together, to sum up／总括起来／일괄하다] 総括スル そうかつ [to summarize, to generalize／总结／총괄하다] 統括スル とうかつ [to unify and generalize／总合／통괄하다]

一括：事務用品を一括して購入する。
総括：各人の意見を総括すると、次のようになるかと思います。

| 57 | 赴 ☆☆ | 赴 | 赴 | 音 フ
訓 おもむ・く | 赴任スル ふにん [to leave for one's new post／赴任／부임하다]
赴く おもむく [to go, to proceed to／前往／향하다] |

赴任：今日、新しい英語の先生が赴任してきます。
赴く：戦地へ赴く兵士は皆、緊張しているようだった。

| 58 | 擁 ☆☆ | 擁 | 擁 | 音 ヨウ
訓 — | 擁立スル ようりつ [to back up, to support／拥立／옹립하다]
擁護スル ようご [to protect, to defend／拥护／옹호하다]
抱擁スル ほうよう [to hug, to embrace／拥抱／포옹하다] |

擁立：野党が手を組んで、A氏を選挙の候補者として擁立した。
擁護：世界中の全ての人の人権が擁護されなければならない。

| 59 | 猶 ☆ | 猶 | 猶 | 音 ユウ
訓 — | 猶予スル ゆうよ [to postpone, to defer／缓期／유예하다]
執行猶予 しっこうゆうよ [a stay of execution, a suspended sentence／缓期执行／집행 유예] |

猶予：借金の返済を1か月間猶予してもらった。
執行猶予：被告人には懲役二年、執行猶予三年の判決が言い渡された。

| 60 | 嘱 ☆ | 嘱 | 嘱 | 音 ショク
訓 — | 嘱託スル しょくたく [to engage someone on special terms, for part-time service／嘱托／촉탁하다]
委嘱スル いしょく [to ask, to request／委托／위촉하다]
嘱する しょくする [to expect, to hope／托付／의지하다] |

嘱託：嘱託の職員を正社員として採用するケースもある。
委嘱：この案件については、調査を外部の調査期間に委嘱する。

| 61 | 轄 ☆ | 轄 | 轄 | 音 カツ
訓 — | 管轄スル かんかつ [to have jurisdiction, to have control over／管辖／관할하다]
直轄スル ちょっかつ [to manage directly／直辖／직할하다]
所轄 しょかつ [jurisdiction／所辖／소할] |

管轄：役所は管轄が細かく分かれていて、外部の人間からは担当が誰なのかよくわからない。
直轄：中国の北京、天津、上海、重慶は、政府直轄の市で、省と同格である。

| 62 | 斥 ☆ | 斥 | 斥 | 音 セキ
訓 — | 排斥スル はいせき [to drive out, to expel／排斥／배척하다]
排斥運動 はいせきうんどう [boycott, movement for expulsion／抵制运动／배척 운동]
斥候 せっこう [a scout, a patrol, a spy／侦察／척후] |

排斥：異文化を排斥するよりも、積極的に受け入れていこうではないか。
排斥運動：海外で日本車の排斥運動が起こり、日本車が燃やされているニュースを見て悲しくなった。

| 63 | 執 ☆☆☆ | 執 | 執 | 音 シツ、シュウ
訓 と・る | 執着スル しゅうちゃく [to adhere to, to keep to／执着／집착하다]
執行スル しっこう [to serve a writ on somebody, to carry out／执行／집행하다]
固執スル こしつ／こしゅう [to adhere to, to stick to／固执／고집하다] |

執着：彼は金銭に執着しすぎて、多くの友人を失った。
執行：市は、市議会で審議され、成立した予算を執行する。

| 64 | 措 ☆☆ | 措 | 措 | 音 ソ
訓 — | 措置 そち [a step, a measure／措施／조치]
優遇措置 ゆうぐうそち [privilege, preferential treatment／优待措施／우대 조치]
予防措置 よぼうそち [precaution, preventive measures／预防措施／예방 조치] |

措置：業者に夜間工事の際の騒音防止措置を講じるよう要望した。
優遇措置：子育てをしている世帯だけが団地に優先的に申し込める優遇措置がある。

| 65 | 籍 ☆☆☆ | 籍 | 籍 | 音 セキ
訓 — | 在籍スル ざいせき [to be on the register／在籍／재적하다]
国籍 こくせき [nationality, citizenship／国籍／국적]
書籍 しょせき [books, literature／书籍／서적] |

在籍：彼女はW大学の文学部に在籍している。
国籍：モンゴル人の関取は、二年前に帰化して日本国籍を取得した。

5 経済・社会

66	僚 ☆☆☆	僚	僚	音 訓	リョウ ―	同僚 どうりょう [a colleague／同事／동료] 官僚 かんりょう [a government official／官僚／관료] 閣僚 かくりょう [a member of the Cabinet／阁僚／각료]

同僚：昨夜は仕事が終わってから、会社の同僚と飲みに行った。
官僚：野党議員の質問に対して、官僚は決まりきった答弁を行った。

| 67 | 庶 ☆☆ | 庶 | 庶 | 音 訓 | ショ ― | 庶務 しょむ [general affairs／庶务／서무]
庶民 しょみん [the common people, the masses／平民／서민]
庶民的 しょみんてき [popular, folk／平民的／서민적] |

庶務：就職して初めての配属先は、庶務課だった。
庶民：増税しようとしている政治家は、庶民の生活の苦しさなど理解していないのだろう。

| 68 | 閥 ☆☆ | 閥 | 閥 | 音 訓 | バツ ― | 派閥 はばつ [a clique, a faction／派系／파벌]
財閥 ざいばつ [a financial group, a plutocracy／财阀／재벌]
軍閥 ぐんばつ [a military clan or clique／军阀／군벌] |

派閥：社内では今も派閥争いが続いている。
財閥：戦後、財閥は解体された。

| 69 | 掌 ☆☆ | 掌 | 掌 | 音 訓 | ショウ ― | 掌握スル しょうあく [to assume, to completely grasp／掌握／장악하다]
車掌 しゃしょう [a conductor (on a train)／乘务员／차장]
合掌スル がっしょう [to join one's hands in prayer／合掌／합장] |

掌握：この会社では、社長が全ての決定権を掌握している。
車掌：車掌が乗車券の確認に回っている。

| 70 | 貢 ☆☆☆ | 貢 | 貢 | 音 訓 | コウ、ク みつ・ぐ | 貢献スル こうけん [to serve, to contribute to／贡献／공헌하다]
貢ぐ みつぐ [to supply with money／献给／헌상하다]
年貢 ねんぐ [land tax／地租／연공] |

貢献：彼はこの地方の伝統文化の保護に長年貢献してきた。
貢ぐ：大金を女性に貢いだにも関わらず、とうとう相手にされなかった。

| 71 | 狙* ☆☆☆ | 狙 | 狙 | 音 訓 | ソ ねら・う | 狙い撃ちスル ねらいうち [to snipe at, to shoot at／瞄准射击／저격하다]
狙撃スル そげき [to shoot at, to fire at／狙击／저격]
狙い ねらい [aim／瞄准／표적] |

狙い撃ち：一人暮らしの老人を狙い撃ちにした悪徳商法が増えている。
狙撃：首相が駅で暴漢に狙撃されるという事件が起こった。

| 72 | 遣 ☆☆☆ | 遣 | 遣 | 音 訓 | ケン つか・う、つか・わす | 派遣スル はけん [to send, to dispatch／派遣／파견하다]
小遣い こづかい [spending money, pocket money／零花／용돈]
無駄遣いスル むだづかい [to waste money／浪费／낭비하다] |

派遣：人材派遣会社は、有能な人材を契約した企業へ派遣する。
小遣い：弟は毎月もらう小遣いをためて、欲しいゲームを買った。

| 73 | 譲 ☆☆☆ | 譲 | 譲 | 音 訓 | ジョウ ゆず・る | 譲歩スル じょうほ [to make a concession, to compromise／让步／양보하다]
譲渡スル じょうと [to transfer, to hand over, to convey／转让／양도하다]
分譲スル ぶんじょう [to sell land in lots／分开出售／분양하다] |

譲歩：時には譲歩して交渉相手の意見を受け入れることも必要だ。
譲渡：故郷に帰るため、今の家屋を息子に譲渡した。

| 74 | 託 ☆☆☆ | 託 | 託 | 音 訓 | タク ― | 委託スル いたく [to entrust somebody with something／托付／위탁하다]
受託スル じゅたく [to be entrusted with something／承包／수탁하다]
信託スル しんたく [to trust somebody with something／信托／신탁하다] |

委託：資源ごみは、市から民間業者に収集を委託している。
受託：当社は、市より委託されたホームページ製作を受託し、運営しています。

| 75 | 旋 ☆☆ | 旋 | 旋 | 音 訓 | セン ― | 斡旋スル あっせん [to act as intermediary between／斡旋／알선하다]
旋回スル せんかい [to rotate, to revolve, to turn／盘旋／선회하다]
旋風 せんぷう [a whirlwind, a cyclone, a tornado／旋风／선풍] |

斡旋：就職を斡旋する会社を訪ねた。
旋回：2羽のツバメが旋回して上空から降りて来た。

76	陣 ☆☆☆	陣	陣	音 ジン 訓 —	退陣スル たいじん [to retire, to resign ／撤退／퇴진하다] 陣取る じんどる [to encamp, to take up position ／占地盘／대진] 報道陣 ほうどうじん [the press, the press corps ／记者们／보도진]
	退陣：経営の失敗により、社長は退陣を余儀なくされた。 陣取る：イベントの8時間前から並んで、舞台の前に陣取った。				
77	償 ☆☆☆	償	償	音 ショウ 訓 つぐな・う	補償スル ほしょう [to compensate for ／补偿／보상하다] 弁償スル べんしょう [to pay for damage ／赔偿／변상하다] 償い つぐない [compensation ／补偿／변상]
	補償：山火事の損害は県と国が補償した。 弁償：友達の家の食器をうっかり割ってしまったので、新しく買って弁償した。				
78	併 ☆☆☆	并	併	音 ヘイ 訓 あわ・せる	合併スル がっぺい [to combine, to merge ／合并／합병하다] 併用スル へいよう [to use together, to use at the same time ／并用／병용하다] 併合スル へいごう [to annex, to merge ／并吞／병합 하다]
	合併：国際競争力を高めるため、ライバル他社と合併した。 併用：カナダでは、公用語として英語とフランス語が併用されている。				
79	駆 ☆☆☆	驱	驅	音 ク 訓 か・ける、か・る	駆け引きスル かけひき [to bargain with ／策略／흥정하다] 駆使スル くし [to order about, to have somebody at one's beck and call ／驱使／구사하다] 駆け足 かけあし [a run, a sprint ／跑步／구보]
	駆け引き：買い物するとき、店員と駆け引きしながら値引き交渉する。 駆使：当院では最新鋭の医療機器を駆使して、迅速な診断と、良質な医療を提供いたします。				
80	遂 ☆☆	遂	遂	音 スイ 訓 と・げる	遂行スル すいこう [to carry out, to accomplish ／执行／수행 하다] 未遂 みすい [attempt ／未遂／미수] 遂に ついに [finally, at last ／终于／드디어]
	遂行：与えられた業務を遂行する。 未遂：大量殺人計画が未遂に終わった。				
81	賠 ☆☆	賠	賠	音 バイ 訓 —	賠償スル ばいしょう [to pay for, to compensate for ／赔偿／배상하다]
	賠償：事故の責任を認めて損害を賠償した。				
82	賄 ☆☆	賄	賄	音 ワイ 訓 まかな・う	収賄スル しゅうわい [to accept a bribe ／受贿／수회하다] ⇔贈賄スル ぞうわい [to give somebody a bribe ／行贿／증회하다] 賄う まかなう [to supply, to provide ／供给／꾸리다]
	収賄：有名な政治家が収賄の容疑で逮捕された。 賄う：家のローンはボーナスで賄っている。				
83	詐 ☆☆	詐	詐	音 サ 訓 —	詐欺 さぎ [a fraud, a swindle, a trick ／欺诈／사기] 詐称スル さしょう [to misrepresent one's self ／虚报／사칭하다]
	詐欺：お年寄りが詐欺の被害に遭うケースが増えている。 詐称：彼は、自分の経歴を詐称したとして、会社から懲戒解雇された。				
84	奨 ☆☆	奨	奬	音 ショウ 訓 —	奨励スル しょうれい [to encourage, to promote ／奖励／장려하다] 推奨スル すいしょう [to recommend, to endorse ／推荐／추장하다] 奨める すすめる [to suggest, to advise ／推荐／추천한다]
	奨励：この会社ではさまざまな資格の取得を奨励している。 推奨：有名なソムリエの推奨するワインを6本セットでお届けします。				
85	酬 ☆☆	酬	酬	音 シュウ 訓 —	報酬 ほうしゅう [fee, pay ／报酬／보수] 応酬スル おうしゅう [to retort ／应酬／응수하다] 無報酬 むほうしゅう [without pay ／没有报酬／무보수]
	報酬：試験の採点の仕事は、採点した枚数に応じて報酬が支払われます。 応酬：税金の引き上げについて、政府と野党が閣議で応酬を繰り返している。				

5 経済・社会

5 経済・社会　Unit 2　練習問題

(解答 ⇒ 別冊 p.10〜11)

問題 1　漢字の読み方を書きなさい。

1. 年俸（　　　）　2. 頒布（　　　）　3. 直轄（　　　）
4. 斡旋（　　　）　5. 排斥（　　　）　6. 詐欺（　　　）
7. 賄賂（　　　）　8. 擁立（　　　）　9. 推奨（　　　）
10. 委嘱（　　　）　11. 庶務（　　　）　12. 月賦（　　　）

問題 2　次の漢字の読み方をひらがなで書きなさい。

1. 借款（　　　）－ 若干（　　　）
2. 補修（　　　）－ 報酬（　　　）
3. 借地（　　　）－ 措置（　　　）
4. 賀正（　　　）－ 合掌（　　　）
5. 実践（　　　）－ 自薦（　　　）

問題 3　＿＿＿の部分の漢字を下から選びなさい。

1. 社内では今もはばつ争いが続いている。
　　　（　　　　　）

2. 資源ごみは、市から民間業者に収集をいたくしている。
　　　　　　　（　　　　　）

3. 新しい著作を恩師にしんていした。
　　　　　（　　　　　）

4. 彼女は当社の経理部にざいせきしています。
　　　　　（　　　　　）

5. 昨夜は仕事が終わってから、会社のどうりょうと飲みに行った。
　　　　　　　　　　（　　　　　）

| 委託 | 在籍 | 進呈 | 同僚 | 派閥 |

問題 4 次の漢字の訓読み、または訓読みを含む漢字の読み方を、ひらがなで書きなさい。

1 陣取る （　　　　　）　　2 貢ぐ　（　　　　　）

3 貰い物（　　　　　）　　4 駆け引き（　　　　　）

5 無駄遣い（　　　　　）　　6 執る　（　　　　　）

7 償う　（　　　　　）　　8 併せる（　　　　　）

9 賭ける（　　　　　）

問題 5 適当な言葉を選び、（　　　）に入れなさい。

1 警察に通報があったため、強盗の計画は（　　　　　）に終わった。

2 自動車事故で相手の損害を（　　　　　）することになった。

3 会議に参加した者の意見を（　　　　　）して、上司に報告した。

4 震災で家を失ったため、学費の支払いを（　　　　　）してもらった。

5 有名な画家となった彼は、小さな頃から（　　　　　）の才を発揮していた。

| 総括 | 天賦 | 賠償 | 未遂 | 猶予 |

問題 6 下から適当な言葉を選び、必要であれば形を変えて、漢字と読み方を書きなさい。

1 給料が少ないので、毎月2万円で食費を（　　　　　）いる。

2 ぬれたタオルはよく（　　　　　）から、ベランダに干してください。

3 その女性は、お年寄りに席を（　　　　　）としたが、できなかった。

4 社長自らが謝罪に（　　　　　）が、会ってももらえなかった。

5 味方の選手がいるところを（　　　　　）ボールを投げる。

| 狙う | 譲る | 搾る | 賄う | 赴く |

5 経済・社会
Unit 3

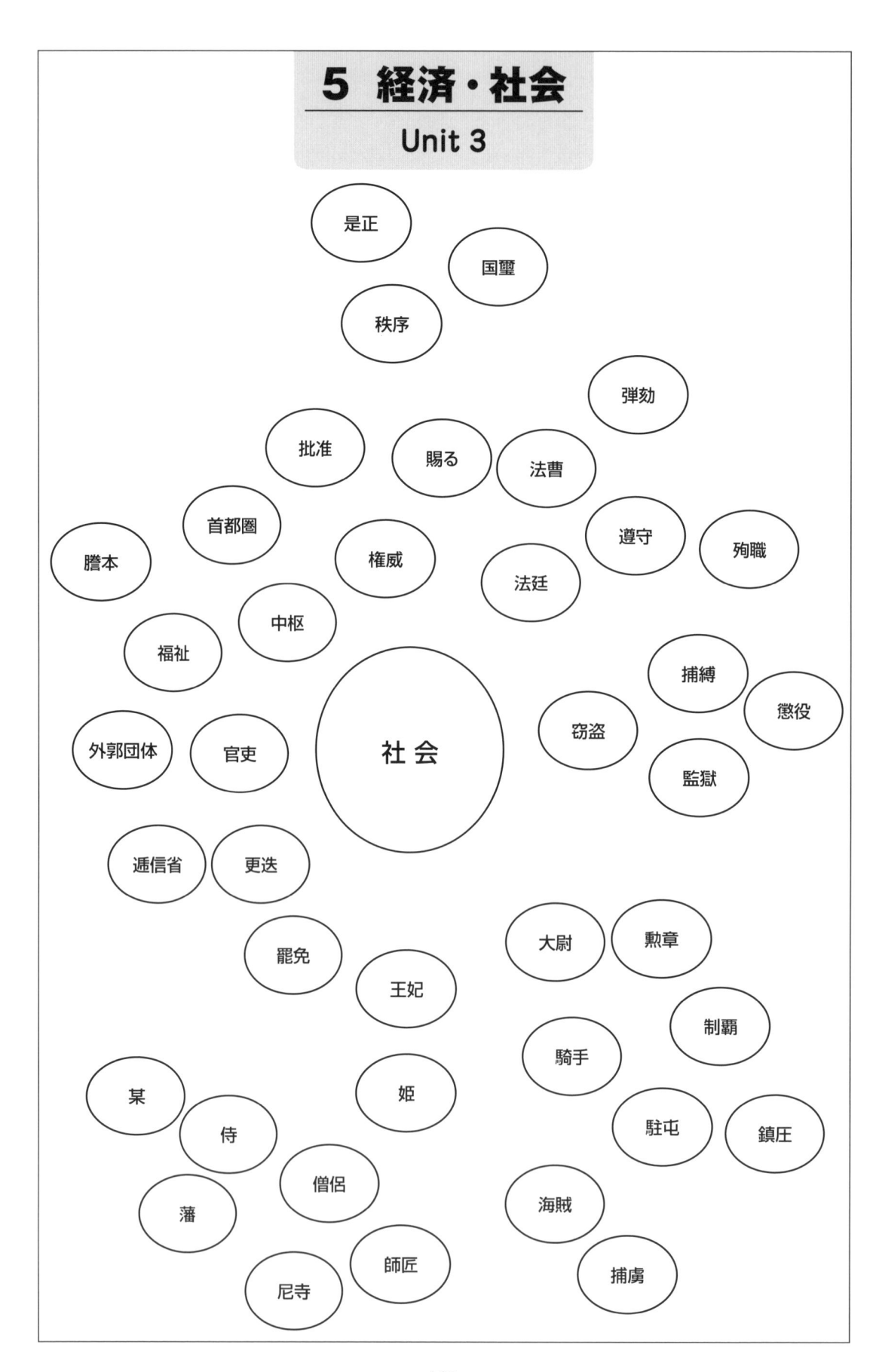

- 是正
- 国璽
- 秩序
- 弾劾
- 批准
- 賜る
- 法曹
- 首都圏
- 遵守
- 殉職
- 謄本
- 権威
- 法廷
- 福祉
- 中枢
- 捕縛
- 懲役
- 外郭団体
- 官吏
- 社会
- 窃盗
- 監獄
- 逓信省
- 更迭
- 罷免
- 大尉
- 勲章
- 王妃
- 制覇
- 騎手
- 某
- 姫
- 侍
- 駐屯
- 鎮圧
- 藩
- 僧侶
- 海賊
- 尼寺
- 師匠
- 捕虜

86	劾 ☆	劾	劾	音 ガイ 訓 ―	弾劾スル だんがい [to impeach, to accuse／弾劾／탄핵하다] 弾劾裁判所 だんがいさいばんしょ [a court of impeachment／弾劾法院／탄핵 재판소]
					弾劾：収賄事件の関係者を弾劾しようとする動きが活発化している。 弾劾裁判所：弾劾裁判所とは、裁判官を裁判する所です。
87	祉 ☆☆	祉	祉	音 シ 訓 ―	福祉 ふくし [welfare／福利／복지] 社会福祉 しゃかいふくし [social welfare／社会福利／사회복지]
					福祉：福祉協議会に相談して、生活保護を受けることにした。 社会福祉：社会福祉士の資格を得るために大学に通う。
88	勲 ☆☆	勲	勲	音 クン 訓 ―	勲章 くんしょう [a decoration, a medal／勲章／훈장] 叙勲スル じょくん [to confer a decoration on somebody／授勲／훈장] 殊勲賞 しゅくんしょう [Outstanding Performance Award／特殊功奖／수훈상]
					勲章：小学校１年生から大学卒業まで皆勤できたのは、私の心の勲章だ。 叙勲：その芸術家は、長年の功績が認められて、叙勲を受けた。
89	懲 ☆☆	懲	懲	音 チョウ 訓 こ・りる、こ・らす、こ・らしめる	懲役 ちょうえき [imprisonment with hard labor／徒刑／징역] 懲りる こりる [to learn by experience／吃尽苦头／혼나다] 懲戒スル ちょうかい [to discipline, to reprimand／惩戒／징계]
					懲役：被告人に対し懲役二年の判決が言い渡された。 懲りる：彼は何度負けても懲りることなくギャンブルを続けている。
90	謄 ☆	謄	謄	音 トウ 訓 ―	謄本 とうほん [a certified copy／副本／등본] 謄写スル とうしゃ [to copy, to transcribe／抄写／등사하다]
					謄本：役所へ行って、戸籍謄本の写しをもらってきた。 謄写：この資料は閲覧も謄写も許可されています。
91	璽 ☆	璽	璽	音 ジ 訓 ―	国璽 こくじ [the seal of state, the Great Seal／国玺／국새] 印璽 いんじ [the Imperial Seal／御玺／인새] 玉璽 ぎょくじ [the emperor's seal／天子之印／옥새]
					国璽：国璽は、国家の重要な文書等に押される。 印璽：一般の人が印璽を見る機会はほとんどない。
92	是 ☆☆☆	是	是	音 ゼ 訓 ―	是正スル ぜせい [to correct, to rectify／矯正／시정하다] 是非 ぜひ [positively, the pros and cons／是非／부디, 제발, 가부] 是認スル ぜにん [to approve of／同意／시인]
					是正：男女間の賃金格差は是正されるべきだ。 是非：空港建設の是非を問う住民投票が実施される。
93	圏 ☆☆☆	圏	圏	音 ケン 訓 ―	首都圏 しゅとけん [the metropolitan area／首都范围／수도권] 圏内 けんない [within the sphere／范围内／권내] ⇔圏外 けんがい [outside of the sphere／范围外／권외]
					首都圏：首都圏と関西圏のみ地価が上昇した。 圏内：このマンションは、最寄りの駅まで徒歩圏内です。
94	僧 ☆☆	僧	僧	音 ソウ 訓 ―	僧侶 そうりょ [a Buddhist priest, a monk／僧侶／승려] 小僧 こぞう [a young Buddhist priest, an apprentice a boy／小家伙／애송이] 高僧 こうそう [a high priest／高僧／고승]
					僧侶：僧侶が不在のため、葬儀の日にちが延ばされた。 小僧：近所のいたずら小僧に、家の窓ガラスを割られてしまった。
95	獄 ☆☆	獄	獄	音 ゴク 訓 ―	監獄 かんごく [a prison, a jail／監獄／감옥] 地獄 じごく [hell／地獄／지옥] 脱獄スル だつごく [to escape from prison／逃獄／탈옥하다]
					監獄：有名な議員が、収賄されて監獄に入ることになった。 地獄：大学に受かり、受験地獄から脱した。

5 経済・社会

96	妃 ☆☆	妃	妃	音	ヒ	王妃 おうひ [a queen／王妃／왕비] 妃 きさき [a princess／皇后／비]
				訓	—	
	王妃：美しく、お優しい王妃様は女性たちの憧れの的だ。 妃：王様とお妃様が、お城のバルコニーから観衆に向かって手を振っている。					
97	侍 ☆☆	侍	侍	音	ジ	侍 さむらい [a samurai, a warrior／武士／무사] 侍医 じい [a court physician／主治医／시의] 侍従 じじゅう [a chamberlain／侍从／시종]
				訓	さむらい	
	侍：彼には侍のような気概がある。 侍医：400年前の王の死についての、侍医による記録が見つかった。					
98	騎 ☆☆	騎	騎	音	キ	騎手 きしゅ [a rider, a jockey／骑手／기수] 騎乗スル きじょう [to ride a horse／骑马／기승하다] 騎士 きし [a knight／骑士／기사]
				訓	—	
	騎手：一着でゴールした騎手が片手を上げて声援に応えている。 騎乗：騎手たちが一斉に騎乗した。					
99	匠 ☆☆	匠	匠	音	ショウ	師匠 ししょう [a master, a teacher／老师／스승] 巨匠 きょしょう [a great master／巨匠／거장]
				訓	—	
	師匠：師匠の教えがなければ今の私はいなかった。 巨匠：彼は長い下積み時代を経て、ついに映画界の巨匠と呼ばれるまでになった。					
100	尼 ☆☆	尼	尼	音	ニ	尼寺 あまでら [a convent, a nunnery／尼姑庵／여승방] 尼僧 にそう [a nun／尼姑／비구니]
				訓	あま	
	尼寺：このお寺はもともとは尼寺だったそうだ。 尼僧：奥深い山の中の尼寺で、尼僧が修業している。					
101	郭 ☆☆	郭	郭	音	カク	外郭団体 がいかくだんたい [a fringe organization／外围团体／외곽단체] 輪郭 りんかく [an outline, a profile／轮廓／윤곽] 城郭 じょうかく [a castle／城郭／성곽]
				訓	—	
	外郭団体：政府には数多くの外郭団体があり、その必要性が問われています。 輪郭：顔の輪郭をすっきりと美しくするための器具が数多く売られています。					
102	藩 ☆	藩	藩	音	ハン	藩 はん [a feudal domain／藩／번] 藩主 はんしゅ [a feudal lord／藩主／지방영주] 藩士 はんし [a feudal warrior, clansman／藩士／번사]
				訓	—	
	藩：江戸時代には日本は約300の藩に分かれていた。 藩主：現在の宮城県、かつての仙台藩の藩主は人気が高かった。					
103	准 ☆	准	准	音	ジュン	批准スル ひじゅん [to ratify／批准／비준 하다] 准教授 じゅんきょうじゅ [an associate professor／副教授／준교수] 准将 じゅんしょう [a commodore, brigadier general／准将／준장]
				訓	—	
	批准：この条約の批准には野党が激しく反対した。 准教授：私の所属するゼミの准教授が、今年の4月から教授になるそうだ。					
104	虜 ☆	虜	虜	音	リョ	捕虜 ほりょ [a prisoner of war, a captive／俘虏／포로] 虜囚 りょしゅう [a prisoner, a captive／俘虏／노수] 俘虜 ふりょ [a captive, a prisoner of war／俘虏／포로]
				訓	—	
	捕虜：捕虜の待遇は、国際的な条約で決められている。 虜囚：戦時中は「生きて虜囚の辱めを受けず」と、敵に捕らえられる前に自殺するよう教えられていた。					
105	某 ☆	某	某	音	ボウ	某 ぼう [a certain person／某／모] 何某 なにがし [something, Mr. So-and-so／某人／모인] 某氏 ぼうし [a certain person, an unnamed person／某氏／모씨]
				訓	—	
	某：某社では、来年度新卒の学生を採用する予算がないそうだ。 何某：A「今、佐藤何某という帽子をかぶった男が店に来ていたよ。」 B「名前は覚えていないの？」					

106	尉 ☆	尉	尉	音 イ / 訓 —	大尉 たいい [a captain, a lieutenant／大尉／대위] 尉官 いかん [a company officer, a lieutenant／尉級军官／위관]
		大尉：上官である**大尉**の命令には従わなければならない。 尉官：旧陸海軍では、大尉・中尉・少尉をまとめて**尉官**と称した。			
107	賊 ☆	賊	賊	音 ゾク / 訓 —	海賊 かいぞく [a pirate／海盗／해적] 盗賊 とうぞく [a robber, a thief／盗贼／도적] 海賊版 かいぞくばん [a pirated edition／盗版／해적판]
		海賊：近年この地域の海岸で、**海賊**による被害が増えているそうだ。 盗賊：昔、この峠にはよく**盗賊**が出たそうだ。			
108	吏 ☆	吏	吏	音 リ / 訓 —	官吏 かんり [a government official, a public servant／官吏／관리] 公吏 こうり [a public official, a public servant／行政机关的职员／공리]
		官吏：**官吏**であった父は、人のために働くという意識が強かった。 公吏：官吏の減給にともない、**公吏**の減給も検討されている。			
109	迭 ☆	迭	迭	音 テツ / 訓 —	更迭スル こうてつ [to reshuffle／更换／경질하다]
		更迭：記者会見での失言が原因で、その大臣は**更迭**された。			
110	罷 ☆	罷	罷	音 ヒ / 訓 —	罷免スル ひめん [to dismiss, to recall／罢免／파면하다]
		罷免：野党は不正事件に関わった大臣の**罷免**を要求した。			
111	逓 ☆	逓	逓	音 テイ / 訓 —	逓信省 ていしんしょう [The Department of Communications／通信省／체신성]
		逓信省：**逓信省**とは、現在の日本の郵政省の前身である。			
112	威 ☆☆☆	威	威	音 イ / 訓 —	権威 けんい [authority, power／权威／권위] 威力 いりょく [power, influence／威力／위력] 威張る いばる [to be proud, to be haughty／耍威风／뽐내다]
		権威：地震工学の**権威**に、地震に対し安全な社会のあり方を聞く。 威力：新型ロボットは、危険な場所での被災者の救助に**威力**を発揮する。			
113	廷 ☆☆☆	廷	廷	音 テイ / 訓 —	法廷 ほうてい [a court of law／法庭／법정] 出廷スル しゅってい [to appear in court／出庭／출정하다]
		法廷：101**法廷**は、2時より開廷します。 出廷：交通事故の証人として**出廷**することになった。			
114	枢 ☆	枢	枢	音 スウ / 訓 —	中枢 ちゅうすう [the center, the hub／中枢／중추] 枢機卿外 すうきけい／すうききょう [a Cardinal (Catholic)／红衣主教(罗马教会)／추기경] 枢軸 すうじく [a pivot, an axle, the central point／枢轴／추축]
		中枢：ある宗教組織の**中枢**にいる人物が、その内情を暴露した。 枢機卿：ローマ法王は**枢機卿**による選挙で決められる。			
115	曹 ☆	曹	曹	音 ソウ / 訓 —	法曹 ほうそう [the legal profession／法律界人士／법조] 重曹 じゅうそう [baking soda／碳酸氢钠／중조] 軍曹 ぐんそう [a sergeant／中士／군조]
		法曹：**法曹**を目指す学生は多いが、実際になれる人は少ない。 重曹：洗剤ではなく、**重曹**を使った環境に配慮のある掃除が注目されている。			

5 経済・社会

116	姫 ☆☆☆	姫	姫	音	—	姫 ひめ [a princess／公主／공주]
				訓	ひめ	
	姫：一人娘の彼女は、お姫様のように大切に育てられた。					
117	秩 ☆☆☆	秩	秩	音	チツ	秩序 ちつじょ [order, discipline／秩序／질서]
				訓	—	
	秩序：理解してもらえず、再度、秩序だてて説明する。					
118	覇 ☆☆	覇	覇	音	ハ	制覇スル せいは [to conquer, to dominate／称霸／제패 하다] 連覇スル れんぱ [to win consecutively／连胜／연패하다] 覇権 はけん [supremacy, mastery／霸权／패권]
				訓	—	
	制覇：バレーボールでは、A高校が全国大会を制覇した。 連覇：この体操選手はオリンピックで3連覇を達成した。					
119	鎮 ☆☆	鎮	鎮	音	チン	鎮圧スル ちんあつ [to suppress, to put down／镇压／진압하다] 鎮痛 ちんつう [pain relief, analgesia／镇痛／진통] 鎮静スル ちんせい [to become calm, to subside／镇静／진정하다]
				訓	しず・める、しず・まる	
	鎮圧：反政府勢力の抗議行動は、政府軍によって鎮圧された。 鎮痛：歯の痛みが治まらないので、鎮痛薬を飲んだ。					
120	縛 ☆	縛	縛	音	バク	捕縛スル ほばく [to apprehend, to arrest／捕获／포박하다] 束縛スル そくばく [to restrain, to restrict／束缚／속박 하다] 呪縛スル じゅばく [to put a spell on somebody／咒语的束缚／주박하다]
				訓	しば・る	
	捕縛：住宅地に突然現れた猿は、12時間後に捕縛された。 束縛：彼は束縛されるのが嫌いなので、彼女を作りたくないと言っていました。					
121	殉 ☆	殉	殉	音	ジュン	殉職スル じゅんしょく [to die in the performance of one's duties／殉职／순직하다] 殉死スル じゅんし [to die a martyr／殉死／순사하다] 殉教スル じゅんきょう [to be martyred／殉教／순교하다]
				訓	—	
	殉職：警察官が強盗に撃たれて殉職するという事件が起きた。 殉死：近代になり、殉死の風習は禁止されるようになった。					
122	窃 ☆	窃	窃	音	セツ	窃盗スル せっとう [to steal／盗窃／절도하다] 剽窃スル ひょうせつ [to plagiarize／剽窃／표절하다] 窃盗団 せっとうだん [a group of thieves／小偷团伙／절도단]
				訓	—	
	窃盗：不景気のせいか、窃盗事件が増えているそうだ。 剽窃：論文を引用するときには、引用元を明記しなければ剽窃となってしまう。					
123	遵 ☆	遵	遵	音	ジュン	遵守(順守)スル じゅんしゅ [to keep or follow the rules, to obey／遵守／준수하다] 遵法(順法) じゅんぽう [law-abiding／守法／순법]
				訓	—	
	遵守：交通ルールを遵守し、安全運転を心がけましょう。 遵法：遵法精神を高めるには、学校での教育が重要だ。					
124	屯 ☆	屯	屯	音	トン	駐屯スル ちゅうとん [to be stationed at／驻屯／주둔하다] 屯田兵 とんでんへい [colonizers, colonial soldiers／屯田兵／둔전병] 屯田制度 とんでんせいど [the colonial soldier settlement system／屯田制度／둔전제도]
				訓	—	
	駐屯：学校の授業で駐屯地の見学に行った。 屯田兵：この地は屯田兵によって開拓された。					
125	賜 ☆	賜	賜	音	シ	賜る たまわる [to be granted／承蒙／주시다(받다의 겸사말)] 賜杯 しはい [a trophy given by the Emperor／赐杯／사배] 恩賜 おんし [a Imperial gift／赏赐／은사]
				訓	たまわ・る	
	賜る：我が一家の名字は千年以上昔、天皇より賜ったものだ。 賜杯：優勝した力士には、天皇からの賜杯が授与される。					

5 経済・社会

5 経済・社会　Unit 3　練習問題

（解答 ⇨ 別冊 p.11）

問題 1　漢字の読み方を書きなさい。

① 罷免　（　　　　）　② 謄本　（　　　　）　③ 藩主　（　　　　）

④ 国璽　（　　　　）　⑤ 窃盗　（　　　　）　⑥ 輪郭　（　　　　）

⑦ 駐屯　（　　　　）　⑧ 盗賊　（　　　　）　⑨ 大尉　（　　　　）

⑩ 連覇　（　　　　）　⑪ 騎乗　（　　　　）　⑫ 逓信省（　　　　）

⑬ 王妃　（　　　　）　⑭ 師匠　（　　　　）　⑮ 捕虜　（　　　　）

問題 2　次の漢字の読み方をひらがなで書きなさい。

① 勲章　（　　　　）－ 群衆　（　　　　）

② 監獄　（　　　　）－ 勧告　（　　　　）

③ 公吏　（　　　　）－ 行使　（　　　　）

④ 弾劾　（　　　　）－ 団塊　（　　　　）

⑤ 重曹　（　　　　）－ 重傷　（　　　　）

問題 3　＿＿＿＿の部分の漢字を下から選びなさい。

① 交通事故の証人としてしゅっていすることになった。

　　　　　　　　（　　　　　）

② 権力のちゅうすうにいる人物が、首相が収賄に関係したことを告白した。

　　（　　　　　）

③ 手順が理解できないので、再度、ちつじょだてて説明してもらった。

　　　　　　　　（　　　　　）

④ 手厚いふくしを受けるためには、高額の税金を払う必要がある。

　（　　　　　）

⑤ このマンションは、最寄りの駅まで徒歩けんないです。

　　　　　　　　　（　　　　　）

| 圏内 | 出廷 | 秩序 | 中枢 | 福祉 |

問題 4 次の漢字の訓読み、または訓読みを含む漢字の読み方を、ひらがなで書きなさい。

① 小僧　（　　　　　）　　②　姫　　　（　　　　　）

③ 威張る（　　　　　）　　④　尼寺　　（　　　　　）

⑤ 侍　　（　　　　　）

問題 5 適当な言葉を選び、（　　　　）に入れなさい。

① 外国との経済条約の（　　　　　）に農業団体が反発している。

② 大臣は職務にふさわしくない言動により、（　　　　　）された。

③ 放火犯は、駆け付けた警官により（　　　　　）された。

④ 交通法を（　　　　　）して、安全に運転してください。

⑤ 男女の賃金格差は（　　　　　）されるべき問題だ。

⑥ 警察官が強盗犯に刺殺され、（　　　　　）した。

⑦ 田中（　　　　　）という人が訪ねてきた。

更迭	遵守	殉職	是正	捕縛	批准	何某

問題 6 下から適当な言葉を選び、必要であれば形を変えて、漢字と読み方を書きなさい。

① 彼は借金を断られても、（　　　　　）に何度も訪ねてきた。

② 彼女は何冊かの本を紐で（　　　　　）から、倉庫にしまった。

③ まず気を（　　　　　）ください。それから、事故について話してください。

④ 先生に祝辞を（　　　　　）まして、大変感激しております。

⑤ 彼はどんなに成績が優秀でも決して（　　　　　）ので、皆に好かれている。

鎮める	賜る	懲りる	縛る	威張る

5 経済・社会　試験模擬問題

(解答 ⇨ 別冊 p.11〜12)

問題1　＿＿＿＿の言葉の読み方として最もよいものを、1・2・3・4から一つ選びなさい。

1　この歌手は今、人気沸騰中だ。
　　1　ふってん　　　2　ふっとう　　　3　ふっこう　　　4　ふっけん

2　先生から祝辞を賜った。
　　1　かしこまった　2　たまわった　　3　とどこおった　4　うけたまわった

3　この森には狩りのための獲物が少ない。
　　1　えもの　　　　2　けもの　　　　3　とりもの　　　4　いきもの

4　この辺りには、牛を育てている酪農家が多い。
　　1　かくのう　　　2　らくのう　　　3　ろくのう　　　4　さくのう

5　社用で大阪に赴く。
　　1　おもむく　　　2　でむく　　　　3　そむく　　　　4　あざむく

6　この道は車が頻繁に通る。
　　1　えいばん　　　2　ほぱん　　　　3　ひんぱん　　　4　びんぱん

7　彼は政治の中枢で活躍している。
　　1　ちゅうく　　　2　ちゅうすう　　3　ちゅうおう　　4　ちゅうくう

8　問題に対し適切な措置をとる。
　　1　しょち　　　　2　さくち　　　　3　そち　　　　　4　しゃくち

⑨ 何度もお酒で失敗したので、もう懲りた。

　　1　こりた　　　2　もりた　　　3　かりた　　　4　たりた

⑩ 靴下が破れたので繕った。

　　1　つづった　　2　かがった　　3　つくろった　　4　ぬった

問題2　（　　　　）に入れるのに最もよいものを、1・2・3・4から一つ選びなさい。

① これは、彼の数々の小説の中でも（　　　　）とみなされ、評価が低い。

　　1　駄作　　　　2　下駄　　　　3　無駄　　　　4　駄賃

② 苦労したが最後までやり（　　　　）ことができた。

　　1　償う　　　　2　遂げる　　　3　搾る　　　　4　獲る

③ 新しい理論が各地の教育現場で（　　　　）されている。

　　1　適応　　　　2　使途　　　　3　執行　　　　4　実践

④ 会費を二年以上（　　　　）した場合は、退会と見なします。

　　1　停滞　　　　2　滞在　　　　3　滞納　　　　4　延滞

⑤ 新たに工場ができることで地元の経済が（　　　　）。

　　1　稼ぐ　　　　2　潤う　　　　3　蓄える　　　4　括る

⑥ ホームページの作成を外部の業者に（　　　　）した。

　　1　屈託　　　　2　信託　　　　3　受託　　　　4　委託

⑦ 給料が少ないので、毎月7万円で家賃と食費を（　　　　）ことにしている。

　　1　賄う　　　　2　執る　　　　3　貢ぐ　　　　4　賭ける

8 車を（　　　）で買うことにした。
1　月額　　　2　月賦　　　3　総括　　　4　累計

9 山道を（　　　）して観光客が通れるようにした。
1　盛装　　　2　装飾　　　3　装備　　　4　舗装

10 職務の評価における男女の不平等を（　　　）した。
1　是正　　　2　是認　　　3　是非　　　4　社是

問題3　＿＿＿＿の言葉に意味が最も近いものを、1・2・3・4から一つ選びなさい。

1 知人に仕事を斡旋した。
1　困って相手に依頼した　　　2　相手に新たに売り払った
3　双方がうまくいくよう世話をした　　　4　双方に無理矢理やらせた

2 姉は詐欺にあって、がっかりしている。
1　事故で大きな損害を与えられて　　　2　泥棒に物を盗まれて
3　嘘でお金などをだまし取られて　　　4　家に火をつけられて

3 こちらから譲歩して、ようやく契約が成立した。
1　相手の心を推測して　　　2　相手に先に進ませて
3　相手の意向も受け入れて　　　4　相手の都合を考えて

4 勝つことに過度に執着すると、失敗することが多い。
1　興味をもたない　　　2　心が引きつけられる
3　くっつく　　　4　すぐにあきらめる

5 あの店は繁盛している。
1　賑わって　　　2　こだわって　　　3　忙しくして　　　4　終わって

問題4 次の言葉の使い方として最もよいものを、1・2・3・4から一つ選びなさい。

1 控除

1 受信箱にある不要なメールを控除した。
2 税金の控除を受けるには、申告が必要だ。
3 この食品はセールの対象から控除します。
4 面接の前はこの部屋で控除していてください。

2 還元

1 占領されていた土地が、還元された。
2 長い時間をかけて、ようやく借金を還元した。
3 機器を使用した後は置いてあった場所へ還元してください。
4 我が社はリサイクル事業による収益の一部を社会に還元しています。

3 進呈

1 来場してくださった方に粗品を進呈します。
2 祖父の病気が進呈し、手術をすることになった。
3 スポーツを通して、子どもの体力づくりを進呈している。
4 会議で社長に問題の改善策を進呈した。

4 秩序

1 大声を出すなどの秩序を乱す行為は禁じられています。
2 機器の操作方法を秩序に見ていきます。
3 一番前から秩序よく中に入ってください。
4 会議は何事もなく秩序に従って進んだ。

5 賠償

1 うっかり割ってしまった食器を賠償した。
2 化学工場は、爆発によって生じた損害を賠償した。
3 犯人は刑務所に入り、罪を賠償した。
4 この保険は旅行中の様々な怪我を賠償します。

6　運搬

1　彼は田舎から都会へと運搬した。

2　ヘリコプターで怪我人を病院まで運搬した。

3　家具の運搬を運送業者に頼んだ。

4　毎朝少年は各家庭に新聞を運搬した。

7　放棄

1　隣国との条約を放棄した。

2　学校が教育の責任を放棄するのは認められない。

3　企業は組合からの要求を放棄した。

4　相手が信じられなくなり、婚約を放棄した。

8　解剖

1　時計を解剖して、部品の交換をした。

2　突然死んだ馬の体を解剖して、原因を明らかにした。

3　犯人が捕まり、事件は解剖した。

4　営業推進部を解剖して、企画部と営業部に分けた。

9　捕獲

1　自動車事故の犯人を現場で捕獲した。

2　彼は全国大会で金メダルを捕獲した。

3　秋にはこの農園のリンゴを捕獲する。

4　動物園から逃げた猿を町の中で捕獲した。

10　蓄積

1　多くの患者のデータを蓄積し、新しい薬を開発する。

2　ここで貨物を蓄積し、各地に配送する。

3　預金が蓄積し、車を買った。

4　トラックに商品を蓄積し、スーパーへ出荷した。

6 様相・状態
Unit 1

弧　焦点　箇所　象徴　此岸
事項　唯一
粗末　佳作　巧み
摩擦　傑出　尽力　壮大
擦る　堅実　悠々
堕落　墜落　揺らぐ　穏健　貫禄
弊害　　　　　様相　素朴　人柄　剛健
暫定　維持　　　　純粋
俊足　　　　貞淑　優雅
慌ただしげ　　　　　既婚
唐突　即座　凄い
拙速　　甚だ　極端
顕著　強烈　猛暑　亜熱帯
徹底

1	俊 ☆☆☆	俊	俊	音 シュン 訓 ―	俊足(駿足) しゅんそく [fleet footed, a fast runner／腿快／준족] 俊敏 しゅんびん [agile, quick-witted／敏捷的／준민한]

俊足：彼は足が速く、学年一の**俊足**だと言われている。
俊敏：そのサッカー選手は**俊敏**な動きでゴール前に入り込み、見事にシュートを決めた。

| 2 | 亜 ☆☆☆ | 亚 | 亞 | 音 ア
訓 ― | 亜熱帯 あねったい [the subtropics／亚热带／아열대]
亜細亜 あじあ [Asia／亚细亚／아시아]
亜鉛 あえん [zinc／锌／아연] |

亜熱帯：日本の中で**亜熱帯**に属するのは、沖縄と小笠原だ。
亜細亜：アジアを漢字で表すと**亜細亜**となる。

| 3 | 墜 ☆☆ | 坠 | 墜 | 音 ツイ
訓 ― | 墜落スル ついらく [to fall, to crash／坠落／추락하다]
失墜スル しっつい [to fall, to abase／失掉／실추하다]
撃墜スル げきつい [to shoot down／击落／격추하다] |

墜落：ヘリコプターが山中に**墜落**した。
失墜：たった一つのミスで、長年に渡って積み上げてきた信用が**失墜**した。

| 4 | 揺 ☆☆☆ | 摇 | 搖 | 音 ヨウ
訓 ゆ・れる、ゆ・る、ゆ・らぐ、ゆ・るぐ、ゆ・する、ゆ・さぶる、ゆ・すぶる | 揺らぐ ゆらぐ [to swing, to shake／摇动／흔들리다]
動揺スル どうよう [to shake, to be unsettled／不安／동요]
揺さぶる ゆさぶる [to shake, to jolt／动摇／흔든다] |

揺らぐ：相次ぐ鉄道事故発生に、鉄道会社への信頼が**揺らい**でいる。
動揺：野党の幹事長逮捕の報道を聞き、政界に**動揺**が広がった。

| 5 | 堕 ☆ | 堕 | 墮 | 音 ダ
訓 ― | 堕落スル だらく [to be corrupted／堕落／타락]
自堕落ナ じだらく [debauched, morally lax／懒散的／방종한]
堕胎スル だたい [to cause abortion／堕胎／타태하다] |

堕落：入学当初まじめに勉強していた息子は、落第してからすっかり**堕落**してしまった。
自堕落：大学に入って一人暮らしを始めてから、**自堕落**な生活を送るようになってしまった。

6	尽 ☆☆☆	尽	盡	音	ジン つ・くす、つ・きる、つ・かす	尽力スル じんりょく [to make efforts, to endeavor／尽力／진력하다] 理不尽ナ りふじん [unreasonable, unfair／不合理的／부당한] 立ち尽くす たちつくす [to remain standing／站着发呆／내내 있다]

尽力：伯母は、児童養護施設の設立に尽力した。
理不尽：作業現場を知らない社長の理不尽な要求に、皆が困った。

| 7 | 唯 ☆☆ | 唯 | 唯 | 音
訓 | ユイ、イ
― | 唯一 ゆいいつ [the only, solitary／唯一／유일하다]
唯心論 ゆいしんろん [spiritualism, idealism／唯心论／유심론]
唯物論 ゆいぶつろん [materialism／唯物论／유물론] |

唯一：島では船が唯一の交通手段だ。
唯心論：本質を精神的なものに求めるのが唯心論の考え方だ。

| 8 | 壮 ☆☆ | 壮 | 壯 | 音
訓 | ソウ
― | 壮大ナ そうだい [magnificent, spectacular／雄壮的／장대한]
壮絶ナ そうぜつ [heroic, grand／非常壮烈的／장렬한]
壮年 そうねん [manhood, prime／壮年／장년] |

壮大：壮大なスケールでナイアガラの滝が映し出される。
壮絶：彼は常に全力を出し、困難に立ち向かい、壮絶な人生を送った。

| 9 | 猛 ☆☆ | 猛 | 猛 | 音
訓 | モウ
― | 猛暑 もうしょ [fierce, excessive heat／炎热／맹서]
猛毒 もうどく [deadly poison／剧毒／맹독]
猛烈ナ もうれつ [violent, fierce／猛烈的／맹렬한] |

猛暑：今年の猛暑は本当に辛かった。
猛毒：キノコには猛毒を持つものがある。

| 10 | 粗 ☆☆ | 粗 | 粗 | 音
訓 | ソ
あら・い | 粗末ナ そまつ [coarse, crude／粗糙的／허술한]
粗大ナ そだい [coarse, rough／大而笨重的／조대한]
粗品 そしな [a trifle, a little gift／不值钱的东西／조품] |

粗末：食べ物を粗末にしてはいけない。
粗大：粗大ごみを捨てる場合は有料になる。

| 11 | 暫 ☆☆ | 暫 | 暫 | 音
訓 | ザン
― | 暫定 ざんてい [provisional, interim／暂定／잠정]
暫く しばらく [for some time, for a long time／不久／잠시]
暫時 ざんじ [a short time／暂时／잠시] |

暫定：今回の行動は暫定的な措置として行ったことだ。
暫く：彼女のことは暫くそっとしておいたほうがいい。

| 12 | 此 外 ☆☆ | 此 | 此 | 音
訓 | シ
― | 此岸 しがん [this world, this life／此岸／이승] |

此岸：この美しい風景を見ていると、彼岸とも此岸ともつかない世界に迷い込んだような錯覚に陥る。

| 13 | 貞 ☆☆☆ | 貞 | 貞 | 音
訓 | テイ
― | 貞淑ナ ていしゅく [chaste, virtuous／贞淑的／정숙한]
貞節ナ ていせつ [faithful, true／贞节的／정절한] |

貞淑：貞淑な妻を演じるのに疲れた。
貞節：貞節を守るということは、簡単に言うと心変わりしないことです。

| 14 | 慌 ☆ | 慌 | 慌 | 音
訓 | コウ
あわ・ただしい、あわ・てる | 慌ただしげナ あわただしげ [busy, hurried／慌张的／황망한]
恐慌 きょうこう [a panic, a crisis／恐慌／공황]
慌て者 あわてもの [a scatterbrain, an absent-minded person／冒失鬼／덜렁이] |

慌ただしげ：年末に帰省すると、母が慌ただしげに正月の準備をしていた。
恐慌：経済の問題である恐慌と、政治の問題である戦争の間には深い関係がある。

| 15 | 拙 ☆ | 拙 | 拙 | 音
訓 | セツ
つたな・い | 拙速ナ せっそく [rough and ready, hasty／粗而快／졸속한]
稚拙ナ ちせつ [naive, immature／幼稚而拙劣的／치졸한]
巧拙 こうせつ [skill, workmanship／巧拙／교졸] |

拙速：この問題は早急に解決する必要があるが、だからといって拙速に結論を出すことは避けるべきだ。
稚拙：彼の主張はあまりにも稚拙で、反論する気にもならない。

16	弧 ☆	弧	弧	音 コ 訓 —	弧 こ [an arc ／弧／호] 括弧 かっこ [a parenthesis ／括号／괄호]
		弧：秋の空を、鳥が弧を描いて飛んでいく。 括弧：文章を朗読する際には、括弧の中の字は読まなくても構いません。			
17	柄 ☆☆☆	柄	柄	音 ヘイ 訓 がら、え	人柄 ひとがら [character, personality ／人品／인품] 間柄 あいだがら [relationship ／关系／관계] 事柄 ことがら [a matter, an affair ／事情／사항]
		人柄：旅館の主人の穏やかな人柄が、旅人の心を癒しています。 間柄：彼とは週に一度、一緒にテニスをする間柄です。			
18	既 ☆☆☆	既	既	音 キ 訓 すで・に	既婚 きこん [married ／已婚／기혼] 既存 きそん／きぞん [existing ／原有／기존] 既成 きせい [established, completed ／既成／기성]
		既婚：働いている既婚女性の中には、家事と仕事の両立に悩む人も多い。 既存：オンライン犯罪を取り締まるために、既存の法律を改定する必要がある。			
19	朴 ☆☆	朴	朴	音 ボク 訓 —	素朴ナ そぼく [simple, unsophisticated ／朴素的／소박한] 朴訥ナ ぼくとつ [ruggedly honest, unaffected ／朴实寡言的／박눌한] 純朴ナ じゅんぼく [plain, homely, unspoilt ／纯朴的／순박한]
		素朴：田舎の素朴な料理は毎日食べても飽きない。 朴訥：今日会ったA社の人は、営業職にしては朴訥とした話し方をする人だ。			
20	唐 ☆☆☆	唐	唐	音 トウ 訓 から	唐突ナ とうとつ [abrupt, sudden ／唐突的／당돌한] 唐辛子 とうがらし [capsicum, red pepper ／辣椒／고추]
		唐突：唐突な申し出ですが、私とお付き合いしていただけませんか。 唐辛子：唐辛子を使ってキムチを作る。			
21	顕 ☆☆	顕	顯	音 ケン 訓 —	顕著ナ けんちょ [clear, conspicuous ／显著的／현저한] 顕微鏡 けんびきょう [a microscope ／显微镜／현미경] 顕在スル けんざい [to become obvious ／显然存在／현재하다]
		顕著：政治に対する無関心は、特に若い世代に顕著だった。 顕微鏡：顕微鏡で微生物を観察した。			
22	弊 ☆	弊	弊	音 ヘイ 訓 —	弊害 へいがい [adverse effect ／恶劣影响／폐해] 疲弊スル ひへい [to become impoverished, to become exhausted ／疲急／피폐하다] 悪弊 あくへい [an abuse, a corrupt practice ／恶习／악폐]
		弊害：中学校で、ネットゲームの弊害について論議されている。 疲弊：スタッフの異動がない組織は、やがて疲弊してうまく機能しなくなる。			
23	雅 ☆☆☆	雅	雅	音 ガ 訓 —	優雅ナ ゆうが [elegant, refined ／优雅的／우아한] 雅ナ みやび [elegant, graceful ／风雅的／우아한] 雅楽 ががく [Japanese classical music, court music ／雅乐／아악]
		優雅：部屋の目の前に広がる青い海を眺めながら、優雅なひと時をお過ごしください。 雅：博物館では、平安貴族の着ていた雅な衣装が展示されている。			
24	堅 ☆☆☆	堅	堅	音 ケン 訓 かた・い	堅実ナ けんじつ [steady, dependable ／坚实的／견실한] 堅持スル けんじ [to hold fast, to stick to ／坚持／견지하다] 中堅 ちゅうけん [the backbone, the center ／中坚／중견]
		堅実：友人の企業は、借金をして無理な拡大を行わずに、堅実な経営を続けている。 堅持：部長は、両者の意見を聞いた後も、中立の立場を堅持している。			
25	貫 ☆☆☆	貫	貫	音 カン 訓 つらぬ・く	貫禄 かんろく [presence, dignity ／威严／관록] 貫く つらぬく [to penetrate, to go through ／贯穿／관철하다] 一貫スル いっかん [to be consistent ／一贯／일관하다]
		貫禄：彼は社長になり、次第に貫禄がついてきた。 貫く：父は、最後まで市庁舎移転反対の立場を貫いていた。			

6 様相・状態

26	剛 ☆☆☆	剛	剛	音 訓	ゴウ	剛健ナ ごうけん [strong and sturdy, manly／剛健的／강건한] 剛直ナ ごうちょく [upright, incorruptible／刚直的／강직한] 剛毛 ごうもう [a bristle／硬毛／털떨이]
	剛健：この高校は**剛健**実直な校風が受け継がれている。 剛直：伯父は古風で**剛直**な性質だ。					
27	巧 ☆☆	巧	巧	音 訓	コウ たく・み	巧み／ナ たくみ [skillful, dexterously／技巧的／능숙한] 技巧 ぎこう [art, craftsmanship／技巧／기교] 巧妙ナ こうみょう [skillfull, clever, elaborate／巧妙的／교묘한]
	巧み：漆塗りの**巧み**な技法にほれ込む。 技巧：**技巧**をこらした名品に見とれる。					
28	凄* ☆	凄	凄	音 訓	セイ —	凄い すごい [terrible, amazing／可怕的／대단하다] 凄絶ナ せいぜつ [extremely, violently／异常激烈的／처절한] 凄まじい すさまじい [terrible, dreadful／惊人的／대단한]
	凄い：授業中に話していたら、先生に**凄い**目で睨まれた。 凄絶：両親の死後、兄弟の間で財産をめぐる**凄絶**な争いが起こった。					
29	悠 ☆☆	悠	悠	音 訓	ユウ —	悠々ト ゆうゆう [slowly, leisurely／悠々／유유히] 悠然ト ゆうぜん [calmly, sedately／悠然／유연히] 悠長ナ ゆうちょう [unhurried, leisurely／沉着稳静的／유장한]
	悠々：今家を出れば10時の待ち合わせには**悠々**間に合う。 悠然：家族が皆慌てている中、祖母だけは**悠然**とお茶を飲んでいた。					
30	箇 ☆	个	箇	音 訓	カ —	箇所(個所／ケ所) かしょ [a spot, a place／地方／개소 (부분・소)] 箇条書き かじょうがき [itemization／分段写字／조목별로 씀] 〜箇月(カ月／ケ月) かげつ [~ number of months／〜个月／〜개월]
	箇所：原稿の中に、いくつか訂正が必要な**箇所**を見つけた。 箇条書き：履歴書には、自己PRを**箇条書き**で記入してください。					
31	傑 ☆	杰	傑	音 訓	ケツ —	傑出スル けっしゅつ [to be outstanding, to excel at／杰出／걸출하다] 豪傑 ごうけつ [a hero, a character／豪杰／호걸] 傑作 けっさく [a great work, a masterpiece／杰作／걸작]
	傑出：彼女はデザインの分野では**傑出**した才能を持っている。 豪傑：彼はご飯は丼に5杯は食べ、どこでも寝られて、喧嘩でも負けたことのない**豪傑**だ。					
32	烈 ☆☆☆	烈	烈	音 訓	レツ —	強烈ナ きょうれつ [strong, severe, intense／强烈的／강열한] 猛烈ナ もうれつ [violent, furiously／猛烈的／맹렬한] 熱烈ナ ねつれつ [passionate, fervent／热烈的／열렬한]
	強烈：ライブに出かけ、**強烈**な印象を受けた。 猛烈：**猛烈**に勉強して、やっと日本語能力試験N1に合格した。					
33	維 ☆☆☆	維	維	音 訓	イ —	維持スル いじ [to maintain, to keep up／维持／유지하다] 維新 いしん [the restoration／维新／유신] 繊維 せんい [a fiber／纤维／섬유]
	維持：健康を**維持**するために、毎日一時間歩くようにしている。 維新：明治**維新**は江戸時代の封建社会を終わらせた政治的変革である。					
34	項 ☆☆☆	項	項	音 訓	コウ —	事項 じこう [matters, facts／事项／사항] 項目 こうもく [an item, a heading／项目／항목] 条項 じょうこう [an article, a clause／条款／조항]
	事項：履歴書に必要な**事項**を記入の上、係に提出してください。 項目：新入社員に顧客訪問時の注意事項を、いくつかの**項目**に分けて説明する。					
35	徴 ☆☆☆	徴	徴	音 訓	チョウ —	象徴スル しょうちょう [to symbolize／象征／상징하다] 徴収スル ちょうしゅう [to collect, to levy／征收／징수하다] 特徴 とくちょう [a special feature／特征／특징]
	象徴：豪華すぎる市庁舎は、税金の無駄遣いの**象徴**として批判を浴びている。 徴収：同窓会の参加費は、当日会場で**徴収**します。					

No.	漢字	旧字	新字	音訓	語例
36	摩 ☆☆☆	摩	摩	音 マ 訓 —	摩擦スル まさつ [to rub against, to chafe／摩擦／마찰하다] 摩耗スル まもう [to be worn down／磨损／마모하다] 摩天楼 まてんろう [a skyscraper／摩天大楼／마천루]

摩擦：大昔には木と木を**摩擦**させて、火をおこした。
摩耗：家の車は十年も使ったため、タイヤがすっかり**摩耗**している。

| 37 | 粋 ☆☆ | 粹 | 粋 | 音 スイ
訓 いき | 純粋ナ じゅんすい [pure, genuine／純粋的／순수한]
粋 すい [the cream, the best／精粋／순수함]
粋ナ いき [stylish, fashionable／漂亮的／세련함] |

純粋：子どもたちの**純粋**な気持ちに感動した。
粋：これはまさに科学の**粋**を集めた技術だ。

| 38 | 穏 ☆☆☆ | 穩 | 穏 | 音 オン
訓 おだ・やか | 穏健ナ おんけん [moderate, sensible／穩健的／온건한]
平穏ナ へいおん [calm, tranquil／平穩的／평온한]
穏和ナ おんわ [gentle, mild／温和的／온화한] |

穏健：彼は言動も穏やかで、**穏健**な思想の持ち主だ。
平穏：**平穏**無事な日常を送るのが一番幸せなことだ。

| 39 | 即 ☆☆☆ | 卽 | 即 | 音 ソク
訓 — | 即座 そくざ [immediate／立即／즉석]
即する そくする [to conform to／就／입각하다]
即ち すなわち [that is, namely／也就是／즉] |

即座：台風で休講になったので、学生には**即座**にメールで連絡をした。
即する：地域の実情に**即した**市街地の整備を行う。

| 40 | 端 ☆☆☆ | 端 | 端 | 音 タン
訓 はし、は、はた | 極端ナ きょくたん [extreme, radical／極端的／극단한]
半端ナ はんぱ [odd, fragmentary／不徹底的／어중간한]
発端 ほったん [the origin, the start／開端／발단] |

極端：災害による工場閉鎖や円高の影響で、会社の業績が**極端**に悪化した。
半端：彼は賛成も反対もしない、どっちつかずの**半端**な立場だ。

| 41 | 焦 ☆☆☆ | 焦 | 焦 | 音 ショウ
訓 こ・げる、こ・がす、こ・がれる、あせ・る | 焦点 しょうてん [a focal point／焦点／초점]
焦る あせる [to be in a hurry, to be impatient／着急／초조하다]
焦げ茶 こげちゃ [dark brown, black tea／浓茶色／짙은 갈색] |

焦点：本展示は、江戸時代の町人文化に**焦点**を当て、様々な書物を展示しています。
焦る：試験の終了時刻が迫っていることを知り、**焦って**計算ミスをしてしまった。

| 42 | 徹 ☆☆☆ | 徹 | 徹 | 音 テツ
訓 — | 徹底スル てってい [to be thorough, to be complete／彻底／철저하다]
徹する てっする [to be committed to／貫徹／관철하다]
徹夜スル てつや [to stay up all night／通宵／밤새움] |

徹底：9月入学を実施するかどうかについては、**徹底**して議論を尽くさなければならない。
徹する：彼は終生アナウンサーに**徹し**、現場から離れようとしなかった。

| 43 | 甚 ☆ | 甚 | 甚 | 音 ジン
訓 はなは・だ、はなは・だしい | 甚だ はなはだ [very, greatly／非常／심히]
甚大ナ じんだい [very great, enormous／甚大的／심한한]
幸甚 こうじん [happy, delighted／荣幸／다행] |

甚だ：ある作家は生前「私の作品が外国語に翻訳されるというのは**甚だ**愉快です」と言っていた。
甚大：今回の震災による被害は**甚大**だった。

| 44 | 擦 ☆☆ | 擦 | 擦 | 音 サツ
訓 す・る、す・れる | 擦る こする [to rub, to scrub／擦／스치다]
擦れ違う すれちがう [to pass each other／交错／마주 지나가다]
擦る する [to rub, to chafe／磨擦／문지르다] |

擦る：眠い目を**擦り**ながら、勉強をする。
擦れ違う：忙しくて彼とは**擦れ違って**ばかりだ。

| 45 | 佳 ☆☆ | 佳 | 佳 | 音 カ
訓 — | 佳作 かさく [a fine work, a work of merit／佳作／가작]
佳人 かじん [a beautiful woman／佳人／가인]
佳境 かきょう [the climax, the best part／佳境／가경] |

佳作：俳句の会で自分の作品が**佳作**を取った。
佳人：**佳人**薄命と言うが、今の時代、全く当てはまらない。

6 様相・状態

6 様相・状態　Unit 1　練習問題

（解答 ⇨ 別冊 p.12）

問題1　漢字の読み方を書きなさい。

① 凄絶（　　　　）　② 此岸（　　　　）　③ 堕落（　　　　）

④ 摩擦（　　　　）　⑤ 維持（　　　　）　⑥ 唯一（　　　　）

⑦ 顕著（　　　　）　⑧ 徹底（　　　　）　⑨ 亜熱帯（　　　　）

問題2　次の漢字の読み方をひらがなで書きなさい。

① 粗大（　　　　）－ 壮大（　　　　）

② 剛健（　　　　）－ 貢献（　　　　）

③ 豪傑（　　　　）－ 高潔（　　　　）

④ 俊足（　　　　）－ 収束（　　　　）

⑤ 貞淑（　　　　）－ 抵触（　　　　）

⑥ 徴収（　　　　）－ 嘲笑（　　　　）

問題3　＿＿＿の部分の漢字を下から選びなさい。

① 会議で検討するこうもくを、かじょう書きにした。

　　　　（　　　　）（　　　　）

② 彼のそぼくなひとがらは、皆に愛されている。

　（　　　　）（　　　　）

③ もうれつに勉強して、やっと日本語能力試験N1に合格した。

（　　　　）

④ とうとつな申し出ですが、私とお付き合いしていただけませんか。

（　　　　）

⑤ 休講が決定し、そくざに学生にメールで連絡をした。

　　　　（　　　　）

| 即座 | 猛烈 | 箇条 | 唐突 | 人柄 | 項目 | 素朴 |

問題 4 次の漢字の訓読み、または訓読みを含む漢字の読み方を、ひらがなで書きなさい。

1. 既に （　　　　）
2. 甚だしい（　　　　）
3. 拙い （　　　　）
4. 貫く （　　　　）
5. 堅い （　　　　）
6. 揺らぐ （　　　　）

問題 5 適当な言葉を選び、（　　　　）に入れなさい。

1. 物語はいよいよ（　　　　）に入った。
2. 科学の（　　　　）を集めた、最新の航空機が開発された。
3. （　　　　）な気持ちで仕事を引き受けるべきではない。
4. 暗記重視の教育の（　　　　）が出てきた。
5. 退職した友人は、海外で（　　　　）な生活を送っている。
6. 鳥が（　　　　）を描きながら飛んでいる。
7. 弟は担任の教師から、有名大学に（　　　　）と合格できる成績だ、と言われた。
8. （　　　　）事故の原因を究明する。
9. 今回の決定は（　　　　）的なもので、最終的なものではありません。

| 墜落 | 弊害 | 弧 | 優雅 | 半端 | 佳境 | 悠々 | 粋 | 暫定 |

問題 6 下から適当な言葉を選び、必要であれば形を変えて、漢字と読み方を書きなさい。

1. さっき（　　　　）人とは、どこかで会ったような気がする。
2. 父は年をとって、すっかり（　　　　）なった。
3. その選手は、ゴール手前で力（　　　　）、倒れてしまった。
4. 今朝（　　　　）家を出てきたので、財布を置いてきてしまった。
5. その車は、曲がりくねった狭い山道を、（　　　　）走って行った。
6. パンは少し（　　　　）いるのがおいしいと思う。

| 尽きる | 焦げる | 慌てる | 擦れ違う | 穏やか | 巧み |

6 様相・状態

6 様相・状態
Unit 2

絞殺　抹消　絶滅　粉砕　崩壊　破壊　衝撃　分裂　沈没　漂流　潜水　浸透　雨漏り　斜面　起伏　過疎　過剰　幾多　循環　巡る　軌道　**様相**　隆盛　飛躍　飽和　溜まる　遠征　徐行　距離　均衡　未曽有　追跡　間隔　旬　円滑　特殊　逸脱　携帯　日頃　奇妙　欠陥　元旦　見劣り　西暦　丙午

46 **隆** ☆☆☆	隆	隆	音 リュウ 訓 —	隆盛ナ りゅうせい [flourishing, thriving／隆盛的／융성한] 隆起スル りゅうき [to bulge, to protrude, to rise／隆起／융기하다] 興隆スル こうりゅう [to rise, to prosper／興隆／흥륭하다]

隆盛：このレストランは一時は**隆盛**を極めたが、バブル崩壊と同時に閉店することになった。
隆起：関東地方の一部では、地震により地盤が**隆起**した。

47 **曽** * ☆☆☆	曽	曽	音 ソウ、ゾ 訓 —	未曽有 みぞう [unprecedented／空前／미증유] 曽祖父 そうそふ [great-grandfather／曽祖父／증조부] 曽祖母 そうそぼ [great-grandmother／曽祖母／증조모]

未曽有：台風が引き起こした**未曽有**の大洪水は、村全体を押し流した。
曽祖父：**曽祖父**は明治33年生まれ、祖父は大正13年生まれ、父は昭和25年生まれです。

48 **滑** ☆☆☆	滑	滑	音 カツ、コツ 訓 すべ・る、なめ・らか	円滑ナ えんかつ [smooth, harmonious／圓滑的／원활한] 滑走スル かっそう [to roll, to slide／滑行／활주하다] 滑稽ナ こっけい [comical, funny／滑稽／골계한]

円滑：責任の所在を明確にすることで、**円滑**に業務が進められる。
滑走：スキーで雪山を**滑走**した。

49 **跡** ☆☆☆	迹	跡	音 セキ 訓 あと	追跡スル ついせき [to chase, to pursue／追踪／추적하다] 奇跡 きせき [a miracle, a wonder／奇迹／기적] 遺跡 いせき [remains, ruins／遺迹／유적]

追跡：市の職員が、市街地に出てきた猿を**追跡**し捕獲した。
奇跡：息子はマンションの3階から落下したが、**奇跡**的に命をとりとめた。

50 **崩** ☆☆☆	崩	崩	音 ホウ 訓 くず・れる、くず・す	崩壊スル ほうかい [to collapse, to give way／崩潰／붕괴하다] なし崩し なしくずし [little by little／一点点地做／빚을 조금씩 갚아 감] 雪崩 なだれ [an avalanche／雪崩／눈사태]

崩壊：近年、終身雇用制度が**崩壊**し、日本独自の企業風土も変わりつつある。
なし崩し：貯金を**なし崩し**に使っていったら、3か月もたたないうちに無一文になってしまった。

No.	漢字	楷書	行書	音訓	語例
51	没 ☆☆☆	没	没	音 ボツ 訓 —	沈没スル ちんぼつ [to sink, to go down／沉没／침몰하다] 没収スル ぼっしゅう [to confiscate／没收／몰수하다] 没落スル ぼつらく [to be ruined, to go bankrupt／衰败／몰락하다]

沈没：15世紀に島近くで沈没した船から当時の食器や壺が出てきた。
没収：その資産家の男性には相続人がいなかったため、死後、不動産はすべて国庫に没収された。

| 52 | 躍 ☆☆☆ | 跃 | 躍 | 音 ヤク
訓 おど・る | 飛躍スル ひやく [to leap, to jump／飞跃／비약하다]
躍起 やっき [excitement, heat／发急／기를 씀]
一躍 いちやく [a jump, a leap／一跃／일약] |

飛躍：柔道選手権地区大会で優勝した彼は、今後一層の飛躍が見込まれる選手だ。
躍起：僕は新製品を売ろうとばかり躍起になっていて、顧客の反応を見ていなかった。

| 53 | 距 ☆☆☆ | 距 | 距 | 音 キョ
訓 — | 距離 きょり [distance／距离／거리]
長距離 ちょうきょり [long distance／长距离／장거리]
⇔短距離 たんきょり [short distance／短距离／단거리] |

距離：ここから駅までは距離にして800メートルほどです。
長距離：東京発大阪行きの長距離バスは、一日七便出ている。

| 54 | 溜 外 ☆ | 溜 | 溜 | 音 —
訓 た・まる、た・める | 溜まる たまる [to collect, to gather／积存／괴다]
溜め息 ためいき [a sigh／叹气／한숨]
水溜まり みずたまり [a pool, a puddle／水洼／물 웅덩이] |

溜まる：ストレスが溜まったら、カラオケ店へ行って発散する。
溜め息：彼女はさっきから溜め息ばかりついているが、何かあったのだろうか。

| 55 | 巡 ☆☆☆ | 巡 | 巡 | 音 ジュン
訓 めぐ・る | 巡る めぐる [to walk around, to circulate／巡游／돌아다니다]
一巡スル いちじゅん [to make a tour of／一圈／일순하다]
巡回スル じゅんかい [to go around, to patrol／巡回／순회하다] |

巡る：旅行好きの彼は、世界中を駆け巡っている。
一巡：役員は名簿順に担当し、一巡した後は、再び最初から担当する。

| 56 | 伏 ☆☆☆ | 伏 | 伏 | 音 フク
訓 ふ・せる、ふ・す | 起伏 きふく [ups and downs／起伏／기복]
降伏スル こうふく [to surrender, to give in／投降／항복하다]
潜伏スル せんぷく [to lie hidden／潜伏／잠복하다] |

起伏：北アルプスは起伏の激しい山々が続く。
降伏：敵に囲まれ、降伏の白旗を揚げた。

| 57 | 徐 ☆☆☆ | 徐 | 徐 | 音 ジョ
訓 — | 徐行スル じょこう [to go slowly／慢行／서행하다]
徐々に じょじょに [gradually, little by little／慢慢的／서서히] |

徐行：雨の日は徐行運転をしましょう。
徐々に：医者にはもう治らないと言われたが、父の体は徐々に回復してきた。

| 58 | 潜 ☆☆☆ | 潜 | 潜 | 音 セン
訓 もぐ・る、ひそ・む | 潜水スル せんすい [to dive／潜水／잠수하다]
潜在スル せんざい [to be latent, to be dormant／潜在／잠재하다]
潜入スル せんにゅう [to sneak into／潜入／잠입하다] |

潜水：潜水艦から、海の中を見る。
潜在：潜在需要を掘り起こし、経済の発展につなげる。

| 59 | 隔 ☆☆☆ | 隔 | 隔 | 音 カク
訓 へだ・てる、へだ・たる | 間隔 かんかく [a space, an interval／间隔／간격]
隔離スル かくり [to isolate, to separate／隔离／격리하다]
遠隔 えんかく [remote, distant／远隔／원격] |

間隔：2メートル間隔で杭を打つ。
隔離：昔は、結核になると、伝染病棟に隔離された。

| 60 | 浸 ☆☆☆ | 浸 | 浸 | 音 シン
訓 ひた・す、ひた・る | 浸透スル しんとう [to penetrate／浸透／침투하다]
浸水スル しんすい [to be flooded, to be submerged／浸水／침수하다]
浸食スル しんしょく [to eat away, to erode／浸蚀／침식하다] |

浸透：クリームを塗ると皮膚に栄養分が浸透する。
浸水：今度の台風で、自宅が床下浸水してしまった。

6 様相・状態

61	裂 ☆☆☆	裂	裂	音 訓	レツ さ・く、さ・ける	分裂スル ぶんれつ [to divide, to split／分裂／분열하다] 破裂スル はれつ [to burst, to explode／破裂／파열하다] 決裂スル けつれつ [to breakdown, to rupture／决裂／결렬하다]

分裂：文化祭の演目を巡る意見の対立により、クラスは二つに分裂してしまった。
破裂：風船の空気の量が多いほど、破裂したときの音が大きい。

62	抹 ☆	抹	抹	音 訓	マツ ―	抹消スル まっしょう [to erase, to delete／抹掉／말소하다] 抹殺スル まっさつ [to erase, to obliterate／抹杀／말살하다] 抹茶 まっちゃ [powdered green tea／粉茶／가루차, 말차]

抹消：授業期間の第2週目から、科目登録の変更及び抹消が可能です。
抹殺：会議では、少数意見が抹殺されることが多い。

63	滅 ☆☆☆	灭	滅	音 訓	メツ ほろ・びる、ほろ・ぼす	絶滅スル ぜつめつ [to die out, to become extinct／灭绝／절멸하다] 滅多に めったに [rarely／不常／좀처럼] 全滅スル ぜんめつ [to be completely destroyed, to be wiped out／全毁／전멸하다]

絶滅：絶滅が心配され、トキの人工繁殖が始まった。
滅多に：研究会には滅多に来ない人が、今回は参加している。

64	斜 ☆☆☆	斜	斜	音 訓	シャ なな・め	斜面 しゃめん [a slope／斜面／사면] 傾斜 けいしゃ [an incline, a slant／倾斜／경사] 斜線 しゃせん [a diagonal line, a slant, a slash／斜线／사선]

斜面：庭の斜面にバラを植えた。
傾斜：傾斜地にミカン畑が続く。

65	劣 ☆☆☆	劣	劣	音 訓	レツ おと・る	見劣りスル みおとり [to compare unfavorably with, to pale in comparison with／逊色／뒤떨어지다] 劣等感 れっとうかん [an inferiority complex／自卑感／열등감] 優劣 ゆうれつ [superiority and inferiority／优劣／우열]

見劣り：この毛皮のコートは、一流品に比べても見劣りしない。
劣等感：私は若い頃は劣等感の塊だったが、今は気にならなくなってきた。

66	衝 ☆☆☆	冲	衝	音 訓	ショウ ―	衝撃 しょうげき [shock, impact／冲击／충격] 衝突スル しょうとつ [to collide, to run into／冲突／충돌하다] 折衝スル せっしょう [to negotiate／交涉／절충]

衝撃：地震の凄まじい破壊力に多くの人が衝撃を受けた。
衝突：踏切の信号が故障し、列車の先頭部分とトラックが衝突した。

67	旦 ☆*	旦	旦	音 訓	タン、ダン ―	元旦 がんたん [New Year's Day／元旦／설날] 一旦 いったん [once／一旦／일단] 旦那 だんな [a master, a husband／主人, 老爷, 丈夫／주인, 남편]

元旦：一年の計は元旦にあり。さあ、年が明けたら、すぐに今年の計画を立てよう。
一旦：その話題は時間が掛かりそうなので一旦置いておいて、次の話題に進みましょう。

68	壊 ☆☆☆	坏	壊	音 訓	カイ こわ・す、こわ・れる	破壊スル はかい [to destroy, to demolish／破坏／파괴하다] 壊滅的ナ かいめつてき [devastating, catastrophic／毁灭的／괴멸적인] 崩壊スル ほうかい [to collapse, to give way／崩溃／붕괴하다]

破壊：工場の排煙による環境破壊が深刻化している。
壊滅的：震災後の観光客激減により、地域経済は壊滅的な打撃を受けた。

69	殊 ☆☆☆	殊	殊	音 訓	シュ こと	特殊ナ とくしゅ [special, unique／特殊的／특수한] 殊に ことに [especially／特別／특히] 殊勲 しゅくん [distinguished service／特殊功勋／수훈]

特殊：食物に含まれる放射能を、特殊な装置で検査する。
殊に：父はお酒の中でも、殊に日本酒が好きだ。

70	丙 ☆	丙	丙	音 訓	ヘイ ―	丙午 へいご／ひのえうま [the year of the Fire Horse, renowned for disasters／丙午／병오] 甲乙丙丁 こうおつへいてい [A, B, C and D; first, second, third and fourth／甲乙丙丁／갑을병정]

丙午：私の母は、丙午の生まれだ。
甲乙丙丁：かつては学校の成績を表すのに、甲乙丙丁が使われていた。

6 様相・状態

71	絞 ☆☆	絞	絞	音	コウ	絞殺スル こうさつ [to strangle／絞死／교살하다]
				訓	しぼ・る、し・める、し・まる	絞る しぼる [to press, to wring, to squeeze／绞／짜다]
						絞める しめる [to strangle, to constrict／勒／매다]

絞殺：被害者は**絞殺**されている。
絞る：雑巾を**絞る**。

72	軌 ☆☆	軌	軌	音	キ	軌道 きどう [an orbit／轨道／궤도]
				訓	—	軌跡 きせき [a locus, a tire track, a path／轨迹／궤적]
						常軌 じょうき [the proper course, the right way／常轨／상궤]

軌道：人口衛星が**軌道**に乗った。
軌跡：衛星の進路と**軌跡**をたどる。

73	携 ☆☆☆	携	攜	音	ケイ	携帯スル けいたい [to carry／携带／휴대하다]
				訓	たずさ・える、たずさ・わる	提携スル ていけい [to form a partnership with／协作／제휴하다]
						連携スル れんけい [to collaborate／联合／제휴하다]

携帯：災害に備えて、いつも小型ラジオを**携帯**している。
提携：当社は各地のホテルと**提携**し、格安価格で宿泊プランを提供しています。

74	妙 ☆☆☆	妙	妙	音	ミョウ	奇妙ナ きみょう [strange, odd／奇妙的／기묘한]
				訓	—	巧妙ナ こうみょう [skillful, clever／巧妙的／교묘한]
						微妙ナ びみょう [delicate, subtle／微妙的／미묘한]

奇妙：この町は初めて訪れるのに、前にも来たことがあるような**奇妙**な感覚におそわれた。
巧妙：詐欺の手口は、年々**巧妙**になってきている。

75	逐 ☆	逐	逐	音	チク	駆逐スル くちく [to drive away, to get rid of／追赶／구축하다]
				訓	—	逐次 ちくじ [one after another／逐次／축차]
						逐一 ちくいち [in detail, minutely／逐一／하나하나 차례로]

駆逐：外来種の魚が池で繁殖し、日本固有種の魚を**駆逐**してしまった。
逐次：同時通訳はできないが、**逐次**通訳ならできるかもしれない。

76	征 ☆☆	征	征	音	セイ	遠征スル えんせい [to go on an expedition／远征／원정하다]
				訓	—	征服スル せいふく [to defeat, to conquer／征服／정복하다]
						出征スル しゅっせい [to go to war／出征／출정하다]

遠征：サッカーチームが海外に**遠征**する。
征服：都市部が武力により**征服**された。

77	陥 ☆☆	陥	陷	音	カン	欠陥 けっかん [a defect, a flaw／缺陷／결함]
				訓	おちい・る、おとしい・れる	陥没スル かんぼつ [to cave in, to collapse／陷落／함몰하다]
						陥落スル かんらく [to fall, to surrender／陷落，被攻下／함락 하다]

欠陥：新築した住宅に、**欠陥**があることがわかった。
陥没：地震で道路の一部が**陥没**し、通行できなくなった。

78	漂 ☆☆	漂	漂	音	ヒョウ	漂流スル ひょうりゅう [to drift about／漂流／표류하다]
				訓	ただよ・う	漂白スル ひょうはく [to bleach／漂白／표백하다]
						漂着スル ひょうちゃく [to wash ashore／漂至／표착하다]

漂流：手紙の入った小瓶が**漂流**して、この海岸にたどり着いた。
漂白：**漂白**剤を入れてシャツを真っ白に洗った。

79	衡 ☆☆	衡	衡	音	コウ	均衡 きんこう [balanced／均衡／균형]
				訓	—	⇔不均衡ナ ふきんこう [unbalanced／不均衡的／불균형한]
						平衡スル へいこう [to balance／平衡／평형하다]

均衡：彼のシュートが0対0の**均衡**を破った。
平衡：彼は**平衡**感覚に優れた政治家で、国民の多くに支持された。

80	幾 ☆☆	几	幾	音	キ	幾多 いくた [many／许多／많음]
				訓	いく	幾分 いくぶん [some, a part／几分／얼마 정도]
						幾重 いくえ [multiple layers／几层／여러 차례]

幾多：このドラマは、**幾多**の困難を乗り越えて成功を手にした夫婦の物語である。
幾分：寒い日が続いていたが、今日は**幾分**暖かいようだ。

6 様相・状態

81	砕 ☆☆	砕	砕	音 サイ 訓 くだ・く、くだ・ける	粉砕スル ふんさい [to crush, to smash／粉碎／분쇄하다] 打ち砕く うちくだく [to grind, to crush／打碎／분쇄하다] 砕く くだく [to break, to shatter／砸碎／깨뜨리다]

粉砕：何年も勝てなかった、ライバルのチームを**粉砕**した。
打ち砕く：戦争により、多くの若者の夢が**打ち砕**かれた。

| 82 | 旬 ☆☆☆ | 旬 | 旬 | 音 ジュン、シュン
訓 — | 旬 しゅん [season, the height of the season／旺季／순]
下旬 げじゅん [the last ten days (of a month)／下旬／하순]
上旬 じょうじゅん [the first ten days (of a month)／上旬／상순] |

旬：イチゴの**旬**は春だが、**旬**の時期以外にも、一年中食べられるようになった。
下旬：この山の紅葉の見ごろは11月**中旬**から**下旬**です。

| 83 | 暦 ☆☆ | 历 | 暦 | 音 レキ
訓 こよみ | 西暦 せいれき [The Christian Era, Anno Domini／阳历／서력]
還暦 かんれき [the Chinese cycle, one's 60th birthday／花甲／환갑]
旧暦 きゅうれき [the old (lunar) calendar／旧历／음력] |

西暦：今年は**西暦**2012年だ。
還暦：父が**還暦**を迎えた。

| 84 | 逸 ☆☆ | 逸 | 逸 | 音 イツ
訓 — | 逸脱スル いつだつ [to stray, to depart／越出／일탈하다]
逸らす そらす [to turn away, to divert／避开／놓치다]
逸れる それる [to turn away, to swerve／偏离／빗나가다] |

逸脱：常識からの**逸脱**が、新たな発想を生む。
逸らす：何か事情があったのか、その話になると彼は話題を**逸**らした。

| 85 | 漏 ☆☆ | 漏 | 漏 | 音 ロウ
訓 も・る、も・れる、も・らす | 雨漏りスル あまもり [to leak／漏雨／비가 새다]
聞き漏らす ききもらす [to fail to hear, to miss／听漏／빠뜨리고 듣다]
漏電スル ろうでん [to short-circuit／漏电／누전하다] |

雨漏り：**雨漏り**がするので修理してもらった。
聞き漏らす：先生の大切な話を**聞き漏**らしてしまい、後で友達に確認した。

| 86 | 疎 ☆☆ | 疏 | 疎 | 音 ソ
訓 うと・い、うと・む | 過疎 かそ [depopulation／过少／과소]
疎開スル そかい [to evacuate, to disperse／疏散／소개]
疎外スル そがい [to estrange, to alienate／疏远／소외하다] |

過疎：私の故郷は**過疎**化が進んでいる。
疎開：祖母は戦時中、家族で田舎に**疎開**していたそうだ。

| 87 | 循 ☆☆ | 循 | 循 | 音 ジュン
訓 — | 循環スル じゅんかん [to circulate, to rotate／循环／순환하다]
悪循環 あくじゅんかん [a vicious cycle／恶性循环／악순환] |

循環：体を温めるには血液の**循環**をよくすることだ。
悪循環：ダイエットのために運動を始めたが、お腹がすいて大量に食べるという**悪循環**に陥った。

| 88 | 飽 ☆☆ | 饱 | 飽 | 音 ホウ
訓 あ・きる、あ・かす | 飽和スル ほうわ [to saturate, to be saturated／饱和／포화하다]
飽くまで あくまで [to the end／只算这些的话／어디까지나]
飽食スル ほうしょく [to be satiated／饱食／포식] |

飽和：いくら考えてもいい解決策が見つからず、頭の中が**飽和**状態になってしまった。
飽くまで：これは**飽**くまで仮定の話です。

| 89 | 頃* ☆☆ | 顷 | 頃 | 音 —
訓 ころ | 日頃 ひごろ [everyday, normally, usually／平时／평소]
年頃 としごろ [age, puberty／大约年龄、妙龄／그럴 만한 나이]
一頃 ひところ [once, at one time／曾有一时／한 때] |

日頃：合格できたのは、**日頃**の努力の結果です。
年頃：**年頃**の娘のことが心配でならない。

| 90 | 剰 ☆☆ | 剩 | 剰 | 音 ジョウ
訓 — | 過剰ナ かじょう [excess, surplus／过剩的／과잉한]
余剰 よじょう [a surplus／剩余／잉여] |

過剰：栄養剤の**過剰**な摂取は、却って毒になる。
余剰：今年の活動の**余剰**金は、来年に繰り越す。

6 様相・状態　Unit 2　練習問題

（解答 ⇨ 別冊 p.12～13）

問題1　漢字の読み方を書きなさい。

1 躍起（　　　　）　2 逐次（　　　　）　3 循環（　　　　　）

4 潜水（　　　　）　5 破壊（　　　　）　6 不均衡（　　　　）

7 分裂（　　　　）　8 特殊（　　　　）　9 過剰（　　　　　）

問題2　次の漢字の読み方をひらがなで書きなさい。

1 没収（　　　　）－募集（　　　　　）

2 距離（　　　　）－郷里（　　　　　）

3 徐行（　　　　）－条項（　　　　　）

4 抹殺（　　　　）－摩擦（　　　　　）

5 衝撃（　　　　）－襲撃（　　　　　）

6 遠征（　　　　）－衛生（　　　　　）

問題3　＿＿＿の部分の漢字を下から選びなさい。

1 こよみでは、今日は旧暦のがんたんにあたる。
（　　　　　）　　（　　　　　）

2 被害者はこうさつされている。
　　　（　　　　　）

3 詐欺の手口は、年々こうみょうになってきている。
　　　　　（　　　　　）

4 私の母は、ひのえうまの生まれだ。
　　　（　　　　　）

5 イチゴのしゅんは5月ごろだが、今は一年中食べられる。
　　　（　　　　）（　　　　　）

| 旬 | 暦 | 頃 | 巧妙 | 絞殺 | 丙午 | 元旦 |

問題4 次の漢字の読み方をひらがなで書きなさい。

① 陥る　（　　　　　）　　② 未曽有　（　　　　　）

③ 雪崩　（　　　　　）　　④ 飽くまで（　　　　　）

⑤ 疎い　（　　　　　）　　⑥ 雨漏り　（　　　　　）

⑦ 幾多　（　　　　　）　　⑧ 滅びる　（　　　　　）

問題5 適当な言葉を選び、（　　　　　）に入れなさい。

① そう簡単に（　　　　　）は起こらない。

② 悩み事でもあるのか、さっきから彼女は（　　　　　）ばかりついている。

③ この辺りの地形は、（　　　　　）に富んでいる。

④ 前方の車と一定の（　　　　　）をとって走る。

⑤ 優勝候補の二人の作品は、（　　　　　）をつけがたい。

⑥ 去年立ち上げた事業も、だんだん（　　　　　）に乗ってきた。

⑦ かつてあの一族は（　　　　　）を極めたが、今は没落している。

⑧ あの坂は（　　　　　）が急なので、老人にはきつそうだ。

間隔　軌道　起伏　傾斜　隆盛　優劣　奇跡　溜め息

問題6 下から適当な言葉を選び、必要であれば形を変えて、漢字と読み方を書きなさい。

① 一人の美しい女性を（　　　　　）、何人もの男性が争っている。

② 私の父は、長年田舎で商店の経営に（　　　　　）きました。

③ 大事な話をしているときは、決して相手から目を（　　　　　）ものだ。

④ 事故で怪我をして、オリンピックに出場する夢は（　　　　　）しまった。

⑤ 汚れた衣服を洗剤の入った水に（　　　　　）おく。

⑥ 雪道は（　　　　　）やすいので、ゆっくり歩いたほうがいい。

⑦ キッチンからおいしそうな匂いが（　　　　　）きた。

携わる　砕ける　逸らす　漂う　巡る　浸す　滑る

6 様相・状態
Unit 3

於いて　附近　野蛮　凡庸　普遍
隙間　窮屈　音痴　醜態　平凡
勢揃い　賑やか　浄化　凸凹
殆ど　恒例　雰囲気　整頓　凹凸
頻繁　綺麗
様相
迅速　忽然　変遷　漸く　緩和　衰弱
刹那　一瞬　突如　経緯　消耗
生涯　只　壱　僅か　稀薄
九分九厘　斤　隻　微量
斗　坪
摂氏

| 91 | 緯 ☆☆ | 纬 | 緯 | 音 イ
訓 — | 経緯 けいい [the details, the circumstances／原委／경위]
緯度 いど [latitude／纬度／위도] |

経緯：新しいプロジェクトに関する、これまでの**経緯**をご説明します。
緯度：上海の**緯度**は、九州南部の**緯度**とほぼ同じである。

| 92 | 坪 ☆☆ | 坪 | 坪 | 音 —
訓 つぼ | 坪 つぼ [a tsubo, about 3.3 m²／面积单位／평]
建坪 たてつぼ [floor space, building area／建筑总面积／건평]
坪数 つぼすう [the number of 'tsubo'／面积／평수] |

坪：1**坪**50万円の土地を100**坪**買った。
建坪：我が家の**建坪**は40坪だ。

| 93 | 麗 ☆☆ | 丽 | 麗 | 音 レイ
訓 うるわ・しい | 綺麗ナ きれい [beautiful, pretty, clean／漂亮的／예쁜]
華麗ナ かれい [splendid, gorgeous／华丽的／화려한]
麗しい うるわしい [beautiful, lovely／美丽的／아름다운] |

綺麗：久し振りに会った彼女は、とても**綺麗**になっていた。
華麗：彼はスポーツ選手から作家へと、**華麗**な転身を遂げた。

| 94 | 涯 ☆☆ | 涯 | 涯 | 音 ガイ
訓 — | 生涯 しょうがい [a life, lifetime／一生／생애]
天涯 てんがい [the horizon, the skyline／天涯／천애] |

生涯：彼は**生涯**を研究に捧げた。
天涯：若い頃は多くの人に囲まれて、華々しい生活を送った彼女だったが、晩年は**天涯**孤独だった。

| 95 | 如 ☆☆ | 如 | 如 | 音 ジョ、ニョ
訓 — | 突如 とつじょ [suddenly／突然／갑자기]
欠如ス けつじょ [to be short, to lack／缺乏／결여하다]
如実 にょじつ [reality／如实／여실] |

突如：首相が**突如**辞意を表明したというニュースが舞い込んできた。
欠如：彼は頭はいいが、他人を思いやる心が**欠如**している。

#	漢字	楷書	行書	音訓	語例
96	斗 ☆☆	斗	斗	音 ト 訓 —	斗 と [a measure (almost 4 gallons)／斗／두] 北斗七星 ほくとしちせい [the Big Dipper constellation／北斗星／북두칠성]

斗：一斗缶に換算して、水の量を見積もった。
北斗七星：今夜は空が澄んで、北斗七星がよく見える。

| 97 | 雰 ☆☆ | 雰 | 雰 | 音 フン
訓 — | 雰囲気 ふんいき [atmosphere, mood／气氛／분위기] |

雰囲気：彼にはどこか近寄りがたい雰囲気がある。

| 98 | 遍 ☆☆ | 遍 | 遍 | 音 ヘン
訓 — | 普遍 ふへん [universality／普遍／보편]
遍歴 へんれき [travel, pilgrimage／周游／편력] |

普遍：科学は自然の中に普遍的な法則を見つける。
遍歴：彼は数多くのアルバイト遍歴を持っていて、それぞれの仕事をおもしろおかしく話す。

| 99 | 隻 ☆☆ | 隻 | 隻 | 音 セキ
訓 — | ～隻 せき [~ number of ships／～只／～척]
隻眼 せきがん [one-eyed／独眼／척안]
隻腕 せきわん [one-armed／単臂／한쪽 팔] |

～隻：一隻の船が港へ入港した。
隻眼：その隻眼の男は、髪が長く、右手をコートの中に隠していた。

| 100 | 窮 ☆ | 窮 | 窮 | 音 キュウ
訓 きわ・める、きわ・まる | 窮屈ナ きゅうくつ [narrow, tight／瘦小的,拘束的／거북하다]
窮乏スル きゅうぼう [to be needy／貧穷／궁핍하다]
窮地 きゅうち [a predicament, an awkward position／穷境／궁지] |

窮屈：この服は少し小さいので、着ると窮屈な感じがする。
窮乏：父親が病気で働けなくなり、一家の生活は窮乏した。

| 101 | 頻 ☆ | 頻 | 頻 | 音 ヒン
訓 — | 頻繁ナ ひんぱん [frequent／頻繁的／빈번한]
頻度 ひんど [frequency／頻度／빈도]
頻発スル ひんぱつ [to occur frequently／屡次发生／빈발하다] |

頻繁：保険の勧誘の電話が頻繁にかかってきて、困っている。
頻度：30代～50代の男性の、外食の頻度を調査した。

| 102 | 遷 ☆ | 遷 | 遷 | 音 セン
訓 — | 変遷スル へんせん [to change／変迁／변천하다]
遷都スル せんと [to transfer the capital／迁都／천도하다]
左遷スル させん [to demote／降職／좌천하다] |

変遷：時代の変遷の速度が速く、中年の私にはついて行けない。
遷都：日本は明治時代に京都から東京へ遷都した。

| 103 | 迅 ☆ | 迅 | 迅 | 音 ジン
訓 — | 迅速ナ じんそく [quick, rapid／迅速的／신속한]
獅子奮迅 ししふんじん [intensely forceful／勇往直前／사자분신]
奮迅 ふんじん [fury, rage／奋勇猛进／분신] |

迅速：会議の直前にトラブルがあったが、秘書の迅速な対応のおかげで無事出席できた。
獅子奮迅：彼はチームのために獅子奮迅の働きをし、勝利へと導いた。

| 104 | 緩 ☆☆☆ | 緩 | 緩 | 音 カン
訓 ゆる・い、ゆる・やか、ゆる・む、ゆる・める | 緩和スル かんわ [to ease, to relieve／緩和／완화하다]
緩める ゆるめる [to loosen, to relax／放松／완화하다]
緩急 かんきゅう [high and low speed／緩急／완급] |

緩和：規制緩和により、コンビニエンスストアでも風邪薬が買えるようになった。
緩める：相手チームは3点取った後も、攻撃の手を緩めることはなかった。

| 105 | 於 外 ☆ | 於 | 於 | 音 —
訓 お・いて | 於いて おいて [in, at, on／（在）于／있어서] |

於いて：入学式は講堂に於いて明日の午前9時より行われます。

6 様相・状態

106	醜 ☆	丑	醜	音 シュウ / 訓 みにく・い	醜態 しゅうたい [disgraceful behavior／丑态／추태] 醜聞 しゅうぶん [scandal／丑闻／추문] 老醜 ろうしゅう [the ugliness of old age／老丑／노추]

醜態：飲み過ぎて、お酒の席で**醜態**をさらす人は少なくない。
醜聞：政治家は女性関係や金銭関係の**醜聞**に非常に気をつかっている。

| 107 | 浄 ☆☆☆ | 浄 | 淨 | 音 ジョウ / 訓 — | 浄化スル じょうか [to purify／净化／정화하다]
浄財 じょうざい [donation／捐款／정재]
浄土 じょうど [Paradise／净土／정토] |

浄化：河川の水を**浄化**する。
浄財：お寺の修理に**浄財**を募る。

| 108 | 痴 ☆ | 痴 | 痴 | 音 チ / 訓 — | 音痴ナ おんち [tone-deaf／五音不全的／음치]
愚痴 ぐち [a complaint／牢骚／푸념]
痴漢 ちかん [a molester, a groper, a pervert／色情狂／치한] |

音痴：彼女は**音痴**なのでカラオケで歌を歌っても、何を歌っているのか全くわからない。
愚痴：友人は疲れて帰宅した日でも、家族に**愚痴**を言わないように気を付けているという。

| 109 | 壱 ☆ | 壹 | 壹 | 音 イチ / 訓 — | 壱 いち [one／壹／일] |

壱：正式な領収書には、「一万円」と書かずに、「**壱**万円」と書く。

| 110 | 凡 ☆☆ | 凡 | 凡 | 音 ボン、ハン / 訓 — | 平凡ナ へいぼん [commonplace, ordinary／平凡的／평범한]
凡人 ぼんじん [an ordinary person／凡人／범인]
非凡ナ ひぼん [unusual, extraordinary／非凡的／비범한] |

平凡：**平凡**なサラリーマンと言うけれど、それを維持するのも大変だ。
凡人：**凡人**が幾ら努力しても天才にはかなわない。

| 111 | 凸 ☆ | 凸 | 凸 | 音 トツ / 訓 — | 凸凹ノ・ナ・スル でこぼこ [convex-concave・rough, uneven・to roughen／凹凸的／울퉁불퉁한]
凸レンズ とつれんず [a convex lens／凸透镜／볼록 렌즈]
凸版 とっぱん [relief printing／凸版（模版）／철판] |

凸凹：**凸凹**の道をどれだけ早く走れるかを競うレースがある。
凸レンズ：**凸レンズ**で光を集めると、紙を燃やすことができる。

| 112 | 蛮 ☆ | 蛮 | 蠻 | 音 バン / 訓 — | 野蛮ナ やばん [savage, uncivilized／野蛮的／야만한]
南蛮 なんばん [Southeast Asian countries, southern barbarians／南蛮／남만]
蛮行 ばんこう [an atrocity, vandalism／野蛮行为／만행] |

野蛮：彼は子どもの頃からすぐ暴力をふるう、**野蛮**な人だった。
南蛮：この定食屋の**南蛮**漬けはとてもおいしい。

| 113 | 庸 ☆ | 庸 | 庸 | 音 ヨウ / 訓 — | 凡庸ナ ぼんよう [mediocre, common／平庸的／범용한]
中庸 ちゅうよう [moderation, the middle course／中庸／중용] |

凡庸：その作家の小説はいずれも**凡庸**だった。
中庸：会議の司会には、**中庸**の立場で臨むべきだ。

| 114 | 微 ☆☆☆ | 微 | 微 | 音 ビ / 訓 — | 微量 びりょう [a very small quantity／微量／미량]
微笑スル びしょう [to smile／微笑／미소]
微かナ かすか [faint, dim／微弱的／희미한] |

微量：井戸水から、ごく**微量**の水銀が検出された。
微笑：先生は1年生の児童が懸命に歌う様子を見て、優しい**微笑**を浮かべた。

| 115 | 附 ☆ | 附 | 附 | 音 フ / 訓 — | 附近(付近) ふきん [neighborhood, vicinity／附近／부근]
附属(付属)スル ふぞく [to be attached to, to belong to／附属／부속] |

附近：私の通う大学**附近**には、書店がたくさんあって便利だ。
附属：私の父は、大学の**附属**病院に勤務している。

6 様相・状態

No.	漢字	楷書	明朝	音訓	語例
116	凹 ☆	凹	凹	音 オウ 訓 —	凹凸 おうとつ [unevenness／凹凸／울퉁불퉁] 凹面鏡 おうめんきょう [a concave mirror／凹面鏡／요면 거울] 凹む へこむ [to become hollow, to cave in／凹(陷下)／우그러들다]

凹凸：路面に凹凸があって歩きにくい。
凹面鏡：凹面鏡に自分の顔を映すと、とても変な感じになる。

| 117 | 恒 ☆☆☆ | 恒 | 恒 | 音 コウ
訓 — | 恒例 こうれい [an established custom／慣例／항례]
恒久 こうきゅう [permanence, eternity／永恒／항구]
恒常 こうじょう [constancy／恒久／항상] |

恒例：恒例によって一言御挨拶申し上げます。
恒久：恒久の平和を追い求める。

| 118 | 只 外 ☆ | 只 | 只 | 音 —
訓 ただ | 只 ただ [only, merely／只是／단지]
真っ只中 まっただなか [right in the middle of／正盛时／정성기] |

只：只で働くことはできない。報酬が必要だ。
真っ只中：彼女は今、大恋愛の真っ只中だ。

| 119 | 厘 ☆ | 厘 | 厘 | 音 リン
訓 — | 九分九厘 くぶくりん [ten to one, nine times out of ten／九成九厘／구분구리]
〜厘 りん [〜 rin, one tenth of a sen, an old monetary unit／〜厘／〜리] |

九分九厘：この成績では、志望校に合格するのは九分九厘不可能だろう。
〜厘：野球部に入った新入生は、中学時代の平均打率が3割5分5厘だったそうだ。

| 120 | 頓 * ☆ | 頓 | 頓 | 音 トン
訓 — | 整頓スル せいとん [to tidy up, to arrange properly／整頓／정돈하다]
無頓着ナ むとんちゃく [indifferent, unconcerned／不经心的／무신경한]
頓知(頓智) とんち [quick wit／机智／재치] |

整頓：私は普段から整理整頓を心掛けている。
無頓着：味に無頓着な夫も、この店の料理のおいしさには驚いていた。

| 121 | 漸 ☆ | 漸 | 漸 | 音 ゼン
訓 — | 漸く ようやく [gradually, finally／总算／겨우]
漸次 ぜんじ [gradually／逐漸／점차] |

漸く：連日30度を超す暑い日が続いていたが、9月になって漸く涼しくなってきた。
漸次：景気の影響で一時減っていた入学者数も、漸次増えてきたようだ。

| 122 | 耗 ☆ | 耗 | 耗 | 音 モウ、コウ
訓 — | 消耗スル しょうもう [to use up, to consume／消耗／소모하다]
消耗品 しょうもうひん [consumable goods／消耗品／소모품]
摩耗スル まもう [to be worn down／磨损／마모하다] |

消耗：連日の猛暑で、体力も著しく消耗した。
消耗品：姉は会社で消耗品の購入管理を担当しています。

| 123 | 稀 外 ☆ | 稀 | 稀 | 音 キ、ケ
訓 — | 稀薄(希薄)ナ きはく [sparse, thin／稀薄的／희박한]
稀有(希有) けう [rare, uncommon／稀有的／희유한]
稀代(希代) きだい [rarity, uncommonness／希世／드문] |

稀薄：現代では、政治への関心が稀薄になってきていると言われている。
稀有：真夏に雪が降るという、稀有な出来事があった。

| 124 | 衰 ☆☆☆ | 衰 | 衰 | 音 スイ
訓 おとろ・える | 衰弱スル すいじゃく [to become weak／衰弱／쇠약하다]
衰える おとろえる [to waste away, to decline／衰老／약해지다]
衰退スル すいたい [to decline, to decay／衰退／쇠퇴하다] |

衰弱：子どもの体がひどく衰弱している。
衰える：歳をとると、足や腕の筋肉が衰える。

| 125 | 摂 ☆☆ | 摂 | 攝 | 音 セツ
訓 — | 摂氏 せっし [Celsius／摄氏／섭씨]
摂取スル せっしゅ [to take in, to absorb／摄取／섭취하다]
摂る とる [to take, to hold, to earn／摄取／섭취한다] |

摂氏：今朝の気温は摂氏マイナス2度だったそうだ。
摂取：栄養をバランスよく摂取することが大切だ。

6 様相・状態

126	那* ☆☆	那	那	音 訓	ナ —	刹那 せつな [a moment, an instant／刹那／찰나] 旦那 だんな [a master, a husband／主人，老爷，丈夫／주인，남편]

刹那：地球の歴史から見れば、一人の人間の人生など刹那的なものだ。
旦那：旦那様、お茶が入りました。

| 127 | 弐 ☆ | 貳 | 貳 | 音 訓 | ニ — | 弐 に [two (used in legal documents)／貳／2（수자）] |

弐：小切手の金額を記入する際には、改ざんを防ぐために「弐」という漢字が使われる。

| 128 | 瞬 ☆☆ | 瞬 | 瞬 | 音 訓 | シュン またた・く | 一瞬 いっしゅん [an instant, a moment／一刹那／일순]
瞬時 しゅんじ [moment, instant／瞬間／순시]
瞬き まばたき／またたき [a blink, a wink／眨眼间／눈을 깜빡거리다] |

一瞬：子どもが道路に飛び出そうとするので、一瞬たりとも目を離すことができない。
瞬時：インターネットを使えば、瞬時に世界中の情報を検索することができる。

| 129 | 揃 外 ☆ | 揃 | 揃 | 音 訓 | — そろ・う、そろ・える | 勢揃いスル せいぞろい [to meet together, to line up／聚集／집결]
お揃い おそろい [together／配套／모여있음] |

勢揃い：妹の結婚式には親戚一同が勢揃いした。
お揃い：友人とお揃いのハンカチを持っている。

| 130 | 殆 外 ☆ | 殆 | 殆 | 音 訓 | — ほとん・ど | 殆ど ほとんど [almost, nearly／几乎／대부분] |

殆ど：日本へ来たばかりのときは、殆ど日本語を聞きとることはできなかった。

| 131 | 隙* ☆ | 隙 | 隙 | 音 訓 | ゲキ すき | 隙間 すきま [a gap, a space／缝隙／틈]
隙 すき [space, room／缝／틈]
間隙 かんげき [a crevice, an opening／间隙／간극] |

隙間：この駅では列車とホームの隙間が広いので、降りるとき注意が必要だ。
隙：昼間、家に人がいない隙に、泥棒に入られてしまった。

| 132 | 斤 ☆ | 斤 | 斤 | 音 訓 | キン — | ～斤 きん [a counter for loaves of bread／～斤／근] |

～斤：食パンを1斤ください。

| 133 | 賑 外 ☆ | 賑 | 賑 | 音 訓 | — にぎ・やか、にぎ・わう | 賑やかナ にぎやか [lively, bustling／熙熙攘攘的／활기찬]
賑わう にぎわう [to be crowded with, to prosper／热闹／번창하다] |

賑やか：オフィス街は平日は賑やかだが、休日はほとんど人がいない。
賑わう：テレビドラマの舞台となったこの地は、観光客で賑わっている。

| 134 | 忽 外 ☆ | 忽 | 忽 | 音 訓 | コツ たちま・ち | 忽然 こつぜん [suddenly／忽然／홀연]
粗忽ナ そこつ [careless, hasty／粗心／경솔한]
忽ち たちまち [in a moment／马上／금세] |

忽然：歴史上には、忽然として姿を現しては消えていく人物が見られる。
粗忽：兄は、言われたことをすぐ忘れてしまうので、会社の上司に「粗忽者」と呼ばれているそうだ。

| 135 | 僅* ☆ | 仅 | 僅 | 音 訓 | キン わず・か | 僅か わずか [a few, a little／仅仅的／불과한]
僅差 きんさ [a narrow margin／微差／근소한 차]
僅少・ナ きんしょう [a few, a small amount／极少的／근소한] |

僅か：試験が近いため、僅かな時間も無駄にせず勉強している。
僅差：野球の世界大会で、日本チームは僅差でアメリカチームに敗れた。

6 様相・状態

6 様相・状態　Unit 3　練習問題

（解答 ⇨ 別冊 p.13）

問題1　漢字の読み方を書きなさい。

① 頻度（　　　　）　② 凹凸（　　　　）　③ 雰囲気（　　　　）
④ 変遷（　　　　）　⑤ 整頓（　　　　）　⑥ 消耗品（　　　　）
⑦ 迅速（　　　　）　⑧ 刹那（　　　　）　⑨ 一斗缶（　　　　）

問題2　次の漢字の読み方をひらがなで書きなさい。

① 中庸（　　　　）－ 重要（　　　　）
② 緯度（　　　　）－ 移動（　　　　）
③ 恒例（　　　　）－ 号令（　　　　）
④ 瞬時（　　　　）－ 順次（　　　　）
⑤ 生涯（　　　　）－ 照会（　　　　）
⑥ 欠如（　　　　）－ 欠場（　　　　）

問題3　＿＿＿＿の部分の漢字を下から選びなさい。

① 小切手に記入する際には、いち万円やに万円という漢字がよく使われる。
　　　　　　　　　　（　　　　）（　　　　）

② 家のふきんの川で、水のじょうか作業が行われている。
　　（　　　　）　（　　　　）

③ 食パンを一きんください。
　　　　（　　　　）

④ 三せきの船が入港した。
（　　　　）

⑤ 多くの事例の中から、ふへん性を見出す。
　　　　　　（　　　　）

| 隻 | 斤 | 弐 | 壱 | 浄化 | 普遍 | 附近 |

問題4 次の漢字の訓読み、または訓読みを含む漢字の読み方を、ひらがなで書きなさい。

① 僅か　（　　　　）　　② 坪　　（　　　　）
③ 殆ど　（　　　　）　　④ 麗しい（　　　　）
⑤ 於いて（　　　　）　　⑥ 真っ只中（　　　　）
⑦ 九分九厘（　　　　）　⑧ 凸凹　（　　　　）
⑨ 漸く　（　　　　）

問題5 適当な言葉を選び、（　　）に入れなさい。

① 起業したものの、今は経営不振で（　　　　）に陥っている。
② その台詞は、もっと（　　　　）をつけて言ったほうがいい。
③ 仕事が辛くて、友人に（　　　　）をこぼす毎日だ。
④ なぜ彼が無二の親友を刺すという（　　　　）に及んだのか、わからない。
⑤ 酔って大騒ぎをして、会社の同僚の前で（　　　　）をさらしてしまった。
⑥ 歴史上には、（　　　　）と姿を消してしまった人物は少なくない。
⑦ 繁華街の人込みの（　　　　）を縫って進み、やっと目的地に到着した。
⑧ 彼は子どもの頃から（　　　　）な才能を発揮していた。

非凡　　忽然　　間隙　　緩急　　醜態　　蛮行　　愚痴　　窮地

問題6 下から適当な言葉を選び、必要であれば形を変えて、漢字と読み方を書きなさい。

① もっと栄養のあるものを（　　　　）ほうがいい。
② スピーチをしている彼女の手は、緊張のためか（　　　　）震えていた。
③ 靴を脱いで、（　　　　）おいた。
④ かつてこの町は、多くの観光客で（　　　　）いた。
⑤ 怠け者の彼が遅刻せずに来るのは（　　　　）ことだ。
⑥ 年をとって、体力が（　　　　）きたようだ。

衰える　　揃える　　賑わう　　摂る　　微か　　稀

6 様相・状態　試験模擬問題

（解答 ⇨ 別冊 p.13〜14）

問題1　＿＿＿＿の言葉の読み方として最もよいものを、1・2・3・4から一つ選びなさい。

① 店主の<u>粋</u>な計らいで、恋人と二人で夜景が一望できる席に座ることができた。
　1　すいな　　　　2　さいな　　　　3　いきな　　　　4　おつな

② 出張先での行動は、<u>逐一</u>報告書に記さなければならない。
　1　ちくいつ　　　2　ちくいち　　　3　すいいつ　　　4　すいいち

③ 冬に桜が咲くという、<u>稀有</u>な出来事が起こった。
　1　きゅうな　　　2　きゆな　　　　3　けゆうな　　　4　けうな

④ 彼の行動は、終始<u>一貫</u>している。
　1　いちかん　　　2　いっかん　　　3　いちがん　　　4　いっがん

⑤ 職人の手作りのこの鞄は、手触りがとても<u>滑らか</u>だ。
　1　なめらか　　　2　ほがらか　　　3　やわらか　　　4　なだらか

⑥ 長時間の会談も空しく、交渉は<u>決裂</u>した。
　1　けれつ　　　　2　けつれつ　　　3　けっりつ　　　4　けつりつ

⑦ 新店舗の完成まで、<u>暫時</u>仮店舗にて営業いたします。
　1　ぜんじ　　　　2　ぞんじ　　　　3　じんじ　　　　4　ざんじ

⑧ 試験まであと一週間しかないので、<u>焦り</u>が募っている。
　1　こげり　　　　2　あつまり　　　3　あせり　　　　4　あわてり

⑨ 社会人たるもの、常識を逸脱した行動をとるべきではない。
　1　いっだつ　　2　いつたつ　　3　いったつ　　4　いつだつ

⑩ 過疎の村では、人口流出を防ぐためのさまざまな対策が立てられている。
　1　かそ　　　　2　かそう　　　3　がそ　　　　4　がそう

⑪ 景気は緩やかに回復しつつある。
　1　おだやか　　2　さわやか　　3　ゆるやか　　4　なごやか

⑫ この記録映画は、津波の恐ろしさを如実に物語っている。
　1　じょじつ　　2　にょじつ　　3　じょっじつ　4　にょっじつ

問題2　（　　　）に入れるのに最もよいものを、1・2・3・4から一つ選びなさい。

① 我が社はアメリカの企業と（　　　）して、新規事業に参入することになった。
　1　提携　　　　2　携帯　　　　3　停滞　　　　4　随行

② デパートの（　　　）包装には、いつも閉口している。
　1　余剰　　　　2　過剰　　　　3　幾多　　　　4　幾重

③ フランスの友人の家を訪ねたら、（　　　）歓迎を受けた。
　1　強烈な　　　2　猛烈な　　　3　熱烈な　　　4　鮮烈な

④ 汚職事件への関与で、社長の権威は（　　　）してしまった。
　1　墜落　　　　2　堕落　　　　3　崩壊　　　　4　失墜

⑤ このリモコンを使えば、（　　　）操作が可能です。
　1　間隔　　　　2　長距離　　　3　隔離　　　　4　遠隔

6 私は家族も親戚もいない、(　　　　　　) 孤独の身です。
　1 生涯　　　　　2 天涯　　　　　3 唯一　　　　　4 只

7 仕事を辞めてから、自由で(　　　　　　) 日々を過ごしている。
　1 素朴な　　　　2 剛健な　　　　3 穏健な　　　　4 平穏な

8 日本チームは準決勝で敗れ、優勝の夢は(　　　　　　) されてしまった。
　1 破壊　　　　　2 陥落　　　　　3 粉砕　　　　　4 破裂

9 彼は不正の事実を(　　　　　　) 隠していた。
　1 微妙に　　　　2 技巧に　　　　3 巧妙に　　　　4 巧拙に

10 学生時代、映画館に(　　　　　　) 通ったものだ。
　1 頻度に　　　　2 頻出に　　　　3 頻発に　　　　4 頻繁に

11 大学のサークル活動を休んでいたら、会員名簿から氏名を(　　　　　　) されてしまった。
　1 抹消　　　　　2 全滅　　　　　3 抹殺　　　　　4 絶滅

12 国民の政府への信頼が(　　　　　　) つつある。
　1 壊れ　　　　　2 揺らぎ　　　　3 滅び　　　　　4 裂け

問題3　＿＿＿＿の言葉に意味が最も近いものを、1・2・3・4から一つ選びなさい。

1 彼は、音楽の分野で傑出した才能のある人物だ。
　1 飛び出た　　　2 とても強い　　3 大変得意な　　4 極めて優れた

2 21世紀に入って、未曽有の大災害が起こった。
　1 甚だ凄まじい　　　　　　　　　2 これまで一度もなかったような
　3 これ以上ないというくらいの　　4 非常に残酷な

③ 大学に通うために親戚の家に下宿しており、窮屈な生活を送っている。

1　貧しくて辛い　　　　　　　　2　曲がって苦しい

3　狭くて動けない　　　　　　　4　思い通りにならない

④ 不景気の現在、正社員として採用されても悠長にはしていられない。

1　ゆっくりとは　　2　ゆったりとは　　3　ぐったりとは　　4　ぐっすりとは

⑤ この研究内容は凡庸なので、あまり高くは評価できない。

1　中ぐらいでつまらないので　　　2　一般的で際立ったところがないので

3　乏しく深みがないので　　　　　4　レベルが低いので

⑥ 学校が近くで子どもがたくさん通るので、この道では車は徐行することになっている。

1　真っ直ぐ走る　　　　　　　　2　注意しながら走る

3　遠回りする　　　　　　　　　4　ゆっくり走る

問題4　次の言葉の使い方として最もよいものを、1・2・3・4から一つ選びなさい。

① 均衡

1　スポーツマンの彼は、均衡のとれた体をしている。

2　友人はストレスのため、均衡な気持ちが崩れてしまった。

3　景気が低迷している中でも、我が社の収支は均衡を保っている。

4　1対1の試合の均衡な状態は、彼のシュートで破られた。

② 左遷

1　この度、パリ支店へ左遷することになりました。

2　新しい上司は海外から左遷してきた人だ。

3　伯父は本社勤務から地方の支店へと左遷されてしまった。

4　念願のニューヨーク支局への左遷が決まった。

3 欠陥

1 引っ越してきてから、このマンションには欠陥が多いことに気づいた。

2 転職した勤務先は快適だが、通勤が不便なところにあるのが欠陥だ。

3 彼の欠陥は、すぐに怒るところです。

4 彼女は、人づきあいにおいて少々欠陥のある人物だ。

4 徴収

1 私の趣味は、切手の徴収です。

2 これから歓迎会の会費を徴収します。

3 税関で海外から持ち込んだ果物を徴収されてしまった。

4 試験終了です。これから答案用紙を徴収します。

5 悪循環

1 かゆいところをかくと悪化してまたかく、という悪循環に陥ってしまう。

2 弟は、借金を返すためにまた借金をするという悪循環をしている。

3 痩せるために運動しても、おなかがすいて食べすぎるという悪循環な状態になってしまっている。

4 夜遅くまでネットゲームをし、昼に起きてきて夜はまたゲームという、悪循環に落ちている。

6 拙速

1 彼の拙速な行動は、周囲を感心させた。

2 転職については慎重に検討すべきで、拙速な判断は避けたほうがよい。

3 私はいつも、拙速な対応を心掛けています。

4 社長にしては珍しく、外出先から拙速な戻りだった。

JLPT N1 KANJI

第 二 部

例文英訳

音訓索引

単語索引

例文英訳

1 自然・生物

Unit 1

ページ	漢字	語彙	例文	英訳
p.10	泉	温泉	日本は火山が多いため、温泉もたくさんある。	In Japan, because there are a lot of volcanoes, there are also a lot of hot springs.
		源泉	川の上流に、この温泉の源泉がある。	Upstream of the river, there is the source of this hot spring.
	丘	丘	あの丘を越えれば、城下町がある。	On the other side of that hill is a castle town.
		砂丘	町の南側は、なだらかな砂丘が海まで続いている。	South of the town, gentle sand dunes continue to the sea.
	盤	地盤	家を建てる前に、専門家に土地の地盤の固さを調べてもらった。	Before building our house, we had a professional assess the firmness of the ground.
		基盤	景気の減退で、道路や公園、下水道などの都市基盤の整備が遅れがちになっている。	In the decline of the economy, the development of parks, roads and urban infrastructures, such as sewers, is delayed.
	竜	竜巻	黒雲が空を覆うと、急に竜巻が起こり、家の屋根が吹き飛んだ。	When dark clouds covered the sky, a tornado suddenly occurred and blew off the roof of our house.
		竜	この湖には九匹の竜が住むという伝説がある。	There is a legend that nine dragons live in this lake.
	輝	輝く	都会から離れたこの地では、無数の星が光り輝いて見える。	In this area away from the city, you can see countless stars shining.
		輝かしい	彼女は各地の弁論大会で幾度も優勝するなど、輝かしい成績をあげている。	She has given brilliant performances to win again and again in speech contests in various places.
p.11	透	透明	この薬は無色透明の液体です。保管に気を付けてください。	This medicine is a colorless, clear liquid. Please be careful when you store it.
		透き通る	この川の上流では水が透き通っていて、川底が見える。	Upstream of this river has clear water and the riverbed is visible.
	柳	柳	河原の柳の枝が、風に吹かれて大きく揺れている。	The branches of the willow trees along the dry river bed sway greatly as they are blown by the wind.
		川柳	川柳は世相や風俗を風刺した短詩で、俳句と同じ五・七・五の定型である。	*Senryu* is a short poem that is a satire on customs and social conditions and is in a five-seven-five pattern, the same as *haiku*.
	嵐	嵐	彼の素晴らしい演奏に、嵐のような拍手が湧き起こった。	In response to his wonderful performance, there was a storm of applause.
	茂	生い茂る	夏になると、この野原は毎年雑草が生い茂る。	Every year in the summer, this field is overgrown with weeds.
		茂る	桜の花が散り、葉が茂って木陰を作る季節になった。	It has become the season where, after the blossom have fallen, the cherry trees produce abundant leaves, providing shade.
	菊	菊	菊は秋に咲く花だが、今では一年中売られている。	Chrysanthemums are flowers that bloom in the autumn, but now they are sold all year-round.
	潟	干潟	干潟の泥の中には、たくさんの生物が生息している。	Many living things inhabit the mud of tidal flats.
	雷	落雷	発電所への落雷により、付近一帯が3時間も停電した。	Due to a lightening strike to the power station, there was a 3 hour power outage (blackout) in the area nearby.

ページ	漢字	語彙	例文	英訳
p.12		雷雨	山登りの最中、激しい雷雨に見舞われ、山小屋へと避難した。	While mountain climbing, we were hit by severe thunderstorms and took refuge in a mountain hut.
	肝	肝	男の子が車に向かって走っていくのを見て、肝を冷やした。	When I saw a boy running toward a car, it sent me a chill.
		肝心	肝心なときに限って、車の調子が悪くなった。	Only when I need it, my car is in bad condition.
	尻	尻	部長は営業成績が足りない社員の尻を叩いて、営業に行かせた。	The manager pushed the pace of the employees whose business results were insufficient and got them to go out on a sales call.
	陰	日陰	この花は直射日光を避け、日陰で育ててください。	Avoid direct sunlight and grow this flower in the shade.
		陰気	この部屋は日当たりが悪く、何となく陰気な感じがする。	There isn't sufficient sunlight in this room and it is gloomy.
	紫	紫外線	このクリームには、紫外線を防ぐ効果がある。	This cream has the effect of blocking ultraviolet rays.
		紫	朝顔がいくつも紫色の花をつけている。	The morning glory has several purple flowers attached to it.
	穂	穂先	稲の穂先にトンボが止まっている。	There is a dragonfly on the tip of a rice plant.
		穂	8月の半ばになり、稲の穂が開いた。	When it got to be the middle of August, most of the rice ears opened.
	露	露	草の葉っぱの先に、露が溜まっている。	Dew has accumulated on the tips of the blades of grass.
		露骨	その女性は嫌いな人に話しかけられ、露骨に嫌な顔をした。	When she was spoken to by a person she hated, she made a bluntly disgusted expression on her face.
	滝	滝	滝の水に打たれて精神を鍛えるという修行がある。	There is a mind-training ascetic exercise where you are hit with water from a waterfall.
		白滝	すき焼きの中に白滝がたくさん入っている。	In the *sukiyaki* there are a lot of *shirataki* (noodles made from *konnyaku*).
	溝	海溝	沖縄のそばに、深い海溝がある。	Near Okinawa, there is a big ocean trench.
		側溝	側溝に落とした百円玉を拾う。	I picked up a one hundred-yen coin dropped into the ditch.
	汁	果汁	リンゴの果汁を絞ったら、色が変わった。	When I squeezed the juice of apples, the color changed.
		煮汁	魚を煮たら、煮汁が鍋に溜まり、とてもおいしそうだ。	Once the fish was cooked, the cooking broth collected in the pot and looked delicious.
	桃	桃	桃を砂糖で煮て、ヨーグルトをかけて食べる。	Simmer peaches with sugar, then pour yogurt over and eat them.
		桃色	桃色はピンク色より少し濃い。	Peach color is a little darker than pink.
	桑	桑	桑の木が、田畑の横に数本植わっている。	There are several mulberry trees planted next to the fields.
		桑畑	蚕を飼っていた頃、家の周りには桑畑が広がっていた。	When I kept silkworms, mulberry fields spread around my house.
	腐	腐る	海辺を歩いていたら、魚の腐ったにおいがした。	While walking on the beach, I smelled rotten fish.
	腐	腐敗	腐敗した政界に見切りを付ける。	I have had it with corrupt politicians.
	峰	連峰	ここからは、北アルプス連峰が一望できる。	From here you can get a panoramic view of the Northern Alps mountain range.

ページ	漢字	語彙	例文	英訳
p.13		最高峰	世界の最高峰はエベレスト山、日本の最高峰は富士山だ。	The tallest peak in the world is Mount Everest and the tallest peak in Japan is Mount Fuji.
	芳	芳香	芳香剤の香りは、微かに漂っている程度がいい。	When it comes to air freshener, I like it when it is subtly drifting in the air.
		芳醇	ワインから芳醇な香りがする。	The wine has a mellow aroma.
	岳	山岳	高校と大学で山岳部に所属していた。	I was in a mountaineering club in high school and college.
		岳父	岳父とは妻の父のことを言う。	Your wife's father is called 'gakufu' (your father-in-law).
	脇	脇	脇に体温計を挟んで体温を測る。	You measure your temperature by putting a thermometer under your arm.
		関脇	関脇から大関に昇進するのは大変難しい。	It is very difficult to be promoted to *ozeki* from *sekiwake*.
	霧	濃霧	飛行機は濃霧の中、無事着陸した。	The plane landed safely in the dense fog.
		霧雨	朝から霧雨が降り続いて、少々寒い。	It has been drizzling since this morning and it's a little cold.
	胞	細胞	マーカーで癌細胞の有無を調べる。	They use bio-markers to examine the presence of cancer cells.
		単細胞	地球上に最初に誕生した生命は、単細胞生物だった。	The first life born on earth was single-celled organisms.
	朱	朱	薄地の着物に朱色の帯がよく似合う。	A vermilion *obi* belt goes well with thin-cloth *kimono*.
		朱肉	印鑑は持ってきたが、朱肉を持ってくるのを忘れた。	I brought my personal seal but I forgot to bring the red ink pad.
	菌	細菌	細菌に感染して肺炎を起こした。	I was infected with bacteria that caused pneumonia.
		殺菌	哺乳瓶は十分殺菌してから使用してください。	Please use the bottles only after sterilizing them.
	妊	妊婦	妊婦さんが大きな荷物を抱えていたので、持つのを手伝った。	The pregnant woman was carrying a piece of big luggage so I helped her.
		不妊	不妊治療を行って、子どもを授かる。	After undergoing infertility treatments, I was blessed with a child.
	晶	結晶	雪の結晶を文集の表紙のデザインに取り入れる。	I will incorporate snow flakes into the design of the cover of the anthology.
		液晶	液晶のテレビは画像が鮮明だ。	LCD TVs have a clear image.
	臭	悪臭	家の前のドブから悪臭が漂ってきた。	A stench has floated up from the canal in front of my house.
		生臭い	生臭くて、刺身が食べられないという人もいる。	Some people can not eat raw fish because the fishy smell is unpleasant.
p.14	吐	吐血	入院患者が急に吐血した。	The patient in the hospital suddenly vomited blood.
		吐き気	何か悪いものを食べたのか、吐き気をもよおしてきた。	I don't know if I ate something bad but I feel nauseous.
	粘	粘土	妹は粘土遊びに夢中だ。	My little sister is absorbed in playing with clay.
		粘り強い	課長の粘り強い交渉の結果、ついに取引をしてもらえることになった。	Thanks to the section chief's persevering effort, we managed to get the account.
	洪	洪水	洪水の被害がひどく、300世帯に避難勧告が出された。	The flood damage was so severe that evacuation advisories were issued to 300 households.

ページ	漢字	語彙	例文	英訳
	膨	膨張	この容器は電子レンジで温めると膨張して危険です。	This container expands when it is warmed in the microwave so it is dangerous.
		膨大	彼は長年に渡って膨大な資料に目を通し、知識を深めた。	He read through the vast materials over several years, and deepened his knowledge.
	珠	真珠	姉は真珠のネックレスがよく似合う。	The pearl necklace suits my older sister.
		数珠	数珠を持って祖父の葬儀に参列した。	I attended my grandfather's funeral with a rosary.
	澄	澄む	空が澄んで気持ちのいい朝だ。	It's a pleasant morning with a clear sky.
		澄ます	耳を澄ますと秋の虫の鳴き声が聞こえる。	If you listen carefully, you can hear autumn insects.
	紋	指紋	犯行現場に残された指紋から、犯人が特定できた。	From fingerprints left at the scene of the crime, the perpetrator could be identified.
		波紋	大臣の不適切な発言が波紋を広げている。	Inappropriate remarks by the Minister have created a sensation.
	尿	尿	健康診断で、尿の検査を受けた。	In my health check-up, I had a urine test.
		屎尿	屎尿は肥料として使われることもある。	Excreta can be used as fertilizer.
	猿	猿	その公園には猿山があり、たくさんの猿を見ることができる。	This park has an apery and you can see many monkeys.
		野猿	土地開発で住むところを奪われた野猿に、民家が襲われるという被害が起きている。	Due to land development, wild monkeys, deprived of a place to live, have incurred damage such as attacking people.
	泡	泡	せっかくの苦労が水の泡だ。	All the efforts were for naught.
		発泡	パソコンを発泡スチロールで固定して、段ボール箱に詰めた。	I packed the computer in styrofoam and put it in a cardboard box.

Unit 2

ページ	漢字	語彙	例文	英訳
p.17	胴	胴	最近、胴の周りに肉が付いてきた。	Recently, I've gained weight around my torso.
		胴上げ	優勝が決まり、選手たちが監督を胴上げした。	The players gave their manager a victorious toss when they won the tournament.
	苗	苗木	娘は庭に植えたミカンの苗木の生長を、とても楽しみにしている。	My daughter is really looking forward to the growth of the mandarin orange tree seedlings that are planted in the garden.
		苗	庭に春の花の苗を植えた。	I planted spring flower seedlings in the garden.
	瞳	瞳孔	暗い所では、瞳孔は大きくなる。	In the dark, the pupil becomes larger.
		瞳	彼女はまっすぐな瞳で私を見つめ返した。	She stared back at me with direct eyes.
	陵	丘陵	街の北方に目をやると、丘陵が続いていた。	If you turn your eyes to the north of the city, the hills continue.
	霞	霞	山に霞がかかって、幽玄な雰囲気を漂わせている。	Mist hangs over the mountains, and a subtle and profound atmosphere drifts.
		霞む	パソコンに向かう仕事をしすぎたせいか、目が霞んできた。	My eyes started to blur, possibly due to working too much on the computer.
p.18	凝	凝固	天ぷら油の処理には、凝固剤を使用するとよい。	To process cooking oil, it is preferable to use a coagulant.
		凝縮	文章の内容を凝縮して、もう少し短くまとめてください。	When condensing the contents of the text, please summarize a little more briefly.

ページ	漢字	語彙	例文	英訳
	獣	獣医	息子は、子どもの頃からの夢を叶えて獣医になった。	My son made his childhood dream come true and became a veterinarian.
		怪獣	3歳の子どもは、まるで怪獣のように家の中を散らかしていく。	A 3-year-old child makes a mess all over the house, like a monster.
	疫	疫病	疫病が流行し、多くの人が命を落とした。	In the plague epidemic, many people lost their lives.
		免疫	母乳には母親の免疫が含まれている。	The mother's immunity is contained in her breast milk.
	爪	爪	料理の前に、爪を切って清潔にしておく。	Before cooking, cut and clean the nails.
		爪先	私は冷え性で、冬は爪先が氷のように冷たくなってしまう。	I have poor circulation, in winter my toes become as cold as ice.
	繊	繊維	布を繊維に沿って切る。	Cut along the fiber of the cloth.
		化繊	皮膚が弱いので、化繊の衣類には気を付けている。	My skin is so sensitive, I am careful about synthetic clothing.
	肢	四肢	四肢のしびれが長く続くときは、病院へ行ったほうがよい。	When numbness of extremities continues for a long time, you should go to the hospital.
		選択肢	次の選択肢の中から適切なものを一つ選びなさい。	Choose the most appropriate one from among the following choices.
	蛍	蛍	夏になると、蛍の雄の成虫はお尻の部分を光らせながら飛ぶ。	In summer, adult male fireflies fly about lighting up a portion of their bottoms.
		蛍光	教科書の内容の大切な部分に、蛍光ペンで線を引いた。	I underlined with a highlighter pen the important parts of the textbook.
	酵	発酵	日本酒は簡単に言うと米を発酵させた飲み物だ。	In a nutshell, Japanese sake is a drink made from fermented rice.
		酵素	酵素の力で汚れを落とすという洗濯用洗剤がよく売れているそうだ。	Laundry detergents that use the power of enzymes to remove dirt seem to be selling well.
	娠	妊娠	妻が妊娠して以来、夫はよく家事をするようになった。	Since the wife became pregnant, the husband began to do housework often.
	紺	濃紺	今年は濃紺のスーツが流行するそうだ。	This year dark blue suits are likely to be fashionable.
		紺碧	夏は紺碧の空の下で、ずっと海水浴をしていたい。	In the summer, under the azure sky, I want to go swimming at the beach all the time.
p.19	濁	濁流	大雨のため、いつもは穏やかな川が、濁流となって流れている。	Because of heavy rain, the usually calm river has become a muddy stream.
		濁す	そろそろ結婚しなさいと叔母に言われたが、お茶を濁して帰ってきた。	Although my aunt told me to think about settling down, I evaded the subject and left.
	唇	下唇	息子は試合に負けて、悔しそうに下唇を噛んだ。	My son lost the game and regretfully chewed his lower lip.
		読唇術	耳の不自由な人は、読唇術を使って他の人の話していることを理解します。	Hearing-impaired people use lip-reading to understand what other people are saying.
	肪	脂肪	健康診断で、お腹周りの脂肪が多いと言われた。	At my health check, I was told that I had a lot of fat around my abdomen.
		脂肪分	レストランのメニューには、塩分や脂肪分の多い料理が多い。	In restaurants, there are many dishes with high sodium and fat content.

ページ	漢字	語彙	例文	英訳
	朽	朽ちる	あの家は柱が朽ちて、今にも崩れそうだ。	That house has rotting pillars, and even now looks like it will collapse.
		老朽	建物の老朽化が進んでいるため、建て替えを検討している。	Because the building is aging, we are considering rebuilding.
	岬	岬	岬から見る春の海は、カモメが飛んでいてとてもきれいだった。	The spring ocean view from the cape with flying seagulls was very beautiful.
	壌	土壌	今日の研究会では、産業廃棄物による土壌汚染についての研究結果が発表される。	At today's workshop, research results on soil pollution caused by industrial waste will be presented.
	髄	骨髄	白血病の人を助けるために、骨髄バンクへ登録した。	To help people with leukemia, I registered at a bone marrow bank.
		脊髄	脊髄は脳から背骨の一番下まで続いている。	The spinal cord continues from the brain down to the bottom of the spine.
	蘇	蘇生	患者は意識を失っていたが、人工呼吸によって蘇生した。	The patient had lost consciousness, but was revived by artificial respiration.
		蘇る	高校の同級生に会って、楽しかった高校時代の記憶が蘇った。	When I met with high school classmates, fun memories from high school came back.
	疾	疾患	その患者は、皮膚疾患に長年悩まされてきました。	That patient has been plagued by skin disease for many years.
		疾走	選手は全員ゴールに向かって疾走した。	The players were all sprinting toward the goal.
	渓	渓流	ここから1時間の場所にある渓流では、珍しい魚が釣れる。	In a mountain stream, which is located one hour from here, you can catch rare fish.
		渓谷	切り立った渓谷の中を一本の道が通っていて、私たちはそこを観光バスで通った。	There is a single road through a steep valley, and we rode a tour bus through there.
p.20	硫	硫黄	火山の近くにある温泉は硫黄の匂いがする。	Hot springs that are near volcanoes smell of sulfur.
		硫酸	硫酸は強い酸性の液体なので、扱いには注意が必要だ	Because sulfuric acid is a strong acidic liquid, care is necessary when dealing with it.
	闇	闇	停電してしまったので、闇の中で懐中電灯を探した。	There was a power outage, and I was looking for a flashlight in the darkness.
		暗闇	幼い息子は暗闇をとても怖がり、夜なかなか一人で寝られない。	My young son is very afraid of the dark, at night he can not seem to sleep alone.
	孔	気孔	植物は気孔を通して、光合成や呼吸を行う。	Plants, through the stomata, perform photosynthesis and respiration.
		鼻孔	弟は、興奮しているせいか、鼻孔を膨らませてしゃべっていた。	My brother, probably because he is excited, has been talking with inflated nostrils.
	礁	珊瑚礁	沖縄の珊瑚礁を守るための活動に参加した。	I participated in activities to protect the coral reefs of Okinawa.
		暗礁	二つの意見が対立し、交渉は暗礁に乗り上げた。	With both sides having conflicting ideas, the negotiation came to a deadlock.
	塊	金塊	旧家の改築をしようとしたところ、床下から金塊が発見された。	When I was trying to renovate my house, gold ingots were discovered under the floor.
		団塊	「団塊の世代」の定年退職は、日本の社会問題になっている。	The retirement of the baby boom generation has become a social issue in Japan.

ページ	漢字	語彙	例文	英訳
	茎	茎	山菜のフキは茎の部分を食べる。	You can eat the stem of the mountain vegetable butterbur (fuki).
		歯茎	歯茎が炎症を起こしているので、リンゴを食べると血が出る。	Because my gums are inflamed, they bleed when I eat an apple.
	媒	媒介	マラリアという病気は、蚊を媒介して人から人へと感染する。	Malaria is a disease that is carried by mosquitoes and spreads from person to person.
		媒体	どんな媒体に広告を載せると効果的か、皆と話し合った。	When I put an ad in, I discussed with everyone which medium would be most effective.
	芋	芋	世界には、主食として麦を食べる地域、米を食べる地域、芋を食べる地域などがある。	In the world as their staple food, some regions have wheat, some regions have rice and some regions have potatoes.
		焼き芋	秋から冬の寒い季節は、焼き芋が特においしい。	Baked sweet potatoes are especially delicious in the cold season from autumn to winter.
	眉	眉	眉の形によって顔の印象が変わる。	Impressions of a face vary depending on the shape of the eyebrow.
		白眉	この作品の白眉は、老人と少年が禁止されている映画のシーンを二人で見るところだ。	The best part of this work is the scene where an old man and a boy watch the restricted part of a movie.
	逝	逝去	課長のお母様が逝去されました。	My manager's mother passed away.
		夭逝	夭逝した画家の展覧会が各地で開かれている。	Exhibitions of the painter who died young have been opened in many places.
p.21	霜	初霜	今年の初霜はいつもの年よりも遅かったので、暖冬になるかもしれない。	The first frost of the year was later than usual so it might be a mild winter.
		霜降り	鍋料理には霜降りの肉をよく使う。	Marbled meat is often used in one-pot stews.
	蚊	蚊	蚊の発生を抑えるためには、家の周りに水溜まりを作らないことが大切だ。	In order to suppress the generation of mosquitoes, it is important not to make puddles around the house.
		蚊帳	殺虫剤の人体への影響が明らかになるにつれ、蚊帳が見直されてきている。	As the impact of insecticides on the human body has become apparent, the use of mosquito nets has been reconsidered.
	股	股関節	股関節を柔軟にするため、毎日体操をしている。	In order to make my hip joint more flexible, I am exercising daily.
		股	語学が得意な彼女は、世界を股にかけて活躍している。	She is good at languages and has been working all over the world.
	泌	分泌	レモンを見ると、反射的に唾液が分泌される。	When you look at a lemon, saliva is secreted as a reflex.
		内分泌	環境ホルモンは内分泌を乱すと言われている。	It is said that environmental hormones disturb the endocrine gland.
	藻	海藻	海藻は髪によいので毎日食べたほうがよい。	Seaweed is good for your hair so you should eat it every day.
		藻	友人のボートに藻が絡まり、浮上できなくなってしまいました。	Algae became tangled on my friend's boat, and it can no longer float.
	畔	湖畔	秋の夕暮れに湖畔をゆっくり散策するのは気分がいい。	To slowly walk around the lakeside at dusk in autumn feels good.
		河畔	ボートを河畔に寄せた。	The boat drew close to the banks of a river.
	錬	錬金術	鉄から金を生み出すような、錬金術はない。	There is no alchemy for production, such as gold from iron.

ページ	漢字	語彙	例文	英訳
		錬成	この大学では、崇高な人格を**錬成**することを目的としています。	The goal of this university is to cultivate a noble character.
	硝	硝子	父の趣味は**硝子**の工芸品の収集だ。	My father's hobby is collecting glass crafts.
		硝酸	**硝酸**の取り扱いには注意が必要だ。	You must be very careful when handling nitric acid.
	雌	雌	我が家では、雄と**雌**の猫を2匹ずつ飼っています。	At our house, we have two each of male and female cats.
		雌雄	外見では**雌雄**の区別がつきにくい動物もいる。	There are some animals where it is difficult to distinguish male and female by outward appearance.
	褐	褐色	海辺に住む彼の肌は日に焼けて**褐色**だった。	Living at the seaside, his skin was tanned brown.
		茶褐色	この温泉には鉄分が含まれているので、お湯の色は**茶褐色**です。	At this hot spring, since it contains iron, the color of the water is dark brown.
			Unit 3	
p.24	蝶	蝶々	庭の花に**蝶々**がたくさん群がっている。	A lot of butterflies have gathered to the flowers in the garden.
		蝶ネクタイ	帽子に**蝶ネクタイ**がよく似合っている小学1年生の子どもが歩いていく。	First-grade elementary school children walk, looking good wearing bow ties and hats.
	窒	窒素	**窒素**とは、空気の体積の約五分の四を占める気体である。	Nitrogen is a gas that makes up four fifths of the air.
		液体窒素	皮膚科の治療によく**液体窒素**が使われる。	Liquid nitrogen is often used in dermatological treatment.
	湧	湧く	初対面の相手が同郷だとわかると、親近感が**湧く**。	Once you know that someone you are meeting for the first time comes from the same hometown, you feel a bond with them.
		湧出	この神社の境内には、飲めば不老長寿になるという水が**湧出**している。	In the precincts of this shrine, water wells up that will give you perpetual youth and longevity if you drink it.
	腫	腫瘍	健康診断で胃に**腫瘍**が見つかったが、良性とわかって安心した。	A tumor was found in my stomach during a health check but I was relieved to find out it was benign.
		腫れる	虫に刺されたところが**腫れて**しまった。	The place where I got stung by an insect swelled.
	濡	濡れる	走ってきたので、シャツが汗で**濡れて**しまった。	I ran here so my shirt is soaked with sweat.
		ずぶ濡れ	急な夕立で、**ずぶ濡れ**になってしまった。	In the sudden shower I got soaked.
p.25	痢	下痢	原因不明の**下痢**がずっと続いている。	I have had long-term continuous diarrhea with an unknown cause.
		赤痢	**赤痢**の患者を一時的に別室に隔離した。	Dysentery patients were temporarily isolated in another room.
	崖	崖	この**崖**から見下ろす海岸の景色はすばらしい。	The views from this cliff overlooking the coast are wonderful.
		崖っぷち	弟は、あと1科目単位を落とすと留年という、**崖っぷち**の状態だ。	My younger brother is at the point that if he fails one more subject he will have to repeat the year.
	膝	膝	転んで**膝**に怪我をしてしまった。	I fell and injured my knee.
		膝下	ホテルでマッサージを頼み、**膝下**から足先まで、丁寧にもんでもらった。	I requested a massage at the hotel and had them carefully massage from my knees to my toes.
	喉	喉	私は**喉**が弱く、風邪をひくとすぐ**喉**を傷めてしまう。	I have a weak throat and as soon as I catch a cold my throat hurts.

ページ	漢字	語彙	例文	英訳
		耳鼻咽喉科	娘はアレルギーの治療のために、定期的に耳鼻咽喉科に通っている。	My daughter, to get treatment for her allergies, regularly goes to an otolaryngology clinic.
	咳	咳	昨夜から咳が止まらず、一睡もできなかった。	Last night, I couldn't stop coughing and didn't sleep at all.
		咳払い	授業時間になっても教室が静かにならないので、先生は咳払いをした。	The classroom did not get quiet, even though it was class time, so the teacher cleared his throat.
	垢	歯垢	歯医者へ行って、定期的に歯垢をとってもらっている。	I go to the dentist and have the plaque removed regularly.
		無垢	大人になっても子どものように無垢な心を持ち続けたいものだ。	I hope to continue to have an innocent heart like a child well into adulthood.
	肘	肘	肘をついて食事をするのは行儀が悪いと、よく祖母に言われる。	My grandmother often tells me that it is bad manners to eat with your elbows on the table.
		肘鉄	混雑している電車の中で、前の人から偶然肘鉄を食らってしまった。	In a crowded train, I got elbowed by the person in front of me.
	痘	天然痘	かつてこの地で天然痘が大流行し、大勢の命が失われた。	Once there was an outbreak of smallpox here and many lives were lost.
		種痘	天然痘の予防のために、種痘を受ける。	To prevent smallpox, you get a vaccination.
	梢	末梢神経	末梢神経が痛むと、手足のしびれや感覚の低下が起こる。	If you have peripheral nerve pain, numbness and loss of sensation in the limbs may occur.
		梢	桜の梢に小鳥がとまっている。	Birds are perched on the treetop of a cherry tree.
	繭	繭	蚕の繭から糸をとる。	You take a thread from the cocoon of the silkworm.
		繭玉	正月の準備に繭玉を作った。	I made a New Year's decoration with cocoon-shaped puffs in preparation for New Year's.
p.26	髭	髭	兄は三日に一度、髭を剃っている。	My brother shaves his whiskers once in three days.
		口髭	校長先生は立派な口髭を生やしている。	The principal has a splendid mustache.
	頬	頬	好きな人にばったり会って、頬が赤くなってしまった。	When I ran into a person I like, my cheeks turned red.
		頬骨	祖父は、病気でやつれて頬骨がとがってきた。	My grandfather became thin from disease and his cheekbones became gaunt.
	蛋	蛋白質	現代社会では、蛋白質の摂取が不足している人が多いそうだ。	In modern society, many people are likely to have an insufficient intake of protein.
		蛋白	健康診断で尿に蛋白が出たとのことで、再検査となった。	At my health check, protein was found in my urine and I had to have a re-test.
	淡	淡水	ここは、淡水と海水が入り混じった汽水湖だ。	Here is a brackish lake where the freshwater and seawater are mixed.
		冷淡	私が病気になった時、彼の冷淡な態度には失望した。	When I became ill, I was disappointed by his indifference.
	胎	胎児	母親の気持ちは胎児に伝わる。	The feelings of the mother are transmitted to the fetus.
		胎内	胎児は母親の胎内で羊水に浮かんでいる。	A fetus is floating in amniotic fluid in the womb of his mother.
	腎	腎臓	仕事の疲れか、腎臓を悪くしてしまった。	Perhaps from work exhaustion, I damaged my kidneys.

ページ	漢字	語彙	例文	英訳
p.27		肝腎	無駄話ばかりして、肝腎なことを話すのを忘れてしまった。	With all the idle talk, I forgot to talk about the essential things.
	睡	睡眠	仕事が忙しくて、最近睡眠がよくとれていない。	Work has been so busy lately, I haven't been sleeping well recently.
		熟睡	電車で熟睡して、乗り過ごしてしまった。	I slept deeply on the train and missed my stop.
	蛇	蛇	裏庭に蛇が出て、大騒ぎになった。	A snake in the backyard caused quite a fuss.
		蛇口	蛇口をひねると水が勢いよく出てきた。	When I turned on the faucet, water came out vigorously.
	渇	渇水	今年の夏は雨が少なく、渇水に悩まされた。	We had very little rain this summer and worried about drought.
		枯渇	石油資源は50年以内に枯渇すると言われている。	It is said that oil resources will be depleted within 50 years.
	匂	匂い	厨房からおいしそうな匂いがしてきた。	An appetizing smell is coming from the kitchen.
		匂う	梅の花が咲き匂う公園の中を歩いた。	I took a walk in a park with Japanese plum trees in full bloom.
	吠	吠える	飼い犬が急に吠えはじめたので外に出たら、父が帰ってきたところだった。	Our dog suddenly started to bark so I went outside and my father was just coming home.
	峡	海峡	海峡が二つの国を隔てている。	A strait separates the two countries.
		峡谷	その峡谷は、去年世界遺産に登録された。	That canyon was registered as a World Heritage site last year.
	彩	色彩	公園では、深紅、オレンジ、赤、ピンク、黄、白などのバラが色彩豊かに咲いている。	In the park, crimson, orange, red, pink, yellow, and white roses are colorfully blooming.
		多彩	音楽祭では、クラシックから現代のポップスまで多彩なプログラムが用意されています。	At the music festival, there is a variety of music from classical to modern pop on the program.
	裸	裸足	砂浜では、やはり裸足で歩きたい。	On a sandy beach, I want to walk barefoot.
		裸体	ギリシャ彫刻は上半身裸体の像が多い。	In Greek sculpture, there are many statues of nude upper bodies.
	鉛	鉛筆	孫の小学校入学祝いに、名前入りの鉛筆をプレゼントした。	To celebrate my grandson entering elementary school, I gave him pencils with his name on them.
		鉛	徹夜続きで体が鉛のように重い。	I stayed up all night and my body feels as heavy as lead.
	鼓	鼓膜	飛行機に乗るといつも鼓膜の調子が悪くなって、耳が聞こえにくくなる。	The condition of my eardrums always worsens after plane rides and it becomes difficult to hear.
		太鼓判	彼の技術は一流だと、以前働いていた職場の上司が太鼓判を押している。	The previous boss of the job gives his stamp of approval, saying his technique is the best.
	峠	峠	冬の峠は雪が積もっていたり、道路が凍結していたりして危ない。	In winter, the mountain pass has lots of snow and the road is frozen so it is dangerous.
	噛	噛む	食べ物は、ゆっくり噛んで食べたほうがいい。	You should chew food slowly.
		噛み切る	固い肉を無理やり噛み切ろうとしたら、口の中を切ってしまった。	Trying to forcefully chew tough meat, I ended up cutting the inside of my mouth.
	昆	昆虫	弟は昆虫採集が趣味で、自分で標本も作っている。	My brother's hobby is collecting insects, and he also makes his own specimens.
		昆布	昆布でだしをとって、味噌汁を作った。	I made stock from *konbu* and made *miso* soup.

ページ	漢字	語彙	例文	英訳
p.28	胆	大胆	彼女は大胆な発想で周囲を驚かせた。	She surprised everyone with her bold ideas.
		落胆	不合格とわかった後の彼の落胆ぶりは、かわいそうで見ていられなかった。	After his disappointment in failing to pass, I felt sorry for him and could not watch.
	鯨	鯨	船から、鯨が潮を吹く様子が見られた。	From the boat, we could see a whale spout.
		捕鯨	捕鯨を巡って、各国の意見が対立している。	Various countries' opinions are at odds over whaling.
	鶏	鶏	田舎に住む祖父は、庭で鶏を飼っている。	My grandfather, who lives in the countryside, keeps chickens in his garden.
		養鶏	養鶏場から鶏の鳴き声が聞こえる。	You can hear the cries of chickens from the poultry farm.
	噴	噴火	火山が噴火して、大量の溶岩が流れ出た。	The volcano erupted and large amounts of lava flowed.
		噴射	飛行機が逆噴射して墜落するという事故があった。	There was an accident where the airplane went into reverse thrust and crashed.
	殖	繁殖	細菌が繁殖する季節になった。	It is the season where bacteria multiply.
		養殖	養殖のマグロやウナギでも十分おいしい。	Aquaculture tuna and eel are just as delicious.
	盲	盲点	彼の意見は発表者の盲点を突くものだった。	His opinion was a strike at the presenter's blind spot.
		盲導犬	盲導犬を見ても、話しかけたり触ったりしてはいけません。	Even if you see a guide dog, you should not talk to it or touch it.
	洞	洞窟	子どもの頃はよく洞窟を探険して遊んだものだ。	When I was a child, I often explored caves and played.
		空洞	このブロンズ像は、中が空洞になっている。	This bronze statue is hollow inside.
	膜	膜	鍋でミルクを温めたら、膜が張った。	When I warmed milk in a pan, a membrane formed.
		角膜	脳死状態になったときは、角膜を提供する意思がある。	When someone becomes brain dead, there is willingness to donate the corneas.
	暁	暁	暁の空に金星が輝いている。	Venus is shining in the dawn sky.
	渦	渦	この地方の伝統的な工芸品には、渦の模様が描かれているものが多くあります。	In the traditional crafts of this region, there are many things with a vortex pattern on them.
		渦中	芸能人である夫の浮気が報じられたため、彼女はたちまち渦中の人となった。	When her celebrity husband's infidelity was reported, she immediately became a person of focus.
	宵	今宵	今宵は心ゆくまで楽しもうではありませんか。	This evening, let's enjoy ourselves to our heart's content!
		宵越し	大学時代の友人同士で、宵越しの酒を飲んで語り合った。	With friends from my college days, we talked and drank all night.

2 心情・思考・言語

Unit 1

ページ	漢字	語彙	例文	英訳
p.36	惑	疑惑	県庁舎建築の入札に際し、談合があったのではないかという疑惑が持ちあがっている。	There is a suspicion of bid-rigging over the bidding of the construction of the prefectural office building.
		誘惑	都会にはいろいろな誘惑が多いが、惑わされずにしっかり勉強しなさい。	In the city, there are often a variety of temptations, but you must study hard without being tempted.
	詳	詳細	アフターサービスの詳細な内容については、各店にお問い合わせください。	For details on after-sales service, please contact a store near you.

ページ	漢字	語彙	例文	英訳
p.37		不詳	この曲は作曲者不詳だが、多くの人に歌われている。	The composer of this song is unknown but it has been sung by many people.
	範	規範	市民として守るべき規範を、学校教育を通して教え込む。	Models that you should follow as a citizen are instilled through school education.
		模範	先生の模範演技を参考にして、生徒は各々の創作ダンスを披露した。	Consulting the exemplary performance of the teachers, the students each showed creative dance.
	載	記載	保険申込書の記載事項に不備がある場合は、お返しする場合があります。	If the entries of the insurance application form are not complete, the form might be returned to you.
		掲載	弟が投稿した詩が今朝の朝刊に掲載されました。	The poem my brother sent in was published in today's morning paper.
	択	採択	議会はごみ処分場建設に関する決議案を全員一致で採択した。	Parliament unanimously adopted a resolution on the construction of a garbage dump.
		選択	当校では、学習進度や目標にあったコースを選択することができます。	At this school, you can choose a course that meets your learning progress and goals.
	称	名称	新しく建設されたスポーツ施設の名称を募集します。	We are collecting ideas for a name for the newly built sports facility.
		称する	昨晩、息子の同級生と称する男性から電話がかかってきた。	Last night, I got a phone call from a man who claimed to be a classmate of my son.
	釈	解釈	映画の台詞を巡って、監督と役者の解釈が一致しないので、撮影は中断した。	Because the director and the actors could not agree over the interpretaion of the movie lines, shooting was discontinued.
		釈放	窃盗で服役していた男は、刑期を終えて釈放された。	A man, who was serving time for theft, finished his sentence and was released.
	趣	趣旨	子ども会の活動趣旨を理解していただける方は、是非ボランティアとしてご協力ください。	Anyone who understands the purpose of the children's club activities, please join us as a volunteer.
		趣	古都京都には、趣のある街並みが続いている。	The ancient capital of Kyoto has many quaint streets.
	析	分析	新商品のアンケート結果を分析し、商品開発にいかす。	We will analyze the results of the survey on the new products, and make use of that in product development.
		解析	彼女の仕事は、特定の遺伝子が持つ働きを解析することだ。	Her job is to analyze the function of specific genes.
	索	捜索	山の中を何日も捜索したが、行方不明者の手掛かりはなかった。	Even though we searched for many days in the mountains, there was no clue of the missing people.
		検索	パソコンで検索して、参考文献を探す。	I will do a search on the computer to look for references.
	概	概論	憲法概論の授業は、いくら聞いてもよくわからない。	In my class of Introduction to the Constitution, no matter how much I listen, I still don't understand.
		概念	彼の理論は、あまりに概念的で具体性に欠ける。	His theory is conceptual and short on specifics.
	又	又	次の診察ですが、明日、又来てください。	For your next visit (examination), please come again tomorrow.
		又は	ランチには、コーヒー、又は、紅茶が付きます。	Coffee or tea is included with lunch.
	尚	尚	尚一層のお引き立てを賜りますようお願い申し上げます。	We look forward to your continued patronage.
		高尚	俳句とは高尚な趣味をお持ちですね。	You have quite an elegant hobby of *haiku*.

ページ	漢字	語彙	例文	英訳
p.38	虚	虚偽	彼は法廷で虚偽の証言をした可能性がある。	He may have made false testimony in court.
		虚しい	何をしても虚しい気持ちを埋めることができない。	No matter what I do, I cannot fill the empty feeling I have.
	慰	慰謝料	妻との離婚は容易に成立したが、慰謝料の件でもめている。	The divorce from my wife was easily established but we are at odds over the issue of alimony.
		慰霊	慰霊の塔に名前を刻んで、故人を忍ぶ。	We carved names in the tower of the memorial to commemorate the deceased.
	尋	尋問	尋問の様子をビデオで撮る方法がとられるようになった。	They started to take a video of interrogations.
		尋ねる	入社試験の面接でどんなことを尋ねられましたか。	What were you asked at the company entrance examin-terview?
	抽	抽選	年末の商店街の抽選で、一等を当てた。	At the shopping street's end-of-the-year lottery, I got first prize.
		抽象的	絵についての批評は、抽象的でわかりにくい表現が多い。	Criticisms about pictures use many confusing and abstract expressions.
	謀	陰謀	図らずも陰謀に加担することになってしまった。	I ended up being unexpectedly complicit in the conspiracy.
		無謀	きちんとした装備もなく冬山に登るなんて、無謀な計画だと非難された。	Climbing in winter mountains without proper equipment, I was accused of having thoughtless plans.
	怠	怠慢	彼の怠慢さが、ついに上司を怒らせてしまった。	His negligence finally angered the boss.
		怠け者	息子は怠け者で、定職に就こうとしない。	My son is lazy and does not even try to get a steady job.
	喚	喚問	事件のキーマンに対する喚問が行われた。	We have summoned the key personnel from the incident.
		喚起	火災の発生しやすい冬は、消防署が特に注意を喚起している。	Since winter is prone to fires, the fire department has been particularly alert.
	稿	原稿	頼んだ原稿は今週中に仕上げてください。	Please finish the manuscript I gave you by the end of this week.
		投稿	新聞に投稿した文章が掲載された。	The article that I sent in to the newspaper was published.
	把	把握	料理長は調理の全ての過程を把握していなければならない。	The chef has to understand all the processes of cooking.
		大雑把	大雑把に計算しただけですが、ヨーロッパ旅行の費用は50万円といったところです。	Although only roughly calculated, the cost of the trip to Europe is about 500,000 yen.
	傍	傍聴	ニュースで大きく取り上げられた事件の裁判を傍聴した。	I attended the trial of the case that was widely reported in the news.
		傍ら	将軍の墓の傍らに、夫人の墓がひっそりと立っている。	On the side of the general's grave is his wife's.
	翻	翻訳	彼女は英語の児童書を日本語に翻訳する仕事をしている。	She has a job translating children's books from English to Japanese.
		翻弄	今振り返ると、親に翻弄された子供時代だった。	Looking back, I realize I had a childhood where I was made a fool of by my parents.
	漠	漠然	彼の計画は漠然としていて、具体的なことがよくわからない。	His plan is vague and I don't understand the concrete details.

ページ	漢字	語彙	例文	英訳
p.39		砂漠	内陸の地域の砂漠化が進んでいる。	Desertification in the inland region is progressing.
	偵	探偵	探偵が事件を解決するアニメや漫画は人気がある。	Anime (cartoons) and manga where detectives solve cases are very popular.
		偵察	今回の紛争では、敵軍の偵察のために飛行機だけではなく軍事衛星も使われた。	In this conflict, not only planes but also military satellites were used for enemy reconnaissance.
	謎	謎	犯人が自殺したため、事件の真相は今も謎に包まれたままだ。	Because the criminal committed suicide, the truth of the incident is still shrouded in mystery even today.
		謎々	謎々を出すと娘が喜ぶので、彼は謎々の本を買って毎日読んでいる。	Since his daughter loves riddles, he bought a riddle book and reads it every day.
	吟	吟味	義母への母の日のプレゼントを1か月かけて吟味した。	I took over one month and carefully selected a Mother's Day gift for my mother-in-law.
		吟醸	この居酒屋は吟醸酒が充実している。	This tavern has a wide selection of *ginjōshu sake*.
	閲	閲覧	図書館の本を閲覧するスペースが広がり、満席の日が少なくなった。	The space to read books at the library was expanded and now there are fewer fully packed days.
		検閲	戦前は、出版物は政府の検閲を受けていた。	Before World War II, publications were subjected to government censorship.
	唆	示唆	このデータは、小学生の成績と朝食の摂取には関係があるということを示唆している。	This data suggests that there is a relationship between the consumption of breakfast and test scores in elementary school.
		教唆	彼は放火犯に火を付けることを提案した教唆の疑いがある。	He is suspected of instigating and suggesting to the arsonist to set the fire.
	抄	抄本	戸籍抄本をとりに、役所へ行った。	I went to the public office to get an abstract of my family register.
		抄録	参考文献の中の、重要な部分のみ抄録しておく。	I abstract only the important part of the references.
	糾	糾弾	電力会社の核燃料の管理について、厳しい糾弾が相次いだ。	Management of nuclear fuel for power companies were one after another severely denounced.
		糾明	事件の徹底的な糾明と同時に、人権への配慮も必要だ。	While doing a thorough searching examination of the case, human rights must also be considered.
	諮	諮問	行政に関する新たな提案について、専門委員会に諮問する。	I will consult the special committee about the new suggestion for the administration.
		諮る	この会議の席上で、本提案についてお諮りしたいと思います。	On the occasion of this conference, I would like to consult about this proposal.
	拷	拷問	高校時代野球部で、毎日グラウンドを50周させられたのは、拷問のように辛かった。	On my high school baseball team, we were made to run around the ground 50 times every day and it was as hard as torture.
	或	或いは	ご質問、或いはご意見のある方は、こちらの用紙にご記入ください。	If you have any questions or opinions, please fill out this form.
		或る	別荘では、或る時は本を読み、或る時は近隣を散策するという生活を送っていた。	At the villa, we led a lifestyle where we sometimes read books, and sometimes explored the neighborhood.
p.40	堪	堪能	コンサートで、すばらしいピアノ演奏を堪能した。	At the concert, I enjoyed a wonderful piano performance.
		堪忍	私が悪かったです。どうぞ堪忍してください。	It was my fault. Please forgive me.

ページ	漢字	語彙	例文	英訳
	憾	遺憾	私の発言が多くの方々の誤解を招いたことは、誠に**遺憾**に思います。	I think it regrettable that what I said was misleading to many people.
	矯	矯正	歯の**矯正**に、五年以上もかかってしまった。	To correct my teeth, it took more than 5 years.
	宛	宛名	**宛名**を間違えて書いたため、郵便物が戻って来てしまった。	Since I wrote the wrong address, the letter came back.
		宛先	はがきには、**宛先**をはっきりと書きましょう。	On postcards, you must clearly write the address.
	勿	勿論	スポーツ大会にはクラス全員の参加が原則ですが、**勿論**体調不良者は除きます。	In principle, everyone must participate in the sports event, but those who are ill are, of course, excluded.
	尤	尤も	彼一人だけに残業を頼んだら、嫌がるのは**尤も**だ。／社員旅行には全員参加が原則です。**尤も**、出張で参加できない人もいますが。	As the only one asked to work overtime, it is natural that he would be reluctant. / It is policy that everyone participates in the company trip. Though, some cannot participate because they are away on business trips.
	啓	拝啓	**拝啓** 桜の季節となりましたが、お元気でいらっしゃいますか。	Dear sir, Cherry blossom season has arrived, how are you?
		啓蒙	**啓蒙**思想はヨーロッパで18世紀に盛んになった。	The Enlightenment became popular in the 18th century in Europe.
	囚	囚われる	既成概念に**囚われて**いては、新しい発想は生まれてこない。	If you are trapped by pre-conceived notions, no new ideas can be born.
		囚人	この小説の主人公は、たった一個のパンを盗んだ罪で、19年間**囚人**として生きることになった。	The main character of this novel, on charges of stealing only one loaf of bread, was to live as a prisoner for 19 years.
	諾	承諾	未成年がアルバイトをする場合は、親の**承諾**を求められることが多いです。	If a minor does a part-time job, he often has to get parental consent.
		受諾	アメリカが提案した条件を**受諾**し、条約に加盟することになった。	We accepted the conditions proposed by the United States, to join the treaty.
	簿	名簿	会員**名簿**を整理する。	I will organize a list of members.
		家計簿	パソコンで**家計簿**を付けてみる。	I am going to try doing the household accounts on the computer.
p.41	陳	陳謝	社長が今回の事件について**陳謝**する。	The company president will apologize for this incident.
		陳情	地元から国会に**陳情**団を送る。	I will send a petition to the National Assembly delegation from the local community.
	随	随筆	この作家の**随筆**を読むと、人生について考えさせられる。	After reading the essays of this writer, it made me think about life.
		随分	今日は**随分**早いですね。まだ8時半ですよ。	Today you are quite early. It is still 8:30.
	欺	欺く	人を**欺いて**はならない。	You should not deceive people.
		欺瞞	彼は自分の成功のために、周りの人々を**欺瞞**しつづけた。	For his own success, he continued to deceive the people around him.
	拠	証拠	検察は、犯行を行ったのは被告であるという**証拠**を裁判員に示した。	The prosecution showed the jury evidence of the crime that pointed to the defendant.
		根拠	血液型占いには、科学的**根拠**はない。	There is no scientific basis for blood type fortune-telling.
	訂	訂正	電車の時刻表の印刷ミスが**訂正**された。	The typographical error on the train time table has been corrected.

ページ	漢字	語彙	例文	英訳
		改訂	韓国語辞典の**改訂**版が出るそうだ。	A revised version of the Korean dictionary is likely to come out.
	該	該当	このチェック項目に**該当**する人は事務所に来てください。	Those who correspond to the checked items, please come to the office.
		当該	現在、A町とB町の山林に土砂崩れの危険があります。**当該**地域の住民は注意してください。	Currently, there is a danger of landslides in the mountain forests of Town A and Town B. Residents of these region, please take caution.
	欄	空欄	申請書の中で書き方がわからない箇所は、**空欄**のままにしておいてください。	Please leave blank any items on the application that you do not know how to write.
		欄外	**欄外**の注意事項も併せてご覧ください。	Please also refer to notes in the margin.
	匿	匿名	警察に**匿名**で電話をかけてきた男は、謎だった事件の概要を詳しく語った。	The man who made the anonymous call to the police provided details of the incident that had been a mystery.
		秘匿	巨額の赤字を**秘匿**していたことについて、A社の社長が責任を問われている。	The president of Company A has been held responsible for hiding the huge deficit.
	其	其の	「野球入門**其の**一」、というウェブサイトで野球について勉強した。	I studied about baseball on a web site called, "Introduction to baseball. 101"
		其れ	「**其れ**はどの帝の頃だったでしょうか」と平安時代の衣装を着た女優は台詞を言いはじめた。	"Which emperor period was that from?" the actress wearing a costume from the Heian period began to say her lines.
	挿	挿入	pdfファイルにページ番号を**挿入**する方法がわからない。	I don't know how to put a page number on a PDF file.
		挿し絵	子供用の本は**挿し絵**がきれいで、ずっと眺めていたくなる。	The illustrations in children's books are so beautiful I want to keep looking at them.

Unit 2

ページ	漢字	語彙	例文	英訳
p.45	慶	慶ぶ	皆様におかれましては、益々ご健勝のこととお**慶**び申し上げます。	I wish all of you increasingly good health and joy.
		慶弔	今月は、結婚や葬式が重なり、**慶弔**費がかかった。	This month, our expenses for gifts and condolences were high because we had a wedding and a funeral.
	敏	敏感	私は皮膚が**敏感**で、ちょっとした刺激ですぐ赤くなってしまう。	I have sensitive skin and it gets red with just a little irritation.
		機敏	このスーパーは顧客の要望に対してすぐに返答する、**機敏**な対応が好評だ。	This supermarket responds immediately to customer needs. The prompt response is being received well.
	慎	慎重	パスワードの管理は**慎重**に行ってください。	Please be careful with your password management.
		慎む	図書館内での私語は**慎ん**でください。	Please refrain from talking in the library.
	顧	顧みる	子どもが生まれた当時、夫は仕事が忙しく、家庭を**顧みる**余裕もなかった。	When her child was born, her husband was busy at work and did not even think about family time.
		顧客	このスーパーでは**顧客**の要望により、野菜の少量販売も行っている。	In this supermarket, at the request of the customer, they also sell vegetables in small amounts.
	誉	名誉	由緒ある神社の建築をまかされるのは、大工にとって大変**名誉**なことである。	Being responsible for the construction of a venerable shrine is a great honor for a carpenter.
		栄誉	新人映画コンテストが開催され、見事その**栄誉**に輝いたのはオーストラリアの監督だった。	A film contest looking for undiscovered talent was held, and a superb director from Australia won the honor.

ページ	漢字	語彙	例文	英訳
	憶	記憶	小さい頃母に連れられて海の近くの別荘に行った記憶がある。	I have a memory of being taken by my mother to a villa near the sea when I was little.
		憶病	この犬は憶病な性格で、人が近づくとすぐ吠える。	This dog is a coward and barks as soon as people approach.
	幻	幻想	結婚に対し、甘い幻想ばかり抱いては、失望することになる。	In terms of marriage, if you have only optimistic fantasies, you will be disappointed.
		幻	この滝は、地元の人でもめったに見たことがないという幻の滝である。	This waterfall is a phantom waterfall that only a handful of the local people have ever seen.
	狂	狂気	凍った湖を泳いで渡るなんて、狂気の沙汰としか思えない。	To swim across a frozen lake can only be madness.
		熱狂	オリンピックで決勝に進んだサッカーチームに、国中が熱狂した。	The soccer team advanced to the finals in the Olympics, and the whole country was enthusiastic.
	孤	孤独	その若者は話をする相手もいないまま、孤独な毎日を過ごしている。	That young man has no one to talk to and spends every day lonely.
		孤立	洪水で道路が寸断し、村が孤立している。	The roads were destroyed by the flood and the village was isolated.
	倫	倫理	医療従事者は高い倫理観のもとに、医療を行うことが求められている。	Health care workers are required to perform medical care based on high ethical standards.
		倫理的	このドラマは内容に問題があり、授業での鑑賞は倫理的に好ましくない。	There is a problem with the contents of this drama, so watching it in class is ethically undesirable.
p.46	屈	退屈	退屈しのぎに家庭菜園を始めた。	I was too bored so I started a home garden.
		理屈	いくら理屈をこねても、勉強をやらない理由にならない。	No matter how many excuses you make, there is no reason not to study.
	頑	頑固	頑固親父と言われるような父親は、現在は少ない。	These days, there are few fathers who are said to be stubborn.
		頑強	このビルの造りは頑強だ。	This building is sturdily made.
	鑑	鑑賞	大きな水族館で、ゆっくり魚を鑑賞する。	In a large aquarium, I watch the fish slowly.
		図鑑	庭に来た鳥の種類を調べるために図鑑を開いた。	I opened an illustrated reference book in order to determine the type of birds that came to my garden.
	恭	恭しく	秘書は恭しく社長に頭を下げて部屋を出て行った。	The secretary bowed respectfully to the president and went out of the room.
	冗	冗談	彼はいつも冗談ばかり言って人を笑わせている。	He always tells jokes and makes people laugh.
		冗漫	君の文章は内容はいいが、少し冗漫だ。	The content of your text is good, but a little tedious.
	宜	適宜	休憩は、各自適宜取るようにしてください。	Please take your own respective suitable breaks.
		便宜	コンサートのチケットを入手するため、音楽会社に勤める友人に便宜を図ってもらった。	In order to get a ticket for the concert, I got a favor from a friend who works at a music company.
	叙	叙勲	今年も皇居で秋の叙勲が行われた。	This year as well, the Conferment of autumn was held at the Imperial Palace.
		叙情	この歌は、東北の自然と人々の暖かさを叙情的に歌い上げている。	This song is sung lyrically to the nature and the warmth of the people of the *Tohoku* district.

ページ	漢字	語彙	例文	英訳
p.47	錯	錯覚	この美術館には目の錯覚を起こす絵が集められている。	This art museum has a collection of pictures that are optical illusions.
		試行錯誤	前例のないプロジェクトのため、試行錯誤しながら進めている。	Since this project is unprecedented, we are progressing through trial and error.
	弔	弔問	先生、弔問するときのマナーを教えていただけませんか。	Teacher (Mr. / Ms. ...), could you tell me about the manners for when I make a call of condolence?
		弔辞	友人の葬式で弔辞を頼まれたが、当日原稿を読んでいる途中で泣いてしまった。	I was asked to do a eulogy at a friend's funeral, but on the day of the funeral, I cried in the middle of reading my speech.
	披	披露	友人は結婚式は行わず、結婚披露の小さなパーティーを催した。	My friends did not have a wedding, but held a small party to announce the marriage.
		披瀝	彼にとって家事の話題は、だめな父親ぶりを披瀝してしまう非常に都合の悪い話題だった。	The topic of housework was very inconvenient for him because it would reveal how bad he is as a father.
	勅	勅命	かつては天皇からの勅命であれば、どんな内容でも絶対に従わなければならなかった。	Once you got a royal command from the emperor, you had to obey it absolutely no matter the content.
		勅使	江戸時代、勅使が京都から江戸へ送られ、天皇の言葉を幕府に伝えた。	During the Edo period, envoys were sent from Kyoto to Edo, to tell the words of the emperor to the shogunate.
	癖	潔癖	彼女は小さなミスも許せないほど潔癖だ。	She is fastidious and cannot forgive even a small mistake.
		口癖	私の上司は言葉の最後に「ね」を付ける口癖がある。	My boss has a habit of saying "ne" at the end of each sentence.
	呪	呪文	このRPGゲームでは呪文を唱えると戦士の体力が回復する。	In this RPG game, if you cast a spell, you can recover the strength of the warrior.
		呪術	宗教は原始的な呪術から生まれたと言われている。	It is said that religion was born from primitive magic.
	敢	勇敢	師匠は弟子の勇敢な戦いぶりに満足した。	The teacher was satisfied with his disciples' brave fight.
		敢行	長男の通う小学校では、雨の中、運動会を敢行した。	At my eldest son's elementary school, the sports festival was held despite the rain.
	嘘	嘘つき	嘘をつくと、「嘘つきは泥棒のはじまり」と怒られた。	When I lied, my parents used to say, "A liar will end up to be a thief."
		嘘	本当のことを言ってください。嘘はいけません。	Please tell the truth. Do not lie.
	悼	追悼	偉大な作曲家の追悼コンサートが開かれた。	A memorial concert for the great composer was held.
		哀悼	この事故の犠牲となった方々に、哀悼の意を表します。	To those who were victims of this accident, I express my condolences.
	儒	儒教	儒教では、目上の人を敬うべきだと説かれている。	In Confucianism, it is preached that we should respect our elders.
		儒者	江戸時代の儒者とは、読書を極めた人とも言える。	Confucian scholars of the Edo period can also be called master readers.
	噂	噂	同僚が近日中に退職するという噂を聞いた。	I heard a rumor that my colleague would retire in the near future.
		噂話	噂話が好きな友人に恋の悩みを相談したら、すぐ話が広まってしまった。	After talking to a gossipy friend about my love troubles, word spread quickly.

ページ	漢字	語彙	例文	英訳
p.48	妄	妄想	子どもの頃から、両親に愛されていないという**妄想**に悩んできた。	From childhood, he has been suffering from the delusion that he is not loved by his parents.
		被害妄想	真剣に悩んでいるのに、友人には**被害妄想**だと笑われてしまった。	Even though I was seriously worried, my friend said I was paranoid and laughed.
	詔	詔書	国会召集の**詔書**が発せられた。	A decree has been issued to convene the National Assembly.
		詔勅	明治天皇の**詔勅**により、「江戸」は「東京」に改称された。	By imperial edict of the *Meiji* Emperor, "Edo" was renamed "Tokyo."
	惚	惚ける	父は年とともに**惚けて**きてたのか、このごろよく物忘れをする。	My father has become senile with age and these days he forgets a lot of things.
		恍惚	その老人は**恍惚**とした表情で、一面の桜を眺めていた。	The old man, with an ecstatic expression, was looking at the cherry blossoms surrounding him.
	寛	寛容	同僚の子連れ出勤には**寛容**になれない。	I cannot tolerate my colleagues bringing children to work.
		寛大	今回の校則違反に対しては、**寛大**な処置をお願いします。	For this violation of school rules, please be lenient.
	誓	宣誓	**宣誓**、我々はスポーツマン精神に則り、正々堂々戦うことを誓います。	We swear: in accordance with sportsmanship, we promise to fight fair and square.
		誓約	内定をもらい、会社に**誓約**書を送った。	I got a job offer and sent a written pledge to the company.
	仰	信仰	仏教に厚い**信仰**心を寄せる。	I feel deep faith in Buddhism.
		仰ぐ	夜空を**仰いで**北極星を探す。	Looking up to the night sky, I search for Polaris.
	慈	慈善	**慈善**団体に寄付をした。	I made a donation to charity.
		慈悲	仏様の**慈悲**深いお顔に手を合わせた。	I put my hands together and prayed to the face of the benevolent Buddha.
	辱	屈辱	あんなに弱いチームに大差で負けたのは、**屈辱**だった。	To be defeated by such a large margin and by such a weak team was humiliating.
		侮辱	彼の、相手を**侮辱**する発言が問題視された。	It became a problem when he made insulting remarks to other people.
	酷	残酷	このドラマは愛し合っている恋人の一人が病死し、もう一人が自殺する**残酷**な結末となった。	This drama has a cruel ending where there were two lovers, one who died of an illness and the other committed suicide.
		冷酷	彼は**冷酷**なように見えて、実は優しい一面もある。	He looks like he is cold hearted but, in fact, he has a friendly side.
	粛	自粛	社長の誕生日には毎年盛大なパーティーが催されるが、今年は大災害があったため**自粛**した。	Every year for the company president's birthday a big party is held, but this year because there was a major disaster, we refrained.
		厳粛	神社の鳥居をくぐると、境内全体が**厳粛**な雰囲気に包まれていた。	Once through the *torii* gate of the shrine, the entire area was wrapped in a solemn atmosphere.
	謹	不謹慎	お葬式で厳粛な雰囲気を壊すような**不謹慎**な発言をして、親戚に怒られた。	I made indiscreet remarks and broke the solemn atmosphere at the funeral, so my relatives were angry.
		謹慎	ある生徒がタバコを吸ったという報告が中学校にあり、その生徒は一週間の自宅**謹慎**という処分を受けた。	There were reports that a junior high school student smoked a cigarette, and that student got home confinement for a week as a punishment.

ページ	漢字	語彙	例文	英訳
p.49	幽	幽霊	この滝の近くは幽霊が出るという噂がある。	There are rumors that around this waterfall is haunted.
		幽閉	この塔には、王位を奪われた元王族が幽閉されていたそうです。	They say that the original royal family deprived of the throne were imprisoned in this tower.
	霊	亡霊	戦場で兵士の亡霊が出るという。	They say that the ghosts of dead soldiers come out on battlefields.
		霊園	生前に霊園のお墓を購入しておいた。	We bought a site at the cemetery while he was still alive.
	禅	禅	禅は、今から約800年前に、中国から日本に伝わったとされている。	Zen was introduced to Japan from China about 800 years ago.
		座禅	座禅を組んで心を落ち着かせた。	I did meditation to calm my mind.
	崇	崇拝	彼女はあのロックバンドを崇拝している。	She worships that rock band.
		崇高	大仏の崇高な姿は、人々を引きつけてやまない。	The sublime figure of the Big Buddha never ceases to attract people.
	詠	朗詠	漢詩に曲折をつけたものを朗詠といい、現代では雅楽の演奏会で聞くことができる。	Chinese poetry with circumflex accent is called recitation and, in modern times, can be heard in *Gagaku* concerts.
		詠嘆	桜並木のあまりの美しさに思わず詠嘆した。	I was unexpectedly enraptured by the beauty of the line of cherry trees.
	厄	厄年	男性は42歳が厄年なので、今年は事故や病気には気を付けたほうがよい。	Because this year is the unlucky age for men who are 42 years old, you must be careful of accidents and diseases.
		厄介者	学校にも行かず、働きにも行かないニートの弟は家で厄介者のように扱われている。	My younger brother is a 'NEET(young people Not in Education, Employment or Training)': he doesn't go to school, doesn't work and is treated as more of a nuisance at home.
	偏	偏見	社会から偏見をなくすのは、簡単なことではない。	Eliminating prejudice from society is not easy.
		偏差値	偏差値の高い学校を選んで受験する。	I am going to choose a high deviation level school and take the entrance exam.
	邪	無邪気	子どもたちが公園で無邪気に遊んでいる。	Children are playing innocently in the park.
		邪道	努力しないでコネだけに頼るなんて、あなたのやり方は邪道だ。	To rely solely on connections and not make an effort, your way is the wrong way.
	篤	危篤	母が危篤だという知らせを聞き、急いで故郷へ帰った。	When I heard the news of my mother's critical illness, I quickly returned to my hometown.
		篤実	篤実な弁護士を探して、何軒もの弁護士事務所を訪ねた。	Looking for an honest lawyer, I visited several law firms.
	卑	卑屈	今、何もできないからといって卑屈にならず、将来何かできるように努力しよう。	Now, don't become subservient because you can't do anything, make efforts to be able to do something in the future.
		卑劣	自分より弱い者をいじめるなんて卑劣だ。	To bully someone weaker than yourself is cowardly.
	忌	一周忌	祖父の一周忌で、親戚が集まった。	Relatives gathered for the first anniversary for my grandfather's death.
		忌まわしい	テレビで震災の映像を見るたびに、あの日の忌まわしい記憶が蘇ってくる。	Every time I see footage of the earthquake on television, horrid memories of that day come back.
			Unit 3	
p.53	嫌	機嫌	赤ちゃんは機嫌が悪くて、泣いている。お腹がすいたようだ。	The baby is in a bad mood and is crying. He seems hungry.

ページ	漢字	語彙	例文	英訳
		嫌悪	何度注意されても発注書の記入に失敗してしまい、自己嫌悪に陥った。	No matter how many times I was cautioned, I made a mistake on the purchase order and I fell into self-hatred.
	驚	驚異	兄の手術は成功し、驚異的な快復を見せた。	My older brother's surgery was successful, and he showed a phenomenal recovery.
		驚き	竹林から1億円が発見されたというニュースに、地元住人は驚きを隠せない様子だった。	Local residents seemed unable to hide their surprise at the news of the discovery of 100 million yen in a bamboo grove.
	戒	警戒	雨による大規模災害発生のおそれがあり、山間部は警戒が必要だ。	There is a threat of large-scale disasters occurring due to the rain so, in the mountains, we need to be vigilant.
		厳戒	テロ事件の影響で、成田空港は厳戒態勢を敷いていた。	Due to the effects of the terrorist attacks, Narita Airport was put on high alert.
	奇	好奇心	この子どもは、好奇心が旺盛でいろいろなものを触りたがる。	This child is very curious and wants to touch many things.
		奇数	奇数は2で割り切れない整数です。	An odd number is an integer not divisible by 2.
	懸	懸命	被災地の復興に向けて、住民が一丸となって懸命に努力した。	The residents were working hard together towards the reconstruction of the disaster area.
		懸念	この冬、インフルエンザの大流行への懸念が高まっている。	Fears of a flu pandemic this winter have been increasing.
	魅	魅了	彼女の美しい歌声は、多くの人を魅了した。	Her beautiful singing voice has impressed a lot of people.
		魅力	都心に近いのに、多くの自然が残っているのがこの町の魅力だ。	Though close to the heart of the city, that a lot of nature remains is this town's charm.
	耐	忍耐	子どもに食事の作法を教えるときは、忍耐強く待つことが大切だ。	When teaching table manners to children, it is important to be very patient.
		耐える	お腹の耐え難い痛みに、救急車を呼んだ。	When I got unbearable stomach pain, I called an ambulance.
	泰	安泰	子どもがいれば老後は安泰だという時代は終わった。	The era where your old age will be secure if you have kids is over.
		天下泰平	この祭りで、人々は天下泰平と豊作を祈願する。	At this festival, people pray for a good harvest and world peace.
	黙	沈黙	沈黙は金、雄弁は銀に値する。	They say silence is golden, eloquence is silver.
		黙秘	容疑者は取り調べに黙秘権を使って応じている。	The suspect has responded with the right to remain silent during interrogations.
	丹	丹念	丹念に手入れされた日本庭園を歩く。	I walk through a Japanese garden that has been carefully landscaped.
		丹精	丹精込めて育てた菊が満開となった。	My carefully cultivated chrysanthemum is blooming.
p.54	誇	誇り	一歩外国に出たら、日本国民としての誇りを失わないようにしなさい。	When you go to a foreign country, try to not lose your pride of being Japanese.
		誇張	マスコミは、インフルエンザの報道を誇張して伝えた。	The media exaggerated the coverage of the flu.
	悔	悔しい	マラソンで負けて、初めて悔しい気持ちがわかった。	When I lost the marathon, I found out for the first time what it is like to feel frustrated.
		後悔	後悔先に立たずと言うが、後悔しない生き方は難しい。	It is said that repentance comes too late, but life without regrets is difficult.

ページ	漢字	語彙	例文	英訳
	懐	懐かしい	久しぶりに故郷に帰り、懐かしい人々に再会した。	I returned to my hometown after a long absence and had nostalgic reunions with many people.
		懐石	懐石料理に秋の到来を感じる。	I can feel the coming of autumn in *kaiseki* cuisine.
	憂	憂鬱	空が曇っていると憂鬱になる。	When the sky is overcast, I become gloomy.
		憂慮	このままビザが下りないと、憂慮すべき事態に陥る。	If I do not get a visa soon, it will become an alarming situation.
	哀	哀愁	哀愁漂うメロディーに、映画のシーンを思い出す。	When I hear that melancholy melody, I remember the scenes of the movie.
		哀れ	友達には哀れな姿を見られたくない。	I do not want my friends to see me in this pitiful shape.
	勘	勘定	何度も計算したのに、勘定が合わない。	No matter how many times I calculate it, the accounts do not fit.
		勘違い	同窓会は、てっきり明日だと勘違いしていた。	I was confused and thought the reunion was surely tomorrow.
	悟	覚悟	彼女に出資を断られるのは覚悟している。	I am prepared for being declined financing by her.
		悟り	座禅で悟りを開く。	I will become enlightened through Zen meditation.
	魂	魂胆	85歳の老人に嫁いだ22歳の彼女には、財産狙いの魂胆がみえみえだ。	A 20 year-old girl marrying an 85 year-old-the ulterior motive can only be money.
		魂	魂の存在を信じることができれば幸せだ。	You will be happy if you can believe in the existence of the soul.
	寂	静寂	静寂な境内をゆっくり散策した。	I slowly strolled the quiet grounds of the shrine.
		寂しい	一人で寂しいクリスマスを過ごした。	I spent a lonely Christmas by myself.
	嘆	感嘆	日の出の美しさに感嘆の声を上げる。	I lift up my voice to the beauty of the sunrise.
		嘆く	過去の失敗を嘆いてもしかたがない。次に頑張ればいい。	There is no sense in lamenting the failures of the past. Just try harder next time.
p.55	怪	怪物	実力者を「政界の怪物」などと呼ぶことがあります。	A powerful figure is sometimes nicknamed a 'monster in politics'.
		怪我	自動車の衝突事故で怪我人が多く出た。	Many people were injured in the car collision.
	惜	惜敗	A候補は選挙戦で善戦したが、僅差で惜敗した。	Candidate 'A' was doing well in the election campaign, but was defeated by a narrow margin.
		哀惜	好きな作家が死に、哀惜の念に堪えない。	My favorite author died, and I was unable to cope with my feelings of grief.
	愚	愚痴	あの人は口を開けば愚痴ばかり言っている。	When that person opens his mouth, it's only to complain.
		愚か	目先の利益に飛びつくのは、愚かな人間のすることだ。	Only a fool would jump at short-term profits.
	惨	悲惨	震災後の悲惨な光景を目の当たりにして、言葉が出なかった。	Witnessing the tragic scene after the earthquake, I was speechless.
		惨め	彼は「雨に降られた」と言って、見るも惨めな姿で現れた。	He showed up in miserable shape saying, "I was caught in the rain."
	悦	満悦	兄の結婚式で、立派になった息子の姿に父はご満悦だった。	At my older brother's wedding, my father was delighted that his son became so respectable.

ページ	漢字	語彙	例文	英訳
		悦楽	宝くじで大金が当たれば、悦楽にふける生活が送れるのに。	If I won the lottery, I could indulge in life's pleasures.
	恨	痛恨	最後の最後で痛恨のミスをして、優勝を逃してしまった。	I made a regrettable mistake at the last minute and lost the championship.
		恨み	実力で昇進したのに、なぜか同僚の恨みを買ってしまった。	Although I was promoted on my merits, I brought on the resentment of my colleagues for some reason.
	羅	修羅場	締め切りの近い小説家の仕事場は修羅場だ。	The workplace of a novelist near deadline is pandemonium.
		網羅	この漢字辞典は、漢字の成り立ちから現在の意味、使われ方まで網羅している。	This *kanji* dictionary covers everything from the history of each Chinese character, to current meanings and usage.
	擬	模擬	模擬試験の結果がよかったので安心した。	I wasn't worried since the results of the practice exam were good, but I failed on the real thing.
		擬似	無重力の感覚を疑似体験できる施設が人気を集めている。	Facilities where you can have a simulated experience of being weightless are popular.
	憤	憤慨	彼女は初対面の人に年齢を尋ねられて、憤慨した。	When she was asked her age by someone she met for the first time, she was outraged.
		憤り	原告は裁判所が下した理不尽な判決に憤りを隠さなかった。	The plaintiff could not hide his indignation to the unreasonable judgment the court ruled.
	愉	不愉快	関係者である私の意見も聞かずに大切なことが決定されて、不愉快だ。	I am annoyed because important decisions were made without consulting me, even though I am directly involved.
p.56	愁	郷愁	電話から聞こえる母の声が郷愁を誘う。	Hearing my mother's voice over the phone makes me nostalgic.
		哀愁	哀愁に満ちた曲を聞いたら、涙が出てきた。	Tears flowed when I heard a melancholy song.
	嬉	嬉しい	語学が上達したと友人に褒められて、とても嬉しい。	When my friends praise me on my language improvement, I am very happy.
		嬉々として	夏休みになると、学生は嬉々として帰省した。	When summer vacation started, the students went home joyfully.
	韻	余韻	コンサートの余韻に浸りながら家に帰った。	I went home basking in the aftereffects of the concert.
		韻律	日本語の方言の韻律について研究したいです。	I want to study about the rhythm of the dialects in Japanese.
	憧	憧れ	憧れの先輩と、偶然話をすることができた。	I was able to talk with a senior I admired.
		憧憬	平安時代の貴族の生活に憧憬を抱く。	I long to have a life of nobility in the Heian period.
	煩	煩わしい	引っ越し先では、隣人との付き合いが多くて煩わしい。	At my new address, there is a lot of socialization with neighbors and it is annoying.
		煩雑	煩雑な手続きを簡略化すれば、日本への留学生はもっと増加するだろう。	If you simplify the cumbersome procedures, the number of foreign students in Japan will increase.
	慨	感慨	卒業式を前に、四年間の大学時代を思い出して、感慨に浸った。	Before the graduation ceremony, as I remembered my four years of college, I was immersed in deep emotion.
		感慨深い	ずっと小さいと思っていた娘がもう結婚するなんて、実に感慨深い。	That the daughter I thought was still small is getting married is very emotional for me.
	衷	和洋折衷	日本には、和食に洋食を取り入れた、和洋折衷の料理を出す店が多い。	In Japan, there are many shops out that serve Western-Japanese cuisine, blending Japanese and Western styles.

ページ	漢字	語彙	例文	英訳
p.57		衷心	この度の息子の無礼、**衷心**よりお詫び申し上げます。	We sincerely apologize for the rudeness of our son.
	倣	模倣	文章を上達させるには、名文の**模倣**から始めるとよい。	To improve your writing, you should begin by imitating famous literary compositions.
		倣う	試験で不正をした学生の処分については、前例に**倣って**決定することにします。	For the disposition of the students who cheated on the test, we will be following precedent to decide.
	稽	稽古	兄は毎日空手の**稽古**に励んでいます。	My older brother is hard at work every day practicing *karate*.
		滑稽	この芝居には、**滑稽**な人物がたくさん登場する。	In this play, many comical people appear.
	惰	惰性	やめようと思っていたのに、**惰性**でついタバコを吸ってしまった。	Though I wanted to quit, I smoked a cigarette from sheer force of habit.
		怠惰	一人暮らしを始めてから、ずっと**怠惰**な生活を送っている。	Since I started to live alone, I have been living a lazy life.
	爽	爽やか	今日はよく晴れた、**爽やかな**一日だった。	Today was a sunny and refreshing day.
		爽快	スポーツをして汗をかくと、**爽快**な気分になる。	When I sweat doing sports, I get an exhilarating feeling.
	筈	筈	欠席の連絡が届いていなかったのですか。昨日連絡した**筈**なのですが。	You are saying you haven't received the notice of my being absent? I contacted you yesterday.
		手筈	来週海外へ出張するので、出発の**手筈**を整えているところだ。	Since I have a business trip overseas next week, I am making arrangements for my departure.
	克	克服	兄は苦手科目を**克服**し、みごと難関国立大に合格した。	My older brother overcame his weak subjects and magnificently passed the exam for a national university.
		克明	この資料には、当時の祭りの様子が**克明**に描かれている。	These materials scrupulously describe festivals of that time.
	忍	忍ぶ	恥を**忍んで**お願いに参りました。	I swallowed my pride and came to ask your favor.
		残忍	普段は優しくて評判のいい彼が、あんな**残忍**な事件を起こしたなんて信じられない。	He is usually so gentle and has a good reputation, so I cannot believe that he could cause such a brutal incident.
	諭	教諭	中学の国語の**教諭**として赴任する。	I was appointed as a language teacher in a middle school.
		諭す	授業が終わり、生徒が一人になったのを見計らって生活態度について**諭した**。	After class finished, I waited until he was the only student left and then gave him counsel on proper behavior.
	薦	推薦	大学の**推薦**入試で、10月には合格が決まった。	I was accepted by a university in October through the recommendation based admission.
		薦める	会話の練習にこの本を**薦め**ます。	I recommend this book for conversation practice.
	慕	慕う	小さい頃から**慕って**いた従姉が結婚すると聞いて、弟は寂しそうだった。	When my younger brother heard that the cousin he had longed for since he was little was getting married, he looked sad.
		恋慕	私は親友の彼女に**恋慕**の情を持ったことがあるが、恋愛の対象としてはあまり勧められない。	Although I have fallen in love with my best friend's girlfriend, I cannot recommend it as a love interest.
	銘	感銘	寺に泊まり、和尚の説法を聞き、**感銘**を受けた。	I stayed in a temple, and listened to the preaching of the priest, and I was impressed.
		銘柄	このお酒の**銘柄**を教えてください。	Please tell me the brand of this sake.
	魔	邪魔	お**邪魔**します。入ってもよろしいですか。	I'm sorry to disturb you. May I come in?

ページ	漢字	語彙	例文	英訳
		悪魔	どんな人の心にも、悪魔が住んでいるという。	In every human heart, the devil lives.
	慢	自慢	カラオケで自慢の歌声を披露する。	At *karaoke* I was proud to show off my singing voice.
		慢性	冬になると慢性の神経痛に悩まされる。	I suffer from chronic neuralgia in the winter.

3 交流・対立
Unit 1

ページ	漢字	語彙	例文	英訳
p.67	握	握手	試合が終わり、両チームのメンバーは再会を約束し固く握手した。	After the game, members of both teams shook hands firmly promising to meet again.
		握る	決勝戦は、手に汗を握る接戦だった。	The final match was a breathtaking close battle.
	沙	音沙汰	大学卒業以来、彼からは全く音沙汰がない。	Since graduating from college, I have not heard a word from him.
		取り沙汰	現在世間では年金問題が取り沙汰されている。	Presently, people talk about the public pension problem.
	汰	御無沙汰	御無沙汰しておりますが、皆様お変わりありませんか。	I'm sorry I have neglected to write, but how is everyone?
		淘汰	長引く不況の影響で、淘汰される企業が増えてきた。	Under the influence of a prolonged recession, the number of collapsed companies has increased.
	励	激励	サッカーチームの遠征試合に行く友達を、クラスメートが激励した。	The classmates gave encouragement to a friend on the soccer team who was going to play an away game.
		励み	いつも気遣ってくれる母の言葉を励みに、留学生活を頑張っている。	Thanks to the always caring words of my mother, I am able to work hard while studying abroad.
	隠	隠居	伯父は、仕事から遠ざかり、5月から隠居の身となった。	My uncle, who had been away from work, retired in May.
		目隠し	寝るときは、アイマスクで目隠しをして寝ています。	When I go to bed, I cover my eyes with an eye mask and sleep.
	嫁	嫁	娘は農家の嫁になった。	My daughter became the wife of a farmer.
		転嫁	部長は、失敗の責任をすべて課長に転嫁した。	The manager passed on to the section chief all responsibility for the failure.
	挑	挑戦	彼は難関の資格試験に何度も挑戦し続けています。	He has tried to take difficult qualifying exams many times.
		挑む	チーム全員で、困難なプロジェクトに挑む。	The whole team will challenge a difficult project.
	誰	誰	それは誰の携帯電話ですか。	Whose cellular phone is that?
		誰か	あなたは彼のほかに、誰か友達はいないの。	Other than him, don't you have any other friends?
	彰	顕彰	貴殿の長年の功労に対して顕彰する。	We honor you for many years of distinguished service.
		表彰	勤続30年を表彰された。	I was honored for 30 years of service.
	懇	懇談	担任と保護者が懇談する。	The teachers had a friendly talk with parents.
		懇親	懇親会は6時から2階の会議室で行います。	The social gathering will be held in the second floor conference room at 6:00.
p.68	乙	乙女	うら若き乙女が木陰で読書をしている。	A young girl is reading in the shade of a tree.

ページ	漢字	語彙	例文	英訳
		乙	雪見酒というのもなかなか乙なものだ。	Drinking cups of sake while enjoying a snow scene is a fine thing.
	宴	宴会	宴会のメニューを事前に選ぶ。	I will choose the banquet menu in advance.
		宴席	取引先の部長を、宴席を設けて接待する。	We organized a banquet to entertain the manager of our trading partner.
	伯	伯父	伯父から遺産をもらった。	I inherited from my uncle.
		画伯	B画伯の作品を見に美術館に行く。	I will go to a museum to see the work of artist B.
	俺	俺	弟は学生の頃は自分のことを「俺」と言っていたが、社会人になって「私」や「僕」と言うようになった。	When my little brother was a student he often called himself 'ore' but since he since graduating he has started to use 'watashi' and 'boku.'
	紳	紳士	物語の中では、背の高い紳士が孤児院を訪れて女の子の学費の援助を申し出たのだった。	In the story, a tall gentleman visited the orphanage and gave tuition assistance to girls.
		紳士的	海外旅行へ行って、現地の男性の紳士的な態度に感動した。	When I traveled overseas, I was impressed by the gentlemanly attitude of the local men.
	宰	主宰	私の俳句の先生は、「日曜俳句の会」を主宰している。	My *haiku* teacher presides over the "Sunday Haiku Society."
		宰相	第一次大戦前、ドイツに「鉄の宰相」と呼ばれる人物がいた。	Before the World War I, there was a man called the iron prime minister in Germany.
	寧	丁寧語	敬語には、尊敬語、謙譲語、丁寧語、美化語がある。	In 'keigo,' there is honorific language, humble language, polite language, and words of beautification.
		ばか丁寧	彼と話していると、言葉遣いがばか丁寧で不思議な気分になる。	When you talk with him, his use of language is excessively polite and you get a strange feeling.
	嬢	令嬢	人気歌手が大手企業の社長令嬢だったことがわかった。	It has been discovered that a popular singer is the daughter of the president of a major company.
		愛嬢	彼は愛嬢の誕生日に、海外ブランドの高価な子供服を買って帰宅した。	On his beloved daughter's birthday, he came home with expensive imported children's clothes.
	淑	淑女	育ちがよく上品な彼女は、淑女と呼ぶにふさわしい。	She is well bred and elegant, and it is suitable to call her a lady.
		淑やか	家に帰ると淑やかな妻が料理を作って待っている、というのが日本人男性の夢だった。	Coming home to a genteel waiting wife cooking dinner was the dream of Japanese men.
	叔	叔父	父の3歳年下の叔父は、私が小さい頃よく釣りへ連れて行ってくれた。	My uncle, who is 3 years younger than my father, often took me fishing when I was small.
		叔母	父の10歳年下の叔母は、私にとって姉のような存在だ。	My aunt, who is 10 years younger than my father, is like an older sister to me.
p.69	扶	扶養	私の扶養家族は、妻、息子、父の三人だ。	I have 3 dependents: my wife, my son and my father.
		扶助	医療費が高額になった場合、医療扶助を申請することができる。	If medical care costs have become too expensive, it is possible to apply for medical assistance.
	滋	滋養	滋養強壮にはこの栄養ドリンクが効きます。	For nutritional fortification, this energy drink works.
		滋味	ごま豆腐は滋味に満ちた食品だ。	Sesame *tofu* is a savory food.
	陪	陪席	支社訪問の際、社長に陪席し、地方の状況の報告を聞いた。	During a visit to the branch office, I sat with the company president, and heard the report of the local situation.

193

ページ	漢字	語彙	例文	英訳
		陪審	日本は**陪審**員制度に似た裁判員制度を導入した。	Japan has introduced a jury system similar to the lay-judge system.
	姻	婚姻	**婚姻**の事実を隠して、他の異性と付き合うことは罪に値する。	To hide the fact that you are married and then mingle with the opposite sex is deserving of punishment.
		婚姻届	婚約者と二人で役所に行って、**婚姻届**を出してきた。	My fiancé and I went to the public office and registered our marriage.
	嗣	嗣子	その名家は**嗣子**に恵まれず、没落していった。	The distinguished family that was not blessed with heirs, began to fall.
		後嗣	同族経営のその一門では、**後嗣**の問題が絶えない。	In family clan management, the issue of successor is not extinct.
	賓	来賓	会場の一番前に**来賓**席を設けた。	At the venue, front-row seats were provided to important visitors.
		国賓	日本の人気歌手が、A国に**国賓**として招かれた。	A popular Japanese singer was invited as a state guest to country A.
	婿	花婿	**花婿**と花嫁は並んで両者の両親に挨拶をした。	The bride and groom stood side by side and greeted both sets of their parents.
		婿養子	その家の子どもは全て娘だったため、長女に**婿養子**を迎えた。	Since all of our children are daughters, we took the eldest daughter's husband into our family.
	嫡	嫡子	我が家に待望の**嫡子**が誕生した。	A long-awaited legitimate child was born to my house.
		嫡男	兄は**嫡男**として、家族の中でずっと優遇されていた。	My brother, as the heir, has received preferential treatment in the family.
	馳	御馳走	アルバイト料が入ったので、両親に**御馳走**することにした。	I got some money from my part-time job so I decided to treat my parents.
		馳せる	十年以上帰省していないが、今でも故郷に思いを**馳せる**ことがある。	Even though I have not been home for more than 10 years, I still give more than a passing thought to my hometown.
	拶	挨拶	知り合いに会ったら、元気に**挨拶**しましょう。	If you see someone you know you should greet them energetically.
p.70	褒	褒める	私は学生を**褒めて**伸ばす主義です。	I believe in strengthening students by praising them.
		褒美	自分へのご**褒美**だと思って、高級なバッグを購入した。	Thinking to pamper myself, I bought a luxury bag.
	謁	謁見	祖父は留学先で王族に**謁見**したことがあると、いつも自慢している。	My grandfather is always proud of the fact that he had an audience with royalty while studying abroad.
		拝謁	大使は帰国後、訪問先で国王に**拝謁**したことを大臣に報告した。	After the ambassador returned, he reported to the minister that he had an interview with the king during the visit.
	挨	挨拶	円滑なコミュニケーションは、**挨拶**をすることから始まります。	Smooth communication begins with a greeting.
	儀	儀式	この村の神社では毎年、豊作を祈願する**儀式**が行われる。	Every year the shrine of this village holds a ritual to pray for a good harvest.
		礼儀	名刺は必ず両手で受け取るのが**礼儀**です。	Receiving business cards with both hands is always polite.
	拍	拍手	彼の素晴らしいピアノの演奏に、**拍手**が鳴りやまなかった。	The audience did not stop clapping for his wonderful piano performance.

ページ	漢字	語彙	例文	英訳
		拍車	新しい道路が開通し、地域の発展に一層拍車がかかった。	A new road was opened, and further spurred the development of the region.
	撫	撫でる	子どもが頭が痛いというので、そっと撫でてやった。	My child said that his head hurt so I gently rubbed it.
		撫子	撫子は、春から秋にかけて咲く花です。	*Nadeshiko* is a flower that blooms from spring to autumn.
	輩	先輩	先輩を見習って、毎日努力します。	Emulating the seniors, I will try hard every day.
		輩出	この学校は、多数の著名人を輩出している。	This school has produced many celebrities.
	亭	料亭	我が社では、顧客の接待によく料亭を利用する。	Our company often uses fancy Japanese-style restaurants to entertain customers.
		亭主関白	我が家は亭主関白で、家事は一切妻任せです。	Our house has a domineering husband, who leaves all of the housework to his wife.
	隣	近隣	この国は、近隣諸国の影響を受けて、独自の食文化を発展させてきた。	This country, under the influence of neighboring countries, has developed a unique food culture.
		隣接	このホテルは公園に隣接していて、朝からウォーキングを楽しむ人が多い。	This hotel is adjacent to the park, and many people enjoy walking in the morning.
	縁	血縁	息子は再婚した妻の子で、私とは血縁関係はない。	He is the son of my second wife and is not my blood relation.
		縁談	彼女は歯科医との縁談がまとまった。	She became engaged to a dentist.
Unit 2					
p.73	虐	虐殺	戦時中に、この地域で虐殺が行われたそうだ。	During the war, it is said a massacre took place in this area.
		虐待	親から虐待を受けている子どもたちを救うホットラインができた。	A hot-line was created to save children from parental abuse.
	慮	配慮	この施設は、高齢者や子どもに配慮したつくりになっている。	This facility is made with consideration for the elderly and children.
		考慮	アルバイト採用の際には、これまでの経験を考慮します。	We will consider previous experience in hiring part-time workers.
	闘	戦闘	100年ほど前、隣国との激しい戦闘により、村は壊滅的な被害を受けた。	About 100 years ago, due to a fierce battle with a neighboring country, the village received catastrophic damage.
		奮闘	県の特産品を広めるために、職員は奮闘した。	The staff strived to spread the prefectural specialty products.
	逮	逮捕	強盗事件の容疑者は、事件発生直後に逮捕された。	The suspect in the robbery was arrested immediately after the incident.
	侵	侵略	他国の侵略を防ぐために、国境に兵を配備した。	In order to prevent invasion from other countries, troops have been deployed to the borders.
		侵入	泥棒は、洗面所の窓から侵入したとみられる。	It seems the thief got in from the bathroom window.
p.74	拒	拒否	夫は離婚のための話し合いを拒否し続けている。	My husband continues to refuse to talk about divorce.
		拒絶	上司は、早期退職勧告を断固拒絶したそうだ。	My superior resolutely turned down the recommendation for early retirement.
	鬼	鬼	心を鬼にして、部下に完成したばかりの試作品の作り直しを命じた。	I had to harden my heart and order the re-creation of the prototype which was just completed by my subordinates.

ページ	漢字	語彙	例文	英訳
		疑心暗鬼	何度も訂正される政府の発表に、国民は**疑心暗鬼**に陥っている。	The government's announcement was corrected many times so the people are suffering from distrust.
	抵	抵抗	デモ参加者は警察の制圧に対し激しく**抵抗**した。	The demonstrators violently resisted control by the police.
		抵触	健康食品の広告で、医薬品的効能をうたうのは、法に**抵触**する恐れがある。	In advertising health food, making claims about the efficacy of drugs may conflict with the law.
	罰	罰	いたずらをした**罰**として、7歳の息子に部屋の掃除をさせた。	As punishment for a prank, I made my 7 year-old son clean the room.
		処罰	選挙期間中の掲示ポスターへのいたずらは、**処罰**の対象となる。	Defacing posters during the election period will be subject to punishment.
	奪	略奪	15世紀ごろ、この国では隣国から来た侵略者に多くの文化財が**略奪**された。	Around the 15th century, many cultural assets in this country were looted by invaders from neighboring countries.
		奪回	兄は、前回のスキー大会で奪われたチャンピオンの座を再び**奪回**した。	My older brother who was robbed of his title in the last ski tournament, again recaptured the title of champion.
	襲	襲撃	学生のデモ隊は暴徒化し、首相官邸を**襲撃**した。	Student protesters became a mob and attacked the Prime Minister's office.
		襲う	昨日、関東南部を激しい雷雨が**襲った**。	Yesterday, severe thunderstorms struck southern *Kanto*.
	謙	謙虚	**謙虚**とは誠実で素直で控えめなことを言う。	Humble means sincere, honest and modest.
		謙遜	実力のある人ほど**謙遜**する。	The more able the person, the more humble they are.
	遇	待遇	**待遇**がよすぎて、今のバイトが辞められない。	The work conditions are too good, I can't quit my current part-time job.
		境遇	子どもの頃の**境遇**がひどかったため、人を信じられなくなってしまった。	Because the circumstances in my childhood were terrible, I started to distrust people.
	犠	犠牲者	テロ事件で旅客の多くが**犠牲者**となった。	Many of the passengers became victims of a terrorist attack.
		犠打	**犠打**を打ち上げ、アウトになった。	I made a sacrifice hit and was out.
	脅	脅威	核の装備は**脅威**だ。	Nuclear armament is a threat.
		脅かす	放射能で安全が**脅かされる**。	Safety is threatened by radiation.
p.75	喝	恐喝	その男は職場の同僚を「娘を誘拐する」と**恐喝**し、100万円を奪い取って逃亡した。	That man threatened his co-workers with "I'll kidnap your daughter," then he got a million yen and fled.
		喝采	舞台を演じきった俳優たちに観客は拍手**喝采**した。	The audience applauded the actors on the stage after the performance.
	訟	訴訟	書記官が**訴訟**記録を保存する。	The clerk saves the case record.
		民事訴訟	隣家との土地の境界線を巡る問題は、**民事訴訟**により解決した。	Issues surrounding the boundaries of the land between me and the neighbor were resolved by civil suit.
	妥	妥協	実用性を重視すると、デザインの面では**妥協**せざるを得ない。	When you focus on practicality, you have to compromise in terms of design.
		妥当性	**妥当性**の高い検査は信頼性も高い。	Tests with high validity are also highly reliable.
	奉	奉仕	**奉仕**の気持ちを持って災害救助に当たる。	Wanting to be of service, I did disaster relief.

ページ	漢字	語彙	例文	英訳
		奉公	嫌な上司の下で働いているが、もうすぐ定年なので、それまでのご**奉公**と思って辛抱している。	I have been working under an unpleasant boss but he will be at retirement age soon so I will have patience with our apprenticeship until then.
	拘	拘束	容疑者は警視庁に身柄を**拘束**された。	The suspect was taken into custody by the Metropolitan Police Department.
		拘置	犯人は**拘置**所に送られた。	The criminal was sent to jail.
	牲	犠牲	飲酒運転の事故により、尊い命が**犠牲**となった。	Due to a drunk driving accident, precious lives were lost.
	叱	叱る	授業に遅れて、先生に**叱られた**。	Because I was late to class, I got scolded by the teacher.
		叱責	会議で上司に厳しく**叱責**されてしまった。	I was severely reproved by my superiors at the meeting.
	奔	奔走	去年失業した友人は、職探しに**奔走**している。	My friend, who lost his job last year, is busy trying to find a new job.
		奔放	会社を辞めた同僚は、自由**奔放**に生きている。	My colleague who quit the company is living with wild abandon.
	侮	侮蔑	服装だけを見て人を**侮蔑**する態度をとるのは許せない。	Taking an attitude of contempt after only looking at people's clothes cannot be permitted.
		侮る	囲碁の相手が子どもだと思って**侮って**いたら、かなりの強敵で負けてしまった。	I underestimated my opponent in 'go' because he was a child, and ended up losing to a formidable opponent.
	叩	叩く	兄と喧嘩をして、頭を**叩かれた**。	In a fight with my older brother I was hit on the head.
		叩頭	地面に**叩頭**して謝罪した。	He apologized, bowing (kowtowing) to the ground.
p.76	赦	容赦	商品は十分に用意しておりますが、売り切れの際にはどうぞご**容赦**ください。	We have prepared plenty of products but, please understand if we sell out.
		恩赦	国王の結婚で、**恩赦**が実施された。	In the marriage of the king, amnesty was carried out.
	喧	喧嘩	子どもの頃、よく弟と**喧嘩**したものだ。	When I was a child, I used to quarrel with my brother a lot.
		喧騒	日常の**喧騒**から離れるために、旅に出た。	I went on a trip, hoping to get away from the hustle and bustle of daily life.
	嘩	兄弟喧嘩	**兄弟喧嘩**を見るのが、両親にとっては一番辛いことなのだそうだ。	My parents say that seeing siblings fight is the most painful thing.
		夫婦喧嘩	**夫婦喧嘩**には、他人が介入すべきではない。	No one should intervene in quarrels between husband and wife.
	睨	睨む	電車の中で友人と大声で話していたら、前の人に**睨まれた**。	When I was with friends and talking loudly on the train, we were glared at by the people in front of us.
		睨み合う	道端で、2匹の猫が**睨み合っている**のを見た。	In the street I saw two cats glaring each other.
	禍	禍根	二人の対立は、その後も長く**禍根**を残すことになった。	The conflict between the two people hampered their relationship for a long time afterwards.
		惨禍	震災の**惨禍**を目の当たりにして、言葉も出なかった。	When I witnessed the ravages of the earthquake, I was speechless.
	妨	妨害	ヤジで議事の進行を**妨害**する。	I will interfere with the progress of the proceedings by jeering.
		妨げる	隣家のピアノの音に、いつも読書を**妨げられて**いる。	The sound of my neighbor's piano always hampers my reading.

ページ	漢字	語彙	例文	英訳
	阻	阻止	A国による核実験の実施は、何としても**阻止**しなければならない。	A nuclear test implemented by country A must be prevented at any cost.
		阻む	私たちの行く手を**阻む**ものは何もない。	There is nothing to prevent us from where we're going.
	殴	殴打	ある中学校で、教師が生徒に**殴打**されて負傷するという事件が起きた。	An incident occurred at a junior high school where a teacher was beaten by a student and injured.
		横殴り	帰宅しようと思ったら、**横殴り**の雨が降ってきたので、もう少し仕事をすることにした。	When I wanted to go home, it was driving rain so I decided to work for a while longer.
	拐	誘拐	大企業の社長の娘が**誘拐**され、1億円の身代金を要求された。	The daughter of the president of a large company was kidnapped and a ransom of 100 million yen was demanded.
	遮	遮る	彼女は興奮した様子で、私の話を**遮って**話し始めた。	She was in an excited state, interrupted me and started to talk.
		遮断	このガラスには紫外線を**遮断**する加工が施されている。	This glass has a UV blocking process applied to it.

4 生活

Unit 1

ページ	漢字	語彙	例文	英訳
p.84	堀	堀	昔の城は、敵の侵入を防ぐため、周囲に**堀**をめぐらせていた。	The old castle, in order to prevent intrusion of the enemy, had a moat around it.
		外堀	社長は、反対派に**外堀**を埋められ、退任を余儀なくされた。	The company president was cornered by the opposition and was forced to resign.
	旨	旨い	**旨い**寿司を思う存分食べたい。	I want to eat as much delicious *sushi* as I can.
		要旨	発表の**要旨**を300字以内にまとめ、来週までに郵送して下さい。	Please summarize in three hundred words or less the gist of the announcement and send it to me by next week.
	盾	盾	日本は**盾**の代わりに鎧が発達したようである。	Japanese seem to have developed armor instead of shields.
		盾突く	親に**盾突く**なんて、一昔前なら考えられない。	Defying parents was unthinkable long ago.
	架	担架	事故現場から、怪我人が次々と**担架**で運ばれていった。	From the scene of the accident, injured people were carried away on stretchers one after another.
		架空	その映画で扱っている海底探検は、すべて**架空**の話だ。	The seabed exploration that is dealt with in the film is entirely fictional.
	酢	酢	料理に少し**酢**を入れて、酸味を加えた。	I put in a little vinegar to the food to add acidity.
		酢の物	母がワカメの**酢の物**を作っている。	My mother is making vinegared *wakame* seaweed.
p.85	剣	剣道	**剣道**は、竹刀を用いて戦う競技である。	*Kendo* is a sport where you use a bamboo sword to fight.
		真剣	学生は、就職活動への心構えを**真剣**な態度で聞いていた。	The students were listening seriously about preparing for job hunting.
	酔	酔う	酒に**酔った**勢いで隣の客に喧嘩を売る。	In a drunken rage, I picked a fight with the customer next to me.
		麻酔	手術のために**麻酔**をかける。	He is administering an anesthetic for surgery.
	眺	眺める	飛行機の窓から祖国を**眺めた**。	From the airplane window I saw my country.

ページ	漢字	語彙	例文	英訳
		眺め	山頂からの眺めを、目に焼き付けた。	The view from the summit was burned into my mind.
	鐘	警鐘	専門家は子どもたちの活字離れに警鐘を鳴らしている。	Experts have warned about the phenomenon of decreased book reading in children.
		釣り鐘	和尚様が釣り鐘をついている。	The temple priest is ringing the bell.
	玩	玩具	子どもには教育的な玩具を与えたい。	I want to give my children educational toys.
		愛玩	犬や猫は単なる愛玩動物ではなく、家族の一員と考える人が多い。	Many people think of dogs and cats as not mere pets but members of the family.
	騒	騒動	映画スターがある田舎町を訪れることになり、その町は大騒動になった。	When a movie star visited a small town, the whole town became mayhem.
		物騒	最近ではこの辺りも、空き巣や引ったくりが増えて物騒になってきた。	In recent years this area has also become more and more dangerous due to burglary and purse-snatching.
	傘	傘立て	職場の傘立てに立てておいた傘が、なくなってしまった。	The umbrella that I put in the umbrella stand at work was gone.
		傘下	経営難で、大企業の傘下に入る企業が多い。	In financial difficulties many companies become subsidiaries of larger companies.
	鍛	鍛える	普段から体を鍛えておいたほうがいいですよ。	You should regularly train your body.
		鍛錬	鍛錬を積み重ねると、天才よりも優れた結果を残すことができると言われている。	It is said that repeating training can enable you to have superior results to a genius.
	袖	袖	季節の変わり目は夜は寒いが昼は暑いので、長袖の服を着ようか半袖の服を着ようか迷う。	Since the turn of the season is hot during the day but cold at night it is hard to decide if I should wear short-sleeved clothes or long-sleeved clothes.
		領袖	彼は政治界の領袖として長年君臨した。	He reigned for many years as a leader in the political world.
	甲	生き甲斐	父は仕事だけが生き甲斐で、家族を大切にしなかった。	My father only lived for his work and did not cherish his family.
		甲高い	小さな子どもが甲高い声で、母親を呼んでいる。	A small child is calling her mother in a high-pitched voice.
p.86	剤	洗剤	環境に優しい植物原料の洗剤を使って、洗濯しています。	I use plant-based environmentally friendly detergent to do laundry.
		薬剤	庭木に害虫が発生したので、薬剤を散布した。	The trees in the garden have pests so I sprayed them with chemicals.
	枠	枠	予算の枠を超えないように、経費を節減してください。	Please save money so you do not exceed the frame of the budget.
		枠組み	出席者に駅前開発計画の枠組みを説明した。	We described the framework of the plan for development in front of the station to the attendees.
	踏	踏まえる	当社は、女性だけでなく男性のニーズをも踏まえて、きめ細かい育児休業制度を設けています。	At this company, we consider the needs of men in addition to women, and there is a detailed childcare leave policy.
		踏み込む	会議では、さらに一歩踏み込んだ内容まで議論された。	At the meeting the content was discussed in further depth.
	綱	綱引き	運動会で、綱引きは子どもに人気のある競技です。	At sports day, the tug of war competition is popular with the children.
		綱渡り	資金に余裕がなくて、経営は毎月毎月が綱渡りの状態だ。	There are no funds to spare so management is in a state of tightrope walking every month.

ページ	漢字	語彙	例文	英訳
	飾	装飾	店内はクリスマスの飾りつけで、きらびやかに装飾されている。	In the store, it is gorgeously decorated for Christmas.
		修飾	日本語の修飾語は一般的に、被修飾語の前に置かれる。	Modifiers in the Japanese language are generally placed in front of the word to be modified.
	網	網	漁船が網を引き上げると、たくさんの魚が網にかかっていた。	Pulling up the fishing nets, there were a lot of fish.
		金網	ウサギ小屋の金網の間からウサギが鼻を出している。	A rabbit is pushing its nose out from between the wire mesh of the rabbit hutch.
	撮	撮影	この施設は、時代劇の映画を撮影するために作られたものだ。	This facility was made to shoot films of period plays.
		撮る	動きまわる動物の写真を撮るのは難しい。	Taking pictures of animals while they are moving around is difficult.
	邸	邸宅	丘の上には港を見渡せる英国風の広大な邸宅があった。	On top of the hill there was a vast English-style mansion overlooking the harbor.
		官邸	首相は官邸で記者団を前に、訪米を前にしての抱負を語った。	In front of reporters, the prime minister at his residence talked about his ambitions before his visit to the United States.
	塾	塾	クラスの学生の9割が放課後、学習塾に通っている。	90% of the students in my class attend after school classes at cram schools.
	丈	頑丈	このスーツケースは非常に頑丈だが、意外に軽い。	This suitcase is very sturdy but surprisingly light.
		丈	ズボンの丈が長いので、少しつめてもらった。	The length of the pants was long so I had them shortened.
p.87	斎	書斎	祖父は、よく書斎で論文を執筆していた。	My grandfather often wrote papers in the study.
		斎場	Tさんの葬儀は、国道沿いの斎場で明日、行われる。	T's funeral will be held tomorrow in the funeral hall along the national highway.
	缶	缶	ジュースを飲んだ後の空き缶は、ごみ箱に捨ててください。	After you finish your drink, please dispose of the empty can in the trash.
		缶詰	缶詰を開けようとしたが、缶切りが見つからなかった。	When I wanted to open a can, I couldn't find the can opener.
	葬	葬式	故人の遺言に従い、派手な葬式は行わないことにする。	Complying with the wishes of the diseased, we will not hold a flashy funeral.
		埋葬	彼は有名な音楽家であるにもかかわらず、この墓地にひっそりと埋葬された。	Even though he is a famous musician, he was buried quietly in this cemetery.
	脚	脚本	この映画では、原作者が監督と共同で脚本を執筆している。	In this movie, the original author has written the scenario in collaboration with the director.
		失脚	建設会社との汚職事件によって、町長は失脚した。	Because of corruption scandals with the construction company, the mayor lost his position.
	刃	刃	包丁が切れなくなったので、刃を研いでもらった。	My knives no longer cut well, so I had the blades sharpened.
		刃物	包丁やナイフなどの刃物は、子どもの手の届かないところに保管してください。	Please keep sharp objects, such as knives and blades, out of the reach of children.
	煮	煮える	ジャガイモが軟らかく煮えたら、火を止めてください。	When the potatoes become soft, please turn off the heat.

ページ	漢字	語彙	例文	英訳
p.88		煮込む	これは昨日三時間煮込んだシチューです。	This is a stew that was simmered for three hours yesterday.
	琴	琴	日本の琴は桐でできていて、13本の弦が張られている。	The Japanese *koto* is made of paulownia wood with 13 strings stretched.
		琴線	主人公の子どもの演技が琴線に触れ、涙があふれた。	The child's performance as a main character touched my heart and I cried.
	銃	銃	銃の所持には警察の許可が必要だ。	To possess a gun, permission from the police is required.
		銃弾	銃撃戦が始まり、報道カメラマンが巻き添えとなって銃弾に倒れた。	When the gunfight started, a news photographer was felled by bullets and became collateral.
	喪	喪失	あまりのショックで記憶を喪失することがある。	Memory loss can be caused from too much shock.
		喪主	父の葬儀で喪主を務める。	I served as the chief mourner at my father's funeral.
	鎖	閉鎖	医師不足で、夜間診療所が閉鎖された。	Due to the shortage of doctors, night emergency clinics were closed.
		連鎖	ヨーロッパの一国の経済の落ち込みが、世界的な連鎖反応を引き起こした。	One European country's economic decline caused a chain reaction worldwide.
	卓	食卓	食卓にランチョンマットを敷く。	Lay your place mat on the dining table.
		卓球	卓球のラケットを買った。	I bought a ping-pong racket.
	糧	食糧	人口増加に伴って、食糧不足が問題となる。	With the increasing population food shortage is a problem.
		糧	音楽は心の糧である。	Music is food for the mind.
	暇	暇	暇なときにお電話をください。一緒に食事でもしましょう。	Please give me a call when you have some spare time. Let's have a meal together.
		余暇	余暇を楽しむつもりで始めたギターに夢中になってしまった。	My absorption in playing the guitar started with the intention to enjoy my leisure time.
	浪	浪費	彼女は浪費癖が直らず、つい買い物に手を出してしまうようだ。	She cannot get rid of her wasteful spending habit and ends up shopping.
		放浪	退職金をもらったので、これから一年放浪の旅に出かけます。	I got severance pay so now I will go on a journey and wander for a year.
	玄	玄関	毎朝、玄関の前を掃除する。	Every morning I clean in front of the entrance way.
		玄米	玄米に小豆を入れて炊く。	Put red beans in brown rice and cook them.
	荘	別荘	友達と別荘を借りて、長い夏休みを過ごす。	My friend and I will rent a summer house and spend the long summer vacation together.
		山荘	山荘に着くと、すぐ重い荷物を下ろした。	When I arrived at the lodge I immediately brought down the heavy bags.
	俗	風俗	風俗や習慣は、聞いただけでは理解できない。	You cannot understand manners and customs just by hearing about them.
		民俗	日本の民俗学は民間伝承や民話などを素材にしている。	Japanese folklore is based on materials such as folk legends and folk tales.
	軸	軸	車の軸を中心にタイヤをつなげる。	The tires are connected to the axle in the center of the wheel.
		掛け軸	床の間に掛け軸を飾り、花を生ける。	I decorate the alcove with a hanging scroll and arrange flowers.

ページ	漢字	語彙	例文	英訳
p.89	礎	基礎	英語を基礎からやり直したいと思って、テキストを買った。	I want to start from the basics of English so I bought a textbook.
		礎	教育は国の発展の礎となる。	Education is the cornerstone of the development of the country.
	垣	垣根	垣根越しに庭の花が見える。	The flowers in the garden can be seen over the fence.
		石垣	南面の石垣を利用してイチゴを栽培する。	I grow strawberries using the stone wall on the southern side.
	釣	釣り具	明日の沖釣りのために、釣り具を用意した。	For fishing off the coast tomorrow, we prepared fishing gear.
		釣り合う	家計の収入と支出が釣り合うように、住宅ローンを組む。	In order to balance income and expenditures of the household, we got a mortgage.
	冠	栄冠	T大学はラグビーで全国制覇の栄冠に輝いた。	T university won the national title in rugby.
		冠婚葬祭	冠婚葬祭はいずれも重要な儀式である。	The great ceremonies of life are all important rituals.
	砲	鉄砲	1543年、日本に鉄砲が伝来した。	In 1543 guns were brought to Japan.
		発砲	警官が強盗めがけて発砲した。	The policeman opened fire aiming at the robbers.
	艦	軍艦	軍艦に乗って、はるか彼方まで出かける。	I will board a warship and go far away.
		潜水艦	潜水艦に探査装備を搭載する。	Submarines are equipped with exploration equipment.
	寮	寮	入社して、まず、会社の寮に入った。	When I first joined the company, I went into the company dormitory.
		寮生	寮生の世話は、専ら寮母の仕事だった。	Taking care of the boarders was the exclusive job of the dorm mother.
	炉	原子炉	原子力発電所の原子炉圧力容器は、炉心を収納している。	The reactor pressure vessel of a nuclear power plant houses the reactor core.
		暖炉	暖炉のある家に住みたいです。	I want a house with a fireplace.
	狩	狩人	狩人は猟師ともいい、猪などを狙う。	Hunters, also known as huntsmen, try to catch wild boar and other animals.
		狩り	この季節は、猟銃を持った人々が山に狩りに出かける。	In this season, people with hunting rifles are hunting in the mountains.
	棚	本棚	私の本棚は一見乱雑ですが、どこにどんな本が入っているかはわかっています。	My bookshelf is a mess at first glance but I know which book is where.
		戸棚	戸棚の位置を変えたら、台所が広くなった。	When I changed the position of the cupboard, the kitchen became more spacious.
	凶	凶器	通り魔の凶器に使われた包丁に血のりが付いていた。	The kitchen knife that the assailant used had gore stuck on it.
		凶作	農家は例年にない稲の凶作に泣いた。	The rice farmers suffered from an unusually bad harvest.
	扉	扉	扉を開けると、来客の姿が見えた。	When I opened the door I saw the visitors.
		門扉	門扉をゆっくり閉める。	I will slowly close the gates.

Unit 2

ページ	漢字	語彙	例文	英訳
p.94	棟	棟	棟続きの建物に両親が住んでいる。	My parents live in the annex building.
		病棟	隣の病棟は外科病棟だ。	The next building is the surgery wing.

ページ	漢字	語彙	例文	英訳
	岐	分岐点	損益の分岐点を探す。	We will search for the turning point of profit and loss.
		岐路	人生の岐路に立つ。	I stand at the crossroads of life.
	堤	堤防	台風で近くの川の堤防が決壊した。	The embankment of the river nearby collapsed from the typhoon.
		防波堤	遠くに防波堤が見える。	A breakwater can be seen in the distance.
	盆	お盆	お盆は帰省して、家族とともに過ごすつもりだ。	During Obon I will return to my hometown and spend time with my family.
		盆地	京都は盆地なので、夏は暑い。	Since Kyoto is a basin, summers there are hot.
	飢	飢饉	飢饉で多くの人が亡くなった。	Many people died in the famine.
		飢え死に	飢え死にしそうだった子猫を保護して、飼っている。	A tragic incident where an infant and a small child were confined to a room and left to die of hunger occurred.
	撲	相撲	相撲は日本人だけでなく、外国人にも人気があるようだ。	Sumo seems to be popular among foreigners as well as Japanese.
		打撲	足を打撲し、全治一週間と診断された。	He bruised his leg and was told it would take a week to heal completely.
	履	草履	友人は待ち合わせ場所に、Tシャツに短いズボン、ゴム草履という格好で現れた。	My friend showed up at the meeting place dressed in a T-shirt, shorts and rubber flip-flops.
		履歴書	面接の際は履歴書を持参してください。	Please bring your résumé to the interview.
	祥	不祥事	会社の不祥事が発覚し、社長が引責辞任を迫られた。	The company's scandal was discovered, and the president was forced to resign.
		発祥	奈良は茶道の発祥の地だそうだ。	Nara is said to be the birthplace of tea ceremony.
	豚	豚汁	豚汁は、食べると体が温まる。	When you eat *miso* soup with pork and vegetables, your body warms up.
		豚肉	豚肉を使った料理を教えてください。	Please tell me how to make a dish with pork.
	弦	弦	演奏中、バイオリンの弦が切れた。	During a performance, my violin bowstrings broke.
		管弦楽	クリスマスには、コンサートホールで管弦楽を鑑賞する予定だ。	On Christmas I am going to see the orchestra in a concert hall.
p.95	陶	陶器	これはヨーロッパ旅行で買った陶器のお皿です。	I bought this pottery dish on a European trip.
		陶芸	母は趣味で陶芸を習っている。	My mother is learning pottery as a hobby.
	覆	覆面	宝石店で、覆面の二人組が店の金を奪っていった。	At a jewelry store, two masked men stole the store's money.
		転覆	ボートが転覆したが、怪我人はいなかった。	The boat capsized but no one was injured.
	呂	風呂	毎日お風呂に入り、一日の疲れを取ります。	Every day I relax in the bath, and it takes away the fatigue of the day.
		風呂敷	風呂敷はどんな形の物でも包むことができます。	*Furoshiki* can be used to wrap anything.
	呉	呉服屋	呉服屋さんに反物を見に行った。	I went to look at cloth at the kimono fabric shop.
	粧	化粧	就職を機に化粧を始めた。	When I started working, I began to put on makeup.
		化粧品	デパートの一階で化粧品を買った。	I bought cosmetics on the first floor of the department store.

ページ	漢字	語彙	例文	英訳
p.96	漫	漫画	漫画は日本が世界に誇る文化の一つだ。	Manga is part of Japan's world-famous culture.
		漫才	あの二人の会話はおもしろくて、まるで漫才のようだ。	Those two have such interesting conversations they are almost like comedians.
	謡	童謡	子どもの頃、よく母が童謡を歌ってくれた。	My mother often sang children's songs to me when I was a child.
		民謡	民俗学のゼミで、地域に伝わる民謡を調査した。	At the folklore seminar, I did research on regional folk songs.
	扇	団扇	昼寝している子どもを団扇であおいでやった。	I waved a fan over the child while she was taking a nap.
		扇風機	扇風機をつけっぱなしにして寝てしまったので、体がだるい。	I fell asleep with the electric fan on and I feel weak.
	漬	漬け物	味噌汁と漬け物があれば、何杯でもご飯が食べられる。	If I have *miso* soup and pickles, I can eat many bowls of rice.
		茶漬け	余っていたご飯を茶漬けにして食べた。	With the extra rice I made rice with tea poured over it and ate it.
	墨	墨汁	筆に墨汁をよく含ませる。	I will soak my brush well with India ink.
		お墨付き	これは先生のお墨付きだから、いい教科書に違いない。	This must be a good textbook because the teacher endorsed it.
	壇	花壇	母は家の花壇に四季折々の花を植えている。	My mother has planted seasonal flowers in the flower beds around the house.
		仏壇	祖母は毎朝仏壇に手を合わせて、家族の安全を祈っている。	My grandmother puts her hands together at the family altar every morning and prays for the safety of the family.
	遭	遭難	雪山で遭難した登山者が救助された。	The mountain climbers that were lost in the snow have been rescued.
		遭遇	開発の段階では何度も困難に遭遇したが、全て乗り越えてきた。	At the development stage, difficulties were encountered many times, but we overcame them all.
	譜	楽譜	好きな歌のピアノの楽譜を買った。今日から練習しよう。	I bought the piano sheet music for my favorite song. I'm going to start practicing it today.
	譜	新譜	この曲の新譜には少しアレンジが加えてある。	This newly-issued record has a little arrangement added for the new album.
	娯	娯楽	映画は娯楽の一つとして人々に親しまれている。	Movies are very popular among people as a form of entertainment.
	廊	廊下	廊下を走って先生に注意された。	Because I was running in the corridor, a teacher scolded me.
		画廊	彼女は学芸員の資格を取って、今は画廊を開いている。	She got the credentials to be a curator and has now opened an art gallery.
	憩	休憩	次の授業までの休憩時間は15分間です。	Break time until the next class is 15 minutes.
		憩い	図書館の中庭は緑が多く、市民の憩いの場となっている。	The courtyard of the library has a lot of greenery and has become a place of recreation and relaxation for the citizens.
	艇	競艇	初めて競艇に行き、そのおもしろさに夢中になった。	I went to the boat races for the first time and fell in love with them.
	薫	薫製	保存食として、薫製の肉を買っておく。	I will buy smoked meat as preserved food.
		薫陶	指導教授から薫陶を受けた。	I received tutelage from my guidance professor.

ページ	漢字	語彙	例文	英訳
p.97	鍋	鍋	野菜と魚や肉を一つの鍋に入れて煮ながら食べる鍋料理は冬に人気がある。	Putting vegetables and fish or meat into one pot and eating it as it cooks, also known as 'naberyori,' is popular in winter.
	墳	古墳	近畿地方には奈良時代以前の豪族の古墳がたくさんある。	In the *Kinki* region, there are many ancient tombs of powerful families of the pre-Nara period.
		墳墓	この辺りには、昔の王族の墳墓があったそうだ。	It is said that in this area there used to be a grave of an ancient royal family.
	餓	飢餓	飢餓をなくすために世界各地で活動しているNGOがある。	There is a NGO that has been active in many parts of the world trying to eliminate hunger.
		餓死	紛争地域だけではなく、日本でも生活に困って餓死する人がいる。	People in not only conflict areas but also in Japan are needy and starving to death.
	瓦	瓦礫	地震で倒壊した建物の瓦礫処理をめぐり、市議会で議論が続いている。	The city council continues arguing the issue of processing debris from buildings that collapsed in the earthquake.
		瓦解	長い時間をかけて作ってきたプログラムが、サイバー攻撃を受けて一瞬で瓦解した。	The program that I worked on over a long period of time was collapsed in an instant when I was cyber attacked.
	鉢	鉢植え	鉢植えの蘭をもらったので、居間に置いて育てている。	I got a potted orchid and I placed it in the living room to grow.
		金魚鉢	お祭りで買った金魚が大きくなったので、もう少し大きい金魚鉢を買わなければならない。	The goldfish I bought at a festival have become so large I must buy a bigger fishbowl.
	瓶	魔法瓶	私は毎日魔法瓶に温かいお茶を入れて学校へ持って行く。	Every day I bring to school a thermos of warm tea.
		土瓶	秋になると毎年、松茸の土瓶蒸しという有名な料理がテレビで特集されます。	Every year, in the fall, the famous dish of steamed *matsutake* mushrooms in an earthenware teapot will be featured on TV.
	栓	栓抜き	私の友人は栓抜きの代わりに割り箸を使ってビールの栓を抜く。	A friend of mine opens bottles of beer with disposable chopsticks instead of a bottle opener.
		消火栓	火事になったときのために、消火栓の場所は覚えておいたほうがいい。	In case a fire occurs, you had better remember the location of the fire hydrant.
	碁	碁盤	京都の町は主な道路が碁盤の目状に整備されている。	The main roads of the city of Kyoto are developed like a grid.
		囲碁	囲碁サークルでは、たくさんの人が白と黒の石を真剣に見つめていた。	In the 'go' game group, many people were looking at the black and white stones.
	釜	釜	釜で炊いたご飯はおいしい。	Rice cooked in a cauldron is delicious.
	碑	碑	広島には原爆で亡くなった人たちの供養のための碑が立てられている。	In Hiroshima, a memorial monument for the people who died in the atomic bomb has been erected.
		記念碑	開校100年を記念して式典を行い、記念碑を建てた。	To commemorate the 100-year anniversary of the opening of the school, a ceremony was held and a monument was built.
	殻	貝殻	海へ遊びに行ったときに拾った貝殻でネックレスを作った。	I made a necklace out of some sea shells that I picked up when I went to play in the sea.
		地殻	地殻変動の観測データは、地震の調査や火山の噴火予知の重要な資料である。	Crustal deformation observation data is an important resource for earthquake research and volcanic eruption prediction.

ページ	漢字	語彙	例文	英訳
p.98	楼	楼閣	金閣寺の**楼閣**は名前の通り金色だが、銀閣寺は銀色ではない。	The building of *Kinkakuji* Temple is gold, as the name suggests, but *Ginkakuji* Temple is not silver.
		楼門	二階造りの門を**楼門**という。	A gate built in two stories is called a two-storied gate.
	帆	帆	白い**帆**を上げて走るヨットの姿はとても美しかった。	The appearance of the yacht with the white sails raised was very beautiful.
		帆布	**帆布**でできたバッグは丈夫で使いやすい。	Bags made of sailcloth are durable and easy to use.
	漆	漆器	東北地方は**漆器**の産地として有名なので、旅行へ行ったときお椀やお盆を買いました。	When I went on a trip to the *Tohoku* district, so famous for lacquer ware, I bought a tray and a bowl.
		漆黒	都会育ちの娘は、キャンプ場に来て初めて**漆黒**の闇というものを体験した。	My city-bred daughter experienced for the first time something called jet-black darkness when we went camping.
	坑	炭坑	海外からの安い石炭に押され、国内の**炭坑**はほとんどが閉山した。	Because cheap coal from overseas has pushed its way in, most domestic coal mines have been closed.
		坑夫	炭坑の元**坑夫**たちが街を離れたため、過疎化が進んだ。	Because the former miners for the coal mine left town, the city went through depopulation.
	塀	土塀	コンクリートの塀に取って代わられた**土塀**が、近年見直されつつある。	The benefits of earthen walls, which have been replaced by concrete walls, have been rediscovered in recent years.
	閑	閑散	平日の昼間の銭湯は**閑散**としている。	Public baths on weekdays in the daytime are deserted.
		閑古鳥	この店は食中毒を出してからお客が来なくなり、**閑古鳥**が鳴いている。	At this restaurant, after the incident of food poisoning, customers stopped coming and no business is coming in.
	錠	手錠	刑事は犯人に**手錠**をはめて、警察署へと連行した。	The detective put handcuffs on the criminal, and took him to the police station.
		施錠	帰宅時は窓が全て**施錠**されているかどうか、よく確かめて下さい。	When you go home, make sure that the windows are all locked.
	掲	掲示	防災訓練の予定表は管理室前の**掲示**板に**掲示**してあります。	The schedule of disaster prevention drills is posted on the bulletin board in front of the control room.
		掲揚	オリンピックの開会式では、五輪旗と開催国の国旗が**掲揚**される。	At the opening ceremony of the Olympic Games, the Olympic flag and the national flag of the host country will be hoisted.
	丼	丼	**丼**は日本の食文化として海外にも広まりつつある。	*Donburi* rice bowls are becoming more popular abroad as part of Japan's food culture.
	棺	棺	背が高い人は**棺**も大きい。	Tall men have big coffins.
		納棺	今日の午後、**納棺**の儀式を行い、そのあと通夜が行われます。	This afternoon, we will have the encoffinment ceremony then the wake will be held after that.
	鍵	鍵	家の**鍵**を職場に忘れてきてしまい、家の中に入れなくて困った。	I forgot my house key at the office and couldn't get into my house so I was in trouble.
		鍵盤	普通の大きさのピアノには**鍵盤**が88ありますが、**鍵盤**がもっと少ないものもあります。	On regular pianos, there are 88 keys, but there are some that have fewer keys.

Unit 3

ページ	漢字	語彙	例文	英訳
p.102	芯	芯	最近は電動の鉛筆削りを使うので、鉛筆の**芯**を削れない子どもが増えている。	These days people use electric pencil sharpeners, so the number of children who cannot manually sharpen pencils is increasing.

ページ	漢字	語彙	例文	英訳
	升	升	升で日本酒を飲むときは、升の角に少し塩を盛るとおいしくなるそうだ。	When you drink sake in a 'masu' square wooden cup, it is said to be more delicious if you put a little salt on the corner of the container.
		升目	原稿用紙は升目があるので字が書きやすい。	Manuscript paper has squares so it is easy to write characters.
	槽	水槽	水槽の水は定期的な入れ替えが必要だ。	It is necessary to change the water in the tank regularly.
		浴槽	浴槽にゆっくりつかると疲れが取れる。	I took a slow soak in the bath tub to get rid of my fatigue.
	蹴	蹴飛ばす	兄と喧嘩をして、おなかを蹴飛ばされた。	I fought with my older brother and got kicked in the stomach.
		一蹴	上司に休暇を願い出たが、一蹴されてしまった。	I asked permission from the boss for vacation time but was refused.
	襟	襟巻き	今日は寒いので、襟巻きをしていこう。	Today is cold so I'm going to wear a scarf.
		襟元	シャツの襟元は汚れやすいので、洗濯するときは注意が必要だ。	Shirt collars get dirty easily so you take care when washing them.
	壺	壺	ホテルのロビーに豪華な壺が飾られているのを見た。	I saw a gorgeous vase displayed in the lobby of a hotel.
		壺漬け	祖母の手作りの壺漬けはとてもおいしい。	My grandmother's homemade pot-pickles are very delicious.
	椅	椅子	来場者が多く、会場に追加の椅子を運び込んだ。	Because there were so many visitors, they carried additional chairs into the venue.
		車椅子	この会館は車椅子の人に配慮して、段差のない設計がされている。	This hall was designed in consideration of people in wheelchairs so there are no steps.
	餌	餌	熱帯魚をたくさん飼っているので、毎月の餌代が大変だ。	Because I have a lot of tropical fish the monthly food bill is tough.
		餌食	大切に飼っていた小鳥が、野良猫の餌食になってしまった。	My cherished bird became the prey of feral cats.
	貼	貼り紙	店頭にアルバイト募集の貼り紙をした。	At the front of the shop, we put up a poster looking for someone to work part-time.
		貼り出す	試験の日程は、掲示板に貼り出してあります。	The schedule of the test is put up on the bulletin board.
	酌	晩酌	父は帰宅後の晩酌を、唯一の楽しみとしている。	My father's evening drink after returning home is his only pleasure.
		(お)酌	忘年会で、部下は上司にお酌をして回った。	At the end-of-the-year party, the subordinate went around and poured alcohol for the superiors.
p.103	蓋	蓋	この瓶の蓋はとても固くて、なかなか開かない。	The lid of this bottle is on very tightly so it does not open easily.
		頭蓋骨	遺跡から、古代人の頭蓋骨が発掘された。	An ancient human skull was unearthed from the ruins.
	桟	桟橋	友人と桟橋で待ち合わせをした。	I arranged to meet a friend of mine at the pier.
		桟敷	この芝居は大変な人気で、桟敷席もすでに満席となっていた。	This play is very popular and box seats are already sold out.
	碗	碗	来客のために、上等なお碗を用意した。	We got the special guest bowls ready.
		茶碗	夫婦でお揃いの茶碗を使っている。	The couple is using matching rice bowls.
	箸	箸	箸を上手に使えない子どもが増えた。	The number of children who cannot use chopsticks well has increased.

ページ	漢字	語彙	例文	英訳
		箸置き	旅先でかわいい箸置きを見つけたので、セットで買った。	I found pretty chopstick rests while traveling so I bought a set.
	裾	裾	ズボンを買うとき、店でサイズを測って裾も上げてもらった。	When I bought pants, I had the store measure my size and shorten the hem.
		裾野	富士山の裾野は広くて美しいと思う。	I think the foot of Mount Fuji is beautiful and spacious.
	噌	味噌	我が家では、母の手作りの味噌を使っている。	At our house, we use my mother's homemade *miso*.
		味噌汁	毎朝味噌汁を飲み、焼き魚を食べている。	Every morning I drink *miso* soup and eat grilled fish.
	鞄	鞄	父は鞄にいつも家族の写真を入れて持ち歩いている。	My father always carries a picture of his family in his bag.
		手提げ鞄	祖父は、長年愛用していた手提げ鞄をなくしてしまってがっかりしている。	My grandfather was disappointed to have lost the briefcase that he had for many years.
	濫	濫用	情報化社会の現代では、個人情報が濫用される恐れがある。	In this modern information society, there is the possibility that personal information will be abused.
		氾濫	台風で川が氾濫し、大きな被害が出た。	The river flooded from the typhoon and heavy damage resulted.
	塑	塑像	美術部員が、塑像制作に励んでいる。	The art club members are working hard to create statues.
		可塑性	プラスチックは、可塑性という特徴を持つ素材だ。	Plastic carries the feature of plasticity.
	蒔	蒔絵	蒔絵は日本の伝統工芸品の一つである。	'Makie' is one of the traditional crafts of Japan.
		種蒔き	この作物は、種蒔きの期間が短いので注意が必要だ。	With this crop, you must be careful because the sowing period is short.
p.104	剃	剃刀	手を切りにくい安全性の高い剃刀が開発されている。	Razors that are very safe and hard to cut your hands with have been developed.
		剃髪	私の祖母は、剃髪して尼僧になったそうだ。	It is said that my grandmother shaved her head and became a nun.
	紐	紐	古新聞を紐で束ねて、廃品回収に出した。	I bundled old newspapers with string and put them out for the collection.
		靴紐	慌てて靴をはいて出てきたら、途中で靴紐がほどけてしまった。	I put my shoes on and left in a hurry and in the middle my shoelaces came undone.
	醤	醤油	料理上手の母は、使う醤油にもこだわっている。	My mother is a good cook and is selective about the soy sauce she uses.
		醤油味	ラーメンは醤油味が好きです。	I like soy sauce flavored *ramen*.
	這	這う	腰を痛めた父は立って歩くことができず、這うようにして移動している。	My father, who injured his lower back, cannot stand and walk so he moves about like he's crawling.
		腹這い	バリウムを飲んで受ける胃の検診は、腹這いや仰向けにさせられて大変だ。	When you drink barium and undergo a stomach examination, you have to lie on your stomach and then lie on your back so its tough.
	撒	撒布	本日はヘリコプターで農薬の撒布が行われるので、外出は控えて下さい。	Today we are going to spray pesticides by helicopter, so please refrain from going out.
		ばら撒く	あの政治家は、現金をばら撒いて当選したという噂がある。	There is a rumor that that politician scattered cash to get elected.
	茹	茹でる	この野菜は茹でて食べるとおいしいそうです。	This vegetable is delicious if you boil it before eating it.

ページ	漢字	語彙	例文	英訳
p.105		茹で卵	電子レンジで**茹で卵**を簡単に作れる装置がある。	There is an apparatus that makes it easy to make boiled eggs in a microwave oven.
	匙	匙	子どもの頃は箸が使えなかったので、**匙**でごはんを食べていた。	When I was a child, I couldn't use chopstick so I ate rice with a spoon.
		大匙	姉は料理を作るとき、**大匙**や小匙はあまり使わず、目分量で調味料を入れている。	When she cooks, my older sister does not really use tablespoons or teaspoons and uses her own taste to season food.
	冒	冒険	子どもは自転車で、村中を**冒険**した。	The children explored the village on bicycles.
		冒頭	卒業式の**冒頭**、在校生から卒業生へ贈る言葉があった。	At the beginning of the graduation ceremony, the current students gave a message to the graduates.
	栽	水栽培	**水栽培**の際には、大きくて固い球根を選ぶとよい。	For hydroponics, you should choose large, firm bulbs.
		盆栽	父は毎朝、松の**盆栽**に水をやっている。	Every morning my father waters his bonsai pine tree.
	刈	草刈り	家の周りの**草刈り**をした。	I mowed the grass around the house.
		丸刈り	弟は受験に向けて頭を**丸刈り**にして、気合いを入れたようだ。	My younger brother got a buzz cut and seems to have buckled down to study for the examination.
	培	栽培	私の祖父母はお茶の**栽培**をしています。	My grandparents are growing tea.
		培養	動物の皮膚に付いた菌を**培養**する実験をした。	Experiments were performed to culture the bacteria attached to the skin of animals.
	炊	炊事	娘が嫁ぐ前に、**炊事**・洗濯・裁縫、何でも教えておかなければならない。	Before she gets married, I must teach my daughter everything, like cooking, sewing and laundry.
		炊く	今日は来客があるから、多めにご飯を**炊いて**おこう。	Today we have guests coming so I will cook a lot of rice.
	戯	遊戯	幼稚園の発表会で子どもたちのお**遊戯**を見た。	At the kindergarten recital I saw the children's play.
		戯曲	この賞は、その年に上演された日本語の新作**戯曲**を対象にしている。	This award will be given to a new play that was staged in Japanese that year.
	享	享受	私たちは物質的な豊かさの恩恵を**享受**している。	We are enjoying the benefits of material wealth.
		享年	昨日、有名な落語家が亡くなった。**享年**75歳だった。	Yesterday, a famous *rakugo* storyteller died. He was 75 years old.
	肖	肖像	ある資産家の家では、長い廊下にたくさんの**肖像**が飾られていた。	In the house of a wealthy people, a lot of portraits decorated long corridors.
		不肖	私、**不肖**ながら精一杯努めさせていただきますので、よろしくお願いいたします。	Although I am unworthy, I will humbly try my utmost best.
	敷	敷地	隣の**敷地**に幼稚園ができるそうだ。	It seems that on the site next door they are going to build a kindergarten.
		敷く	合宿で広い部屋にたくさん布団を**敷いた**。	At the camp, we laid out a lot of *futons* in a large room.
	幼	幼稚園	長男は毎日元気に**幼稚園**に通っている。	My older son goes happily to kindergarten every day.
		幼稚	彼女は大人のくせに考え方が**幼稚**だ。	Although she is an adult, her thinking is still childish.
	縫	裁縫	小学生のとき、母が**裁縫**道具を買ってくれた。	When I was in elementary school, my mother bought me a sewing kit.
		縫う	人込みの中を**縫って**歩き、やっと待ち合わせの場所に着いた。	Threading my way through the crowd, I finally arrived at the meeting point.

ページ	漢字	語彙	例文	英訳
p.106	掛	仕掛け	この玩具は、ボタンを押すと人形が出てくる仕掛けになっている。	This toy has a mechanism where a doll comes out when the button is pressed.
		手掛かり	彼女が犯人だという手掛かりは、一つも見つかっていない。	We can't find any trace that she is the criminal.
	排	排水	排水管が詰まってしまい、水道が使えない。	The pipes are clogged and we can't use the water.
		排除	採ったリンゴで色の悪いものは排除してください。	Among the apples picked, please eliminate the ones with bad color.
	揚	揚げる	野菜の天ぷらを揚げる。	I will make vegetable tempura.
		浮揚	景気を浮揚させるために多くの対策を練る。	We will develop many strategies in order to levitate the economy.
	塁	本塁打	四番打者が、見事な本塁打を打ち、自らホームベースを踏んだ。	The 4th batter hit a spectacular home run, and stepped on the home base.
		満塁	満塁で逆転のチャンスになった。	With the bases loaded it was our chance to reverse things.
	彫	彫る	小さな仏像を彫る。	I will carve a small statue of Buddha.
		木彫り	北海道のお土産に、木彫りの熊をもらった。	As a souvenir from Hokkaido, I was given a carved wooden bear.
	据	見据える	夢を見ずに現実を見据える必要がある。	You need to face reality and stop day-dreaming.
		据え置き	今回も賃金据え置きになった。	Again this time, I did not get a raise.
	跳	跳躍	跳躍は、陸上競技の中でも特に好きな種目だ。	I love jumping the most of all the track and field events.
		飛び跳ねて	彼はテストで満点を取ったことがよほどうれしかったのか、飛び跳ねて家へ帰って行った。	Maybe because he was so excited to get full marks on the test, he bounced back to the house.
	矛	矛先	彼らの非難の矛先が、私一人に向けられた。	They directed the brunt of their criticism to me.
		矛盾	彼の言うことは矛盾していて、どうも納得がいかない。	What he says is not consistent, and I am very much dissatisfied.
	舶	船舶	海上における船舶の監視は海上保安庁が行っている。	The Coast Guard is monitoring ships at sea.
		舶来	祖父は舶来の時計をずっと大切に使っていた。	My grandfather was carefully using an imported watch for a long time.
	棋	棋士	棋士は大切な試合では、和服を着て対戦に臨む。	At important games, shogi players come wearing kimono to face the challenge.
		将棋倒し	通勤ラッシュ時間の駅の階段で一人が転び、階段にいた他の人々も将棋倒しになった。	One person fell on the stairs during commuter rush hour and the other people on the stairs fell one after the other.
	吊	吊るす	コートは型崩れしないように、ハンガーに吊るしたほうがいい。	You should hang the coat on a hanger so it doesn't lose its shape.
		吊り革	電車が込んでいて、吊り革につかまることもできない。	On the crowded train, I can't even hold onto a strap.
	覗	覗く	祖父がずっと部屋から出てこないので、心配で部屋を覗いてみた。	My grandfather did not come out of his room for a long time so, concerned, I peeked into his room.
		覗き見	隣のクラスに転校生が来たので、こっそり教室を覗き見してみた。	A transfer student came to the class next door, and I tried to sneak a glimpse into the classroom.

5 経済・社会

Unit 1

ページ	漢字	語彙	例文	英訳
p.114	騰	高騰	物価が**高騰**し、消費者の生活は苦しくなった。	Prices soared, and consumers started to suffer.
		沸騰	お湯が**沸騰**したらカップに注いでください。	When the water boils, pour it into the cup.
	鋳	鋳造	祖父は戦時中、軍事工場で大砲を**鋳造**する仕事をしていたそうだ。	During the war my grandfather is said to have worked at a military factory casting cannon.
		鋳型	江戸時代に貨幣の製造に使われていた**鋳型**が発見された。	A mold that had been used in the manufacture of money during the Edo Period was discovered.
	窯	窯元	娘は小学校の社会見学で、隣町の**窯元**へ行った。	For an elementary school field trip, my daughter went to a pottery in the neighboring town.
		窯	陶芸家を目指す友人の夢は、自分の**窯**を持つことだそうだ。	My friend, who wants to be a potter, has a dream to have his own kiln.
	診	診療	原因不明の熱が続いたので、総合病院の内科で**診療**を受けた。	I had a fever of unknown cause for a long time, so I sought treatment at the internal medicine department at the general hospital.
		往診	高熱で歩くことができないので、かかりつけの医者に**往診**してもらった。	Because I could not walk due to a high fever, I got a house call from my regular doctor.
	却	返却	借りたDVDの**返却**期限が過ぎてしまい、延滞料を払った。	The return date for a DVD I borrowed had passed and I had to pay a late fee.
		却って	車で行ったのに、**却って**歩くより時間がかかってしまった。	Even though we went by car, it took longer than it would have taken to walk.
p.115	症	症状	この薬は、咳、鼻水、のどの痛みなど風邪の諸**症状**を緩和します。	This medicine will relieve various symptoms of cold, such as cough, runny nose, and sore throat.
		後遺症	三年前の交通事故の**後遺症**で、今でも左足がうまく曲がらない。	As an aftereffect of a traffic accident three years ago, I still cannot bend my left leg well.
	還	返還	払いすぎた税金は、**返還**される場合もあります。税務署に相談してください。	If you have paid too much taxes, you may be able to have it returned. Please consult your tax office.
		還元	円高で得た利益を顧客に**還元**するために、スーパーでセールが行われている。	In order to pass on exchange gains from the strong yen to their customers, the supermarket is having a sale.
	督	督促	会費未納のため、支払いの**督促**をうけた。	Because I had unpaid dues, I received a payment reminder.
		監督	**監督**の手腕により、日本代表をオリンピック出場へと導いた。	The coach's skills led Team Japan to the Olympics.
	控	控除	医療費**控除**により、今年度の所得税が軽減された。	Because of my medical expense deduction, my income tax for this year has been reduced.
		控える	手術後、医師の許可が出るまで、飲食は**控えて**ください。	After surgery, until you get the doctor's permission, please refrain from eating and drinking.
	滞	滞納	家賃を3か月**滞納**し、家主から督促されている。	Because I failed to pay rent for 3 months, I got a notice from the landlord.
		停滞	地域経済が**停滞**し、町を出て都会に就職口を求める人も出てきた。	The local economy was sluggish, so some people went out of town seeking job openings in the city.
	購	購入	教科書は初回の授業の前に**購入**してください。	Please purchase the textbook before the first class.

ページ	漢字	語彙	例文	英訳
		購読	父は釣りの専門誌を毎月定期購読している。	My father has a monthly subscription to a fishing magazine.
	拓	開拓	新入社員は、顧客開拓に奮闘している。	New employees are struggling to attract new customers.
		干拓	土地が狭いので、湾を干拓して空港を作った。	Because the land area is small, we made the airport on reclaimed land from the bay.
	獲	獲得	彼は市のマラソン大会で金メダルを獲得した。	He won the gold medal in the city marathon.
		獲物	鳥が獲物の昆虫を狙って、降下してきた。	Targeting the insect as prey, the bird swooped.
	豪	富豪	この邸宅は、かつて有名な大富豪が所有していたものです。	This mansion was once owned by a famous millionaire.
		強豪	弟は柔道の強豪校へ入学し、オリンピックを目指している。	My younger brother is enrolled in a *judo* powerhouse school, and is aiming for the Olympics.
	偽	偽造	日本の紙幣は、偽造されないように、様々な工夫が凝らされている。	Various technologies have been applied to Japanese banknotes to prevent counterfeiting.
		偽物	この宝石は本物ではなく、偽物です。	This is not a real gem, it is a fake.
p.116	需	需要	エコブームで省エネ家電の需要が伸びている。	Demand for energy-saving appliances is growing during the eco-boom.
		需給	需給バランスを考慮して、エアコンの生産調整を行う。	We will consider the balance of supply and demand, and adjust the production of air conditioners.
	棄	廃棄	産業廃棄物は専用のごみ袋に入れて廃棄してください。	Please dispose of industrial waste in special trash bags.
		放棄	父には借金があったため、兄弟全員で相続を放棄した。	Because their father had debt, all the siblings renounced their inheritance.
	添	添付	メールに写真を添付して友達に送った。	I attached photos to an email and sent them to a friend.
		添加	このパンは保存料を添加していないので、早めに食べてください。	This bread has no preservatives so please eat it as soon as possible.
	累	累計	この小説は累計300万部を売り上げて、今年のベストセラーになった。	This novel sold a total of 3 million copies, and became a best seller this year.
		累積	赤字が累積する前に、対策を講じなければならない。	You have to take measures before you accumulate debt.
	繁	繁栄	鉄道が開通し、観光客も増え、町はますます繁栄した。	The railway opened, more tourists came, and the town increased in prosperity.
		繁盛	あの焼き肉店は毎日繁盛している。	That *yakiniku* shop has been prosperous every day.
	乏	貧乏	お金がない貧乏も嫌だが、心の貧しい人はもっと嫌だ。	I do not want to be poor with no money, but being poor in spirit is worse.
		欠乏	鉄分が欠乏して、貧血症状が出た。	I became iron deficient, so I got anemic symptoms.
	稼	稼ぐ	学費を自分で稼ぐのは大変だ。	It's hard to earn enough for your own tuition.
		稼働	発電機を稼働させる。	I will operate the generator.
	蓄	蓄積	疲労の蓄積で、疲れが取れない。	When fatigue has accumulated, it's hard to get rid of the exhaustion.

ページ	漢字	語彙	例文	英訳
p.117		貯蓄	毎日の生活に手一杯で貯蓄が少ない。	Since I have my hands full with everyday living, I have very little savings.
	卸	卸	当店は卸専門の店なんですが、特別に個人にもお売りしますよ。	Although our store specializes in wholesale, we make special sales to individuals.
		棚卸	明日の午前中は棚卸のため、営業を休みます。	Due to inventory, we will be closed tomorrow morning.
	駄	無駄遣い	資源の無駄遣いをしないよう、日常生活でも気を付けている。	So as not to waste resources, I'm careful even in my daily life.
		駄作	この作品はヒットメーカーの彼にして唯一の駄作と言われている。	This work is said to have been the only failure to come from him, the hit maker.
	舗	店舗	このラーメン店は、東京都内に20店舗を構える人気店だ。	This *ramen* shop is a popular store with 20 shops set up in the Tokyo metropolitan area.
		舗装	この道はまだ舗装されていない。	This road is not paved yet.
	潤	利潤	これまでの、利潤だけを追求する考え方に終止符を打つ必要がある。	We must put an end to the current policy of only pursuing profit.
		潤う	長男が独立したおかげで、家計が潤ってきた。	The household budget benefitted from my eldest son becoming independent.
	幣	貨幣	世界の貨幣経済の歴史を調べた。	I looked into the history of the world's money economy.
		紙幣	この財布は紙幣を入れるスペースが大きくて、使いやすい。	This wallet has a large space for bills, and is easy to use.
	紡	紡績	紡績業は、日本の主要な産業の一つだった。	The textile industry was one of Japan's major industries.
		紡ぐ	彼女の文章には、言葉を丁寧に紡いでいるような優しさがある。	In her writing, there is a tenderness like she has carefully crafted the words.
	搬	運搬	大阪の美術館から東京の美術館に、彫刻が運搬された。	Sculptures have been transported from a museum in Osaka to a Tokyo museum.
		搬入	グランドピアノを会場の裏口から搬入した。	A grand piano was carried in from the back door of the venue.
	猟	狩猟	約一万年前には、日本では狩猟採集の生活が営まれていたとされている。	It is thought that about 10,000 years ago, Japan was engaged in a life of hunting and gathering.
		密猟	密猟で絶滅の危険にさらされている動物もいる。	Some animals are at risk of extinction from poaching.
	穫	収穫	今年は作物の出来がいいので、秋の収穫が楽しみだ。	The crops were good this year, so I'm looking forward to the autumn harvest.
	醸	醸造	日本酒の醸造には多くの工程がある。	There are many steps in the brewing of Japanese *sake*.
		醸成	チーム作りには、何でも気軽に相談できる雰囲気の醸成が重要である。	For team building, it is important to create an atmosphere where people feel free to consult about anything.
	租	租税	税金に興味を持ってもらおうと、小学校で租税教室が行われている。	In order to increase interest in taxes, tax classes are being held at the elementary school.
		地租	1873年に地租改正が行われ、農産物ではなく土地に税金が課せられるようになった。	Land-tax reform was conducted in 1873, and tax is now imposed on the land rather than agricultural products.
	剖	解剖	理科の実験で魚を解剖し、消化管などの仕組みを学んだ。	We dissected fish in a science experiment and I learned the mechanics of the digestive tract and so on.

ページ	漢字	語彙	例文	英訳
p.118	伐	伐採	熱帯雨林の**伐採**を減らすために、様々なプロジェクトが実施されている。	In order to reduce the deforestation of tropical rainforests, various projects have been implemented.
		討伐	反乱軍を**討伐**するために、国王の軍隊が出動した。	In order to subdue the rebels, the king's army was mobilized.
	酪	酪農	牛乳の値段が安くなると、**酪農**家は苦労して絞った牛乳を捨てなければならない。	As the price of milk becomes cheaper, dairy farmers must discard the milk they worked hard to get.
		乳酪	農家が**乳酪**を製造する加工場を自分たちで運営し、販売も行うという事例が増えている。	Cases of farmers who operate their own processing plant to produce and sell dairy products are increasing.
	繕	修繕	私の住んでいるアパートでは、大規模な**修繕**が行われている。	Large-scale repairs are being done at the apartment where I live.
		取り繕う	失敗したときは、隠そうとして**取り繕う**より、堂々と認めたほうがいい。	When you fail, it is better to acknowledge it in a dignified manner than cover it up and try to hide it.
	廉	廉価	インターネットの通信販売では、**廉価**で品物を購入できることが多い。	You can often buy goods at a low price on the Internet.
		廉売	不景気の中では、商店による**廉売**は期待できない。	In a recession, you can't expect bargains from shops.
	癒	治癒	この病気は、自然**治癒**の可能性は低いので、手術したほうがよい。	The possibility of natural recovery from this disease is low so you should have surgery.
		癒着	開発計画の受注に関し、企業と役所の担当者の**癒着**問題が発覚した。	With respect to orders for the development plan, a collusive relationship between the people in charge at the government office and the company were discovered.
	寡	寡占	この業界では、業績が上位の企業による**寡占**化が進んでいる。	In this industry, the oligopoly of high-ranking companies with good business records has been progressing.
		寡黙	父は私が子どもの頃から**寡黙**で物静かな人だった。	My father was a quiet, reticent man from when I was a child.
	倹	倹約	家計が苦しいので、もっと**倹約**しなければならない。	Our household budget is really tight, so we must be more frugal.
		倹約家	**倹約家**の彼は、毎日弁当を持参していて、決して外食をしない。	As a thrifty person, he brings lunch every day, and never eats out.
	墾	開墾	この辺りでは、水田を拡大するために森林の**開墾**が盛んに行われたそうだ。	I was told that the active clearing of forests in this area was conducted to expand the rice paddy fields.
		墾田	**墾田**とは、日本の奈良時代に新たに開かれた田地のことである。	'Konden' refers to newly opened rice field during the Nara period of Japan.
	撤	撤去	不法建築物を**撤去**する。	We will remove illegal buildings.
		撤回	前言を**撤回**し、改めて陳謝した。	He withdrew the previous remarks and apologized again.
	搭	搭乗	空港では、**搭乗**手続きをすませてからの待ち時間が長い。	At the airport, you have to wait a long time after completing boarding procedures.
		搭載	この車種には最新のカーナビが**搭載**されています。	The latest car navigation system has been installed in this vehicle.

Unit 2

ページ	漢字	語彙	例文	英訳
p.122	践	実践	最新の知識を得るだけではなく、知識を応用して現場で**実践**してみた。	I not only gained the latest knowledge, but also tried to practice the application of the knowledge in the field.

ページ	漢字	語彙	例文	英訳
	款	定款	社団法人や財団法人設立時の**定款**の作成を代行するサービスがある。	There is a service to create articles of incorporation when you establish incorporated associations and foundations.
		借款	日本は開発途上国に対し、低い利率で資金を貸す円**借款**を行っている。	Japan provides developing countries with yen loans, where they lend money at low interest rates.
	賭	賭け	そのプロジェクトは、会社をつぶしかねない危険な**賭け**だった。	That project was a dangerous gamble that could have crushed the company.
		賭博	**賭博**好きの兄は、両親に借金ばかりしている。	My older brother, who loves gambling, has a lot of debt to my parents.
	俸	年俸	月給制ではなく、**年俸**制を採用する企業が増えている。	The number of companies that have been adopting an annual salary system rather than a monthly system has been increasing.
		俸給	前年度の業績に応じて、翌年度の**俸給**が決定する。	The next fiscal year salary will be determined according to the earnings of the previous fiscal year.
	賦	月賦	高額の商品の購入時には、一括払いにするか**月賦**にするか、よく考えたほうがいい。	When you buy expensive items, you should think twice about whether you will pay it off in full or in monthly installments.
		天賦	この画家は2歳のときから絵を描き始め、**天賦**の才を発揮してきたそうだ。	I heard that this painter started painting at the age of two and demonstrated genius.
	搾	搾取	かつて小作は収穫物を大地主に厳しく**搾取**されていた。	Large landowners used to exploit peasants by making them pay high rent in crops.
		乳搾り	牧場で、**乳搾り**の体験をした。	On a ranch, I tried milking.
	貰	貰う	父から大学の入学祝いに電子辞書を**貰った**。	I got an electronic dictionary from my father to celebrate my university entrance.
		貰い物	どんなものでも、**貰い物**はありがたく受け取るべきだ。	Whatever it is, you should receive a gift appreciatively.
	頒	頒布	この資料は、希望者には無料で**頒布**いたします。	This article will be distributed free of charge to those who want it.
	賂	賄賂	市長が**賄賂**を受け取ったという疑惑が浮上した。	Suspicions have emerged that the mayor received a bribe.
	呈	進呈	新しい著作を恩師に**進呈**した。	I offered my new work to my mentor.
		贈呈	優勝者にはトロフィーが**贈呈**されます。	The winner will be awarded a trophy.
p.123	括	一括	事務用品を**一括**して購入する。	We purchased the office supplies in bulk. (in a lump?)
		総括	各人の意見を**総括**すると、次のようになるかと思います。	To summarize the opinions of each person, I think it will be as follows.
	赴	赴任	今日、新しい英語の先生が**赴任**してきます。	Today, a new English teacher will be appointed.
		赴く	戦地へ**赴く**兵士は皆、緊張しているようだった。	The soldiers going off to war all seemed to be nervous.
	擁	擁立	野党が手を組んで、A氏を選挙の候補者として**擁立**した。	The opposition parties teamed up and fielded Mr. A as a candidate for the election.
		擁護	世界中の全ての人の人権が**擁護**されなければならない。	The human rights of all people around the world must be defended.
	猶	猶予	借金の返済を1か月間**猶予**してもらった。	I got a one month grace period to repay the debt.
		執行猶予	被告人には懲役二年、**執行猶予**三年の判決が言い渡された。	The accused was sentenced to 2 years imprisonment but was given a 3-year suspended prison term.

ページ	漢字	語彙	例文	英訳
	嘱	嘱託	嘱託の職員を正社員として採用するケースもある。	There are also cases where commissioned staff become permanent employees.
		委嘱	この案件については、調査を外部の調査期間に委嘱する。	For this case, an independent investigative body will be commissioned to conduct an examination.
	轄	管轄	役所は管轄が細かく分かれていて、外部の人間からは担当が誰なのかよくわからない。	Jurisdiction in government offices is so finely divided, outsiders cannot be sure who is responsible for what.
		直轄	中国の北京、天津、上海、重慶は、政府直轄の市で、省と同格である。	The cities of Beijing, Tianjin, Shanghai, and Chongqing in China, are under the direct authority of the central government and therefore have equal status with provinces.
	斥	排斥	異文化を排斥するよりも、積極的に受け入れていこうではないか。	Rather than rejecting different cultures, we should actively accept them.
		排斥運動	海外で日本車の排斥運動が起こり、日本車が燃やされているニュースを見て悲しくなった。	I felt sad watching the news about the boycott of Japanese cars and the burning of Japanese cars that occurred abroad.
	執	執着	彼は金銭に執着しすぎて、多くの友人を失った。	Too obsessed with money, he lost a lot of friends.
		執行	市は、市議会で審議され、成立した予算を執行する。	The city executes the budget, which was discussed and approved by the city council.
	措	措置	業者に夜間工事の際の騒音防止措置を講じるよう要望した。	I requested that the construction workers take measures to prevent noise during the night.
		優遇措置	子育てをしている世帯だけが団地に優先的に申し込める優遇措置がある。	There is preferential treatment for child-rearing households, where they are given priority when applying for public housing.
	籍	在籍	彼女はW大学の文学部に在籍している。	She is enrolled in the Faculty of Literature at the W University.
		国籍	モンゴル人の関取は、二年前に帰化して日本国籍を取得した。	A Mongolian sumo wrestler acquired Japanese nationality through naturalization 2 years ago.
p.124	僚	同僚	昨夜は仕事が終わってから、会社の同僚と飲みに行った。	Last night after work, I went for a drink with colleagues.
		官僚	野党議員の質問に対して、官僚は決まりきった答弁を行った。	In response to the questions of opposition lawmakers, government officials gave canned answers.
	庶	庶務	就職して初めての配属先は、庶務課だった。	My first assigned destination for work was the general affairs section.
		庶民	増税しようとしている政治家は、庶民の生活の苦しさなど理解していないのだろう。	The politicians who are trying to raise taxes probably do not understand the hardship of the lives of common people.
	閥	派閥	社内では今も派閥争いが続いている。	Factional conflict within the company is still ongoing.
		財閥	戦後、財閥は解体された。	After the war, the conglomerates were dismantled.
	掌	掌握	この会社では、社長が全ての決定権を掌握している。	At this company, the company president holds the right to make all the decisions.
		車掌	車掌が乗車券の確認に回っている。	The conductor is going around checking tickets.
	貢	貢献	彼はこの地方の伝統文化の保護に長年貢献してきた。	He has for many years contributed to the protection of the traditional culture of this region.
		貢ぐ	大金を女性に貢いだにも関わらず、とうとう相手にされなかった。	Despite spending a lot of money on her, she wouldn't go out with me.

ページ	漢字	語彙	例文	英訳
p.125	狙	狙い撃ち	一人暮らしの老人を狙い撃ちにした悪徳商法が増えている。	Scams that pick on old people living alone are increasing.
		狙撃	首相が駅で暴漢に狙撃されるという事件が起こった。	An incident occurred where the prime minister was shot at by a thug at the station.
	遣	派遣	人材派遣会社は、有能な人材を契約した企業へ派遣する。	Temporary staffing agencies dispatch qualified personnel to contracted companies.
		小遣い	弟は毎月もらう小遣いをためて、欲しいゲームを買った。	My younger brother saved up his monthly allowance to buy a game that he wanted.
	譲	譲歩	時には譲歩して交渉相手の意見を受け入れることも必要だ。	It is also necessary to sometimes accept the opinions of your negotiating partner and compromise.
		譲渡	故郷に帰るため、今の家屋を息子に譲渡した。	In order to go back to my hometown, I transferred my current house to my son.
	託	委託	資源ごみは、市から民間業者に収集を委託している。	The city entrusts a private contractor to collect recyclable waste.
		受託	当社は、市より委託されたホームページ製作を受託し、運営しています。	Our company, on commission from the city, creates and maintains a website.
	旋	斡旋	就職を斡旋する会社を訪ねた。	I visited a company that arranges employment.
		旋回	2羽のツバメが旋回して上空から降りて来た。	Two swallows turned and came down from the sky.
	陣	退陣	経営の失敗により、社長は退陣を余儀なくされた。	Due to management failure, the company president was forced to resign.
		陣取る	イベントの8時間前から並んで、舞台の前に陣取った。	I lined up eight hours before the event and camped out in front of the stage.
	償	補償	山火事の損害は県と国が補償した。	Damage from the fires was compensated by prefecture and country.
		弁償	友達の家の食器をうっかり割ってしまったので、新しく買って弁償した。	Because I accidentally broke dishes at a friend's house, I compensated by buying new ones.
	併	合併	国際競争力を高めるため、ライバル他社と合併した。	To enhance our international competitiveness, we merged with rival competitors.
		併用	カナダでは、公用語として英語とフランス語が併用されている。	In Canada, English and French are both used as the official languages.
	駆	駆け引き	買い物するとき、店員と駆け引きしながら値引き交渉する。	When we went shopping, we bargained with the clerk and negotiated a lower price.
		駆使	当院では最新鋭の医療機器を駆使して、迅速な診断と、良質な医療を提供いたします。	Our hospital utilizes state-of-the-art medical equipment and provides rapid diagnosis and high quality medical care.
	遂	遂行	与えられた業務を遂行する。	I will accomplish the work I was given.
		未遂	大量殺人計画が未遂に終わった。	The plan to mass murder ended as a mere attempt.
	賠	賠償	事故の責任を認めて損害を賠償した。	We admitted responsibility for the accident and compensated for the damages.
	賄	収賄	有名な政治家が収賄の容疑で逮捕された。	A well-known politician has been arrested on suspicion of accepting bribes.
		賄う	家のローンはボーナスで賄っている。	My mortgage is financed by my bonus.

ページ	漢字	語彙	例文	英訳
	詐	詐欺	お年寄りが**詐欺**の被害に遭うケースが増えている。	Cases where the elderly become victims of fraud are on the rise.
		詐称	彼は、自分の経歴を**詐称**したとして、会社から懲戒解雇された。	Because he fabricated his career, he was disciplined by being dismissed from the company.
	奨	奨励	この会社ではさまざまな資格の取得を**奨励**している。	This company encourages its employees to get various qualifications.
		推奨	有名なソムリエの**推奨**するワインを6本セットでお届けします。	We will deliver a set of six wines recommended by famous sommeliers.
	酬	報酬	試験の採点の仕事は、採点した枚数に応じて**報酬**が支払われます。	The test-scoring job will be paid according to the number scored.
		応酬	税金の引き上げについて、政府と野党が閣議で**応酬**を繰り返している。	About raising taxes, the government and the opposition have repeatedly retaliated in cabinet meetings.

Unit 3

ページ	漢字	語彙	例文	英訳
p.129	劾	弾劾	収賄事件の関係者を**弾劾**しようとする動きが活発化している。	Movements are acting to try to impeach those who were involved in bribery and corruption scandals.
		弾劾裁判所	**弾劾裁判所**とは、裁判官を裁判する所です。	A court of impeachment is a place where judges are tried.
	祉	福祉	**福祉**協議会に相談して、生活保護を受けることにした。	I consulted the welfare council and decided to receive welfare.
		社会福祉	**社会福祉**士の資格を得るために大学に通う。	I am attending university in order to qualify to be a social worker.
	勲	勲章	小学校1年生から大学卒業まで皆勤できたのは、私の心の**勲章**だ。	Since I was able to have perfect attendance from first grade until graduation from university, I gave myself a medal in my mind.
		叙勲	その芸術家は、長年の功績が認められて、**叙勲**を受けた。	The artist received honors in recognition of his achievements of many years.
	懲	懲役	被告人に対し**懲役**二年の判決が言い渡された。	Judgment was for the accused to be sentenced to two years in prison.
		懲りる	彼は何度負けても**懲りる**ことなくギャンブルを続けている。	Regardless of how many times he loses, he hasn't learned from the experience and continues to gamble.
	謄	謄本	役所へ行って、戸籍**謄本**の写しをもらってきた。	I went to city hall and got a copy of my family register.
		謄写	この資料は閲覧も**謄写**も許可されています。	You are permitted to view and copy these materials.
	璽	国璽	**国璽**は、国家の重要な文書等に押される。	The seal of state is pressed onto such things as Important documents of the nation.
		印璽	一般の人が**印璽**を見る機会はほとんどない。	For common people, there is little chance to see the Imperial Seal.
	是	是正	男女間の賃金格差は**是正**されるべきだ。	The wage disparity between men and women should be corrected.
		是非	空港建設の**是非**を問う住民投票が実施される。	A local referendum to ask the pros and cons of airport construction will be carried out.
	圏	圏内	このマンションは、最寄りの駅まで徒歩**圏内**です。	This apartment is within walking distance of the nearest station.
		首都圏	**首都圏**と関西圏のみ地価が上昇した。	Land prices have risen only in the metropolitan area and the *Kansai* region.

ページ	漢字	語彙	例文	英訳
p.130	僧	僧侶	僧侶が不在のため、葬儀の日にちが延ばされた。	Because of the priest's absence, the day of the funeral was postponed.
		小僧	近所のいたずら小僧に、家の窓ガラスを割られてしまった。	A naughty boy in the neighborhood broke the window glass of my house.
	獄	監獄	有名な議員が、収監されて監獄に入ることになった。	The famous congressman was sent to prison.
		地獄	大学に受かり、受験地獄から脱した。	I successfully passed the college entrance exam, and emerged from examination hell.
	妃	王妃	美しく、お優しい王妃様は女性たちの憧れの的だ。	Our beautiful, gentle queen is an object of admiration for women.
		妃	王様とお妃様が、お城のバルコニーから観衆に向かって手を振っている。	The king and the princess stood waving their hands at the crowd from the balcony of the castle.
	侍	侍	彼には侍のような気概がある。	He has a spirit like a *samurai*.
		侍医	400年前の王の死についての、侍医による記録が見つかった。	Records by the court physician of the king's death 400 years ago were found.
	騎	騎手	一着でゴールした騎手が片手を上げて声援に応えている。	Being the first to the finish line, the jockey is responding to the cheering by raising one hand.
		騎乗	騎手たちが一斉に騎乗した。	The jockeys were riding together.
	匠	師匠	師匠の教えがなければ今の私はいなかった。	Without the teachings of my master, I would not be what I am now.
		巨匠	彼は長い下積み時代を経て、ついに映画界の巨匠と呼ばれるまでになった。	He struggled for a long time in the early years until he finally came to be called a master of the film world.
	尼	尼寺	このお寺はもともとは尼寺だったそうだ。	They say this temple was originally a nunnery.
		尼僧	奥深い山の中の尼寺で、尼僧が修業している。	In the nunnery deep in the mountains, the nuns are studying.
	郭	外郭団体	政府には数多くの外郭団体があり、その必要性が問われています。	The government has a number of fringe organizations and their necessity is being questioned.
		輪郭	顔の輪郭をすっきりと美しくするための器具が数多く売られています。	Many instruments for keeping the contours of the face slim and beautiful are available.
	藩	藩	江戸時代には日本は約300の藩に分かれていた。	During the Edo period, Japan was divided into about 300 feudal domains.
		藩主	現在の宮城県、かつての仙台藩の藩主は人気が高かった。	The lord of the former domain of *Sendai*, which is in present-day Miyagi Prefecture, was popular.
	准	批准	この条約の批准には野党が激しく反対した。	The opposition fiercely opposed the ratification of this convention.
		准教授	私の所属するゼミの准教授が、今年の4月から教授になるそうだ。	An associate professor of the seminar which I belong to will become a professor in April of this year.
	虜	捕虜	捕虜の待遇は、国際的な条約で決められている。	The treatment of prisoners of war is determined by an international treaty.
		虜囚	戦時中は「生きて虜囚の辱めを受けず」と、敵に捕らえられる前に自殺するよう教えられていた。	During the war, it was taught to "live without the humiliation of the prisoner" by committing suicide before being captured by the enemy.
	某	某	某社では、来年度新卒の学生を採用する予算がないそうだ。	They say that a certain corporation does not have the budget to employ graduate students next year.

ページ	漢字	語彙	例文	英訳
p.131		何某	A「今、佐藤何某という帽子をかぶった男が店に来ていたよ。」B「名前は覚えていないの？」	A: Just now a man wearing a hat named somebody Sato came into the store. B: You don't remember his first name?
	尉	大尉	上官である大尉の命令には従わなければならない。	I must follow the instructions of the captain as my superior officer.
		尉官	旧陸海軍では、大尉・中尉・少尉をまとめて尉官と称した。	In the former army and navy, all Captains, First Lieutenants and Second Lieutenants were referred to as company officers together.
	賊	海賊	近年この地域の海岸で、海賊による被害が増えているそうだ。	I hear that in recent years, on the coast of this region, damage from piracy is increasing.
		盗賊	昔、この峠にはよく盗賊が出たそうだ。	They say that thieves often came out of this pass a long time ago.
	吏	官吏	官吏であった父は、人のために働くという意識が強かった。	My father was a government official, and his sense of working for the people was strong.
		公吏	官吏の減給にともない、公吏の減給も検討されている。	Along with the pay cuts of government officials, they are also considering pay cuts for public officials.
	迭	更迭	記者会見での失言が原因で、その大臣は更迭された。	Due to a slip of the tongue at a press conference that minister has been reshuffled.
	罷	罷免	野党は不正事件に関わった大臣の罷免を要求した。	The opposition demanded the dismissal of the minister who was involved in the scandal.
	逓	逓信省	逓信省とは、現在の日本の郵政省の前身である。	The Ministry of Communications was the predecessor of the current Japanese Ministry of Posts and Telecommunications.
	威	権威	地震工学の権威に、地震に対し安全な社会のあり方を聞く。	I will ask an authoritative person in earthquake engineering about ways of making society safe from earthquakes.
		威力	新型ロボットは、危険な場所での被災者の救助に威力を発揮する。	The new robot demonstrates its usefulness in rescuing victims in hazardous locations.
	廷	法廷	101法廷は、2時より開廷します。	In court 101, the trial will start at 2:00.
		出廷	交通事故の証人として出廷することになった。	I have to be in court as a witness to a traffic accident.
	枢	中枢	ある宗教組織の中枢にいる人物が、その内情を暴露した。	Somebody who is at the heart of a religious organization exposed inside information.
		枢機卿	ローマ法王は枢機卿による選挙で決められる。	The Pope is determined through election by the cardinals.
	曹	法曹	法曹を目指す学生は多いが、実際になれる人は少ない。	There are many students seeking to be in the legal profession, but there are few who can actually make it.
		重曹	洗剤ではなく、重曹を使った環境に配慮のある掃除が注目されている。	Environmentally friendly cleaning, using baking soda instead of detergent, is attracting attention.
p.132	姫	姫	一人娘の彼女は、お姫様のように大切に育てられた。	As the only daughter, she was carefully nurtured like a princess.
	秩	秩序	理解してもらえず、再度、秩序だてて説明する。	Since I was not understood, I will explain it again in a systematic manner.
	覇	制覇	バレーボールでは、A高校が全国大会を制覇した。	In volleyball, high school A won the national championship.
		連覇	この体操選手はオリンピックで3連覇を達成した。	This gymnast has won three consecutive Olympic gold medals.

ページ	漢字	語彙	例文	英訳
	鎮	鎮圧	反政府勢力の抗議行動は、政府軍によって鎮圧された。	The rebel protests were put down by government forces.
		鎮痛	歯の痛みが治まらないので、鎮痛薬を飲んだ。	Since my tooth pain did not go away, I took some pain medication.
	縛	捕縛	住宅地に突然現れた猿は、12時間後に捕縛された。	The monkey that suddenly appeared in a residential area was captured 12 hours later.
		束縛	彼は束縛されるのが嫌いなので、彼女を作りたくないと言っていました。	He said that because he dislikes being tied down, he does not want a girlfriend.
	殉	殉職	警察官が強盗に撃たれて殉職するという事件が起きた。	There was an incident where a police officer was shot and killed in the line of duty during a robbery.
		殉死	近代になり、殉死の風習は禁止されるようになった。	In modern times, we now prohibit the custom of martyrdom.
	窃	窃盗	不景気のせいか、窃盗事件が増えているそうだ。	Perhaps because of the recession, theft has increased.
		剽窃	論文を引用するときには、引用元を明記しなければ剽窃となってしまう。	When you use a quote in a paper, it becomes a plagiarism if you do not indicate the sources and citations.
	遵	遵守	交通ルールを遵守し、安全運転を心がけましょう。	Comply with the traffic rules and try to drive safely.
		遵法	遵法精神を高めるには、学校での教育が重要だ。	To improve spirit of compliance, school education is essential.
	屯	駐屯	学校の授業で駐屯地の見学に行った。	I went on a tour of the garrison with my school.
		屯田兵	この地は屯田兵によって開拓された。	This land was pioneered by colonizers.
	賜	賜る	我が一家の名字は千年以上昔、天皇より賜ったものだ。	The surname of my family was bestowed by the Emperor more than a thousand years ago.
		賜杯	優勝した力士には、天皇からの賜杯が授与される。	The winning *sumo* wrestler will be awarded a trophy from the Emperor.

6 様相・状態

Unit 1

ページ	漢字	語彙	例文	英訳
p.140	俊	俊足	彼は足が速く、学年一の俊足だと言われている。	He is fast-footed and said to be the fastest in the grade.
		俊敏	そのサッカー選手は俊敏な動きでゴール前に入り込み、見事にシュートを決めた。	That soccer player agilely got in front of the goal and scored beautifully.
	亜	亜熱帯	日本の中で亜熱帯に属するのは、沖縄と小笠原だ。	In Japan, Okinawa and Ogasawara are in the subtropics.
		亜細亜	アジアを漢字で表すと亜細亜となる。	Asia is represented in kanji as "亜細亜."
	墜	墜落	ヘリコプターが山中に墜落した。	The helicopter crashed in the mountains.
		失墜	たった一つのミスで、長年に渡って積み上げてきた信用が失墜した。	With just one mistake, the trust that had been accumulated over the years was lost.
	揺	揺らぐ	相次ぐ鉄道事故発生に、鉄道会社への信頼が揺らいでいる。	Due to successive rail accidents, public trust in the railway company has been shaken.
		動揺	野党の幹事長逮捕の報道を聞き、政界に動揺が広がった。	When the news was heard about the arrest of the secretary general of the opposition, unrest became widespread in political circles.

221

ページ	漢字	語彙	例文	英訳
p.141	堕	堕落	入学当初まじめに勉強していた息子は、落第してからすっかり**堕落**してしまった。	My son had been studying seriously at the beginning of his freshman year, but slacked off after failing and having to repeat a year.
		自堕落	大学に入って一人暮らしを始めてから、**自堕落**な生活を送るようになってしまった。	Since I started living alone when I went to university, I've come to lead a dissolute life.
	尽	尽力	伯母は、児童養護施設の設立に**尽力**した。	My aunt was instrumental in the effort to establish the orphanage.
		理不尽	作業現場を知らない社長の**理不尽**な要求に、皆が困った。	Due to the unreasonable requests of the company president, who does not know about the work site, everyone was aggravated.
	唯	唯一	島では船が**唯一**の交通手段だ。	On the island, boats are the only means of transportation.
		唯心論	本質を精神的なものに求めるのが**唯心論**の考え方だ。	The concept of idealism is to seek the essence of spiritual things.
	壮	壮大	**壮大**なスケールでナイアガラの滝が映し出される。	Niagara Falls is projected on a grand scale.
		壮絶	彼は常に全力を出し、困難に立ち向かい、**壮絶**な人生を送った。	He always gave his best effort, and confronted difficulties, so he led a sublime life.
	猛	猛暑	今年の**猛暑**は本当に辛かった。	This year's heat wave was really tough.
		猛毒	キノコには**猛毒**を持つものがある。	Some mushrooms have deadly poison.
	粗	粗末	食べ物を**粗末**にしてはいけない。	Do not waste food.
		粗大	**粗大**ごみを捨てる場合は有料になる。	If you throw away bulky garbage sometimes you have to pay.
	暫	暫定	今回の行動は**暫定**的な措置として行ったことだ。	This action was carried out as a provisional measure.
		暫く	彼女のことは**暫く**そっとしておいたほうがいい。	We should leave her alone for a while.
	此	此岸	この美しい風景を見ていると、彼岸とも**此岸**ともつかない世界に迷い込んだような錯覚に陥る。	When I see this beautiful scenery, I feel as if I was lost in a place where you can't tell if you are in this world or the next.
	貞	貞淑	**貞淑**な妻を演じるのに疲れた。	I am tired of playing the virtuous wife.
		貞節	**貞節**を守るということは、簡単に言うと心変わりしないことです。	To stay faithful is, in simpler terms, not to have a change of heart.
	慌	慌ただしげ	年末に帰省すると、母が**慌ただしげ**に正月の準備をしていた。	When I returned home at the end of the year, my mother was busy preparing for the New Year.
		恐慌	経済の問題である**恐慌**と、政治の問題である戦争の間には深い関係がある。	There is a deep relationship between depression, which is an economic problem, and war, which is a matter of politics.
	拙	拙速	この問題は早急に解決する必要があるが、だからといって**拙速**に結論を出すことは避けるべきだ。	Although this problem should be resolved as soon as possible, drawing premature conclusions should be avoided.
		稚拙	彼の主張はあまりにも**稚拙**で、反論する気にもならない。	His argument is too naive, I don't even want to try to refute it.
p.142	弧	弧	秋の空を、鳥が**弧**を描いて飛んでいく。	In the autumn sky, birds are flying in arcs.
		括弧	文章を朗読する際には、**括弧**の中の字は読まなくても構いません。	When you read aloud a piece of writing, it is all right if you don't read the part in parentheses.

ページ	漢字	語彙	例文	英訳
	柄	人柄	旅館の主人の穏やかな**人柄**が、旅人の心を癒しています。	The gentle personality of the owner of the inn is healing the hearts of the travelers.
		間柄	彼とは週に一度、一緒にテニスをする**間柄**です。	The relationship between him and me is that we play tennis once a week.
	既	既婚	働いている**既婚**女性の中には、家事と仕事の両立に悩む人も多い。	Among working married women, there are many who suffer from trying to balance work and housework.
		既存	オンライン犯罪を取り締まるために、**既存**の法律を改定する必要がある。	In order to crack down on online criminals, it is necessary to revise the existing laws.
	朴	素朴	田舎の**素朴**な料理は毎日食べても飽きない。	I do not get tired of rustic cuisine from the country, even if I eat it every day.
		朴訥	今日会ったA社の人は、営業職にしては**朴訥**とした話し方をする人だ。	The person from company A who I met today talks in an unsophisticated way for a salesperson.
	唐	唐突	**唐突**な申し出ですが、私とお付き合いしていただけませんか。	I know this is out of the blue, but would you be my girlfriend?
		唐辛子	**唐辛子**を使ってキムチを作る。	I am going to use hot pepper to make *kimchi*.
	顕	顕著	政治に対する無関心は、特に若い世代に**顕著**だった。	Indifference to politics was especially conspicuous in the younger generation.
		顕微鏡	**顕微鏡**で微生物を観察した。	I observed microorganisms under a microscope.
	弊	弊害	中学校で、ネットゲームの**弊害**について論議されている。	In junior high school, the adverse effects of net games have been discussed.
		疲弊	スタッフの異動がない組織は、やがて**疲弊**してうまく機能しなくなる。	When there are no transfers of the staff, the organization will soon get exhausted and no longer work well.
	雅	優雅	部屋の目の前に広がる青い海を眺めながら、**優雅**なひと時をお過ごしください。	Overlooking the blue sea spreading right in front of your room, you can spend an elegant moment.
		雅	博物館では、平安貴族の着ていた**雅**な衣装が展示されている。	At the museum, graceful, aristocratic costumes that were worn during the Heian period are exhibited.
	堅	堅実	友人の企業は、借金をして無理な拡大を行わずに、**堅実**な経営を続けている。	My friend's company, without getting into unreasonably large debt, continues to have sound management.
		堅持	部長は、両者の意見を聞いた後も、中立の立場を**堅持**している。	Even after listening to the opinions of the two, the manager has decided to stay neutral.
	貫	貫禄	彼は社長になり、次第に**貫禄**がついてきた。	Since he became president of the board, he has become gradually more dignified.
		貫く	父は、最後まで市庁舎移転反対の立場を**貫いて**いた。	My father continued to oppose the transfer of city hall to the end.
p.143	剛	剛健	この高校は**剛健**実直な校風が受け継がれている。	At this high school, the school spirit of being strong and faithful school has been passed down.
		剛直	伯父は古風で**剛直**な性質だ。	My uncle has an old-fashioned, rigid nature.
	巧	巧み	漆塗りの**巧み**な技法にほれ込む。	You could fall in love with the skillful techniques of making lacquer.
		技巧	**技巧**をこらした名品に見とれる。	I admire masterpieces because of their elaborated craftsmanship.
	凄	凄い	授業中に話していたら、先生に**凄い**目で睨まれた。	When I was talking in class, the teacher stared at me with terrible eyes.

ページ	漢字	語彙	例文	英訳
		凄絶	両親の死後、兄弟の間で財産をめぐる凄絶な争いが起こった。	After the death of their parents, ferocious disputes over property occurred between the siblings.
	悠	悠々	今家を出れば10時の待ち合わせには悠々間に合う。	If I leave the house now, I will easily make the 10 o'clock meeting time.
		悠然	家族が皆慌てている中、祖母だけは悠然とお茶を飲んでいた。	Everyone in the family was in a hurry, only my grandmother was drinking tea calmly.
	箇	箇所	原稿の中に、いくつか訂正が必要な箇所を見つけた。	I found some places in the manuscript that need to be corrected.
		箇条書き	履歴書には、自己PRを箇条書きで記入してください。	On the résumé sheet, please fill in the self PR in itemized form.
	傑	傑出	彼女はデザインの分野では傑出した才能を持っている。	She has outstanding talent in the field of design.
		豪傑	彼はご飯は丼に5杯は食べ、どこでも寝られて、喧嘩でも負けたことのない豪傑だ。	He is a hero who eats 5 bowls of rice, can sleep anywhere and has never lost a fight.
	烈	強烈	ライブに出かけ、強烈な印象を受けた。	I went to a concert and I got a strong impression.
		猛烈	猛烈に勉強して、やっと日本語能力試験N1に合格した。	Studying furiously, I finally passed the Japanese-Language Proficiency Test N1.
	維	維持	健康を維持するために、毎日一時間歩くようにしている。	To maintain good health, I make an effort to walk for one hour every day.
		維新	明治維新は江戸時代の封建社会を終わらせた政治的変革である。	The Meiji Restoration is a political change that ended the feudal society of Edo period.
	項	事項	履歴書に必要な事項を記入の上、係に提出してください。	Please fill in the necessary parts of the résumé and submit it to the person in charge.
		項目	新入社員に顧客訪問時の注意事項を、いくつかの項目に分けて説明する。	We will give instructions to the new employees about the precautions when helping customers, section by section.
	徴	象徴	豪華すぎる市庁舎は、税金の無駄遣いの象徴として批判を浴びている。	The excessively luxurious city hall is criticized as a symbol of wasting taxpayer money.
		徴収	同窓会の参加費は、当日会場で徴収します。	The reunion participation fee will be collected on the day at the venue.
p.144	摩	摩擦	大昔には木と木を摩擦させて、火をおこした。	A long time ago they used friction to make fire by rubbing two pieces of wood together.
		摩耗	家の車は十年も使ったため、タイヤがすっかり摩耗している。	Our car has been used for 10 years so the tires are completely worn out.
	粋	純粋	子どもたちの純粋な気持ちに感動した。	I was moved by the pure feelings of the children.
		粋	これはまさに科学の粋を集めた技術だ。	This is the technology developed by the best science.
	穏	穏健	彼は言動も穏やかで、穏健な思想の持ち主だ。	His behavior is peaceful and he is a man of moderate thought.
		平穏	平穏無事な日常を送るのが一番幸せなことだ。	The happiest thing for me is to have a peaceful daily life.
	即	即座	台風で休講になったので、学生には即座にメールで連絡をした。	Because class was canceled by the typhoon, I contacted the students by e-mail immediately.
		即する	地域の実情に即した市街地の整備を行う。	We will develop the city to conform to the local conditions.

漢字	語彙	例文	英訳
端	極端	災害による工場閉鎖や円高の影響で、会社の業績が**極端**に悪化した。	The impact of plant closures, due to the disaster, and the appreciation of the yen caused the company's performance to deteriorate extremely.
	半端	彼は賛成も反対もしない、どっちつかずの**半端**な立場だ。	Neither opposed nor in favor, he is in an indecisive position of neutrality.
焦	焦点	本展示は、江戸時代の町人文化に**焦点**を当て、様々な書物を展示しています。	This exhibition focuses on the culture of the Edo period townspeople and showcases a variety of books.
	焦る	試験の終了時刻が迫っていることを知り、**焦**って計算ミスをしてしまった。	Knowing that the end of the test was approaching, I was in a hurry and made a miscalculation.
徹	徹底	9月入学を実施するかどうかについては、**徹底**して議論を尽くさなければならない。	We must have a thorough debate about whether to have admission in September or not.
	徹する	彼は終生アナウンサーに**徹**し、現場から離れようとしなかった。	He devoted his life to being an announcer, and did not move away from the field.
甚	甚だ	ある作家は生前「私の作品が外国語に翻訳されるというのは**甚**だ愉快です」と言っていた。	A certain writer, during his lifetime, said, "The idea that my work will be translated into foreign languages is extremely amusing."
	甚大	今回の震災による被害は**甚大**だった。	The damage caused by this earthquake was enormous.
擦	擦る	眠い目を**擦**りながら、勉強をする。	Rubbing my sleepy eyes, I study.
	擦れ違う	忙しくて彼とは**擦れ違**ってばかりだ。	I am so busy that I only have chance encounters with him.
佳	佳作	俳句の会で自分の作品が**佳作**を取った。	My work took an honorable mention at the *haiku* meeting.
	佳人	**佳人**薄命と言うが、今の時代、全く当てはまらない。	To say beauties die young, in this day and age, does not fit at all.

		Unit 2		
ページ	漢字	語彙	例文	英訳
p.147	隆	隆盛	このレストランは一時は**隆盛**を極めたが、バブル崩壊と同時に閉店することになった。	This restaurant flourished for a while, but had to close at the same time as the collapse of the bubble economy.
		隆起	関東地方の一部では、地震により地盤が**隆起**した。	In part of the *Kanto* region, the ground was raised by the earthquake.
	曽	未曽有	台風が引き起こした**未曽有**の大洪水は、村全体を押し流した。	The typhoon caused an unprecedented great flood and the entire village was swept away.
		曽祖父	**曽祖父**は明治33年生まれ、祖父は大正13年生まれ、父は昭和25年生まれです。	My great-grandfather was born in 1900, my grandfather was born in 1924, and my father was born in 1950.
	滑	円滑	責任の所在を明確にすることで、**円滑**に業務が進められる。	If we clarify who is responsible, business can be conducted smoothly.
		滑走	スキーで雪山を**滑走**した。	I slid down the mountain on skis.
	跡	追跡	市の職員が、市街地に出てきた猿を**追跡**し捕獲した。	City officials chased and captured the monkey that came out in the city center.
		奇跡	息子はマンションの3階から落下したが、**奇跡**的に命をとりとめた。	My son fell from the third floor of the apartment building, and miraculously survived.
	崩	崩壊	近年、終身雇用制度が**崩壊**し、日本独自の企業風土も変わりつつある。	In recent years, the collapse of the lifetime employment system is changing the corporate culture that is unique to Japan.

ページ	漢字	語彙	例文	英訳
p.148		なし崩し	貯金を**なし崩し**に使っていったら、3か月もたたないうちに無一文になってしまった。	Little by little I used my savings, and in less than three months I've become broke.
	没	沈没	15世紀に島近くで**沈没**した船から当時の食器や壺がでてきた。	Period tableware and vases came out of the ship that sank near the island in the 15th century.
		没収	その資産家の男性には相続人がいなかったため、死後、不動産はすべて国庫に**没収**された。	Because he did not have an heir, after death the real estate of that wealthy man was all confiscated by the treasury.
	躍	飛躍	柔道選手権地区大会で優勝した彼は、今後一層の**飛躍**が見込まれる選手だ。	He won the *judo* district championship tournament, and he is expected to progress further in the future.
		躍起	僕は新製品を売ろうとばかり**躍起**になっていて、顧客の反応を見ていなかった。	I was going all out just trying to sell the new product and I did not pay attention to the reaction of the customers.
	距	距離	ここから駅までは**距離**にして800メートルほどです。	The distance from here to the station is about 800 meters.
		長距離	東京発大阪行きの**長距離**バスは、一日七便出ている。	The long-distance bus bound for Osaka from Tokyo makes 7 trips a day.
	溜	溜まる	ストレスが**溜まっ**たら、カラオケ店へ行って発散する。	When I start to feel stressed, I go to a *karaoke* shop and diffuse.
		溜め息	彼女はさっきから**溜め息**ばかりついているが、何かあったのだろうか。	She has been sighing a while; I wonder what happened.
	巡	巡る	旅行好きの彼は、世界中を駆け**巡っ**ている。	As a travel-loving person, he is circling the globe.
		一巡	役員は名簿順に担当し、**一巡**した後は、再び最初から担当する。	The person in charge is decided by going down the order of the name list in turn and after one cycle it starts from the beginning again.
	伏	起伏	北アルプスは**起伏**の激しい山々が続く。	In the Northern Alps there are chains of rugged mountains.
		降伏	敵に囲まれ、**降伏**の白旗を揚げた。	Surrounded by the enemy, we put up the white flag to surrender.
	徐	徐行	雨の日は**徐行**運転をしましょう。	We should drive slowly on rainy days.
		徐々に	医者にはもう治らないと言われたが、父の体は**徐々に**回復してきた。	Even though he was told by the doctor that he would not get better, my father's body has been gradually recovering.
	潜	潜水	**潜水**艦から、海の中を見る。	We look into the sea from a submarine.
		潜在	**潜在**需要を掘り起こし、経済の発展につなげる。	We stimulated potential demand to further develop the economy.
	隔	間隔	2メートル**間隔**で杭を打つ。	I will drive in piling at intervals of 2 meters.
		隔離	昔は、結核になると、伝染病棟に**隔離**された。	A long time ago, once you got tuberculosis you were isolated in a contagious ward.
	浸	浸透	クリームを塗ると皮膚に栄養分が**浸透**する。	When I apply cream, the nutrients penetrate into my skin.
		浸水	今度の台風で、自宅が床下**浸水**してしまった。	With this typhoon, my house was flooded below floor level.
p.149	裂	分裂	文化祭の演目を巡る意見の対立により、クラスは二つに**分裂**してしまった。	The class split in two over conflicting opinions about the program for the cultural festival.
		破裂	風船の空気の量が多いほど、**破裂**した時の音が大きい。	The more air you put into a balloon, the larger the sound when it bursts.

漢字	語彙	例文	英訳
抹	抹消	授業期間の第2週目から、科目登録の変更及び**抹消**が可能です。	From the second week of class, course registration changes and deletions are possible.
	抹殺	会議では、少数意見が**抹殺**されることが多い。	At meetings, often the minority opinion will be wiped out.
滅	絶滅	**絶滅**が心配され、トキの人工繁殖が始まった。	Extinction was a concern so they began artificially breeding the Japanese crested ibis.
	滅多に	研究会には**滅多に**来ない人が、今回は参加している。	People who only rarely come to the meetings are joining us this time.
斜	斜面	庭の**斜面**にバラを植えた。	I planted roses on the slopes of my garden.
	傾斜	**傾斜**地にミカン畑が続く。	On the slopes, there are many mandarin orange groves.
劣	見劣り	この毛皮のコートは、一流品に比べても**見劣り**しない。	This fur coat does not look inferior to first-rate products.
	劣等感	私は若い頃は**劣等感**の塊だったが、今は気にならなくなってきた。	When I was young I had an inferiority complex, but now I have come to not mind.
衝	衝撃	地震の凄まじい破壊力に多くの人が**衝撃**を受けた。	Many people were shocked by the horrendously destructive power of earthquakes.
	衝突	踏切の信号が故障し、列車の先頭部分とトラックが**衝突**した。	The railroad crossing signal malfunctioned and the front part of a train ran into a truck.
旦	元旦	一年の計は**元旦**にあり。さあ、年が明けたら、すぐに今年の計画を立てよう。	The whole year's plans should be made on New Year's Day. Let's plan for the upcoming year soon after the new year dawns.
	一旦	その話題は時間が掛かりそうなので**一旦**置いておいて、次の話題に進みましょう。	Since this topic is so time consuming, let's set it aside for now and move on to the next topic.
壊	破壊	工場の排煙による環境**破壊**が深刻化している。	Environmental damage caused by factory fumes is becoming serious.
	壊滅的	震災後の観光客激減により、地域経済は**壊滅的**な打撃を受けた。	Due to a sharp decline in tourists after the earthquake, the local economy suffered a devastating blow.
殊	特殊	食物に含まれる放射能を、**特殊**な装置で検査する。	We use a special device to test radioactivity contained in food.
	殊に	父はお酒の中でも、**殊に**日本酒が好きだ。	Among types of alcohol, my father especially likes Japanese sake.
丙	丙午	私の母は、**丙午**の生まれだ。	My mother was born in the year of the Fire Horse.
	甲乙丙丁	かつては学校の成績を表すのに、**甲乙丙丁**が使われていた。	In the past to represent grades on school records, 甲, 乙, 丙, and 丁 were used.
絞	絞殺	被害者は**絞殺**されている。	The victim has been strangled.
	絞る	雑巾を**絞る**。	I will squeeze out the rag.
軌	軌道	人口衛星が**軌道**に乗った。	An artificial satellite went into orbit.
	軌跡	衛星の進路と**軌跡**をたどる。	Follow the path and trajectory of the satellite.
携	携帯	災害に備えて、いつも小型ラジオを**携帯**している。	Preparing for a disaster, I always carry a small radio.
	提携	当社は各地のホテルと**提携**し、格安価格で宿泊プランを提供しています。	Our company has partnerships with hotels all over, providing accommodation at great discount prices.

ページ	漢字	語彙	例文	英訳
	妙	奇妙	この町は初めて訪れるのに、前にも来たことがあるような奇妙な感覚におそわれた。	Even though I am visiting this town for the first time, I was hit by a strange feeling like I had come here before.
		巧妙	詐欺の手口は、年々巧妙になってきている。	Fraud tactics are becoming more sophisticated every year.
	逐	駆逐	外来種の魚が池で繁殖し、日本固有種の魚を駆逐してしまった。	Invasive species of fish proliferated in the pond and eradicated the Japanese indigenous species.
		逐次	同時通訳はできないが、逐次通訳ならできるかもしれない。	I can't do simultaneous interpretation, but I might be able to do consecutive interpretation.
	征	遠征	サッカーチームが海外に遠征する。	The soccer team is on an overseas road trip.
		征服	都市部が武力により征服された。	The urban area was conquered by force.
	陥	欠陥	新築した住宅に、欠陥があることがわかった。	I found out that there is a defect in my newly constructed house.
		陥没	地震で道路の一部が陥没し、通行できなくなった。	Part of the road collapsed in an earthquake and became impassable.
	漂	漂流	手紙の入った小瓶が漂流して、この海岸にたどり着いた。	A small bottle containing a letter drifted, and arrived to this coast.
		漂白	漂白剤を入れてシャツを真っ白に洗った。	I washed my shirt with bleach and it became pure white.
	衡	均衡	彼のシュートが0対0の均衡を破った。	His shot broke a scoreless tie.
		平衡	彼は平衡感覚に優れた政治家で、国民の多くに支持された。	He was a politician with an excellent sense of balance, and he was supported by many people.
	幾	幾多	このドラマは、幾多の困難を乗り越えて成功を手にした夫婦の物語である。	This drama is a story of a couple that achieved success by overcoming many difficulties.
		幾分	寒い日が続いていたが、今日は幾分暖かいようだ。	Cold days have continued for a while, but it seems rather warm today.
p.151	砕	粉砕	何年も勝てなかった、ライバルのチームを粉砕した。	We finally crushed the rival team after many years of losing to them.
		打ち砕く	戦争により、多くの若者の夢が打ち砕かれた。	Due to the war, the dreams of many young people were shattered.
	旬	旬	イチゴの旬は春だが、旬の時期以外にも、一年中食べられるようになった。	Strawberry season is in spring but, even outside of the seasonal time, we can now eat them all year round.
		下旬	この山の紅葉の見ごろは11月中旬から下旬です。	The best time to see the autumn foliage in this mountain is from mid to late November.
	暦	西暦	今年は西暦2012年だ。	This year is 2012 A.D.
		還暦	父が還暦を迎えた。	My father celebrated his 60th birthday.
	逸	逸脱	常識からの逸脱が、新たな発想を生む。	Departing from common sense, we can generate new ideas.
		逸らす	何か事情があったのか、その話になると彼は話題を逸らした。	I don't know whether there is any reason, but he veers off course when it comes to that topic.
	漏	雨漏り	雨漏りがするので修理してもらった。	Because it is leaking, I asked them to repair it.
		聞き漏らす	先生の大切な話を聞き漏らしてしまい、後で友達に確認した。	I missed my teacher's important talk, so I checked with a friend after.

ページ	漢字	語彙	例文	英訳
	疎	過疎	私の故郷は**過疎**化が進んでいる。	The depopulation of my hometown is progressing.
		疎開	祖母は戦時中、家族で田舎に**疎開**していたそうだ。	During the war, I heard my grandmother evacuated to the countryside with her family.
	循	循環	体を温めるには血液の**循環**をよくすることだ。	To warm your body, you need better blood circulation.
		悪循環	ダイエットのために運動を始めたが、お腹がすいて大量に食べるという**悪循環**に陥った。	I went on a diet and started exercising, but I got hungry and fell into the vicious cycle of eating excessive amounts.
	飽	飽和	いくら考えてもいい解決策が見つからず、頭の中が**飽和**状態になってしまった。	No matter how much I thought, I couldn't find a solution and my head became saturated.
		飽くまで	これは**飽くまで**仮定の話です。	This is only hypothetical.
	頃	日頃	合格できたのは、**日頃**の努力の結果です。	I was able to pass as a result of daily effort.
		年頃	**年頃**の娘のことが心配でならない。	I cannot stop worrying about my adolescent daughter.
	剰	過剰	栄養剤の**過剰**な摂取は、却って毒になる。	Excessive intake of nutrients becomes poisonous instead.
		余剰	今年の活動の**余剰**金は、来年に繰り越す。	The surplus money from this year's activities will carry forward to next year.

Unit 3

ページ	漢字	語彙	例文	英訳
p.154	緯	経緯	新しいプロジェクトに関する、これまでの**経緯**をご説明します。	I will give you a progress report on the new project.
		緯度	上海の**緯度**は、九州南部の**緯度**とほぼ同じである。	The latitude of Shanghai is almost the same as the latitude of southern Kyushu.
	坪	坪	1**坪**50万円の土地を100**坪**買った。	I bought 100 *tsubo* of land at 500,000 yen per *tsubo* (3.3 square meters).
		建坪	我が家の**建坪**は40坪だ。	Our house has a building area of 40 *tsubo* (1 *tsubo*=3.3 square meters).
	麗	綺麗	久し振りに会った彼女は、とても**綺麗**になっていた。	When I met her after a long time, she had become very beautiful.
		華麗	彼はスポーツ選手から作家へと、**華麗**な転身を遂げた。	From an athlete to a writer, he has made a splendid turn around.
	涯	生涯	彼は**生涯**を研究に捧げた。	He devoted his life to research.
		天涯	若い頃は多くの人に囲まれて、華々しい生活を送った彼女だったが、晩年は**天涯孤独**だった。	When she was young, she was surrounded by a lot of people and had a spectacular life, but in her later years she didn't have anybody.
	如	突如	首相が**突如**辞意を表明したというニュースが舞い込んできた。	News came that the prime minister had suddenly announced his resignation.
		欠如	彼は頭はいいが、他人を思いやる心が**欠如**している。	He is smart, but he lacks sympathy for other people.
p.155	斗	斗	一**斗**缶に換算して、水の量を見積もった。	By converting into *itto-kan* (18-liter square can), I estimate the amount of water.
		北斗七星	今夜は空が澄んで、**北斗七星**がよく見える。	Tonight the sky is clear, and we will be able to see the Big Dipper well.
	雰	雰囲気	彼にはどこか近寄りがたい**雰囲気**がある。	He has an unapproachable mood around him.
	遍	普遍	科学は自然の中に**普遍**的な法則を見つける。	Science finds a universal law of nature.

ページ	漢字	語彙	例文	英訳
		遍歴	彼は数多くのアルバイト遍歴を持っていて、それぞれの仕事をおもしろおかしく話す。	He has a large number of itinerant part-time jobs, and he tells funny, interesting things about each job.
	隻	〜隻	一隻の船が港へ入港した。	A ship arrived at the port.
		隻眼	その隻眼の男は、髪が長く、右手をコートの中に隠していた。	That one-eyed man has long hair, and his right hand hidden in a coat.
	窮	窮屈	この服は少し小さいので、着ると窮屈な感じがする。	These clothes are a little small, so if I wear them I will feel constrained.
		窮乏	父親が病気で働けなくなり、一家の生活は窮乏した。	My father could not work due to illness, and the family led an indigent life.
	頻	頻繁	保険の勧誘の電話が頻繁に掛かってきて、困っている。	Frequent insurance telephone solicitations keep coming and I'm annoyed.
		頻度	30代〜50代の男性の、外食の頻度を調査した。	I surveyed the frequency of eating out of men in their 30s to 50s.
	遷	変遷	時代の変遷の速度が速く、中年の私にはついて行けない。	In my middle age, I cannot keep up with the fast speed of the changing times.
		遷都	日本は明治時代に京都から東京へ遷都した。	In the Meiji era Japan relocated the capital from Kyoto to Tokyo.
	迅	迅速	会議の直前にトラブルがあったが、秘書の迅速な対応のおかげで無事出席できた。	Although there was trouble just before the meeting, I could attend it thanks to the quick response of my secretary.
		獅子奮迅	彼はチームのために獅子奮迅の働きをし、勝利へと導いた。	He worked forcefully for the team and led them to victory.
	緩	緩和	規制緩和により、コンビニエンスストアでも風邪薬が買えるようになった。	As a result of deregulation, now you can buy cold medicine at convenience stores.
		緩める	相手チームは3点取った後も、攻撃の手を緩めることはなかった。	After getting three points, the opposing team did not loosen the attack.
	於	於いて	入学式は講堂に於いて明日の午前9時より行われます。	The entrance ceremony will be held at 9:00 am tomorrow in the auditorium.
p.156	醜	醜態	飲み過ぎて、お酒の席で醜態をさらす人は少なくない。	There are many people who drink too much and exhibit disgraceful behavior.
		醜聞	政治家は女性関係や金銭関係の醜聞に非常に気をつかっている。	Politicians are very conscious of scandals caused by financial involvement and relationships with women.
	浄	浄化	河川の水を浄化する。	Purify the water of the river.
		浄財	お寺の修理に浄財を募る。	We will solicit donations to repair the temple.
	痴	音痴	彼女は音痴なのでカラオケで歌を歌っても、何を歌っているのか全くわからない。	She is tone-deaf so even if she sings at *karaoke*, no one is quite sure what she's singing.
		愚痴	友人は疲れて帰宅した日でも、家族に愚痴を言わないように気を付けているという。	Even when she comes home tired, my friend is careful not to complain to her family.
	壱	壱	正式な領収書には、「一万円」と書かずに、「壱万円」と書く。	On a formal receipt, you don't write「一万円」(10,000 yen), you write「壱万円」.
	凡	平凡	平凡なサラリーマンと言うけれど、それを維持するのも大変だ。	They say being a salary man is mediocre, but it's hard to maintain it.

ページ	漢字	語彙	例文	英訳
p.157		凡人	凡人が幾ら努力しても天才にはかなわない。	An ordinary man is no match for a genius, no matter how hard he tries.
	凸	凸凹	凸凹の道をどれだけ早く走れるかを競うレースがある。	There is a race to compete how fast you can go an uneven road.
		凸レンズ	凸レンズで光を集めると、紙を燃やすことができる。	Convex lenses gather light and you can burn paper.
	蛮	野蛮	彼は子どもの頃からすぐ暴力をふるう、野蛮な人だった。	Since he was a child he was a violent savage person.
		南蛮	この定食屋の南蛮漬けはとてもおいしい。	The *nanbanzuke* (roasted or deep-fried fish or meat, marinated in a spicy sauce) at this diner is very delicious.
	庸	凡庸	その作家の小説はいずれも凡庸だった。	The novels of that writer were both mediocre.
		中庸	会議の司会には、中庸の立場で臨むべきだ。	The moderator of the meeting should maintain a neutral position.
	微	微量	井戸水から、ごく微量の水銀が検出された。	Trace amounts of mercury have been detected in well water.
		微笑	先生は1年生の児童が懸命に歌う様子を見て、優しい微笑を浮かべた。	When she saw how hard the first grade children were singing, the teacher smiled a gently.
	附	附近	私の通う大学附近には、書店がたくさんあって便利だ。	In the vicinity of the university I attend there are a lot of bookstores so it is convenient.
		附属	私の父は、大学の附属病院に勤務している。	My father is working at a university-affiliated hospital.
	凹	凹凸	路面に凹凸があって歩きにくい。	The road surface is uneven so it is difficult to walk.
		凹面鏡	凹面鏡に自分の顔を映すと、とても変な感じになる。	When your face is reflected in a concave mirror, it looks funny.
	恒	恒例	恒例によって一言御挨拶申し上げます。	As per tradition, allow me to say a few words of greeting.
		恒久	恒久の平和を追い求める。	I seek permanent peace.
	只	只	只で働くことはできない。報酬が必要だ。	I cannot work for free. I need remuneration.
		真っ只中	彼女は今、大恋愛の真っ只中だ。	She is currently in the midst of a great love affair.
	厘	九分九厘	この成績では、志望校に合格するのは九分九厘不可能だろう。	With these grades, it would be, in all likelihood, impossible to get into my school of choice.
		～厘	野球部に入った新入生は、中学時代の平均打率が3割5分5厘だったそうだ。	They say that the new students who joined the baseball club had a junior high school batting average of about 35.5%.
	頓	整頓	私は普段から整理整頓を心掛けている。	Usually, I keep things tidy and in order.
		無頓着	味に無頓着な夫も、この店の料理のおいしさには驚いていた。	Even my indifferent husband was surprised by the taste of the food at this restaurant.
	漸	漸く	連日30度を超す暑い日が続いていたが、9月になって漸く涼しくなってきた。	Hot days of more than 30 degrees had continued for a while but in September it finally became cooler.
		漸次	景気の影響で一時減っていた入学者数も、漸次増えてきたようだ。	Due to economic impact there has been a temporary decrease in student enrollment, but it has been gradually increasing.
	耗	消耗	連日の猛暑で、体力も著しく消耗した。	Consecutive days of intense heat has significantly depleted my stamina.

ページ	漢字	語彙	例文	英訳
p.158		消耗品	姉は会社で消耗品の購入管理を担当しています。	My sister is responsible for managing the purchase of supplies at her company.
	稀	稀薄	現代では、政治への関心が稀薄になってきていると言われている。	In modern times, it is said that our interest in politics has become diluted.
		稀有	真夏に雪が降るという、稀有な出来事があった。	There was snow in the middle of summer, and it was a rare event.
	衰	衰弱	子どもの体がひどく衰弱している。	The child's body is severely weakened.
		衰える	歳をとると、足や腕の筋肉が衰える。	As you age, the muscles of the legs and arms become weak.
	摂	摂氏	今朝の気温は摂氏マイナス2度だったそうだ。	The temperature this morning is said to have been minus two degrees Celsius.
		摂取	栄養をバランスよく摂取することが大切だ。	It is important to consume well-balanced nutrition.
	那	刹那	地球の歴史から見れば、一人の人間の人生など刹那的なものだ。	From the perspective of the history of the earth, one person's life is something ephemeral.
		旦那	旦那様、お茶が入りました。	Sir, the tea is ready.
	弐	弐	小切手の金額を記入する際には、改ざんを防ぐために「弐」という漢字が使われる。	When you fill in the amount of a check, you use the kanji "弐" to prevent tampering.
	瞬	一瞬	子どもが道路に飛び出そうとするので、一瞬たりとも目を離すことができない。	Because my child tries to run out into the road, I cannot look away even for a moment.
		瞬時	インターネットを使えば、瞬時に世界中の情報を検索することができる。	Using the internet, you can instantly search the world's information.
	揃	勢揃い	妹の結婚式には親戚一同が勢揃いした。	All the relatives lined up for my sister's wedding.
		お揃い	友人とお揃いのハンカチを持っている。	I have a friend with a matching handkerchief.
	殆	殆ど	日本へ来たばかりのときは、殆ど日本語を聞きとることはできなかった。	When I had just arrived in Japan, I was hardly able to understand any Japanese.
	隙	隙間	この駅では列車とホームの隙間が広いので、降りる時注意が必要だ。	At this station there is a wide gap between the platform and the train, so you need to be careful when you get off.
		隙	昼間、家に人がいない隙に、泥棒に入られてしまった。	In the daytime, when no one was home, a burglar broke into my house.
	斤	～斤	食パンを1斤ください。	One loaf of bread, please.
	賑	賑やか	オフィス街は平日は賑やかだが、休日はほとんど人がいない。	The business district is busy on weekdays, but there are few people on holidays.
		賑わう	テレビドラマの舞台となったこの地は、観光客で賑わっている。	This area was the scene of a TV drama, and is crowded with tourists.
	忽	忽然	歴史上には、忽然として姿を現しては消えていく人物が見られる。	Throughout history, there are characters who will suddenly appear and disappear on the scene.
		粗忽	兄は、言われたことをすぐ忘れてしまうので、会社の上司に「粗忽者」と呼ばれているそうだ。	My older brother, because he immediately forgets what he has been told, has been called a "scatterbrain" by the boss of his company.
	僅	僅か	試験が近いため、僅かな時間も無駄にせず勉強している。	Because the examination is near, we must study and not waste any time.

ページ	漢字	語彙	例文	英訳
		僅差	野球の世界大会で、日本チームは僅差でアメリカチームに敗れた。	In the baseball world series, the U.S. team defeated the Japanese team by a narrow margin.

音訓索引

カタカナ＝音読み　ひらがな＝訓読み

読み	漢字	ページ

＊＝2010年より新たに追加された常用漢字
外＝常用漢字表外の漢字

■あ

読み	漢字	ページ
ア	亜	140
アイ	哀	54
アイ	挨*	70
あ・う	遭	96
あお・ぐ	仰	48
あか	垢外	25
あ・かす	飽	151
あかつき	暁	28
あ・がる	揚	106
あ・きる	飽	151
アク	握	67
あ・げる	揚	106
あこが・れる	憧*	56
あざむ・く	欺	41
あし	脚	87
あせ・る	焦	144
あ・てる	宛*	40
あと	跡	147
あなど・る	侮	75
あま	尼	130
あみ	網	86
あや・しい	怪	55
あや・しむ	怪	55
あら・い	粗	141
あらし	嵐*	11
あ・る	或外	39
ある・いは	或外	39
あわ	泡	14
あわ・い	淡	26
あわ・せる	併	125
あわ・ただしい	慌	141
あわ・てる	慌	141
あわ・れ	哀	54
あわ・れむ	哀	54

■い

読み	漢字	ページ
イ	慰	37
イ	椅*	102
イ	尉	131
イ	威	131
イ	唯	141
イ	維	143
イ	緯	154
い・える	癒	118
いき	粋	144
いきどお・る	憤	55
い・く	逝	20
いく	幾	150
いこ・い	憩	96
いこ・う	憩	96
いしずえ	礎	88
いずみ	泉	10
いた・む	悼	47
イチ	壱	156
イツ	逸	151
いつく・しむ	慈	48
いつわ・る	偽	115
いど・む	挑	67
いまし・める	戒	53
い・まわしい	忌	49
い・む	忌	49
いも	芋	20
いや	嫌	53
いや・しい	卑	49
いや・しむ	卑	49
いや・しめる	卑	49
い・やす	癒	118
い・る	鋳	114
いろど・る	彩	27
イン	陰	11
イン	韻	56
イン	隠	67
イン	姻	69

■う

読み	漢字	ページ
う・い	憂	54
う・える	飢	94
うず	渦	28
うそ	嘘外	47
うたい	謡	95
うた・う	謡	95
うと・い	疎	151
うと・む	疎	151
うば・う	奪	74
うやうや・しい	恭	46
うら・む	恨	55
うら・めしい	恨	55
うるお・う	潤	117
うるお・す	潤	117
うるし	漆	98
うる・む	潤	117
うるわ・しい	麗	154
うれ・い	憂	54
うれ・い	愁	56
うれ・える	憂	54
うれ・える	愁	56
うれ・しい	嬉外	56
うわさ	噂外	47

■え

読み	漢字	ページ
え	餌*	102
え	柄	142
エイ	詠	49
エキ	疫	18
えさ	餌*	102
エツ	閲	39
エツ	悦	55
エツ	謁	70
えり	襟	102
え・る	獲	115
エン	猿	14
エン	鉛	27
エン	宴	68
エン	縁	70

■お

読み	漢字	ページ
お・いて	於外	155
オウ	殴	76
オウ	凹	157
おうぎ	扇	95
おお・う	覆	95
おお・せ	仰	48
おか	丘	10
おか・す	侵	73
おか・す	冒	104
オク	憶	45
おこた・る	怠	38
お・しい	惜	55
お・しむ	惜	55
おそ・う	襲	74
おだ・やか	穏	144
おちい・る	陥	150

オツ	乙	68	カイ	懐	54	かさ	傘	85	カン	鑑	46
おど·かす	脅	74	カイ	怪	55	かざ·る	飾	86	カン	敢	47
おとしい·れる	陥	150	カイ	拐	76	かすみ	霞外	17	カン	寛	48
おど·す	脅	74	カイ	壊	149	かす·む	霞外	17	カン	勘	54
おと·る	劣	149	ガイ	崖*	25	かせ·ぐ	稼	116	カン	甲	85
おど·る	躍	148	ガイ	概	37	かた	潟	11	カン	缶	87
おとろ·える	衰	157	ガイ	該	41	かた·い	堅	142	カン	冠	89
おどろ·かす	驚	53	ガイ	慨	56	かたまり	塊	20	カン	艦	89
おどろ·く	驚	53	ガイ	蓋*	103	かたよ·る	偏	49	カン	閑	98
おに	鬼	74	ガイ	劾	129	かたわ·ら	傍	38	カン	棺	98
おびや·かす	脅	74	ガイ	涯	154	カツ	褐	21	カン	還	115
おもむき	趣	37	かえり·みる	顧	45	カツ	渇	26	カン	款	122
おもむ·く	赴	123	かお·る	薫	96	カツ	喝	75	カン	貫	142
おれ	俺*	68	かか·げる	掲	98	カツ	括	123	カン	陥	150
おろ·か	愚	55	かがや·く	輝	10	カツ	轄	123	カン	緩	155
おろし	卸	116	かかり	掛	105	カツ	滑	147	ガン	頑	46
おろ·す	卸	116	か·かる	懸	53	かて	糧	88	ガン	玩*	85
オン	穏	144	か·かる	架	84	かね	鐘	85	かんが·みる	鑑	46
			か·かる	掛	105	かばん	鞄外	103	かんば·しい	芳	13
■か			かき	垣	88	かま	釜*	97	かんむり	冠	89
カ	渦	28	かぎ	鍵*	98	かま	窯	114			
カ	嫁	67	カク	殻	97	かみなり	雷	11	■き		
カ	嘩外	76	カク	獲	115	か·む	噛外	27	キ	輝	10
カ	禍	76	カク	穫	117	かも·す	醸	117	キ	忌	49
カ	架	84	カク	郭	130	から	殻	97	キ	奇	53
カ	暇	88	カク	隔	148	から	唐	142	キ	嬉外	56
カ	稼	116	ガク	岳	13	がら	柄	142	キ	鬼	74
カ	寡	118	かく·す	隠	67	か·り	狩	89	キ	岐	94
カ	箇	143	かく·れる	隠	67	か·る	狩	89	キ	飢	94
カ	佳	144	かげ	陰	11	か·る	刈	104	キ	棋	106
か	蚊	21	がけ	崖*	25	か·る	駆	125	キ	棄	116
ガ	餓	97	か·ける	懸	53	かわ·く	渇	26	キ	騎	130
ガ	瓦*	97	か·ける	架	84	かわら	瓦*	97	キ	既	142
ガ	雅	142	か·ける	掛	105	カン	肝	11	キ	軌	150
カイ	塊	20	か·ける	賭*	122	カン	喚	38	キ	幾	150
カイ	戒	53	か·ける	駆	125	カン	堪	40	キ	稀外	157
カイ	悔	54	かげ·る	陰	11	カン	憾	40	ギ	欺	41

235

ギ	宜	46	キン	謹	48	くわ・しい	詳	36	ゲン	弦	94
ギ	擬	55	キン	琴	87	クン	薫	96			
ギ	儀	70	キン	襟	102	クン	勲	129	■こ		
ギ	犠	74	キン	斤	158				コ	股*	21
ギ	戯	105	キン	僅*	158	■け			コ	鼓	27
ギ	偽	115	ギン	吟	39	ケ	懸	53	コ	虚	37
キク	菊	11				ケ	稀外	157	コ	拠	41
きた・える	鍛	85	■く			ケイ	蛍	18	コ	顧	45
きも	肝	11	ク	垢外	25	ケイ	渓	19	コ	孤	45
キャ	脚	87	ク	貢	124	ケイ	茎	20	コ	誇	54
キャク	脚	87	ク	駆	125	ケイ	鶏	28	コ	弧	142
キャク	却	114	グ	愚	55	ケイ	啓	40	ゴ	悟	54
ギャク	虐	73	く・いる	悔	54	ケイ	慶	45	ゴ	呉	95
キュウ	丘	10	グウ	遇	74	ケイ	稽*	56	ゴ	娯	96
キュウ	朽	19	くき	茎	20	ケイ	憩	96	ゴ	碁	97
キュウ	糾	39	くさ・い	臭	13	ケイ	掲	98	コウ	溝	12
キュウ	窮	155	くさ・らす	腐	12	ケイ	携	150	コウ	洪	14
キョ	虚	37	くさり	鎖	87	ゲイ	鯨	28	コウ	酵	18
キョ	拠	41	くさ・る	腐	12	ゲキ	隙*	158	コウ	孔	20
キョ	拒	74	くさ・れる	腐	12	ケツ	傑	143	コウ	喉*	25
キョ	距	148	くじら	鯨	28	けもの	獣	18	コウ	垢外	25
キョウ	峡	27	くず・す	崩	147	け・る	蹴	102	コウ	稿	38
キョウ	矯	40	くず・れる	崩	147	ケン	繭	25	コウ	仰	48
キョウ	狂	45	くせ	癖	47	ケン	嫌	53	コウ	拘	75
キョウ	恭	46	くだ・く	砕	151	ケン	懸	53	コウ	叩外	75
キョウ	驚	53	くだ・ける	砕	151	ケン	謙	74	コウ	甲	85
キョウ	脅	74	くちびる	唇	19	ケン	喧外	76	コウ	綱	86
キョウ	凶	89	く・ちる	朽	19	ケン	剣	85	コウ	坑	98
キョウ	享	105	クツ	屈	46	ケン	鍵*	98	コウ	控	115
ギョウ	凝	18	くつがえ・す	覆	95	ケン	倹	118	コウ	購	115
ギョウ	暁	28	くつがえ・る	覆	95	ケン	遣	124	コウ	貢	124
ギョウ	仰	48	く・む	酌	102	ケン	圏	129	コウ	慌	141
きら・う	嫌	53	くや・しい	悔	54	ケン	顕	142	コウ	巧	143
きり	霧	13	く・やむ	悔	54	ケン	堅	142	コウ	項	143
きわ・まる	窮	155	くる・う	狂	45	ゲン	幻	45	コウ	絞	150
きわ・める	窮	155	くる・おしい	狂	45	ゲン	嫌	53	コウ	衡	150
キン	菌	13	くわ	桑	12	ゲン	玄	88	コウ	恒	157

コウ	耗	157	サ	詐	125	■し			シャ	煮	87
ゴウ	拷	39	サイ	彩	27	シ	紫	12	シャ	斜	149
ゴウ	豪	115	サイ	載	36	シ	肢	18	ジャ	蛇	26
ゴウ	剛	143	サイ	宰	68	シ	雌	21	ジャ	邪	49
こ・がす	焦	144	サイ	斎	87	シ	諮	39	シャク	釈	37
こ・がれる	焦	144	サイ	栽	104	シ	嗣	69	シャク	酌	102
コク	酷	48	サイ	砕	151	シ	旨	84	ジャク	寂	54
コク	克	57	ザイ	剤	86	シ	祉	129	シュ	朱	13
ゴク	獄	129	さえぎ・る	遮	76	シ	賜	132	シュ	珠	14
こ・げる	焦	144	サク	索	37	シ	此外	141	シュ	腫*	24
こずえ	梢外	25	サク	錯	46	ジ	慈	48	シュ	趣	37
コツ	惚外	48	サク	酢	84	ジ	滋	69	シュ	狩	89
コツ	滑	147	サク	搾	122	ジ	餌*	102	シュ	殊	149
コツ	忽外	158	さ・く	裂	149	ジ	璽	129	ジュ	呪	47
こと	琴	87	さ・ける	裂	149	ジ	侍	130	ジュ	儒	47
こと	殊	149	さじ	匙外	104	しいた・げる	虐	73	ジュ	需	116
こば・む	拒	74	さ・す	挿	41	しか・る	叱	75	シュウ	臭	13
こよみ	暦	151	サツ	拶*	69	し・く	敷	105	シュウ	囚	40
こ・らしめる	懲	129	サツ	撮	86	ジク	軸	88	シュウ	愁	56
こ・らす	凝	18	サツ	擦	144	しげ・る	茂	11	シュウ	襲	74
こ・らす	懲	129	さと・す	諭	57	しず・まる	鎮	132	シュウ	袖*	85
こ・りる	懲	129	さと・る	悟	54	しず・める	鎮	132	シュウ	蹴	102
こ・る	凝	18	さび	寂	54	した・う	慕	57	シュウ	執	123
ころ	頃*	151	さび・しい	寂	54	シツ	疾	19	シュウ	酬	125
こわ・す	壊	149	さび・れる	寂	54	シツ	叱	75	シュウ	醜	156
こわ・れる	壊	149	さまた・げる	妨	76	シツ	漆	98	ジュウ	汁	12
コン	紺	18	さむらい	侍	130	シツ	執	123	ジュウ	獣	18
コン	昆	27	さる	猿	14	しの・ばせる	忍	57	ジュウ	銃	87
コン	魂	54	さわ・ぐ	騒	85	しの・ぶ	忍	57	シュク	粛	48
コン	恨	55	さわ・やか	爽*	57	しば・る	縛	132	シュク	淑	68
コン	懇	67	サン	惨	55	しぼ・る	搾	122	シュク	叔	68
コン	墾	118	サン	傘	85	しぼ・る	絞	150	ジュク	塾	86
			サン	桟	103	し・まる	絞	150	シュン	俊	140
			サン	撒外	104	し・める	絞	150	シュン	旬	151
■さ			サン	惨	55	しも	霜	21	シュン	瞬	158
サ	唆	39	ザン	惨	55	シャ	赦	76	ジュン	盾	84
サ	沙*	67	ザン	暫	141	シャ	遮	76	ジュン	潤	117
サ	鎖	87									

読み	漢字	頁	読み	漢字	頁	読み	漢字	頁	読み	漢字	頁	読み	漢字	頁
ジュン	准	130	ジョウ	冗	46	スイ	粋	144	せき	咳[外]	25
ジュン	殉	132	ジョウ	嬢	68	スイ	衰	157	セツ	窃	132
ジュン	遵	132	ジョウ	丈	86	ズイ	髄	19	セツ	拙	141
ジュン	巡	148	ジョウ	錠	98	ズイ	随	41	セツ	摂	157
ジュン	旬	151	ジョウ	醸	117	スウ	崇	49	セン	泉	10
ジュン	循	151	ジョウ	譲	124	スウ	枢	131	セン	繊	18
ショ	庶	124	ジョウ	剰	151	す・える	据	106	セン	薦	57
ジョ	叙	46	ジョウ	浄	156	す・かす	透	11	セン	扇	95
ジョ	徐	148	ショク	殖	28	すき	隙[*]	158	セン	栓	97
ジョ	如	154	ショク	飾	86	す・く	透	11	セン	践	122
ショウ	晶	13	ショク	嘱	123	す・ける	透	11	セン	旋	124
ショウ	礁	20	ジョク	辱	48	すす・める	薦	57	セン	潜	148
ショウ	硝	21	しり	尻[*]	11	すそ	裾[*]	103	セン	遷	155
ショウ	梢[外]	25	しる	汁	12	すで・に	既	142	ゼン	禅	49
ショウ	宵	28	シン	娠	18	すべ・る	滑	147	ゼン	繕	118
ショウ	詳	36	シン	唇	19	す・ます	澄	14	ゼン	漸	157
ショウ	称	37	シン	慎	45	すみ	墨	95			
ショウ	尚	37	シン	紳	68	す・む	澄	14	■そ		
ショウ	抄	39	シン	侵	73	す・る	擦	144	ソ	蘇[外]	19
ショウ	詔	47	シン	芯[*]	102	す・れる	擦	144	ソ	阻	76
ショウ	憧[*]	56	シン	診	114	す・わる	据	106	ソ	礎	88
ショウ	彰	67	シン	浸	148				ソ	噌[外]	103
ショウ	訟	75	ジン	腎[*]	26	■せ			ソ	塑	103
ショウ	鐘	85	ジン	尋	38	ゼ	是	129	ソ	租	117
ショウ	祥	94	ジン	刃	87	セイ	逝	20	ソ	措	123
ショウ	粧	95	ジン	陣	125	セイ	誓	48	ソ	狙[*]	124
ショウ	升	102	ジン	尽	141	セイ	婿	69	ソ	粗	141
ショウ	醤[外]	104	ジン	甚	144	セイ	牲	75	ソ	疎	151
ショウ	肖	105	ジン	迅	155	セイ	凄[*]	143	ゾ	曽[*]	147
ショウ	症	115				セイ	征	150	ソウ	桑	12
ショウ	掌	124	■す			セキ	析	37	ソウ	霜	21
ショウ	償	125	す	酢	84	セキ	寂	54	ソウ	藻	21
ショウ	奨	125	スイ	穂	12	セキ	惜	55	ソウ	挿	41
ショウ	匠	130	スイ	睡	26	セキ	斥	123	ソウ	爽[*]	57
ショウ	焦	144	スイ	酔	85	セキ	籍	123	ソウ	騒	85
ショウ	衝	149	スイ	炊	105	セキ	跡	147	ソウ	葬	87
ジョウ	壌	19	スイ	遂	125	セキ	隻	155	ソウ	喪	87

ソウ	荘	88	タク	卓	88	タン	鍛	85	つか・う	遣	124
ソウ	遭	96	た・く	炊	105	タン	壇	96	つ・かす	尽	141
ソウ	槽	102	タク	拓	115	タン	端	144	つ・かる	漬	95
ソウ	僧	129	タク	託	124	タン	旦*	149	つか・わす	遣	124
ソウ	曹	131	ダク	濁	19	ダン	壇	96	つ・きる	尽	141
ソウ	壮	141	ダク	諾	40	ダン	旦*	149	つ・くす	尽	141
ソウ	曽*	147	たく・み	巧	143				つぐな・う	償	125
そ・う	添	116	たくわ・える	蓄	116	■ち			つくろ・う	繕	118
そ・える	添	116	たけ	岳	13	チ	馳外	69	つ・ける	漬	95
ソク	即	144	たけ	丈	86	チ	稚	105	つたな・い	拙	141
ゾク	俗	88	たずさ・える	携	150	チ	痴	156	つちか・う	培	105
ゾク	賊	131	たずさ・わる	携	150	ちか・う	誓	48	つつし・む	慎	45
そそのか・す	唆	39	たず・ねる	尋	38	チク	蓄	116	つつし・む	謹	48
そで	袖*	85	ただ	只外	157	チク	逐	150	つつみ	堤	94
そ・の	其外	41	たたか・う	闘	73	チツ	窒	24	つづみ	鼓	27
そ・る	剃外	104	たた・く	叩外	75	チツ	秩	132	つな	綱	86
そ・れ	其外	41	ただよ・う	漂	150	チャク	嫡	69	つぼ	壺外	102
そろ・う	揃外	158	たちま・ち	忽外	158	チュウ	抽	38	つぼ	坪	154
そろ・える	揃外	158	たつ	竜	10	チュウ	衷	56	つま	爪*	18
			ダツ	奪	74	チュウ	鋳	114	つむ・ぐ	紡	117
■た			たて	盾	84	チュウ	澄	14	つめ	爪*	18
タ	汰*	67	たてまつ・る	奉	75	チョウ	蝶外	24	つゆ	露	12
ダ	蛇	26	たな	棚	89	チョウ	弔	46	つらぬ・く	貫	142
ダ	惰	56	たま	霊	49	チョウ	挑	67	つ・る	釣	89
ダ	妥	75	たましい	魂	54	チョウ	眺	85	つる	弦	94
ダ	駄	116	た・まる	溜外	148	チョウ	釣	89	つ・る	吊外	106
ダ	堕	140	だま・る	黙	53	チョウ	貼*	102	つるぎ	剣	85
タイ	胎	26	たまわ・る	賜	132	チョウ	彫	106	つ・るす	吊外	106
タイ	怠	38	た・める	矯	40	チョウ	跳	106			
タイ	耐	53	た・める	溜外	148	チョウ	懲	129	■て		
タイ	泰	53	だれ	誰*	67	チョウ	徴	143	テイ	偵	39
タイ	逮	73	たわむ・れる	戯	105	チョク	勅	47	テイ	訂	41
タイ	滞	115	タン	蛋外	26	チン	陳	41	テイ	亭	70
た・える	堪	40	タン	淡	26	チン	鎮	132	テイ	抵	74
た・える	耐	53	タン	胆	27				テイ	邸	86
たき	滝	12	タン	丹	53	■つ			テイ	堤	94
タク	択	36	タン	嘆	54	ツイ	墜	140	テイ	艇	96

239

テイ	剃[外]	104	となり	隣	70	■に			のろ・う	呪	47
テイ	呈	122	とな・る	隣	70	ニ	尼	130	■は		
テイ	逓	131	とびら	扉	89	ニ	弐	158	ハ	把	38
テイ	廷	131	と・ぶ	跳	106	に・える	煮	87	ハ	覇	132
テイ	貞	141	とぼ・しい	乏	116	にお・う	臭	13	は	刃	87
テツ	撤	118	とむら・う	弔	46	にお・う	匂*	26	は	端	144
テツ	迭	131	と・る	撮	86	にぎ・やか	賑[外]	158	ハイ	輩	70
テツ	徹	144	と・る	執	123	にぎ・る	握	67	ハイ	排	105
テン	添	116	トン	豚	94	にぎ・わう	賑[外]	158	バイ	媒	20
			トン	屯	132	にご・す	濁	19	バイ	陪	69
■と			トン	頓*	157	にご・る	濁	19	バイ	培	105
ト	吐	14	どん	丼*	98	にせ	偽	115	バイ	賠	125
ト	賭*	122	どんぶり	丼*	98	に・やす	煮	87	は・う	這[外]	104
ト	斗	155				ニョ	如	154	はか・る	謀	38
トウ	透	11	■な			ニョウ	尿	14	はか・る	諮	39
トウ	桃	12	ナ	那*	158	にら・む	睨[外]	76	ハク	伯	68
トウ	痘	25	なえ	苗	17	に・る	煮	87	ハク	拍	70
トウ	悼	47	なが・める	眺	85	にわとり	鶏	28	ハク	舶	106
トウ	闘	73	なぐさ・む	慰	37	ニン	妊	13	は・く	吐	14
トウ	踏	86	なぐさ・める	慰	38	ニン	忍	57	は・く	履	94
トウ	棟	94	なぐ・る	殴	76				バク	漠	38
トウ	陶	95	なげ・かわしい	嘆	54	■ぬ			バク	縛	132
トウ	騰	114	なげ・く	嘆	54	ぬ・う	縫	105	はげ・ます	励	67
トウ	搭	118	なぞ	謎*	39	ぬ・れる	濡[外]	24	はげ・む	励	67
トウ	謄	129	なつ・かしい	懐	54				はし	箸*	103
トウ	唐	142	なつ・かしむ	懐	54	■ね			はし	端	144
ドウ	胴	17	なつ・く	懐	54	ネイ	寧	68	はず	筈[外]	57
ドウ	瞳*	17	なつ・ける	懐	54	ねば・る	粘	14	はずかし・める	辱	48
ドウ	洞	28	な・でる	撫[外]	70	ねら・う	狙*	124	は・せる	馳[外]	69
とうげ	峠	27	なな・め	斜	149	ネン	粘	14	はた	端	144
トク	匿	41	なべ	鍋*	96	ねんご・ろ	懇	67	はだか	裸	27
トク	篤	49	なま・ける	怠	38				ハチ	鉢	97
トク	督	115	なまり	鉛	27	■の			バチ	罰	74
と・げる	遂	125	なめ・らか	滑	147	の・せる	載	36	ハツ	鉢	97
トツ	凸	156	なら・う	倣	56	のぞ・く	覗[外]	106	バツ	罰	74
とつ・ぐ	嫁	67	なわ	苗	17	のど	喉*	25	バツ	伐	118
とどこお・る	滞	115				の・る	載	36	バツ	閥	124

はなは・だ	甚	144	ひとみ	瞳*	17	ふ・まえる	踏	86	ホウ	俸	122
はなは・だしい	甚	144	ひま	暇	88	ふ・む	踏	86	ホウ	崩	147
は・ねる	跳	106	ひめ	姫	132	ふ・やす	殖	28	ホウ	飽	151
はば・む	阻	76	ひも	紐外	104	フン	噴	28	ボウ	膨	14
は・らす	腫*	24	ヒョウ	拍	70	フン	憤	55	ボウ	肪	19
は・る	貼*	102	ヒョウ	漂	150	フン	墳	96	ボウ	謀	38
は・れる	腫*	24	ビョウ	苗	17	フン	雰	155	ボウ	傍	38
ハン	畔	21	ひるがえ・す	翻	38				ボウ	妄	47
ハン	範	36	ひるがえ・る	翻	38	■へ			ボウ	妨	76
ハン	煩	56	ヒン	賓	69	ヘイ	塀	98	ボウ	冒	104
ハン	帆	98	ヒン	頻	155	ヘイ	幣	117	ボウ	乏	116
ハン	繁	116	ビン	敏	45	ヘイ	併	125	ボウ	紡	117
ハン	搬	117	ビン	瓶	97	ヘイ	柄	142	ボウ	剖	117
ハン	頒	122				ヘイ	弊	142	ボウ	某	130
ハン	藩	130	■ふ			ヘイ	丙	149	ほうむ・る	葬	87
ハン	凡	156	フ	腐	12	ヘキ	癖	47	ほ・える	吠外	27
バン	盤	10	フ	扶	69	へだ・たる	隔	148	ほお	頰*	26
バン	蛮	156	フ	譜	96	へだ・てる	隔	148	ボク	撲	94
			フ	敷	105	へび	蛇	26	ボク	墨	95
■ひ			フ	賦	122	ヘン	偏	49	ボク	朴	142
ヒ	泌	21	フ	赴	123	ヘン	遍	155	ぼ・ける	惚外	48
ヒ	披	46	フ	附	156				ほこ	矛	106
ヒ	卑	49	ブ	撫外	70	■ほ			ほこ・る	誇	54
ヒ	扉	89	ブ	奉	75	ホ	舗	117	ほたる	蛍	18
ヒ	碑	97	ブ	侮	75	ほ	穂	12	ボツ	没	148
ヒ	妃	130	ふ・える	殖	28	ほ	帆	98	ほとん・ど	殆外	158
ヒ	罷	131	ふ・く	噴	28	ボ	簿	40	ほま・れ	誉	45
ビ	眉*	20	フク	覆	95	ボ	慕	57	ほ・める	褒	70
ビ	微	156	フク	伏	148	ホウ	峰	12	ほら	洞	28
ひか・える	控	115	ふく・らむ	膨	14	ホウ	芳	13	ほり	堀	84
ひげ	髭外	26	ふく・れる	膨	14	ホウ	胞	13	ほ・る	彫	106
ひざ	膝*	25	ふ・す	伏	148	ホウ	泡	14	ほろ・びる	滅	149
ひじ	肘*	25	ふ・せる	伏	148	ホウ	倣	56	ほろ・ぼす	滅	149
ひそ・む	潜	148	ふた	蓋*	103	ホウ	褒	70	ホン	翻	38
ひた・す	浸	148	ぶた	豚	94	ホウ	奉	75	ホン	奔	75
ひた・る	浸	148	ふち	縁	70	ホウ	砲	89	ボン	煩	56
ヒツ	泌	21	ふところ	懐	54	ホウ	縫	105	ボン	盆	94

241

ボン	凡	156	ム	謀	38	ヤク	厄	49	ヨウ	揺	140
			ム	矛	106	ヤク	躍	148	ヨウ	庸	156
■ま			むこ	婿	69	やなぎ	柳	11	よ・う	酔	85
マ	魔	57	むな	棟	94	やみ	闇*	20	よみがえ・る	蘇外	19
マ	摩	144	むね	旨	84				よ・む	詠	49
まかな・う	賄	125	むね	棟	94	■ゆ			よめ	嫁	67
マク	膜	28	むらさき	紫	12	ユ	愉	55			
ま・く	蒔外	103				ユ	諭	57	■ら		
ま・く	撒外	104	■め			ユ	癒	118	ラ	裸	27
ます	升	102	め	雌	21	ユイ	唯	141	ラ	羅	55
また	股*	21	メイ	銘	57	ユウ	湧*	24	ライ	雷	11
また	又	37	めぐ・る	巡	148	ユウ	幽	48	ラク	酪	118
またた・く	瞬	158	めす	雌	21	ユウ	憂	54	ラン	欄	41
マツ	抹	149	メツ	滅	149	ユウ	猶	123	ラン	濫	103
まど・う	惑	36				ユウ	悠	143			
まぼろし	幻	45	■も			ゆ・く	逝	20	■り		
まゆ	眉*	20	モ	茂	11	ゆ・さぶる	揺	140	リ	痢	25
まゆ	繭	25	も	藻	21	ゆ・すぶる	揺	140	リ	履	94
マン	慢	57	も	喪	87	ゆ・する	揺	140	リ	吏	131
マン	漫	95	モウ	盲	28	ゆず・る	譲	124	リュウ	竜	10
			モウ	妄	47	ゆ・でる	茹外	104	リュウ	柳	11
■み			モウ	網	86	ゆ・らぐ	揺	140	リュウ	硫	20
ミ	眉*	20	モウ	猛	141	ゆ・る	揺	140	リュウ	隆	147
ミ	魅	53	モウ	耗	157	ゆる・い	緩	155	リョ	慮	73
みことのり	詔	47	モク	黙	53	ゆ・るぐ	揺	140	リョ	虜	130
みさき	岬	19	もぐ・る	潜	148	ゆる・む	緩	155	リョウ	陵	17
みささぎ	陵	17	モチ	勿外	40	ゆる・める	緩	155	リョウ	霊	49
みじ・め	惨	55	もっと・も	尤外	40	ゆる・やか	緩	155	リョウ	糧	88
みぞ	溝	12	もも	桃	12	ゆ・れる	揺	140	リョウ	寮	89
みつ・ぐ	貢	124	もら・う	貰外	122				リョウ	猟	117
みにく・い	醜	156	も・らす	漏	151	■よ			リョウ	僚	124
みね	峰	12	も・る	漏	151	ヨ	誉	45	リン	倫	45
ミョウ	妙	150	も・れる	漏	151	よい	宵	28	リン	隣	70
み・る	診	114	モン	紋	14	ヨウ	謡	95	リン	厘	157
						ヨウ	揚	106			
■む			■や			ヨウ	窯	114	■る		
ム	霧	13	ヤク	疫	18	ヨウ	擁	123	ルイ	塁	106

ルイ	累	116	レツ	劣	149	ロウ	露	12	わき	脇*	13
			レン	錬	21	ロウ	糧	88	ワク	惑	36
■れ			レン	廉	118	ロウ	浪	88	わく	枠	86
レイ	霊	49				ロウ	廊	96	わ・く	湧*	24
レイ	励	67	■ろ			ロウ	楼	97	わず・か	僅*	158
レイ	麗	154	ロ	露	12	ロウ	漏	151	わずら・う	煩	56
レキ	暦	151	ロ	炉	89				わずら・わす	煩	56
レツ	烈	143	ロ	呂*	95	■わ			ワン	碗外	103
レツ	裂	149	ロ	賂*	122	ワイ	賄	125			

243

単語索引

| 単語 | 読み | ページ |

(外)＝常用漢字表外の漢字または読みを含む単語

■あ

単語	読み	ページ
愛玩スル	あいがん	85
挨拶スル	あいさつ	69,70
哀愁	あいしゅう	54,56
愛称	あいしょう	37
愛嬢	あいじょう	68
哀惜スル	あいせき	55
間柄	あいだがら	142
哀悼スル	あいとう	47
愛撫スル(外)	あいぶ	70
遭う	あう	96
敢えて(外)	あえて	47
亜鉛	あえん	27,140
仰ぐ	あおぐ	48
垢(外)	あか	25
暁	あかつき	28
握手スル	あくしゅ	67
悪臭	あくしゅう	13
悪循環	あくじゅんかん	151
悪弊	あくへい	142
悪魔	あくま	57
飽くまで	あくまで	151
握力	あくりょく	67
揚げる	あげる	106
憧れ	あこがれ	56
憧れる	あこがれる	56
あご髭(外)	あごひげ	26
欺く	あざむく	41
亜細亜	あじあ	140
焦る	あせる	144
斡旋スル(外)	あっせん	124
～宛(宛て)	～あて	40
宛先(宛て先)	あてさき	40
宛名(宛て名)	あてな	40

単語	読み	ページ
侮る	あなどる	75
亜熱帯	あねったい	140
雨傘	あまがさ	85
甘酢	あまず	84
尼寺	あまでら	130
雨漏リスル	あまもり	151
網	あみ	86
嵐	あらし	11
或る(外)	ある	39
或いは(外)	あるいは	39
泡	あわ	14
慌ただしげナ	あわただしげ	141
慌て者	あわてもの	141
哀れナ	あわれ	54
暗礁	あんしょう	20
安泰ナ	あんたい	53
安寧	あんねい	68
暗黙	あんもく	53
安楽椅子	あんらくいす	102

■い

単語	読み	ページ
硫黄	いおう	20
鋳型	いがた	114
遺憾ナ	いかん	40
尉官	いかん	131
粋ナ	いき	144
生き甲斐(外)	いきがい	85
憤り	いきどおり	55
幾重	いくえ	150
幾多	いくた	150
幾分	いくぶん	150
囲碁	いご	97
憩い	いこい	96
維持スル	いじ	143

単語	読み	ページ
石垣	いしがき	88
礎	いしずえ	88
慰謝料	いしゃりょう	37
委嘱スル	いしょく	123
維新	いしん	143
椅子	いす	102
泉	いずみ	10
遺跡	いせき	147
委託スル	いたく	124
悼む	いたむ	47
壱	いち	156
一巡スル	いちじゅん	148
一躍	いちやく	148
一夜漬け	いちやづけ	95
一塁	いちるい	106
一喝スル	いっかつ	75
一括スル	いっかつ	123
一貫スル	いっかん	142
一喜一憂スル	いっきいちゆう	54
一蹴スル	いっしゅう	102
一周忌	いっしゅうき	49
一瞬	いっしゅん	158
一升瓶	いっしょうびん	102
逸脱スル	いつだつ	151
一旦	いったん	149
緯度	いど	154
挑む	いどむ	67
稲穂	いなほ	12
威張る	いばる	131
忌まわしい	いまわしい	49
芋	いも	20
鋳物	いもの	114
慰問スル	いもん	37
嫌気	いやけ	53

癒やす	いやす	118
威力	いりょく	131
慰霊	いれい	37
陰気ナ	いんき	11
隠居スル	いんきょ	67
印璽	いんじ	129
姻戚関係	いんせきかんけい	69
隠匿スル	いんとく	41
陰謀	いんぼう	38
韻律	いんりつ	56

■う

飢え死にスル	うえじに	94
渦	うず	28
渦巻く	うずまく	28
嘘(外)	うそ	47
嘘つき(外)	うそつき	47
宴(外)	うたげ	68
打ち砕く	うちくだく	151
内堀	うちぼり	84
団扇(外)	うちわ	95
自惚れ(外)	うぬぼれ	48
旨い(外)	うまい	84
恭しい	うやうやしい	46
恨み	うらみ	55
潤う	うるおう	117
漆	うるし	98
麗しい	うるわしい	154
嬉しい(外)	うれしい	56
上唇	うわくちびる	19
噂(外)	うわさ	47
噂話(外)	うわさばなし	47
運搬スル	うんぱん	117

■え

栄冠	えいかん	89
詠嘆スル	えいたん	49
栄誉	えいよ	45

液晶	えきしょう	13
液体窒素	えきたいちっそ	24
疫病	えきびょう	18
餌	えさ	102
餌食	えじき	102
会釈スル	えしゃく	37
謁見スル	えっけん	70
悦楽	えつらく	55
閲覧スル	えつらん	39
獲物	えもの	115
襟首	えりくび	102
襟巻き	えりまき	102
襟元	えりもと	102
縁	えん	70
宴会	えんかい	68
遠隔	えんかく	148
円滑ナ	えんかつ	147
炎症	えんしょう	115
遠征スル	えんせい	150
宴席	えんせき	68
縁談	えんだん	70
鉛筆	えんぴつ	27
遠慮スル	えんりょ	73

■お

生い茂る	おいしげる	11
於いて(外)	おいて	155
王冠	おうかん	89
応酬スル	おうしゅう	125
往診スル	おうしん	114
殴打スル	おうだ	76
凹凸	おうとつ	157
王妃	おうひ	130
凹面鏡	おうめんきょう	157
覆い隠す	おおいかくす	95
大匙(外)	おおさじ	104
大雑把ナ	おおざっぱ	38
丘	おか	10

憶測スル	おくそく	45
憶病(臆病)ナ	おくびょう	45
伯父	おじ	68
叔父	おじ	68
(お)酌	おしゃく	102
和尚	おしょう	37
お墨付き	おすみつき	95
襲う	おそう	74
お揃い(外)	おそろい	158
汚濁	おだく	19
乙ナ	おつ	68
音沙汰	おとさた	67
乙女	おとめ	68
衰える	おとろえる	157
驚き	おどろき	53
鬼	おに	74
鬼ごっこ	おにごっこ	74
伯母	おば	68
叔母	おば	68
脅かす	おびやかす	74
お盆	おぼん	94
趣	おもむき	37
赴く	おもむく	123
俺	おれ	68
愚かナ	おろか	55
卸	おろし	116
卸売スル	おろしうり	116
音韻	おんいん	56
穏健ナ	おんけん	144
恩賜	おんし	132
恩赦	おんしゃ	76
温泉	おんせん	10
音痴ナ	おんち	156
穏和ナ	おんわ	144

■か

蚊	か	21
外郭団体	がいかくだんたい	130

貝殻	かいがら	97	学習塾	がくしゅうじゅく	86	傍ら	かたわら	38
懐疑スル	かいぎ	54	獲得スル	かくとく	115	花壇	かだん	96
海峡	かいきょう	27	岳父	がくふ	13	渦中	かちゅう	28
海溝	かいこう	12	楽譜	がくふ	96	括弧	かっこ	142
悔恨	かいこん	55	角膜	かくまく	28	喝采スル	かっさい	75
開墾スル	かいこん	118	隔離スル	かくり	148	合掌スル	がっしょう	124
解釈スル	かいしゃく	37	閣僚	かくりょう	124	褐色	かっしょく	21
怪獣	かいじゅう	18,55	賭け	かけ	122	渇水	かっすい	26
解析スル	かいせき	37	崖	がけ	25	滑走スル	かっそう	147
懐石	かいせき	54	駆け足	かけあし	125	合併スル	がっぺい	125
海藻	かいそう	21	家計簿	かけいぼ	40	渇望スル	かつぼう	26
海賊	かいぞく	131	陰口	かげぐち	11	糧	かて	88
海賊版	かいぞくばん	131	賭け事	かけごと	122	稼働スル	かどう	116
開拓スル	かいたく	115	掛け軸	かけじく	88	金網	かなあみ	86
快諾スル	かいだく	40	～箇月			哀しい(外)	かなしい	54
改訂スル	かいてい	41	(カ月/ケ月)	～かげつ	143	画伯	がはく	68
該当スル	がいとう	41	崖っぷち	がけっぷち	25	蚊柱	かばしら	21
概念	がいねん	37	駆け引きスル	かけひき	125	河畔	かはん	21
怪物	かいぶつ	55	禍根	かこん	76	鞄(外)	かばん	103
解剖スル	かいぼう	117	佳作	かさく	144	過敏ナ	かびん	45
壊滅的ナ	かいめつてき	149	傘立て	かさたて	85	寡婦	かふ	118
概要	がいよう	37	飾り	かざり	86	貨幣	かへい	117
回廊	かいろう	96	餓死スル	がし	97	釜	かま	97
概論	がいろん	37	果汁	かじゅう	12	窯	かま	114
却って(外)	かえって	114	箇所			窯元	かまもと	114
顧みる	かえりみる	45	(個所/ケ所)	かしょ	143	我慢スル	がまん	57
瓦解スル	がかい	97	過剰ナ	かじょう	151	噛み切る(外)	かみきる	27
雅楽	ががく	142	箇条書き	かじょうがき	143	剃刀(外)	かみそり	104
掲げる	かかげる	98	佳人	かじん	144	噛む(外)	かむ	27
輝かしい	かがやかしい	10	微かナ(外)	かすか	156	寡黙ナ	かもく	118
輝かす	かがやかす	10	霞(外)	かすみ	17	醸し出す	かもしだす	117
輝く	かがやく	10	霞む(外)	かすむ	17	蚊帳	かや	21
鍵	かぎ	98	稼ぐ	かせぐ	116	歌謡	かよう	95
垣根	かきね	88	化繊	かせん	18	硝子(外)	ガラス	21
佳境	かきょう	144	寡占	かせん	118	狩り	かり	89
架空	かくう	84	瓦全	がぜん	97	狩人(外)	かりゅうど	89
覚悟スル	かくご	54	過疎	かそ	151	刈る	かる	104
隠し味	かくしあじ	67	可塑性	かそせい	103	華麗ナ	かれい	154

瓦礫(外)	がれき	97	堪能ナ・スル	かんのう	40	儀式	ぎしき	70
画廊	がろう	96	芳しい	かんばしい	13	騎手	きしゅ	130
缶	かん	87	間伐スル	かんばつ	118	奇襲スル	きしゅう	53
感慨	かんがい	56	甲板	かんぱん	85	騎乗スル	きじょう	130
感慨深い	かんがいぶかい	56	勘弁スル	かんべん	54	疑心暗鬼	ぎしんあんき	74
間隔	かんかく	148	陥没スル	かんぼつ	150	奇数	きすう	53
管轄スル	かんかつ	123	感銘スル	かんめい	57	既成	きせい	142
喚起スル	かんき	38	喚問スル	かんもん	38	犠牲	ぎせい	74,75
緩急	かんきゅう	155	寛容ナ	かんよう	48	犠牲者	ぎせいしゃ	74
頑強ナ	がんきょう	46	陥落スル	かんらく	150	奇跡	きせき	147
玩具	がんぐ	85	官吏	かんり	131	軌跡	きせき	150
間隙	かんげき	158	官僚	かんりょう	124	基礎	きそ	88
還元スル	かんげん	115	還暦	かんれき	151	偽装スル	ぎそう	115
管弦楽	かんげんがく	94	貫禄	かんろく	142	偽造スル	ぎぞう	115
頑固ナ	がんこ	46	緩和スル	かんわ	155	既存	きそん	142
敢行スル	かんこう	47				既存	きぞん	142
監獄	かんごく	129	■き			犠打	ぎだ	74
閑古鳥	かんこどり	98	記憶スル	きおく	45	稀代(希代)(外)	きだい	157
冠婚葬祭	かんこんそうさい	89	飢餓	きが	94,97	擬態語	ぎたいご	55
閑散	かんさん	98	戯画	ぎが	105	鍛える	きたえる	85
鑑賞スル	かんしょう	46	帰還スル	きかん	115	吉祥	きっしょう	94
勘定スル	かんじょう	54	機関銃	きかんじゅう	87	軌道	きどう	150
頑丈ナ	がんじょう	46,86	嬉々として(外)	ききとして	56	危篤	きとく	49
肝心(肝腎)ナ	かんじん	11	聞き漏らす	ききもらす	151	記念碑	きねんひ	97
肝腎(肝心)ナ	かんじん	26	戯曲	ぎきょく	105	稀薄(希薄)ナ(外)	きはく	157
閑静ナ	かんせい	98	飢饉	ききん	94	起爆剤	きばくざい	86
肝臓	かんぞう	11	菊	きく	11	規範	きはん	36
寛大ナ	かんだい	48	棄権スル	きけん	116	基盤	きばん	10
甲高い	かんだかい	85	機嫌	きげん	53	機敏ナ	きびん	45
干拓スル	かんたく	115	気孔	きこう	20	起伏	きふく	148
感嘆スル	かんたん	54	寄稿スル	きこう	38	気泡	きほう	14
元旦	がんたん	149	技巧	ぎこう	143	木彫り	きぼり	106
勘違いスル	かんちがい	54	既婚	きこん	142	欺瞞スル(外)	ぎまん	41
缶詰(缶詰め)	かんづめ	87	記載スル	きさい	36	奇妙ナ	きみょう	150
鑑定スル	かんてい	46	妃(外)	きさき	130	肝	きも	11
官邸	かんてい	86	棋士	きし	106	虐殺スル	ぎゃくさつ	73
監督スル	かんとく	115	騎士	きし	130	脚色スル	きゃくしょく	87
堪忍スル	かんにん	40	擬似(疑似)	ぎじ	55	虐待スル	ぎゃくたい	73

脚本	きゃくほん	87	享年	きょうねん	105	■く		
休暇	きゅうか	88	脅迫スル	きょうはく	74	悔いる	くいる	54
窮屈ナ	きゅうくつ	46,155	共謀スル	きょうぼう	38	空洞	くうどう	28
休憩スル	きゅうけい	96	教諭	きょうゆ	57	空欄	くうらん	41
給餌スル	きゅうじ	102	享楽的ナ	きょうらくてき	105	茎	くき	20
急逝スル	きゅうせい	20	恐竜	きょうりゅう	10	草刈り	くさかり	104
糾弾スル	きゅうだん	39	強烈ナ	きょうれつ	143	腐る	くさる	12
窮地	きゅうち	154	虚偽	きょぎ	37	駆使スル	くし	125
窮乏スル	きゅうぼう	116,155	玉璽	ぎょくじ	129	鯨	くじら	28
糾明スル	きゅうめい	39	極端ナ	きょくたん	144	砕く	くだく	151
丘陵	きゅうりょう	10,17	虚構	きょこう	37	愚痴	ぐち	55,156
旧暦	きゅうれき	151	巨匠	きょしょう	130	駆逐スル	くちく	150
凶悪ナ	きょうあく	89	拒絶スル	きょぜつ	74	口癖	くちぐせ	47
驚異	きょうい	53	拒絶反応	きょぜつはんのう	74	口髭(外)	くちひげ	26
脅威	きょうい	74	拠点	きょてん	41	愚直ナ	ぐちょく	55
恐喝スル	きょうかつ	75	拒否スル	きょひ	74	朽ちる	くちる	19
狂気	きょうき	45	距離	きょり	148	屈辱	くつじょく	48
凶器	きょうき	89	霧雨	きりさめ	13	靴紐(外)	くつひも	104
行儀	ぎょうぎ	70	霧吹き	きりふき	13	九分九厘	くぶくりん	157
境遇	きょうぐう	74	綺麗ナ	きれい	154	悔しい	くやしい	54
狂言	きょうげん	45	岐路	きろ	94	暗闇	くらやみ	20
凝固スル	ぎょうこ	18	疑惑	ぎわく	36	車椅子	くるまいす	102
恐慌	きょうこう	141	～斤	～きん	158	玄人	くろうと	88
強豪	きょうごう	115	金塊	きんかい	20	桑	くわ	12
峡谷	きょうこく	27	禁忌	きんき	49	桑畑	くわばたけ	12
頬骨(外)	きょうこつ	26	金魚鉢	きんぎょばち	97	軍艦	ぐんかん	89
教唆スル	きょうさ	39	均衡	きんこう	150	勲章	くんしょう	129
凶作	きょうさく	89	僅差	きんさ	158	薫製	くんせい	96
凝視スル	ぎょうし	18	筋腫	きんしゅ	24	軍曹	ぐんそう	131
享受スル	きょうじゅ	105	僅少ノ・ナ	きんしょう	158	薫陶スル	くんとう	96
郷愁	きょうしゅう	56	吟醸	ぎんじょう	39	軍閥	ぐんばつ	124
凝縮スル	ぎょうしゅく	18	謹慎スル	きんしん	45,48			
矯正スル	きょうせい	40	琴線	きんせん	87	■け		
行政訴訟	ぎょうせいそしょう	75	謹呈スル	きんてい	48	経緯	けいい	154
兄弟喧嘩(外)	きょうだいげんか	76	吟味スル	ぎんみ	39	警戒スル	けいかい	53
驚嘆スル	きょうたん	53	近隣	きんりん	70	警戒心	けいかいしん	53
競艇	きょうてい	96				稽古スル	けいこ	56
仰天スル	ぎょうてん	48				蛍光	けいこう	18

蛍光灯	けいこうとう	18	権威	けんい	131	碁石	ごいし	97
渓谷	けいこく	19	検疫スル	けんえき	18	後遺症	こういしょう	115
掲載スル	けいさい	36	検閲スル	けんえつ	39	校閲スル	こうえつ	39
継嗣	けいし	69	嫌悪スル	けんお	53	甲乙丙丁	こうおつへいてい	149
慶事	けいじ	45	喧嘩スル(外)	けんか	76	豪華ナ	ごうか	115
掲示スル	けいじ	98	圏外	けんがい	129	後悔スル	こうかい	54
傾斜	けいしゃ	149	厳戒	げんかい	53	好奇心	こうきしん	53
警鐘	けいしょう	85	玄関	げんかん	88	恒久	こうきゅう	157
携帯スル	けいたい	150	喧嘩っ早い(外)	けんかっぱやい	76	豪傑	ごうけつ	143
慶弔	けいちょう	45	謙虚ナ	けんきょ	74	貢献スル	こうけん	124
啓発スル	けいはつ	40	喧々囂々(外)	けんけんごうごう	76	剛健ナ	ごうけん	143
啓蒙スル	けいもう	40	原稿	げんこう	38	恍惚(外)	こうこつ	48
掲揚スル	けいよう	98	顕在スル	けんざい	142	交錯スル	こうさく	46
渓流	けいりゅう	19	検索スル	けんさく	37	絞殺スル	こうさつ	150
稀有(希有)ナ(外)	けう	157	堅持スル	けんじ	142	後嗣	こうし	69
怪我スル(外)	けが	55	堅実ナ	けんじつ	142	控除スル	こうじょ	115
撃墜スル	げきつい	140	厳粛ナ	げんしゅく	48	高尚ナ	こうしょう	37
激励スル	げきれい	67	顕彰スル	けんしょう	67	恒常	こうじょう	157
下旬	げじゅん	151	謙譲	けんじょう	74	幸甚	こうじん	144
化粧スル	けしょう	95	原子炉	げんしろ	89	洪水	こうずい	14
化粧水	けしょうすい	95	源泉	げんせん	10	合成繊維	ごうせいせんい	18
化粧品	けしょうひん	95	喧騒(外)	けんそう	76	巧拙	こうせつ	141
下駄(外)	げた	116	幻想	げんそう	45	酵素	こうそ	18
血縁	けつえん	70	謙遜スル	けんそん	74	高僧	こうそう	129
欠陥	けっかん	150	顕著ナ	けんちょ	142	拘束スル	こうそく	75
傑作	けっさく	143	剣道	けんどう	85	拘置スル	こうち	75
傑出スル	けっしゅつ	143	圏内	けんない	129	剛直ナ	ごうちょく	143
欠如スル	けつじょ	154	鍵盤	けんばん	98	校訂スル	こうてい	41
結晶スル	けっしょう	13	顕微鏡	けんびきょう	142	更迭スル	こうてつ	131
月賦	げっぷ	122	減俸スル	げんぽう	122	喉頭	こうとう	25
潔癖ナ	けっぺき	47	玄米	げんまい	88	叩頭スル(外)	こうとう	75
欠乏スル	けつぼう	116	懸命ナ	けんめい	53	高騰スル	こうとう	114
決裂スル	けつれつ	149	幻滅スル	げんめつ	45	荒唐無稽ナ	こうとうむけい	56
蹴飛ばす	けとばす	102	倹約スル	けんやく	118	購読スル	こうどく	115
懸念スル	けねん	53	倹約家	けんやくか	118	坑内	こうない	98
下痢スル	げり	25				購入スル	こうにゅう	115
弦	げん	94	■こ			後輩	こうはい	70
懸案	けんあん	53	弧	こ	142	購買スル	こうばい	115

249

坑夫	こうふ	98	琴	こと	87	採択スル	さいたく	36
降伏スル	こうふく	148	孤島	ことう	45	栽培スル	さいばい	104,105
酵母	こうぼ	18	鼓動	こどう	27	菜箸	さいばし	103
巧妙ナ	こうみょう	143,150	事柄	ことがら	142	財閥	ざいばつ	124
剛毛	ごうもう	143	孤独ナ	こどく	45	裁縫スル	さいほう	105
項目	こうもく	143	殊に	ことに	149	細胞	さいぼう	13
拷問スル	ごうもん	39	湖畔	こはん	21	遮る	さえぎる	76
公吏	こうり	131	碁盤	ごばん	97	詐欺	さぎ	41,125
拘留スル	こうりゅう	75	呉服	ごふく	95	砂丘	さきゅう	10
興隆スル	こうりゅう	147	呉服屋	ごふくや	95	搾取スル	さくしゅ	122
考慮スル	こうりょ	73	御無沙汰スル	ごぶさた	67	搾乳スル	さくにゅう	122
恒例	こうれい	157	古墳	こふん	96	匙(外)	さじ	104
枯渇スル	こかつ	26	鼓膜	こまく	27	挿し絵	さしえ	41
股間	こかん	21	ゴム紐(外)	ごむひも	104	桟敷	さじき	103
股関節	こかんせつ	21	顧問	こもん	45	座敷	ざしき	105
顧客	こきゃく	45	今宵	こよい	28	詐称スル	さしょう	125
酷似スル	こくじ	48	娯楽	ごらく	96	座礁スル	ざしょう	20
国璽	こくじ	129	孤立スル	こりつ	45	左遷スル	させん	154
国籍	こくせき	123	懲りる	こりる	129	座禅	ざぜん	49
国賓	こくひん	69	語呂	ごろ	95	撮影スル	さつえい	86
克服スル	こくふく	57	婚姻	こんいん	69	錯覚スル	さっかく	46
克明ナ	こくめい	57	婚姻届	こんいんとどけ	69	殺菌スル	さっきん	13
焦げ茶	こげちゃ	144	懇願スル	こんがん	67	さつま芋	さつまいも	20
小匙(外)	こさじ	104	根拠	こんきょ	41	諭す	さとす	57
誇示スル	こじ	54	懇親	こんしん	67	悟り	さとり	54
固執スル	こしつ	123	魂胆	こんたん	27,54	悟る	さとる	54
固執スル	こしゅう	123	懇談スル	こんだん	67	砂漠	さばく	38
梢(外)	こずえ	25	昆虫	こんちゅう	27	寂しい	さびしい	54
擦る(外)	こする	144	墾田	こんでん	118	寂しさ	さびしさ	54
小僧	こぞう	129	昆布	こんぶ	27	妨げる	さまたげる	76
誇大妄想	こだいもうそう	47	紺碧(外)	こんぺき	18	侍	さむらい	130
御馳走スル(外)	ごちそう	69				猿	さる	14
誇張スル	こちょう	54	■さ			爽やかナ	さわやか	57
小遣い	こづかい	124	細菌	さいきん	13	惨禍	さんか	76
克己	こっき	57	最高峰	さいこうほう	12	傘下	さんか	85
滑稽ナ	こっけい	56,147	宰相	さいしょう	68	山岳	さんがく	13
骨髄	こつずい	19	斎場	さいじょう	87	残虐ナ	ざんぎゃく	73
忽然(外)	こつぜん	158	在籍スル	ざいせき	123	残酷ナ	ざんこく	48

250

珊瑚礁(外)	さんごしょう	20	慕う	したう	57	諮問機関	しもんきかん	39
暫時	ざんじ	141	下唇	したくちびる	19	社会福祉	しゃかいふくし	129
山荘	さんそう	88	自堕落ナ	じだらく	140	蛇口	じゃぐち	26
暫定	ざんてい	141	疾患	しっかん	19	釈放スル	しゃくほう	37
桟道	さんどう	103	漆器	しっき	98	遮光スル	しゃこう	76
残忍ナ	ざんにん	57	失脚スル	しっきゃく	87	車掌	しゃしょう	124
惨敗スル	ざんぱい	55	執行スル	しっこう	123	斜線	しゃせん	149
桟橋	さんばし	103	執行猶予	しっこうゆうよ	123	遮断スル	しゃだん	76
撒布(散布)スル(外)	さんぷ	104	漆黒	しっこく	98	借款	しゃっかん	122
			叱責スル	しっせき	75	邪道	じゃどう	49
■し			実践スル	じっせん	122	邪魔ナ・スル	じゃま	49,57
慈愛	じあい	48	疾走スル	しっそう	19	斜面	しゃめん	149
侍医	じい	130	叱咤スル	しった	75	朱	しゅ	13
紫外線	しがいせん	12	失墜スル	しっつい	140	朱印	しゅいん	13
仕掛け	しかけ	105	疾病	しっぺい	19	雌雄	しゆう	21
叱る	しかる	75	私邸	してい	86	銃	じゅう	87
此岸(外)	しがん	141	淑やかナ(外)	しとやか	68	獣医	じゅうい	18
色彩	しきさい	27	老舗	しにせ	117	収穫スル	しゅうかく	117
敷地	しきち	105	屎尿(外)	しにょう	14	蹴球	しゅうきゅう	102
敷く	しく	105	忍ぶ	しのぶ	57	襲撃スル	しゅうげき	74
軸	じく	88	賜杯	しはい	132	十字架	じゅうじか	84
茂み	しげみ	11	暫く(外)	しばらく	141	修飾スル	しゅうしょく	86
茂る	しげる	11	地盤	じばん	10	囚人	しゅうじん	40
歯垢(外)	しこう	25	慈悲	じひ	48	修繕スル	しゅうぜん	118
事項	じこう	143	耳鼻咽喉科	じびいんこうか	25	重曹	じゅうそう	131
試行錯誤スル	しこうさくご	46	紙幣	しへい	117	醜態	しゅうたい	156
地獄	じごく	129	思慕スル	しぼ	57	銃弾	じゅうだん	87
紫紺	しこん	18	脂肪	しぼう	19	執着スル	しゅうちゃく	123
示唆スル	しさ	39	脂肪酸	しぼうさん	19	重篤ナ	じゅうとく	49
四肢	しし	18	脂肪分	しぼうぶん	19	醜聞	しゅうぶん	156
嗣子	しし	69	絞る	しぼる	150	収賄スル	しゅうわい	125
獅子奮迅	ししふんじん	155	自慢スル	じまん	57	儒学	じゅがく	47
侍従	じじゅう	130	滋味	じみ	69	需給	じゅきゅう	116
自粛スル	じしゅく	48	絞める	しめる	150	儒教	じゅきょう	47
師匠	ししょう	130	霜月	しもつき	21	塾	じゅく	86
自薦スル	じせん	57	霜降り	しもふり	21	淑女	しゅくじょ	68
慈善	じぜん	48	指紋	しもん	14	熟睡スル	じゅくすい	26
自然淘汰	しぜんとうた	67	諮問スル	しもん	39	塾生	じゅくせい	86

殊勲	しゅくん	149	俊敏ナ	しゅんびん	140	象徴スル	しょうちょう	143
殊勲賞	しゅくんしょう	129	遵法(順法)	じゅんぽう	132	冗長ナ	じょうちょう	46
趣向	しゅこう	37	純朴ナ	じゅんぼく	142	詔勅	しょうちょく	47
主宰スル	しゅさい	68	～嬢	～じょう	68	焦点	しょうてん	144
珠算	しゅざん	14	滋養	じよう	69	譲渡スル	じょうと	124
趣旨	しゅし	37,84	掌握スル	しょうあく	124	浄土	じょうど	156
儒者	じゅしゃ	47	硝煙	しょうえん	21	衝突スル	しょうとつ	149
呪術	じゅじゅつ	47	浄化スル	じょうか	156	丈夫ナ	じょうぶ	86
数珠	じゅず	14	生涯	しょうがい	154	譲歩スル	じょうほ	124
呪詛スル(外)	じゅそ	47	城郭	じょうかく	130	抄本	しょうほん	39
受託スル	じゅたく	124	消火栓	しょうかせん	97	冗漫ナ	じょうまん	46
受諾スル	じゅだく	40	浄化槽	じょうかそう	102	消耗スル	しょうもう	157
出征スル	しゅっせい	150	召喚スル	しょうかん	38	消耗品	しょうもうひん	157
出廷スル	しゅってい	131	常軌	じょうき	150	醤油(外)	しょうゆ	104
種痘	しゅとう	25	将棋倒し	しょうぎだおし	106	醤油味(外)	しょうゆあじ	104
首都圏	しゅとけん	129	憧憬	しょうけい	56	奨励スル	しょうれい	67,125
朱肉	しゅにく	13	衝撃	しょうげき	149	鐘楼	しょうろう	97
呪縛スル	じゅばく	132	証拠	しょうこ	41	抄録スル	しょうろく	39
主賓	しゅひん	69	条項	じょうこう	143	所轄	しょかつ	123
呪文	じゅもん	47	商魂	しょうこん	54	嘱する	しょくする	123
腫瘍	しゅよう	24	詳細ナ	しょうさい	36	食卓	しょくたく	88
需要	じゅよう	116	錠剤	じょうざい	98	嘱託スル	しょくたく	123
修羅場	しゅらば	55	浄財	じょうざい	156	触媒	しょくばい	20
狩猟スル	しゅりょう	89,117	硝酸	しょうさん	21	食糧	しょくりょう	88
旬	しゅん	151	消臭	しょうしゅう	13	叙勲スル	じょくん	46,129
巡回スル	じゅんかい	148	抄出スル	しょうしゅつ	39	徐行スル	じょこう	148
潤滑油	じゅんかつゆ	117	詳述スル	しょうじゅつ	36	書斎	しょさい	87
循環スル	じゅんかん	151	上旬	じょうじゅん	151	叙述スル	じょじゅつ	46
春菊	しゅんぎく	11	詔書	しょうしょ	47	叙情	じょじょう	46
殉教スル	じゅんきょう	132	症状	しょうじょう	115	徐々に	じょじょに	148
准教授	じゅんきょうじゅ	130	情状酌量スル	じょうじょうしゃくりょう	102	女婿	じょせい	69
瞬時	しゅんじ	158	正真正銘	しょうしんしょうめい	57	書籍	しょせき	123
殉死スル	じゅんし	132	称する	しょうする	37	処罰スル	しょばつ	74
遵守(順守)スル	じゅんしゅ	132	醸成スル	じょうせい	117	庶民	しょみん	124
准将	じゅんしょう	130	肖像	しょうぞう	105	庶民的ナ	しょみんてき	124
殉職スル	じゅんしょく	132	醸造スル	じょうぞう	117	庶務	しょむ	124
純粋ナ	じゅんすい	144	承諾スル	しょうだく	40	地雷	じらい	11
俊足(駿足)	しゅんそく	140	冗談	じょうだん	46	白滝	しらたき	12

尻	しり	11		水晶	すいしょう	13		■せ	
芯	しん	102		推奨スル	すいしょう	125		逝去スル	せいきょ	20
侵害スル	しんがい	73		推薦スル	すいせん	57		静寂ナ	せいじゃく	54
真剣ナ	しんけん	85		水槽	すいそう	102		静粛ナ	せいしゅく	48
信仰スル	しんこう	48		衰退スル	すいたい	157		生殖スル	せいしょく	28
紳士	しんし	68		炊飯スル	すいはん	105		凄絶ナ	せいぜつ	143
紳士協定	しんしきょうてい	68		随筆	ずいひつ	41		勢揃いスル(外)	せいぞろい	158
紳士的ナ	しんしてき	68		随分	ずいぶん	41		清澄ナ	せいちょう	14
真珠	しんじゅ	14		睡魔	すいま	26		整頓スル	せいとん	157
尋常ナ	じんじょう	38		睡眠	すいみん	26		制覇スル	せいは	132
浸食スル	しんしょく	148		枢機卿(外)	すうききょう	131		征服スル	せいふく	150
浸水スル	しんすい	148		枢機卿(外)	すうきけい	131		誓約スル	せいやく	48
神髄	しんずい	19		崇高ナ	すうこう	49		西暦	せいれき	151
腎臓	じんぞう	26		枢軸	すうじく	131		精錬スル	せいれん	21
迅速ナ	じんそく	155		崇拝スル	すうはい	49		清廉ナ	せいれん	118
甚大ナ	じんだい	144		据え置き	すえおき	106		咳(外)	せき	25
信託スル	しんたく	124		据える	すえる	106		～隻	～せき	155
診断スル	しんだん	114		頭蓋骨	ずがいこつ	103		赤褐色	せきかっしょく	21
慎重ナ	しんちょう	45		図鑑	ずかん	46		隻眼	せきがん	155
進呈スル	しんてい	122		隙	すき	158		脊髄	せきずい	19
浸透スル	しんとう	11,148		透き通る	すきとおる	11		惜敗スル	せきはい	55
陣取る	じんどる	125		隙間	すきま	158		咳払いスル(外)	せきばらい	25
侵入スル	しんにゅう	73		凄い(外)	すごい	143		石碑	せきひ	97
新譜	しんぷ	96		凄まじい(外)	すさまじい	143		惜別	せきべつ	55
尋問スル	じんもん	38		薦める	すすめる	57		赤痢	せきり	25
侵略スル	しんりゃく	73		奨める(外)	すすめる	125		関脇	せきわけ	13
診療スル	しんりょう	114		裾	すそ	103		隻腕	せきわん	155
尽力スル	じんりょく	141		裾野	すその	103		世襲スル	せしゅう	74
				即ち(外)	すなわち	144		施錠スル	せじょう	98
■す				酢の物	すのもの	84		是正スル	ぜせい	129
酢	す	84		ずぶ濡れ(外)	ずぶぬれ	24		赤褐色	せっかっしょく	21
粋	すい	144		澄ます	すます	14		石棺	せっかん	98
吸い殻	すいがら	97		墨	すみ	95		雪渓	せっけい	19
遂行スル	すいこう	125		澄む	すむ	14		斥候	せっこう	123
随行スル	ずいこう	41		相撲	すもう	94		摂氏	せっし	157
水彩画	すいさいが	27		擦る	する	144		摂取スル	せっしゅ	157
炊事スル	すいじ	105		擦れ違う	すれちがう	144		折衝スル	せっしょう	149
衰弱スル	すいじゃく	157						雪辱	せつじょく	48

拙速ナ	せっそく	141	総括スル	そうかつ	123	蘇生スル(外)	そせい	19
折衷スル	せっちゅう	56	葬儀	そうぎ	87	租税	そぜい	117
窃盗スル	せっとう	132	遭遇スル	そうぐう	96	塑像	そぞう	103
窃盗団	せっとうだん	132	捜索スル	そうさく	37	粗大ナ	そだい	141
刹那	せつな	158	葬式	そうしき	87	措置	そち	123
絶滅スル	ぜつめつ	149	喪失スル	そうしつ	87	側溝	そっこう	12
是認スル	ぜにん	129	装飾スル	そうしょく	86	袖	そで	85
是非	ぜひ	129	壮絶ナ	そうぜつ	141	外堀	そとぼり	84
禅	ぜん	49	騒々しい(外)	そうぞうしい	85	其の(外)	その	41
繊維	せんい	18,143	曽祖父	そうそふ	147	素朴ナ	そぼく	142
戦禍	せんか	76	曽祖母	そうそぼ	147	粗末ナ	そまつ	141
旋回スル	せんかい	124	壮大ナ	そうだい	141	逸らす(外)	そらす	151
戦艦	せんかん	89	争奪スル	そうだつ	74	剃る(外)	そる	104
洗剤	せんざい	86	贈呈スル	ぞうてい	122	其れ(外)	それ	41
潜在スル	せんざい	148	騒動	そうどう	85	逸れる(外)	それる	151
漸次	ぜんじ	157	総督	そうとく	115			
扇子	せんす	95	遭難スル	そうなん	96	■た		
潜水スル	せんすい	148	挿入スル	そうにゅう	41	大尉	たいい	131
潜水艦	せんすいかん	89	壮年	そうねん	141	待遇	たいぐう	74
宣誓スル	せんせい	48	造幣	ぞうへい	117	退屈スル	たいくつ	46
選択スル	せんたく	36	草履	ぞうり	94	太鼓判	たいこばん	27
選択肢	せんたくし	18	僧侶	そうりょ	129	滞在スル	たいざい	115
遷都スル	せんと	155	藻類	そうるい	21	胎児	たいじ	26
戦闘スル	せんとう	73	挿話	そうわ	41	退陣スル	たいじん	125
潜入スル	せんにゅう	148	贈賄スル	ぞうわい	125	怠惰ナ	たいだ	56
栓抜き	せんぬき	97	租界	そかい	117	大胆ナ	だいたん	27
先輩	せんぱい	70	疎開スル	そかい	151	大抵	たいてい	74
船舶	せんぱく	106	阻害スル	そがい	76	胎内	たいない	26
旋風	せんぷう	124	疎外スル	そがい	151	耐熱	たいねつ	53
扇風機	せんぷうき	95	即座	そくざ	144	滞納スル	たいのう	115
潜伏スル	せんぷく	148	即する	そくする	144	逮捕スル	たいほ	73
全滅スル	ぜんめつ	149	促成栽培	そくせいさいばい	105	大砲	たいほう	89
全裸	ぜんら	27	束縛スル	そくばく	132	怠慢ナ	たいまん	38
川柳	せんりゅう	11	狙撃スル	そげき	124	大陸棚	たいりくだな	89
			粗忽ナ(外)	そこつ	158	堪える	たえる	40
■そ			阻止スル	そし	76	耐える	たえる	53
～荘	～そう	88	粗品	そしな	141	滝	たき	12
爽快ナ	そうかい	57	訴訟スル	そしょう	75	多岐	たき	94

滝壺(外)	たきつぼ	102	担架	たんか	84	茶漬け	ちゃづけ	95
妥協スル	だきょう	75	団塊	だんかい	20	茶碗(茶椀)(外)	ちゃわん	103
炊く	たく	105	断崖	だんがい	25	治癒スル	ちゆ	118
巧みノ・ナ	たくみ	143	弾劾スル	だんがい	129	中堅	ちゅうけん	142
濁流	だくりゅう	19	弾劾裁判所	だんがいさいばんしょ	129	中軸	ちゅうじく	88
岳	たけ	13	短距離	たんきょり	148	抽出スル	ちゅうしゅつ	38
丈	たけ	86	炭坑	たんこう	98	抽象的ナ	ちゅうしょうてき	38
蛇行スル	だこう	26	単細胞	たんさいぼう	13	衷心	ちゅうしん	56
多彩ナ	たさい	27	淡水	たんすい	26	中枢	ちゅうすう	131
駄作	ださく	116	丹精	たんせい	53	抽選スル	ちゅうせん	38
情弱ナ	だじゃく	56	男尊女卑	だんそんじょひ	49	鋳造スル	ちゅうぞう	114
尋ねる	たずねる	38	淡々	たんたん	26	駐屯スル	ちゅうとん	132
惰性	だせい	56	探偵スル	たんてい	39	中盤	ちゅうばん	10
只(外)	ただ	157	旦那	だんな	149,158	中庸	ちゅうよう	156
堕胎スル	だたい	140	丹念ナ	たんねん	53	蝶(外)	ちょう	24
叩く(外)	たたく	75	堪能ナ・スル	たんのう	40	弔意	ちょうい	46
立ち尽くす	たちつくす	141	蛋白(外)	たんぱく	26	懲役	ちょうえき	129
忽ち(外)	たちまち	158	蛋白質(外)	たんぱくしつ	26	懲戒スル	ちょうかい	129
奪回スル	だっかい	74	鍛錬スル	たんれん	85	長距離	ちょうきょり	148
卓球	たっきゅう	88	暖炉	だんろ	89	彫刻スル	ちょうこく	106
脱獄スル	だつごく	129				弔辞	ちょうじ	46
竜巻	たつまき	10	■ち			徴収スル	ちょうしゅう	143
盾	たて	84	誓い	ちかい	48	挑戦スル	ちょうせん	67
盾突く	たてつく	84	地殻	ちかく	97	蝶々(外)	ちょうちょう	24
建坪	たてつぼ	154	地下茎	ちかけい	20	蝶ネクタイ(外)	ちょうねくたい	24
妥当ナ	だとう	75	痴漢	ちかん	156	挑発スル	ちょうはつ	67
妥当性	だとうせい	75	逐一	ちくいち	150	帳簿	ちょうぼ	40
棚卸スル	たなおろし	116	逐次	ちくじ	150	弔問スル	ちょうもん	46
種蒔きスル(外)	たねまき	103	蓄積スル	ちくせき	116	跳躍スル	ちょうやく	106
打撲スル	だぼく	94	稚拙ナ	ちせつ	105,141	勅語	ちょくご	47
魂	たましい	54	地租	ちそ	117	勅使	ちょくし	47
溜まる(外)	たまる	148	乳搾り	ちちしぼり	122	勅命	ちょくめい	47
賜る	たまわる	132	秩序	ちつじょ	132	貯蓄スル	ちょちく	116
溜め息(外)	ためいき	148	窒素	ちっそ	24	直轄スル	ちょっかつ	123
堕落スル	だらく	140	窒息スル	ちっそく	24	鎮圧スル	ちんあつ	132
誰	だれ	67	茶褐色	ちゃかっしょく	21	陳謝スル	ちんしゃ	41
誰か	だれか	67	嫡子	ちゃくし	69	陳情スル	ちんじょう	41
丹	たん	53	嫡男	ちゃくなん	69	鎮静スル	ちんせい	132

鎮痛	ちんつう	132	■て			電卓	でんたく	88
沈没スル	ちんぼつ	148	定款	ていかん	122	天然痘	てんねんとう	25
沈黙スル	ちんもく	53	提携スル	ていけい	150	添付スル	てんぷ	116
陳列スル	ちんれつ	41	抵抗スル	ていこう	74	天賦	てんぷ	122
			偵察スル	ていさつ	39	転覆スル	てんぷく	95
■つ			亭主	ていしゅ	70	店舗	てんぽ	117
追跡スル	ついせき	147	亭主関白	ていしゅかんぱく	70			
追悼スル	ついとう	47	貞淑ナ	ていしゅく	68,141	■と		
遂に(外)	ついに	125	抵触スル	ていしょく	74	斗	と	155
墜落スル	ついらく	140	逓信省	ていしんしょう	131	胴	どう	17
痛恨	つうこん	55	訂正スル	ていせい	41	胴上げスル	どうあげ	17
通信網	つうしんもう	86	貞節ナ	ていせつ	141	当該	とうがい	41
付き添う	つきそう	116	低俗ナ	ていぞく	88	統括スル	とうかつ	123
償い	つぐない	125	停滞スル	ていたい	115	唐辛子	とうがらし	142
漬け物	つけもの	95	邸宅	ていたく	86	陶器	とうき	95
慎む	つつしむ	45	丁寧語	ていねいご	68	洞窟	どうくつ	28
堤	つつみ	94	剃髪スル(外)	ていはつ	104	峠	とうげ	27
綱引きスル	つなひき	86	堤防	ていぼう	94	陶芸	とうげい	95
綱渡リスル	つなわたり	86	手掛かり	てがかり	105	憧憬	どうけい	56
壺(外)	つぼ	102	手掛ける	てがける	105	投稿スル	とうこう	38
坪	つぼ	154	適宜	てきぎ	46	瞳孔	どうこう	17,20
坪数	つぼすう	154	凸凹ノ・ナ・スル	でこぼこ	156	搭載スル	とうさい	118
壺漬け(外)	つぼづけ	102	手提げ鞄(外)	てさげかばん	103	洞察	どうさつ	28
爪先	つまさき	18	手錠	てじょう	98	謄写スル	とうしゃ	129
紡ぐ	つむぐ	117	撤回スル	てっかい	118	搭乗スル	とうじょう	118
爪	つめ	18	撤去スル	てっきょ	118	陶酔スル	とうすい	95
爪切り	つめきり	18	徹する	てっする	144	闘争スル	とうそう	73
露	つゆ	12	撤退スル	てったい	118	盗賊	とうぞく	131
貫く	つらぬく	142	徹底スル	てってい	144	淘汰スル	とうた	67
釣り合う	つりあう	89	鉄瓶	てつびん	97	胴体	どうたい	17
釣り鐘	つりがね	85	鉄砲	てっぽう	89	唐突ナ	とうとつ	142
吊り革	つりかわ	106	徹夜スル	てつや	144	糖尿病	とうにょうびょう	14
釣り具	つりぐ	89	手筈(外)	てはず	57	討伐スル	とうばつ	118
釣り人	つりびと	89	転嫁スル	てんか	67	豆腐	とうふ	12
吊る(外)	つる	106	添加スル	てんか	116	同胞	どうほう	13
剣	つるぎ	85	天蓋	てんがい	103	謄本	とうほん	129
吊るす(外)	つるす	106	天涯	てんがい	154	東奔西走スル	とうほんせいそう	75
			天下泰平	てんかたいへい	53	透明ナ	とうめい	11

童謡	どうよう	95
動揺スル	どうよう	140
同僚	どうりょう	124
特撮	とくさつ	86
篤実ナ	とくじつ	49
特殊ナ	とくしゅ	149
読唇術	どくしんじゅつ	19
督促スル	とくそく	115
特徴	とくちょう	143
匿名	とくめい	41
吐血スル	とけつ	14
年頃	としごろ	151
土壌	どじょう	19
屠蘇(外)	とそ	19
戸棚	とだな	89
土壇場	どたんば	96
突如	とつじょ	154
凸版	とっぱん	156
凸レンズ	とつれんず	156
賭博	とばく	122
飛び跳ねる	とびはねる	106
扉	とびら	89
土瓶	どびん	97
土塀	どべい	98
戸惑い	とまどい	36
共稼ぎスル	ともかせぎ	116
囚われる(外)	とらわれる	40
取り沙汰スル	とりざた	67
取り繕う	とりつくろう	118
撮る	とる	86
摂る(外)	とる	157
豚汁	とんじる	94
頓知(頓智)	とんち	157
屯田制度	とんでんせいど	132
屯田兵	とんでんへい	132
丼	どんぶり	98

■な

内偵スル	ないてい	39
内分泌	ないぶんぴ	21
内分泌	ないぶんぴつ	21
苗	なえ	17
苗木	なえぎ	17
尚(外)	なお	37
眺め	ながめ	85
眺める	ながめる	85
嘆く	なげく	54
なし崩し	なしくずし	147
謎	なぞ	39
謎々	なぞなぞ	39
雪崩	なだれ	147
懐かしい	なつかしい	54
撫子(外)	なでしこ	70
撫でる(外)	なでる	70
何某(外)	なにがし	130
鍋	なべ	96
生臭い	なまぐさい	13
怠け者	なまけもの	38
鉛	なまり	27
倣う	ならう	56
南蛮	なんばん	156

■に

弐	に	158
煮える	にえる	87
匂い	におい	26
匂う	におう	26
賑やかナ(外)	にぎやか	158
握る	にぎる	67
賑わう(外)	にぎわう	158
濁す	にごす	19
煮込む	にこむ	87
二者択一	にしゃたくいつ	36
煮汁	にじる	12
偽物	にせもの	115

尼僧	にそう	130
煮物	にもの	87
乳酪	にゅうらく	118
尿	にょう	14
如実	にょじつ	154
睨み(外)	にらみ	76
睨み合う(外)	にらみあう	76
睨む(外)	にらむ	76
鶏	にわとり	28
妊娠スル	にんしん	18
忍耐スル	にんたい	53,57
妊婦	にんぷ	13

■ぬ

縫う	ぬう	105
濡らす(外)	ぬらす	24
濡れる(外)	ぬれる	24

■ね

寝癖	ねぐせ	47
熱狂スル	ねっきょう	45
熱烈ナ	ねつれつ	143
粘り強い	ねばりづよい	14
狙い	ねらい	124
狙い撃ちスル	ねらいうち	124
年貢	ねんぐ	124
粘着	ねんちゃく	14
粘土	ねんど	14
年譜	ねんぷ	96
年俸	ねんぼう	122
粘膜	ねんまく	28

■の

納棺スル	のうかん	98
脳血栓	のうけっせん	97
濃紺	のうこん	18
濃霧	のうむ	13
覗き穴(外)	のぞきあな	106

覗き見スル(外)	のぞきみ	106	舶来	はくらい	106	煩雑ナ	はんざつ	56
覗く(外)	のぞく	106	暴露スル	ばくろ	12	藩士	はんし	130
喉	のど	25	励み	はげみ	67	晩酌スル	ばんしゃく	102
			派遣スル	はけん	124	藩主	はんしゅ	130
■は			覇権	はけん	132	搬出スル	はんしゅつ	117
刃	は	87	箸	はし	103	繁盛スル	はんじょう	116
把握スル	はあく	38	箸置き	はしおき	103	繁殖スル	はんしょく	28
拝謁スル	はいえつ	70	筈(外)	はず	57	帆船	はんせん	98
媒介スル	ばいかい	20	馳せる(外)	はせる	69	搬入スル	はんにゅう	117
廃棄スル	はいき	116	裸足(外)	はだし	27	半端ナ	はんぱ	144
売却スル	ばいきゃく	114	鉢植え	はちうえ	97	帆布	はんぷ	98
ばい菌	ばいきん	13	鉢巻き	はちまき	97	頒布スル	はんぷ	122
拝啓	はいけい	40	罰	ばつ	74	氾濫スル	はんらん	103
輩出スル	はいしゅつ	70	罰金	ばっきん	74			
排出スル	はいしゅつ	105	発酵スル	はっこう	18	■ひ		
排除スル	はいじょ	105	伐採スル	ばっさい	118	碑	ひ	97
賠償スル	ばいしょう	125	初霜	はつしも	21	被害妄想	ひがいもうそう	47
陪食スル	ばいしょく	69	発祥スル	はっしょう	94	控え室	ひかえしつ	115
陪審	ばいしん	69	発泡	はっぽう	14	控える	ひかえる	115
排水スル	はいすい	105	発砲スル	はっぽう	89	日陰	ひかげ	11
排斥スル	はいせき	123	甚だ	はなはだ	144	干潟	ひがた	11
陪席スル	ばいせき	69	花婿	はなむこ	69	卑屈ナ	ひくつ	49
排斥運動	はいせきうんどう	123	花嫁	はなよめ	67	髭(外)	ひげ	26
媒体	ばいたい	20	派閥	はばつ	124	披見スル	ひけん	46
培養スル	ばいよう	105	阻む	はばむ	76	鼻孔	びこう	20
配慮スル	はいりょ	73	刃物	はもの	87	日頃	ひごろ	151
這う(外)	はう	104	波紋	はもん	14	膝	ひざ	25
破壊スル	はかい	149	腹這い(外)	はらばい	104	膝頭	ひざがしら	25
ばか丁寧ナ	ばかていねい	68	ばら撒く(外)	ばらまく	104	膝下	ひざした	25
諮る	はかる	39	貼り紙(張り紙)	はりがみ	102	悲惨ナ	ひさん	55
吐き気	はきけ	14	貼り出す(張り出す)	はりだす	102	肘	ひじ	25
吐き出す	はきだす	14	貼り付ける(張り付ける)	はりつける	102	肘打ち	ひじうち	25
歯茎	はぐき	20	破裂スル	はれつ	149	肘鉄	ひじてつ	25
拍車	はくしゃ	70	腫れる	はれる	24	批准スル	ひじゅん	130
拍手スル	はくしゅ	70	藩	はん	130	微笑スル	びしょう	156
漠然	ばくぜん	38	範囲	はんい	36	悲嘆スル	ひたん	54
白桃	はくとう	12	繁栄スル	はんえい	116	備蓄スル	びちく	116
白眉	はくび	20	蛮行	ばんこう	156	棺(外)	ひつぎ	98

258

必需品	ひつじゅひん	116	風俗	ふうぞく	88	雰囲気	ふんいき	155
人垣	ひとがき	88	夫婦喧嘩(外)	ふうふげんか	76	噴火スル	ふんか	28
人柄	ひとがら	142	不朽	ふきゅう	19	憤慨スル	ふんがい	55,56
秘匿スル	ひとく	41	附近(付近)	ふきん	156	分岐点	ぶんきてん	94
一頃	ひところ	151	不均衡ナ	ふきんこう	150	紛糾スル	ふんきゅう	39
瞳	ひとみ	17	不謹慎ナ	ふきんしん	48	粉砕スル	ふんさい	151
泌尿器	ひにょうき	21	福祉	ふくし	129	噴射スル	ふんしゃ	28
避妊スル	ひにん	13	覆面スル	ふくめん	95	分譲スル	ぶんじょう	124
丙午(外)	ひのえうま	149	膨れる	ふくれる	14	奮迅	ふんじん	155
疲弊スル	ひへい	142	富豪	ふごう	115	噴水	ふんすい	28
非凡ナ	ひぼん	156	扶助スル	ふじょ	69	分析スル	ぶんせき	37
暇ナ	ひま	88	不詳	ふしょう	36	奮闘スル	ふんとう	73
微妙ナ	びみょう	150	不肖	ふしょう	105	憤怒	ふんぬ	55
姫	ひめ	132	不祥事	ふしょうじ	94	分泌スル	ぶんぴ	21
罷免スル	ひめん	131	侮辱スル	ぶじょく	48,75	分泌スル	ぶんぴつ	21
紐(外)	ひも	104	附属(付属)スル	ふぞく	156	墳墓	ふんぼ	96
飛躍スル	ひやく	148	蓋	ふた	103	分裂スル	ぶんれつ	149
氷塊	ひょうかい	20	豚肉	ぶたにく	94			
拍子	ひょうし	70	扶持	ふち	69	■へ		
表彰スル	ひょうしょう	67	縁	ふち	70	平穏ナ	へいおん	144
剽窃スル(外)	ひょうせつ	132	二日酔い	ふつかよい	85	弊害	へいがい	142
漂着スル	ひょうちゃく	150	物騒ナ	ぶっそう	85	丙午	へいご	149
病棟	びょうとう	94	仏壇	ぶつだん	96	平衡スル	へいこう	150
漂白スル	ひょうはく	150	沸騰スル	ふっとう	114	併合スル	へいごう	125
漂流スル	ひょうりゅう	150	不妊	ふにん	13	閉鎖スル	へいさ	87
兵糧	ひょうろう	88	赴任スル	ふにん	123	平凡ナ	へいぼん	156
微量	びりょう	156	腐敗スル	ふはい	12	併用スル	へいよう	125
披瀝スル(外)	ひれき	46	侮蔑スル	ぶべつ	75	凹む(外)	へこむ	157
卑劣ナ	ひれつ	49	普遍	ふへん	155	別荘	べっそう	88
披露スル	ひろう	46	踏まえる	ふまえる	86	別棟	べつむね	94
敏感ナ	びんかん	45	踏切	ふみきり	86	別枠	べつわく	86
頻度	ひんど	155	踏み込む	ふみこむ	86	蛇	へび	26
頻発スル	ひんぱつ	155	不愉快ナ	ふゆかい	55	縁(外)	へり	70
頻繁ナ	ひんぱん	116,155	扶養スル	ふよう	69	返還スル	へんかん	115
貧乏スル	びんぼう	116	浮揚スル	ふよう	106	便宜	べんぎ	46
			俘虜(外)	ふりょ	130	返却スル	へんきゃく	114
■ふ			風呂	ふろ	95	偏見	へんけん	49
封鎖スル	ふうさ	87	風呂敷	ふろしき	95	偏差値	へんさち	49

弁償スル	べんしょう	125		亡霊	ぼうれい	49		奔放ナ	ほんぽう	75
偏食スル	へんしょく	49		放浪スル	ほうろう	88		翻訳スル	ほんやく	38
変遷スル	へんせん	154		飽和スル	ほうわ	151		凡庸ナ	ぼんよう	156
遍歴	へんれき	154		吠える(外)	ほえる	27		本塁打	ほんるいだ	106
				頬	ほお	26		翻弄スル	ほんろう	38

■ほ

				頬紅	ほおべに	26				
穂	ほ	12		頬骨	ほおぼね	26		■ま		
帆	ほ	98		捕獲スル	ほかく	115		埋葬スル	まいそう	87
某	ぼう	130		墨汁	ぼくじゅう	95		賄う	まかなう	125
崩壊スル	ほうかい	147,149		北斗七星	ほくとちちせい	154		蒔絵(外)	まきえ	103
妨害スル	ぼうがい	76		朴訥ナ(外)	ぼくとつ	142		撒き散らす(外)	まきちらす	104
傍観スル	ぼうかん	38		撲滅スル	ぼくめつ	94		膜	まく	28
放棄スル	ほうき	116		捕鯨	ほげい	28		摩擦スル	まさつ	144
俸給	ほうきゅう	122		惚ける(呆ける)(外)	ぼける	48		魔女	まじょ	57
冒険スル	ぼうけん	104		矛	ほこ	106		升	ます	102
芳香	ほうこう	13		矛先	ほこさき	106		麻酔	ますい	85
奉公スル	ほうこう	75		誇り	ほこり	54		升目	ますめ	102
奉仕スル	ほうし	75		穂先	ほさき	12		股	また	21
某氏	ぼうし	130		補償スル	ほしょう	125		又	また	37
報酬	ほうしゅう	125		舗装スル	ほそう	117		瞬き	またたき	158
芳醇ナ	ほうじゅん	13		蛍	ほたる	18		又は	または	37
褒賞	ほうしょう	70		没収スル	ぼっしゅう	148		抹殺スル	まっさつ	149
飽食スル	ほうしょく	151		発端	ほったん	144		抹消スル	まっしょう	149
紡績	ぼうせき	117		没落スル	ぼつらく	148		末梢神経(外)	まっしょうしんけい	25
法曹	ほうそう	131		殆ど(外)	ほとんど	158		真っ只中(外)	まっただなか	157
膨大ナ	ぼうだい	14		捕縛スル	ほばく	132		抹茶	まっちゃ	149
膨張スル	ぼうちょう	14		誉める(外)	ほめる	45		摩天楼	まてんろう	144
傍聴スル	ぼうちょう	38		褒める	ほめる	70		瞬き(外)	まばたき	158
法廷	ほうてい	131		堀	ほり	84		魔法瓶	まほうびん	97
冒頭	ぼうとう	104		捕虜	ほりょ	130		幻	まぼろし	45
暴騰スル	ぼうとう	114		彫る	ほる	106		摩耗スル	まもう	144,157
報道陣	ほうどうじん	125		翻意スル	ほんい	38		眉	まゆ	20
奉納スル	ほうのう	75		盆栽	ぼんさい	104		繭	まゆ	25
茫漠	ぼうばく	38		凡人	ぼんじん	156		繭玉	まゆだま	25
防波堤	ぼうはてい	94		奔走スル	ほんそう	75		丸刈り	まるがり	104
褒美	ほうび	70		本棚	ほんだな	89		満悦ナ・スル	まんえつ	55
放漫ナ	ほうまん	95		盆地	ぼんち	94		漫画	まんが	95
抱擁スル	ほうよう	123		煩悩	ぼんのう	56		漫才	まんざい	95

慢性	まんせい	57
満塁	まんるい	106

■み

見劣リスル	みおとり	149
未開拓	みかいたく	115
眉間	みけん	20
未墾	みこん	118
岬	みさき	19
惨めナ	みじめ	55
水揚げスル	みずあげ	106
未遂	みすい	125
見据える	みすえる	106
水栽培	みずさいばい	104
水溜まり(外)	みずたまり	148
味噌(外)	みそ	103
溝	みぞ	12
味噌味(外)	みそあじ	103
未曽有	みぞう	147
味噌汁(外)	みそしる	12,103
貢ぐ	みつぐ	124
身繕いスル	みづくろい	118
密猟スル	みつりょう	117
峰	みね	12
雅ナ(外)	みやび	142
魅了スル	みりょう	53
魅力	みりょく	53
魅惑スル	みわく	53
民事訴訟	みんじそしょう	75
民俗	みんぞく	88
民謡	みんよう	95

■む

無垢ナ(外)	むく	25
婿養子	むこようし	69
無邪気ナ	むじゃき	49
矛盾スル	むじゅん	84,106
無駄遣いスル	むだづかい	116,124
無頓着	むとんちゃく	157
虚しい(外)	むなしい	37
棟	むね	94
無謀ナ	むぼう	38
無報酬	むほうしゅう	125
無闇ニ	むやみ	20
紫	むらさき	12

■め

銘柄	めいがら	57
名称	めいしょう	37
名簿	めいぼ	40
名誉ナ	めいよ	45
目隠しスル	めかくし	67
巡る	めぐる	148
雌	めす	21
滅多に	めったに	149
雌花	めばな	21
免疫	めんえき	18

■も

藻	も	21
猛獣	もうじゅう	18
猛暑	もうしょ	141
妄想スル	もうそう	47
盲腸	もうちょう	28
盲点	もうてん	28
盲導犬	もうどうけん	28
猛毒	もうどく	141
網羅スル	もうら	55
猛烈ナ	もうれつ	141,143
模擬	もぎ	55
黙秘スル	もくひ	53
模索スル	もさく	37
喪主	もしゅ	87
勿論(外)	もちろん	40
木琴	もっきん	87
尤も(外)	もっとも	40

尤もナ(外)	もっとも	40
模範	もはん	36
喪服	もふく	87
模倣スル	もほう	56
桃	もも	12
桃色	ももいろ	12
貰い泣きスル(外)	もらいなき	122
貰い物(外)	もらいもの	122
貰う(外)	もらう	122
紋章	もんしょう	14
門扉	もんぴ	89

■や

野猿	やえん	14
薬缶(外)	やかん	87
焼き芋	やきいも	20
厄落としスル	やくおとし	49
薬剤	やくざい	86
厄年	やくどし	49
厄介者	やっかいもの	49
約款	やっかん	122
躍起	やっき	148
柳	やなぎ	11
野蛮ナ	やばん	156
山裾	やますそ	103
闇	やみ	20

■ゆ

唯一	ゆいいつ	141
唯心論	ゆいしんろん	141
唯物論	ゆいぶつろん	141
憂鬱ナ	ゆううつ	54
優雅ナ	ゆうが	142
誘拐スル	ゆうかい	76
勇敢ナ	ゆうかん	47
遊戯	ゆうぎ	105
優遇スル	ゆうぐう	74
優遇措置	ゆうぐうそち	123

幽谷	ゆうこく	48		浴槽	よくそう	102		寮母	りょうぼ	89
湧出(涌出)スル	ゆうしゅつ	24		横殴り	よこなぐり	76		虜囚	りょしゅう	130
悠然ト	ゆうぜん	143		余剰	よじょう	151		履歴書	りれきしょ	94
悠長ナ	ゆうちょう	143		予防措置	よぼうそち	123		～厘	～りん	157
幽閉スル	ゆうへい	48		蘇る(外)	よみがえる	19		輪郭	りんかく	130
悠々ト	ゆうゆう	143		嫁	よめ	67		隣人	りんじん	70
猶予スル	ゆうよ	123		慶ぶ(外)	よろこぶ	45		隣接スル	りんせつ	70
憂慮スル	ゆうりょ	54		宜しい(外)	よろしい	46		倫理	りんり	45
幽霊	ゆうれい	48,49						倫理的ナ	りんりてき	45
優劣	ゆうれつ	149		■ら						
誘惑スル	ゆうわく	36		雷雨	らいう	11		■る		
愉快ナ	ゆかい	55		来賓	らいひん	69		累計スル	るいけい	116
揺さぶる	ゆさぶる	140		落胆スル	らくたん	27		類人猿	るいじんえん	14
癒着スル	ゆちゃく	118		酪農	らくのう	118		累積スル	るいせき	116
茹で蛸(外)	ゆでだこ	104		落雷スル	らくらい	11				
茹で卵(外)	ゆでたまご	104		裸体	らたい	27		■れ		
茹でる(外)	ゆでる	104		羅列スル	られつ	55		霊園	れいえん	49
揺らぐ	ゆらぐ	140		欄外	らんがい	41		礼儀	れいぎ	70
緩める	ゆるめる	155		濫読(乱読)スル	らんどく	103		冷酷ナ	れいこく	48
				濫用(乱用)スル	らんよう	103		令嬢	れいじょう	68
■よ								冷淡ナ	れいたん	26
宵越し	よいごし	28		■り				劣等感	れっとうかん	149
余韻	よいん	56		理屈	りくつ	46		廉価ナ	れんか	118
酔う	よう	85		履行スル	りこう	94		錬金術	れんきんじゅつ	21
窯業	ようぎょう	114		利潤	りじゅん	117		連携スル	れんけい	150
養鶏	ようけい	28		理不尽ナ	りふじん	141		連鎖スル	れんさ	87
擁護スル	ようご	123		略奪スル	りゃくだつ	74		連載スル	れんさい	36
要綱	ようこう	86		竜	りゅう	10		錬成スル	れんせい	21
要旨	ようし	84		硫化スル	りゅうか	20		連覇スル	れんぱ	132
容赦スル	ようしゃ	76		隆起スル	りゅうき	147		廉売スル	れんばい	118
養殖スル	ようしょく	28		流行性感冒	りゅうこうせいかんぼう	104		恋慕スル	れんぼ	57
夭逝スル	ようせい	20		硫酸	りゅうさん	20		連峰	れんぽう	12
幼稚ナ	ようち	105		隆盛ナ	りゅうせい	147				
幼稚園	ようちえん	105		寮	りょう	89		■ろ		
養豚	ようとん	94		領袖	りょうしゅう	85		朗詠スル	ろうえい	49
漸く(外)	ようやく	157		猟銃	りょうじゅう	117		廊下	ろうか	96
擁立スル	ようりつ	123		寮生	りょうせい	89		楼閣	ろうかく	97
余暇	よか	88		料亭	りょうてい	70		老朽スル	ろうきゅう	19

老醜	ろうしゅう	156	■わ			僅かナ	わずか	158
漏電スル	ろうでん	151	賄賂	わいろ	122	煩わしい	わずらわしい	56
浪人スル	ろうにん	88	脇	わき	13	和洋折衷	わようせっちゅう	56
浪費スル	ろうひ	88	湧く（涌く）	わく	24	碗（椀）(外)	わん	103
楼門	ろうもん	97	枠	わく	86
露骨ナ	ろこつ	12	枠組み	わくぐみ	86
露呈スル	ろてい	122	わさび醤油(外)	わさびじょうゆ	104

著者略歴

飯嶋　美知子（いいじま　みちこ）
早稲田大学大学院日本語教育研究科博士後期課程満期退学（日本語教育学修士）
北海道情報大学情報メディア学部准教授

山田　京子（やまだ　きょうこ）
早稲田大学大学院日本語教育研究科修士課程修了（日本語教育学修士）
早稲田大学日本語教育研究センター非常勤講師

田中　里実（たなか　さとみ）
北海道大学国際広報メディア・観光学院博士後期課程満期退学（国際広報メディア学修士）
北海道情報大学医療情報学部講師

吉田　雅子（よしだ　まさこ）
早稲田大学大学院日本語教育研究科博士後期課程満期退学（日本語教育学修士）
中央大学非常勤講師

藤野　安紀子（ふじの　あきこ）
早稲田大学大学院日本語教育研究科修士課程修了（日本語教育学修士）
早稲田大学大学院文学研究科博士後期課程満期退学
国書日本語学校専任講師

使う順と連想マップで学ぶ漢字＆語彙　日本語能力試験N1

2012年10月10日　初版第一刷　発行
2019年 3月15日　初版第二刷　発行

飯嶋美知子　監修・著
山田京子・田中里実・吉田雅子・藤野安紀子　著

翻訳　英語　渡辺レイチェル
　　　中国語・韓国語　李鶴松・許征（国書日本語学校）

装幀　長谷川じん（CMD+G Design Inc.）

編集協力　山﨑静枝（国書日本語学校）

発行者　佐藤今朝夫
発行所　株式会社国書刊行会
〒174-0056　東京都板橋区志村1-13-15
電話　03-5970-7421　ファックス　03-5970-7427
http://www.kokusho.co.jp

印刷　株式会社シーフォース
製本　株式会社村上製本所

乱丁本・落丁本はお取り替えいたします。
ISBN 978-4-336-05561-3

©Michiko Iijima, Kyoko Yamada, Satomi Tanaka, Masako Yoshida, Akiko Fujino

使う順と連想マップで学ぶ
漢字&語彙
日本語能力試験 N1

解答

国書刊行会

1 自然・生物

Unit 1 練習問題
(p.15 〜 16)

問題 1
1. はもん
2. にょう
3. げんせん
4. しんじゅ
5. らいう
6. ぼうだい
7. けっしょう
8. しゅにく
9. ひがた
10. ろこつ
11. のうむ
12. きく

問題 2
1. きばん、きはん
2. かいこう、がいこう
3. さんがく、さっかく
4. こうずい、こうすい

問題 3
1. 丘
2. 竜
3. 猿、細胞
4. 桑
5. 連峰

問題 4
1. かんばしい
2. すきとおる
3. むらさき
4. あらし
5. くさる
6. ひかげ
7. なまぐさい
8. やなぎ
9. わき

問題 5
1. 妊婦
2. 腐敗
3. 肝
4. 尻
5. 泡
6. 果汁

問題 6
1. 澄(す)んで
2. 膨(ふく)らんで
3. 輝(かがや)かしい
4. 茂(しげ)って／茂(しげ)り
5. 粘(ねば)り強(づよ)く
6. 吐(は)き

Unit 2 練習問題
(p.22 〜 23)

問題 1
1. せいきょ
2. れんせい
3. めんえき
4. きゅうりょう
5. かいそう
6. けいこく
7. しぼう
8. だくりゅう
9. ガラス
10. しっかん
11. こはん
12. こつずい
13. かっしょく
14. きこう
15. だんかい

問題 2
1. せんい、ぜんい
2. どじょう、とうじょう
3. きょうこ、ぎょうこ
4. がいちゅう、かいじゅう

問題 3
1. 芋
2. 蛍
3. 四肢
4. 歯茎
5. 発酵

問題 4
1. みさき
2. はつしも
3. なえぎ
4. くらやみ
5. つまさき
6. か
7. どうあげ
8. ひとみ
9. まゆ

問題 5
1. 暗礁
2. 雌雄
3. 股
4. 下唇
5. 媒介

6 硫黄
7 分泌
8 紺碧

問題 6
1 朽（く）ちて
2 蘇（よみがえ）って
3 濁（にご）して
4 霞（かす）んで
5 凝（こ）った

Unit 3　練習問題
(p.29～30)

問題 1
1 くうどう
2 ようけい
3 たんぱく
4 こまく
5 こんぶ
6 かちゅう
7 たいじ
8 かいきょう
9 ちっそ
10 げり
11 かんじん
12 ほげい

問題 2
1 じゅよう、しゅよう
2 しこう、じこう
3 しゅっとう、しゅとう
4 たんすい、だんすい
5 ふんしゃ、ふうしゃ

問題 3
1 色彩、蝶
2 蛇
3 喉、咳
4 大胆
5 睡眠、熟睡

問題 4
1 まゆ
2 とうげ
3 ひげ
4 こずえ
5 ひざ
6 がけ
7 あかつき

問題 5
1 肘鉄
2 匂い
3 繁殖
4 ずぶ濡れ
5 盲点
6 鉛
7 頬

問題 6
1 渇（かわ）いて
2 吠（ほ）え
3 噛（か）み
4 湧（わ）いて
5 腫（は）れた
6 濡（ぬ）れた

試験模擬問題
(p.31～35)

問題 1
1 2
2 2
3 3
4 4
5 1
6 3
7 3
8 2
9 4
10 4
11 1
12 3

問題 2
1 4
2 3
3 3
4 4
5 3
6 4
7 2
8 3
9 1
10 1

問題 3
1 2
2 4
3 2
4 3
5 4
6 4

問題4
1. 4
2. 3
3. 1
4. 2
5. 3
6. 1

2　心情・思考・言語
Unit 1　練習問題
(p.42～43)

問題1
1. きはん
2. そうさく
3. いしゃりょう
4. はあく
5. たんてい
6. しょうほん
7. ごうもん
8. きょうせい
9. ちんしゃ
10. ずいひつ
11. そうにゅう
12. はいけい
13. しょうだく
14. しさ
15. きゅうめい

問題2
1. しゅし、しゅうし
2. じんもん、しもん
3. しょうこ、しょうきょ
4. がいとう、かいとう

問題3
1. 投稿、掲載
2. 謎、解析
3. 喚問、傍聴
4. 概念、翻訳
5. 又、選択、吟味

問題4
1. とまどい
2. あてな
3. なお
4. なまけもの
5. ある
6. もちろん
7. さしえ
8. もっとも
9. その

問題5
1. 解釈
2. 抽選
3. 陰謀
4. 漠然
5. 閲覧
6. 遺憾
7. 家計簿
8. 改訂
9. 空欄
10. 匿名
11. 名称

問題6
1. 詳しく
2. 欺いて
3. 虚しく
4. 堪え
5. 囚われて

Unit 2　練習問題
(p.50～51)

問題1
1. じょくん
2. ちょうもん
3. ちょくめい
4. ゆうかん
5. じゅきょう
6. しょうしょ
7. じぜん
8. ゆうれい
9. ぜん
10. ろうえい
11. きとく
12. いっしゅうき

問題2
1. しんちょう、しじょう
2. げんそう、けんぞう
3. こどく、こうどく
4. てきぎ、てきい
5. かんよう、がいよう

問題3
1. 敏感、憶病
2. 鑑賞、倫理的
3. 崇拝、追悼
4. 亡霊、妄想
5. 無邪気、残酷

問題4
1. くるう
2. くちぐせ

3 のろう
4 ちかう
5 うわさ
6 うそつき
7 やくどし
8 うやうやしい
9 つつしむ

▶ 問題5
1 頑固
2 冗談
3 錯覚
4 披露
5 屈辱
6 自粛
7 偏見
8 卑屈
9 退屈

▶ 問題6
1 慶（よろこ）び
2 顧（かえり）みる
3 誉（ほ）められ
4 惚（ほ）けて
5 仰（あお）いで／仰（あお）ぎ

Unit 3　練習問題
(p.58〜59)

▶ 問題1
1 あんたい
2 ゆうりょ
3 せいじゃく
4 けが
5 まんえつ
6 もうら

7 ぎじ
8 ふんがい
9 ちゅうしん
10 だせい
11 きょうゆ
12 ゆかい

▶ 問題2
1 きげん、きけん
2 こうき、こうぎ
3 かんじょう、かんしょう
4 きょうしゅう、きょうじゅ
5 こくふく、こうふく

▶ 問題3
1 懸命、驚異
2 自慢、魅了
3 痛恨、惜敗
4 邪魔、余韻
5 稽古、模倣

▶ 問題4
1 ほこり
2 すすめる
3 たましい
4 あこがれ
5 さわやか
6 はず
7 しのぶ
8 うれしい

▶ 問題5
1 警戒
2 沈黙
3 丹念

4 哀愁
5 愚痴
6 悲惨
7 感慨
8 感銘

▶ 問題6
1 悔（くや）しい
2 悟（さと）る
3 懐（なつ）かしく
4 耐（た）え
5 嘆（なげ）く
6 慕（した）って
7 煩（わずら）わしい

試験模擬問題
(p.60〜65)

▶ 問題1
1 4
2 1
3 3
4 1
5 2
6 1
7 3
8 4
9 1
10 3
11 1
12 2
13 3
14 4
15 4
16 2
17 2

問題2
1. 3
2. 1
3. 4
4. 1
5. 1
6. 4
7. 2
8. 1
9. 2
10. 4
11. 1
12. 4
13. 2
14. 3
15. 1
16. 3

問題3
1. 4
2. 1
3. 2
4. 1
5. 3

問題4
1. 3
2. 1
3. 4
4. 2
5. 2
6. 1

3 交流・対立

Unit 1 練習問題
(p.71～72)

問題1
1. しし
2. とうた
3. えっけん
4. ばいせき
5. せんぱい
6. きんりん
7. えんだん
8. ひょうしょう
9. ちゃくなん

問題2
1. りょうてい、りょてい
2. しゅさい、しゅうさい
3. ていしゅく、ていしょく
4. れいじょう、れいしょう
5. ほうしょう、ほしょう
6. ふよう、ふゆう

問題3
1. 紳士
2. 俺
3. 誰
4. 来賓
5. 滋養

問題4
1. ねんごろ
2. おとめ
3. おば
4. よめ
5. おじ

6. はせる
7. はなむこ

問題5
1. 行儀
2. 拍車
3. 挨拶
4. 婚姻届
5. 御無沙汰
6. 隠し味
7. 宴会
8. 丁寧語
9. 音沙汰

問題6
1. 励(はげ)まして
2. 挑(いど)む
3. 隠(かく)して
4. 握(にぎ)った
5. 撫(な)でられる

Unit 2 練習問題
(p.77～78)

問題1
1. しゃだん
2. だきょう
3. ぶべつ
4. けんか
5. ふんとう
6. ようしゃ
7. けんきょ
8. そしょう
9. りゃくだつ

問題2
1. たいほ、たいほう
2. ゆかい、ゆうかい
3. ほんそう、ほうそう
4. だっかい、だかい
5. かこん、かごん
6. かっさい、かさい

問題3
1. 鬼
2. 罰
3. 拘束
4. 抵抗
5. 阻止

問題4
1. おかす
2. しいたげる
3. たたく
4. なぐる
5. はばむ
6. おどす
7. たてまつる

問題5
1. 脅威
2. 叱責
3. 犠牲
4. 喧騒
5. 配慮
6. 睨み
7. 優遇

問題6
1. 叱り
2. 襲われた
3. 拒んで
4. 妨げられて
5. 侮る
6. 遮られて

試験模擬問題
(p.79〜83)

問題1
1. 2
2. 4
3. 1
4. 2
5. 3
6. 4
7. 3
8. 4
9. 2
10. 3
11. 4
12. 1

問題2
1. 2
2. 4
3. 1
4. 3
5. 2
6. 4
7. 2
8. 1
9. 4
10. 3
11. 3
12. 2

問題3
1. 4
2. 1
3. 2
4. 3
5. 3

問題4
1. 4
2. 1
3. 2
4. 4
5. 3

4 生活

Unit 1 練習問題
(p.90〜92)

問題1
1. かくう
2. ていたく
3. かん
4. じゅう
5. ぐんかん
6. しょくたく
7. げんかん
8. ふうぞく
9. しゅうしょく
10. かんぱん
11. しゅし
12. きゃくほん
13. てっぽう
14. りょう
15. だんろ
16. あいがん

問題 2
1. りょうしゅう、りょうしょう
2. がんじょう、かんじょう
3. せんざい、ぜんさい
4. ぶっそう、ぶつぞう
5. しょさい、しょうさい

問題 3
1. 基礎
2. 塾
3. 別荘
4. 酢

問題 4
1. つなひき
2. あみ
3. ほんだな
4. かりゅうど
5. ほうむる
6. ながめる
7. つりあう
8. かきね
9. かて
10. とびら
11. くさり

問題 5
1. 警鐘
2. 真剣
3. 傘下
4. 喪失
5. 栄冠
6. 凶作
7. 浪費
8. 掛け軸

9. 外堀
10. 琴線
11. 枠
12. 刃
13. 暇

問題 6
1. 煮えた
2. 鍛えて
3. 踏まえて／踏まえ
4. 盾突く
5. 酔った
6. 撮る

Unit 2　練習問題
(p.99～100)

問題 1
1. ごふく
2. たんこう
3. けしょう
4. ふろ
5. どべい
6. けんばん
7. ろうか
8. ろうかく
9. こふん
10. まんが
11. ごらく
12. がれき
13. せっかん
14. ひ
15. どびん

問題 2
1. とうき、どうき

2. きが、きか
3. きょうてい、きゅうてい
4. ぼくじゅう、ぼくじょう
5. ごばん、こはん

問題 3
1. 弦
2. 栓
3. 丼
4. 盆

問題 4
1. うちわ
2. かま
3. はちうえ
4. ぶたにく
5. うるし
6. むねつづき
7. すもう
8. なべ
9. ぞうり
10. かいがら
11. ほ

問題 5
1. 花壇
2. 薫陶
3. 休憩
4. 手錠
5. 楽譜
6. 岐路
7. 閑散
8. 不祥事
9. 堤防
10. 童謡

◀問題6

1 遭わない
2 掲げて
3 漬けた
4 覆って
5 飢えて

Unit 3　練習問題
(p.107～108)

◀問題1

1 せんぱく
2 みそ
3 はいすい
4 しょうゆ
5 むじゅん
6 いす
7 ぎきょく
8 ほんるいだ
9 さんぷ
10 らんよう
11 ようちえん
12 ちょうやく
13 ぼんさい
14 ぼうけん

◀問題2

1 そぞう、そうぞう
2 しょうぞう、じょうぞう
3 きし、ぎし
4 きょうじゅ、きゅうじょ
5 ばんしゃく、ばんじゃく

◀問題3

1 紐
2 蓋
3 碗
4 匙

◀問題4

1 くさかり
2 かばん
3 つぼ
4 えりまき
5 はし
6 ます
7 かみそり
8 まきえ
9 しきち
10 しかけ
11 のぞく
12 ほる
13 あげる
14 さんばし

◀問題5

1 栽培
2 餌食
3 裾
4 浴槽
5 芯

◀問題6

1 見据える
2 茹でて
3 縫う
4 貼り出して
5 這う
6 吊るした／吊るす
7 蹴飛ばされた
8 ばら撒いて
9 炊いて

試験模擬問題
(p.109～113)

◀問題1

1 4
2 2
3 3
4 2
5 1
6 1
7 4
8 2
9 4
10 3

◀問題2

1 1
2 4
3 2
4 2
5 4
6 1
7 1
8 1
9 3
10 4

◀問題3

1 1
2 1
3 3
4 2
5 4

◀問題4

1 4

2 3
3 2
4 4
5 1

5 経済・社会

Unit 1 練習問題
(p.119〜120)

問題 1
1 かいたく
2 かいぼう
3 ばっさい
4 げた
5 とうさい
6 ちゅうぞう
7 うんぱん
8 らくのう
9 れんか
10 へんきゃく
11 かへい
12 えんしょう

問題 2
1 こうじょ、こうしょう
2 きょうこう、きょうごう
3 はんじょう、はんしょう
4 そうぜい、そぜい
5 かせん、かんせん

問題 3
1 購読
2 倹約
3 獲得
4 放棄
5 開墾

問題 4
1 みる
2 つむぐ
3 たなおろし
4 かもしだす
5 しにせ
6 とりつくろう
7 とぼしい
8 いやす
9 える
10 かま

問題 5
1 督促
2 需要
3 沸騰
4 還元
5 撤回
6 累積
7 密猟

問題 6
1 稼(かせ)いだ
2 潤(うるお)った
3 添(そ)って
4 蓄(たくわ)えて
5 滞(とどこお)って
6 偽(いつわ)って

Unit 2 練習問題
(p.126〜127)

問題 1
1 ねんぽう
2 はんぷ
3 ちょっかつ
4 あっせん
5 はいせき
6 さぎ
7 わいろ
8 ようりつ
9 すいしょう
10 いしょく
11 しょむ
12 げっぷ

問題 2
1 しゃっかん、じゃっかん
2 ほしゅう、ほうしゅう
3 しゃくち、そち
4 がしょう、がっしょう
5 じっせん、じせん

問題 3
1 派閥
2 委託
3 進呈
4 在籍
5 同僚

問題 4
1 じんどる
2 みつぐ
3 もらいもの
4 かけひき
5 むだづかい
6 とる
7 つぐなう
8 あわせる
9 かける

問題 5
1. 未遂
2. 賠償
3. 総括
4. 猶予
5. 天賦

問題 6
1. 賄(まかな)って
2. 搾(しぼ)って
3. 譲(ゆず)ろう
4. 赴(おもむ)いた
5. 狙(ねら)って／狙(ねら)い

Unit 3　練習問題
(p.133 〜 134)

問題 1
1. ひめん
2. とうほん
3. はんしゅ
4. こくじ
5. せっとう
6. りんかく
7. ちゅうとん
8. とうぞく
9. たいい
10. れんぱ
11. きじょう
12. ていしんしょう
13. おうひ
14. ししょう
15. ほりょ

問題 2
1. くんしょう、ぐんしゅう
2. かんごく、かんこく
3. こうり、こうし
4. だんがい、だんかい
5. じゅうそう、じゅうしょう

問題 3
1. 出廷
2. 中枢
3. 秩序
4. 福祉
5. 圏内

問題 4
1. こぞう
2. ひめ
3. いばる
4. あまでら
5. さむらい

問題 5
1. 批准
2. 更迭
3. 捕縛
4. 遵守
5. 是正
6. 殉職
7. 何某

問題 6
1. 懲(こ)りず
2. 縛(しば)って
3. 鎮(しず)めて
4. 賜(たまわ)り
5. 威張(いば)らない

試験模擬問題
(p.135 〜 139)

問題 1
1. 2
2. 2
3. 1
4. 2
5. 1
6. 3
7. 2
8. 3
9. 1
10. 3

問題 2
1. 1
2. 2
3. 4
4. 3
5. 2
6. 4
7. 1
8. 2
9. 4
10. 1

問題 3
1. 3
2. 3
3. 3
4. 2
5. 1

問題 4
1. 2

2 4
3 1
4 1
5 2
6 3
7 2
8 2
9 4
10 1

6 様相・状態

Unit 1 練習問題
(p.145〜146)

問題1
1 せいぜつ
2 しがん
3 だらく
4 まさつ
5 いじ
6 ゆいいつ
7 けんちょ
8 てってい
9 あねったい

問題2
1 そだい、そうだい
2 ごうけん、こうけん
3 ごうけつ、こうけつ
4 しゅんそく、しゅうそく
5 ていしゅく、ていしょく
6 ちょうしゅう、ちょうしょう

問題3
1 項目、箇条
2 素朴、人柄
3 猛烈
4 唐突
5 即座

問題4
1 すでに
2 はなはだしい
3 つたない
4 つらぬく
5 かたい
6 ゆらぐ

問題5
1 佳境
2 粋
3 半端
4 弊害
5 優雅
6 弧
7 悠々
8 墜落
9 暫定

問題6
1 擦れ違った
2 穏やかに
3 尽きて/尽き
4 慌てて
5 巧みに
6 焦げて

Unit 2 練習問題
(p.152〜153)

問題1
1 やっき
2 ちくじ
3 じゅんかん
4 せんすい
5 はかい
6 ふきんこう
7 ぶんれつ
8 とくしゅ
9 かじょう

問題2
1 ぼっしゅう、ぼしゅう
2 きょり、きょうり
3 じょこう、じょうこう
4 まっさつ、まさつ
5 しょうげき、しゅうげき
6 えんせい、えいせい

問題3
1 暦、元旦
2 絞殺
3 巧妙
4 丙午
5 旬、頃

問題4
1 おちいる
2 みぞう
3 なだれ
4 あくまで
5 うとい
6 あまもり

7 いくた
8 ほろびる

▸ 問題5
1 奇跡
2 溜め息
3 起伏
4 間隔
5 優劣
6 軌道
7 隆盛
8 傾斜

▸ 問題6
1 巡って/巡り
2 携わって
3 逸らさない
4 砕けて
5 浸して
6 滑り
7 漂って

Unit 3 練習問題
(p.159～160)

▸ 問題1
1 ひんど
2 おうとつ
3 ふんいき
4 へんせん
5 せいとん
6 しょうもうひん
7 じんそく
8 せつな
9 いっとかん

▸ 問題2
1 ちゅうよう、じゅうよう
2 いど、いどう
3 こうれい、ごうれい
4 しゅんじ、じゅんじ
5 しょうがい、しょうかい
6 けつじょ、けつじょう

▸ 問題3
1 壱、弐
2 附近、浄化
3 斤
4 隻
5 普遍

▸ 問題4
1 わずか
2 つぼ
3 ほとんど
4 うるわしい
5 おいて
6 まっただなか
7 くぶくりん
8 でこぼこ
9 ようやく

▸ 問題5
1 窮地
2 緩急
3 愚痴
4 蛮行
5 醜態
6 忽然
7 間隙
8 非凡

▸ 問題6
1 摂った/摂る
2 微かに
3 揃えて
4 賑わって
5 稀な
6 衰えて

試験模擬問題
(p.161～165)

▸ 問題1
1 3
2 2
3 4
4 2
5 1
6 2
7 4
8 3
9 4
10 1
11 3
12 2

▸ 問題2
1 1
2 2
3 3
4 4
5 4
6 2
7 4
8 3
9 3
10 4

| 11 | 1 |
| 12 | 2 |

問題 3
1	4
2	2
3	4

4	2
5	2
6	4

問題 4
| 1 | 3 |
| 2 | 3 |

3	1
4	2
5	1
6	2

初版第二刷